ERIC EDELMANN

Eric Edelmann est docteur en philosophie du département de Sciences des religions de la Sorbonne. Depuis plus de vingt ans, il suit le chemin spirituel que propose Arnaud Desjardins. Pour écrire *Jésus parlait l'araméen*, Eric Edelmann a mené pendant plusieurs années des recherches historiques et linguistiques. Il est également l'auteur de deux anthologies : *Éclairs d'éternité* et *Plus on est de sages plus on rit* aux éditions La Table Ronde.
Il vit aujourd'hui au Canada.

JÉSUS PARLAIT
ARAMÉEN

ÉRIC EDELMANN

JÉSUS PARLAIT ARAMÉEN

À la recherche
de l'enseignement originel

© 2000, Les Éditions du Relié

LES ÉDITIONS DU RELIÉ

© 2000, Les Éditions du Relié
ISBN 2-266-12463-3

« *Alors Jésus fixa sur lui son regard et l'aima.* »
(Marc 10, 21)

« *Notre cœur n'était-il pas tout brûlant au-dedans
de nous, quand il nous parlait en chemin, quand
il nous expliquait les Écritures ?* »
(Luc 24, 32)

AVANT-PROPOS

> « La venue du Messie ne changera rien, si ce
> n'est que, soudain, les sots auront honte de leur sottise. »
> RABBI NAHMAN DE BRATZLAW

> « Mais l'homme dans la splendeur,
> sans conscience, s'égale à la bête qui périt. »
> PSAUME XLIX, 20.

Bien que n'ayant reçu aucune éducation religieuse, je me souviens avec quel émerveillement je me suis plongé, à l'âge de dix-sept ans, dans la lecture des Évangiles. Je n'en comprenais que peu de choses mais il m'apparaissait clairement que Jésus était un maître de sagesse et que ce qu'il enseignait était d'une profonde beauté et d'une noblesse peu commune.

En plusieurs occasions, dans des circonstances pour ainsi dire fortuites, cette beauté me toucha d'une façon particulièrement vivante. Je me souviens qu'un jour une amie me proposa d'assister à la prise de vœux perpétuels d'une toute jeune carmélite, à Montmartre. Je ne sais pas comment j'y fus admis, mais l'intimité de cette cérémonie, sa gravité aussi étaient impressionnantes. Nous ne pouvions voir les religieuses, car nous étions assis dans la partie réservée aux visiteurs. L'autel où officiait Mgr Lustiger se trouvait dans l'angle.

Cependant, de la place où j'étais, je pus apercevoir le visage de la jeune femme lorsqu'elle s'avança plus près de l'autel. Il était resplendissant d'une paix et d'une joie d'un autre monde. Ce visage aux traits pacifiés, son éclat, attestait la réalité d'une mystérieuse Présence. Alors qu'au loin nous pouvions entendre le vrombissement des autocars de touristes, il y avait là, dans cette chapelle, une religieuse au visage juvénile et éblouissant, habité déjà par un feu intérieur qui l'appelait de tout son être à la vie contemplative et dont le sourire était à lui seul un témoignage de l'amour véritable.

Une autre fois, j'assistai à une cérémonie de mariage dans une petite église de campagne. Elle était célébrée par un abbé de monastère trappiste qui, exceptionnellement, avait quitté son abbaye pour cette occasion. La présence de ce moine qui avait voué sa vie à la prière et au recueillement donnait une dimension extraordinaire à chacun de ses gestes et à chacune de ses paroles. Une lumière dorée scintillante imprégnait toute l'église de sacré et ce chatoiement semblait nous éclairer de l'intérieur à la fois les yeux et le cœur, nous remplissant d'une qualité vibrante particulière que l'on reçoit comme un don.

Cependant, c'est un événement plus récent qui a été, pour ainsi dire, le déclencheur m'incitant à concrétiser l'idée d'écrire un livre sur l'enseignement de Jésus. J'ai toujours eu un goût prononcé pour les livres et les manuscrits anciens dans la mesure où ils peuvent être les dépositaires d'une sagesse ancestrale : ils consignent les expériences de voyants, de mystiques, de sages ou de saints et peuvent aussi contenir des instructions précieuses concernant la transformation intérieure. C'est ainsi que j'appris l'existence d'un manuscrit grec, l'un des plus anciens et des plus complets de la Bible, contenant à la fois l'Ancien et le Nouveau Testament, le *Codex Sinaiticus*, datant du milieu du IVe siècle. Ce manuscrit fut découvert en 1844 dans le monastère Sainte-Catherine, au pied du mont Sinaï, par un spécialiste des langues anciennes, l'Allemand Constantin Tischendorf. Après de nombreuses années et difficultés, Tischendorf parvint à sortir le manuscrit avec l'aide financière du tsar Alexandre II qui le destinait à la Librairie impériale de Saint-Pétersbourg. Quand le manuscrit passa aux mains des révolutionnaires soviétiques, en 1933, le British Museum de Londres en fit l'acquisition pour une somme considérable à l'époque.

Lors d'une visite à Londres, je décidai donc d'aller voir ce manuscrit à la British Library, car il m'attirait particulièrement. Sans m'attarder devant les incunables enluminés, ni même devant le *Codex Alexandrinus*, qui lui ressemblait pourtant comme deux gouttes d'eau, je me penchai au-dessus de la vitrine où était exposé le *Sinaïticus* et fus immédiatement envahi par un intense élan de tendresse, une tendresse mêlée de nostalgie. La simplicité, la beauté sobre de ces pages calligraphiées en colonnes régulières me bouleversait et faisait résonner en moi une mystérieuse affinité. Mais je pressentais surtout à quel point ces moines-scribes avaient dû aimer Jésus pour lui vouer leur vie entière et se consacrer à retranscrire – même avec quelques touchantes imperfections – la moindre de ses paroles.

C'est ainsi qu'est apparue cette initiative d'un retour au texte des Évangiles pour en souligner les aspects qui me semblent les plus riches et, bien que ne suivant pas une voie spécifiquement chrétienne, je les considère avant tout comme un véritable manuel pour la vie intérieure. L'enseignement qu'ils recèlent propose sans équivoque possible une révolution totale dans notre être et notre manière de fonctionner, mais les instructions qu'ils contiennent ne sont pas toujours – loin de là – immédiatement compréhensibles et, par conséquent, applicables. Il y a de nombreux éléments qui expliquent cela et que l'on pourra dégager peu à peu, comme si l'on retirait les pelures successives d'un oignon.

Il est possible que cet ouvrage paraisse parfois trop simpliste aux yeux des spécialistes et parfois trop ardu aux yeux des non-spécialistes, mais il m'a paru capital de maintenir une orientation qui privilégie l'aspect éminemment pratique de la voie spirituelle en insistant sans cesse sur le fait que les Évangiles détiennent des directives d'une immense richesse que le chercheur sincère ne peut négliger.

Les textes évangéliques sont un guide de libération indiquant l'accès à une compréhension, un amour et une compassion véritables. Par-delà les doctrines et les différents courants théologiques, il me semble donc indispensable de retrouver en eux le mode d'emploi d'une ascèse qui concerne essentiellement la vie mystique et contemplative. C'est bien de cela dont Jésus a parlé et qui correspond à la période de transmission directe que les spécialistes ont appelé le stade I de la tradition.

I

RETROUVER L'ENSEIGNEMENT ORIGINEL

Tout enseignement spirituel, considéré sous l'angle d'un cheminement intérieur concret, ressemble à une carte qui nous indique quelle direction emprunter. Bien entendu, la subtilité de l'itinéraire à suivre va demander beaucoup de discernement, de précaution, de persévérance. Il y a tellement d'occasions de mal interpréter une instruction précise, de ramener au niveau ordinaire ce qui appartient à un autre ordre de réalité que la progression s'en trouve facilement entravée. L'enseignement de Jésus, de même que celui de tout autre maître spirituel, se trouve voué à de multiples incompréhensions et il est d'une difficulté extrême de les dissiper.

D'une façon tout à fait paradoxale en apparence, une certaine familiarité avec les sagesses traditionnelles de l'Orient permet de jeter un regard éclairant sur les Évangiles eux-mêmes. La raison principale en est que le domaine de l'intériorité a ses lois propres et que ces lois sont constantes, quelles que soient les conditions extérieures, géographiques ou historiques.

C'est ainsi que Nicolas Berdiaev a pu écrire dans son *Autobiographie* : « C'est par l'hindouisme que j'ai compris le christianisme... », ou que Jean Sulivan remarque dans son *Itinéraire spirituel* que « l'Évangile rassemble et condense la sagesse orientale ». Il ne s'agit pas bien entendu d'aborder ici les choses dans la perspective d'une étude comparative ¹* ni même de procéder à un mélange réducteur et superficiel, ce que le frère Antoine, du Rocher de Roquebrune, appellerait avec humour du « saint crétinisme » ! Il ne s'agit pas non plus de chercher à prouver la supériorité d'une voie par rapport à une autre (car il n'y en a pas une qui soit meilleure, mais simplement une qui nous convient mieux). Ainsi, en faisant parfois allusion au vedânta ou au bouddhisme, le propos sera surtout d'insister sur un point particulier en le soulignant par une approche diversifiée.

D'une manière encore plus probante, la rencontre avec les maîtres authentiques et les sages de ces différentes traditions permet de nous laisser entrevoir une profondeur jusque-là insoupçonnée et de nous ouvrir à la richesse même des enseignements de Jésus ainsi qu'à la subtilité des textes évangéliques. On entre alors peu à peu dans ce qui relève de l'expérience personnelle et d'une compréhension vécue qui se confirme puis s'approfondit d'année en année.

Dans la tradition monastique chrétienne primitive, les Pères insistaient beaucoup sur la *Praktike*, non pas un simple savoir intellectuel mais une connaissance réelle issue de l'expérience.

Le profond accomplissement de certains sages de l'Inde contemporaine laisse entrevoir une étonnante communion avec la personne de Jésus, et cela peut constituer pour nous une source de réflexion, d'inspiration, ainsi qu'un encouragement à poursuivre l'investigation vers l'essentiel. On peut citer quelques exemples qui soulignent le fait que si les êtres endormis vivent dans des mondes différents, les êtres éveillés, eux, vivent tous dans le même monde (Héraclite).

Un élève français du maître indien Chandra Swâmi lui demanda un jour : « Mais... que pensez-vous de Jésus ? » Ce

* Les chiffres renvoient aux notes situées en fin d'ouvrage.

dernier lui répondit alors : « Je ne pense pas au sujet de Jésus, je l'aime... » Une autre fois, un élève lui rapporta le propos d'un moine chrétien qui avait vécu en Inde et qui lui avait dit que, finalement, c'était le Christ le plus grand. L'élève demanda à Chandra Swâmi son avis à propos de cette remarque. Celui-ci lui répondit : « Dire de Lui qu'Il est le plus grand, c'est encore Le ramener dans le monde du grand et du petit... Le Christ était bien au-delà de cela... »

Un autre sage indien, Neem Karoli Baba, nous donne une illustration de cette approche vécue et intériorisée de Jésus. Un jour, un fidèle lui demanda comment priait Jésus. Neem Karoli Baba s'assit et ferma les yeux un moment. Alors qu'il restait assis en silence, un flot de larmes se mit à couler sur ses joues. Puis il ajouta : « Il s'est perdu lui-même dans l'océan de l'amour [2]. »

Swâmi Râmdas raconte dans ses *Carnets de pèlerinage* comment il eut une vision très précise du Christ, une nuit, alors qu'il méditait dans une caverne. Cependant, le plus important reste son propre rayonnement et le fait qu'il soit une incarnation vivante de l'amour et de la compassion, véritable attestation d'une réalisation spirituelle authentique.

C'est certainement vers ces êtres spirituels, ces mystiques, que les gens du Moyen Âge affluaient, parcourant parfois de très longues distances et encourant tous les dangers pour recevoir cette grâce, cette effusion de l'Esprit. Bien entendu, ce contact à lui seul ne sera pas suffisant. Les voiles à la compréhension ne seront enlevés que peu à peu au cours d'une ascèse menée d'une façon méthodique auprès d'un directeur spirituel, d'un guide compétent.

Jésus de Nazareth a aussi tenu ce rôle auprès d'un groupe de disciples et il leur a transmis un enseignement vivant à même de les transformer radicalement. En ce sens, il est par excellence l'archétype du maître spirituel. L'amplitude de sa réalisation a presque relégué au second plan cet aspect pourtant essentiel. Kalou Rimpoché, l'un des maîtres tibétains les plus renommés, à qui on a demandé : « Qui est Jésus-Christ ? », a répondu : « Un très grand boddhisattva. Il a accompli les dix terres de la réalisation de l'Éveil [3]. » Le boddhisattva est un être d'une rare qualité spirituelle, dont la seule « fonction » est d'aider autrui jusqu'à ce qu'il atteigne lui-même le plein Éveil. Dans le christianisme, on parlerait de sanctification ou de déification. Mais quand on sait que la transcendance de l'égo ou la liberté complète par rapport à toute notion de « moi » ou de « mien » est la condition préalable pour accéder à la première terre, on peut difficilement entrevoir ce que représente celui qui a traversé les dix terres !

Le contact étroit avec un maître spirituel a été, même au cœur de la tradition chrétienne, un élément déterminant pour parcourir sans errements le chemin proposé par Jésus. L'ancien, l'abba, le père spirituel, le staretz était un guide, un instructeur dont la compréhension personnelle était suffisamment élevée pour pouvoir aider le postulant ou l'apprenti sur la voie. De nos jours, cette direction est devenue problématique par le fait même de son absence et il faut bien reconnaître que cela représente un handicap majeur pour ceux qui veulent véritablement approfondir l'enseignement des Évangiles sans pour autant s'engager dans une voie monastique purement contemplative. Les paroles des Pères du Désert, les écrits des Pères de l'Église ainsi que ceux des saints et des mystiques peuvent certainement guider nos pas vers une compréhension plus profonde, mais il ne faut pas oublier qu'un enseignement vivant ne peut se transmettre que d'une façon vivante, c'est-à-dire d'une manière directe, existentielle, de vive voix – ou encore par la densité d'un silence ou d'un regard. On se souvient de cet archevêque d'Alexandrie, Théophile, qui alla voir un jour un ancien, l'abbé Pambo, pour recueillir de la bouche du vieillard une sainte parole.

Il avait fait un long voyage pour entendre un conseil de sagesse, mais l'ancien resta silencieux. Après son départ, les frères présents lui demandèrent pourquoi il n'avait pas prononcé de paroles édifiantes dont l'archevêque aurait pu tirer profit. L'abbé Pambo répondit : « S'il n'est pas édifié par mon silence, il ne le sera pas non plus par mes paroles. »

Être réceptif, ouvert à la présence du maître requiert déjà une grande qualification. La parole, l'enseignement ne pourra fructifier que si le terrain est propice, mais cela réclame déjà une longue préparation. Les disciples du Christ n'ont pas toujours été à la hauteur de ce que leur maître voulait leur transmettre. Comme il est question de passer d'un niveau d'être à un autre, c'est-à-dire d'un total changement de plan de conscience et de forme, cette métamorphose confronte souvent le disciple à ses anciens schémas. Pendant longtemps, ses demandes ne sont pas les bonnes parce qu'il reste toujours attaché à ce monde ancien et ne parvient pas à quitter son mode ordinaire de perception. C'est ainsi qu'un maître indien du siècle dernier, Sai Baba de Shirdi, qui avait la particularité de faire de nombreux miracles et d'octroyer aux gens tout ce qu'ils lui demandaient, déclara : « Je leur donne ce qu'ils me demandent pour qu'ils puissent un jour me demander ce que j'ai à leur donner. »

Étant donné les très nombreuses embûches qui s'interposent et pour nous permettre d'accéder à une compréhension plus profonde des instructions spirituelles de Jésus, il peut paraître prudent de jalonner l'investigation avec des repères fiables en la personne de quelques-uns de nos contemporains dont la caractéristique essentielle est d'avoir parcouru eux-mêmes un cheminement spirituel les ayant menés à la connaissance de l'Être. Ils ont en outre plusieurs dénominateurs communs qui les font pour ainsi dire appartenir à une même famille d'esprit ; ce sont Arnaud Desjardins,

Thomas Merton, Henri Le Saux, Karlfried Graf Dürckheim, Alan Watts et Georges I. Gurdjieff [4]. Mis à part le fait d'une véritable expérience intérieure, ils ont aussi – mais cela en découle directement – une connaissance profonde et intériorisée des Évangiles. Chacun d'eux a pu éclairer cette compréhension par la rencontre intime d'autres traditions spirituelles, que ce soit le vedânta hindou, le bouddhisme dans sa forme japonaise ou tibétaine, le soufisme et, dans une moindre mesure, le taoïsme. Ils ont approché et reçu les enseignements des maîtres et des sages les plus représentatifs, et la plupart d'entre eux ont eu, à leur tour, à jouer le rôle d'instructeur spirituel auprès d'élèves en quête de vérité. Tout cela permet de trouver une base solide pour une approche du christianisme dans ce qu'il a de plus profond et authentique. Cette approche reste d'ailleurs fidèle à la perspective de la tradition ascétique et mystique elle-même. Les Évangiles sont alors vus comme porteurs d'un enseignement initiatique et ésotérique. Le terme « ésotérique » signifie tout simplement « intérieur », mais il fait lever de nos jours des réactions de méfiance quand ce n'est pas de franche répulsion. Il faut bien dire que sous ce vocable ont été rangées toutes sortes de thèses farfelues et de doctrines visant à exploiter parfois un goût suspect pour le mystère. Il suffit par exemple de jeter un regard dans une librairie dite « ésotérique » pour s'apercevoir que Descartes s'est bien trompé lorsqu'il considère que « le bon sens est la chose au monde la mieux partagée ». En effet, une sorte de spiritualité-fiction tend à se substituer à la rigueur de la sagesse traditionnelle et la contestation généralisée du rôle de guide spirituel laisse peu à peu la place à une profusion de faux prophètes autoproclamés. S'il y a un « ésotérisme chrétien », il désigne bien autre chose que ce confus amalgame de pratiques sans racines et de « connaissances », non vérifiées par les siècles à travers des lignées de transmission ininterrompues. Ici, plus que partout ailleurs, le discernement est de mise étant donné la gravité de l'enjeu. Une image ancienne, qui illustre à quel point cette capacité de discrimination doit être affinée, nous est proposée sous la forme d'un cygne mythique qui, d'un mélange de lait et d'eau, est capable de n'extraire que le lait. C'est le sens aussi de ce texte de l'Épître aux Hébreux au sujet d'un « glaive tranchant qui pénètre jusqu'au point de division de l'âme et de l'Esprit » (4, 12). Dans le bouddhisme, le Manjushrî brandissant une épée représente la connaissance et la sagesse de tous les Bouddhas, l'épée étant la discrimination qui va pourfendre l'erreur. Cependant, l'élimination d'enseignements grossièrement fallacieux ne nous garantit pas pour autant l'accès à la compréhension d'un enseignement authentique, car ce sont les vues erronées elles-mêmes qu'il faut peu à peu dissiper. On se souvient à quel point les auditeurs pouvaient souvent mal interpréter les propos de Jésus ; or il y a du Nicodème en chacun de nous.

Quand bien même on aura tenté de traverser les différentes couches qui se sont amassées sur les textes, fait appel aux travaux indispensables des spécialistes dans des disciplines aussi variées que l'exégèse, la critique textuelle, l'étude des langues anciennes, l'histoire, l'archéologie, la papyrologie, la paléographie, on se retrouvera toujours à un moment donné devant une parole susceptible d'être interprétée de différentes façons. Dans l'Évangile de Thomas, il est dit que « celui qui trouvera l'interprétation de ces paroles ne goûtera pas de la mort » (Thom 1, 1-3). En d'autres termes, l'enjeu de cette interprétation est le salut lui-même, un affranchissement qui ne peut survenir que par la compréhension . Seul « celui qui trouvera l'interprétation » juste, qui aura accès au sens véritable des paroles du maître, pourra finalement se rendre libre. Sans cette compréhension convenable des instructions, la transmission ne peut s'effectuer et aucune pratique spirituelle efficace ne peut être mise en œuvre. Ainsi, avant une quelconque application, faut-il avoir une parfaite intelligence du mode d'emploi ; d'où l'importance du recours aux textes et de l'accès à leur signification réelle.

Si l'enseignement est hermétique et que le sens des paroles semble caché, ce n'est pas nécessairement parce qu'il est tenu secret (bien que cela puisse être éventuellement le cas). En réalité, l'enseignement est caché parce qu'*il est d'une inconcevable qualité*. Et il faut en quelque sorte se hisser à sa hauteur et arriver à une maturité d'être suffisante, non seulement pour l'accueillir mais aussi pour l'assimiler. Il est alors « une porte pour celui qui sait et une barrière pour celui qui ne sait pas ». Maître Eckhart disait ainsi à ses auditeurs pourtant déjà profondément engagés dans la voie spirituelle : « Aussi longtemps que l'homme ne s'égalera pas à cette vérité, il ne comprendra pas ce discours. » Les rabbins du Talmud de Jérusalem remarquent dans une perspective identique : « Ce n'est pas une parole vaine, et si elle l'est, c'est à cause de vous, car vous n'avez pas fourni assez d'efforts pour qu'elle vous livre ses significations. Ceci afin de t'enseigner que celui qui s'y consacre corps et âme arrive à déceler le sens. »

Avant d'entreprendre une telle démarche, d'autres difficultés s'interposent par rapport à la nature même du texte tel qu'il nous est retransmis. En effet, au IVe siècle, saint Jérôme, qui entreprit la rédaction de la *Vulgate*, une traduction latine du texte grec, considère que « bien des erreurs se sont glissées dans nos manuscrits. Sur le même sujet, un évangile est plus long, l'autre, jugé trop court, a subi des additions. Ou bien encore, quand le sens est le même, mais l'expression, différente, telle personne, lisant d'abord l'un des quatre Évangiles, a jugé bon de corriger tous les autres d'après celui-ci. Il en résulte que chez nous tout est mélangé ; qu'il y a chez Marc bien du Luc et du Matthieu ; chez Matthieu bien du Luc et du

Jean et ainsi de suite[5]. » Dès le milieu du IIe siècle, saint Irénée, célèbre pour sa lutte contre les hérésies, se plaint des copistes qui, « dans la traduction d'un texte, s'estimant plus habiles que les apôtres, ne craignent pas de les corriger[6]. » Louis Rougier résume en quelque sorte la situation lorsqu'il constate que, « jusqu'à la fixation du Canon du Nouveau Testament dans le dernier quart du IIe siècle, les textes ont été exposés à des multiples périls : étourderies des copistes, malice des hérétiques, zèle pieux des orthodoxes, remaniements des harmonisateurs, interprétation des exégètes. Au fur et à mesure que les croyances évoluaient, les mêmes mots, les mêmes expressions changeaient de sens. Une accumulation de couches rédactionnelles venait grossir et amplifier des recueils de paroles ou écrits à l'origine très rudimentaires. Les rédacteurs travaillaient de seconde main[7] ».

Une ligne de recherche particulièrement intéressante consiste à creuser au travers de ces différentes couches rédactionnelles pour en retrouver la formulation d'origine. On sait en effet que Jésus connaissait l'hébreu parce qu'il pouvait lire et citer les Écritures. Selon certains spécialistes, il comprenait et parlait aussi le grec parce qu'il s'est sans doute adressé dans cette langue à Pilate (Mt 27, 11-14 ; Mc 15, 2-5 ; Lc 23, 3 ; Jn 18, 33-38) ainsi qu'au centurion romain (Mt 8, 5-13 ; Lc 7, 2-10 ; Jn 4, 46-53). De même, occasionnellement, il a pu le parler avec la femme syrophénicienne de naissance mais dont Marc nous dit qu'elle était grecque (Mc 7, 26) ou encore avec les Grecs mentionnées en Jean 12, 20. Une autre précision en Jean 7, 35 le laisse d'ailleurs supposer : « Les Juifs se dirent entre eux : "Où va-t-il aller, que nous ne le trouverons pas ? Va-t-il rejoindre ceux qui sont dispersés chez les Grecs et enseigner les Grecs ?" »

Cependant, les savants s'accordent de nos jours pour considérer que Jésus parlait et enseignait principalement dans sa langue natale, une variante de l'araméen occidental, c'est-à-dire l'araméen palestinien, l'un des cinq dialectes araméens usités à son époque [8]. On peut donc soulever le point suivant : *puisque Jésus a enseigné en araméen et que son enseignement nous est retransmis par le texte grec des Évangiles, il y a donc eu nécessairement une traduction d'une langue à l'autre* – et cela, quelles que soient les différentes théories proposées au sujet de la langue originelle des Évangiles eux-mêmes. Il se pose alors la question de la fiabilité d'une telle traduction. Cet aspect est d'autant plus complexe qu'il s'agit d'un enseignement spirituel impliquant des subtilités et des nuances déjà difficiles à saisir en soi. La difficulté est démultipliée lorsqu'il se rajoute, au passage d'une langue à une autre, le transfert à une tout autre ambiance culturelle. La mentalité sémitique est bien différente de la mentalité hellénique, même si l'on a pu repérer une influence de cette dernière sur la vie juive dans la Palestine du Ier siècle.

Dans leurs recherches pour se rapprocher au plus près des paroles originelles prononcées par Jésus, les experts ont pu utiliser les textes araméens de *Qumrân*[9], les anciennes versions syriaques des Évangiles (un dialecte araméen localisé au nord de la Syrie et au sud de la Turquie), en particulier la *Peshitta* qui signifie « vraie », « simple », « sincère » et qui contient une version complète des quatre Évangiles en araméen. Cette version est disponible en de nombreux manuscrits et présente une grande fiabilité. Pour le spécialiste français Pierre Perrier et son équipe de recherche, le texte araméen primitif conservé par les Églises orientales a été fixé très tôt et « la plupart des textes grecs ne sont que la traduction d'un original araméen dont la *Peshitta* nous donne une image fidèle ». Dans son ouvrage savant et riche d'informations pour ceux qui s'intéressent à l'araméen des Évangiles, P. Perrier écrit : « Beaucoup d'exégètes ont insisté sur le grand nombre d'aramaïsmes existant dans les textes grecs et latins et nous ne reprendrons pas cette analyse classique qui montre bien que l'araméen affleure continuellement sous son habit occidental. Nous retiendrons seulement que l'existence d'un texte antérieur oral ou écrit araméen est nécessaire pour expliquer ce fait bien établi. La plupart des sémitismes allégués étant communs à l'hébreu et au moyen araméen, puisque l'hébreu dérive assez directement de l'araméen ancien, certains ont pu supposer que l'original des textes était hébreu. Mais ni les termes araméens conservés ni les sémitismes proprement araméens ne manquent pour établir fermement l'origine araméenne des textes antérieurs aux textes grecs et latins [10] ». Ce texte araméen de la *Peshitta* est délaissé par la plupart des exégètes qui, du fait de leur formation, ne travaillent que sur le grec. Il est pourtant nécessaire de souligner que la *Peshitta* a une stabilité aussi grande que les textes juifs : il en résulte que les variantes de manuscrit sont cent fois plus faibles en araméen qu'en grec [11] !

L'alourdissement des textes occidentaux est dû à la présence de gloses explicatives, car en regard des Évangiles il faut environ vingt pour cent de mots supplémentaires en grec et en latin par rapport à l'araméen. Le risque d'erreurs s'en trouve accru d'autant. Les contresens peuvent être liés ne serait-ce qu'à un point de grammaire. Ainsi en Matthieu 1, 21-25 « le texte araméen dit sans ambiguïté que Marie appellera son enfant Jésus, suivant la grande tradition biblique qui veut que la mère donne le nom de l'enfant, ce qui est homogène au texte de Luc. L'ambiguïté de Matthieu 1, 21 en araméen a permis à la plupart des traducteurs en grec et latin de se tromper entre la deuxième et la troisième personne du verbe : "tu l'appelleras" au lieu de "elle l'appellera" [12]. » Ou encore en Jean 11, 10 où le contresens provient du fait qu'en araméen « la nuit » est du genre masculin : « Mais s'il marche la nuit, il bute, parce que la lumière n'est pas en lui » au lieu de « en celle-ci ».

23

L'étude de l'araméen de la *Peshitta* se complète par la traduction de la Septante (LXX), qui est la version grecque de l'Ancien Testament hébreu, et par les Targums qui en sont la paraphrase araméenne. Il est alors possible d'établir, par recoupements successifs, un lexique des correspondances entre l'hébreu, l'araméen et le grec. La « rétroversion » en araméen du texte grec des Évangiles révèle aussi des significations insoupçonnées, éclaire des passages qui resteraient autrement obscurs en apportant des précisions essentielles sur le sens de certaines expressions que le grec rend maladroitement (il en invente parfois comme *ouai* ou *epiousios*). Les spécialistes ont ainsi pu rectifier de multiples erreurs, apporter un relief nouveau à un terme qui n'a aucune résonance dans la sphère hellénique et compléter de la sorte ce que cherchait à rendre la traduction grecque. De plus, les mots araméens eux-mêmes peuvent avoir plusieurs sens. Cela renforce sans doute les difficultés de traduction mais explique aussi pourquoi certains termes sont interprétés différemment selon les évangélistes. Ces différentes formulations sont impossibles sans le recours à un texte originel hébreu et/ou araméen [13]. Les paroles de Jésus en araméen peuvent aussi révéler d'autres éléments importants qui passaient inaperçus jusque-là : un rythme particulier de la phrase, des jeux de mots, des rimes, une force poétique et une clarté nouvelle.

Ce qu'il est convenu d'appeler « l'arrière-fond sémitique » des Évangiles (les deux langues sœurs, l'hébreu et l'araméen) apporte une base essentielle pour comprendre et approfondir l'enseignement de Jésus. À la fin de sa vie, le grand exégète anglais C. H. Dodd a par exemple modifié certaines de ses vues en tenant compte des nouvelles données concernant l'araméen. Et un autre exégète réputé, Joachim Jeremias, n'a pas manqué de souligner que « Jésus a parlé l'araméen de Galilée. Très tôt, on a traduit ses paraboles en grec, mais cette traduction amena, en d'innombrables cas, un glissement du sens – parfois important ; la langue maternelle de Jésus est donc un moyen d'une importance fondamentale – et peut-être le plus important – pour retrouver leur sens original [14] ».

Parmi de multiples exemples possibles de glissement de sens, il suffit d'en retenir un seul à titre d'illustration. Dans un passage de l'Évangile de Luc (11, 39-41), au sujet des rituels d'ablution dans le judaïsme ayant pour but d'obtenir la pureté, Jésus insiste pour dire que c'est l'intérieur de l'homme qui doit être purifié. La pureté dépend principalement de ce nettoyage du mental : « Mais le Seigneur lui dit : "Vous voilà bien, vous, les Pharisiens ! L'extérieur de la coupe et du plat, vous le purifiez, alors que votre intérieur à vous est plein de rapines et de méchancetés ! Insensés ! Celui qui a fait l'extérieur n'a-t-il pas fait aussi l'intérieur ? *Donnez plutôt en aumône ce que vous avez, et alors tout sera pur pour vous.*" » Cette dernière phrase est étrange et non cohérente avec ce qui précède. Le commentaire de la Bible de Jérusalem reconnaît d'ailleurs en note *b :* « Texte d'interprétation difficile ». Mais si l'on quitte le grec pour l'araméen, on retrouve deux mots très proches : *zakkau*, qui signifie « faire l'aumône », et *dakkau*, « nettoyer, purifier ». L'erreur de traduction apparaît alors clairement. Sans doute a-t-elle été faite à partir d'une copie défectueuse du texte araméen ou d'une mauvaise lecture. Quoi qu'il en soit, le verbe « purifier » a plus de sens ici que l'expression « faire l'aumône ». La version parallèle de Matthieu (23, 26) en apporte la confirmation et se révèle ainsi plus fidèle à l'original : « Pharisien aveugle ! Purifie d'abord l'intérieur de la coupe et de l'écuelle, afin que l'extérieur aussi devienne pur. »

G. I. Gurdjieff avait déjà souligné la difficulté de s'approcher de la vérité en s'appuyant uniquement sur les données scripturaires « parce que le texte même des Évangiles a été dénaturé par les copistes et les traducteurs ; ensuite parce qu'ils avaient été *écrits pour ceux qui savent*. Pour ceux qui ne savent pas, les Évangiles ne peuvent rien expliquer [15] ».

Même si on laisse provisoirement de côté l'immense question de la maturité d'être et de la capacité de déchiffrer le sens intérieur des textes, il reste que l'on se trouve devant un labyrinthe aux méandres infinis. Pour s'orienter dans ce dédale, il est utile d'avoir parfois recours aux travaux des spécialistes qui peuvent nous fournir de très précieuses indications, d'autant que leurs recherches ne s'inscrivent pas toujours dans la perspective d'un cheminement spirituel. Cette dissociation constitue un point très positif dans la mesure où elle permet de nous livrer un matériel brut et des données qui ne sont pas entachées par une coloration d'ordre émotionnel et subjectif. Ce dernier aspect pourra cependant paraître à certains problématique quand on sait à quel point les textes étudiés peuvent être brûlants et chargés de lourdes implications. Si la passion des débats engagés autour des textes de *Qumrân* (les manuscrits de la mer Morte) a laissé planer parfois une suspicion quant à l'objectivité des recherches, il n'en reste pas moins que, cinquante ans après la découverte des rouleaux, on peut dégager des éléments ayant une grande fiabilité, même si le consensus des savants n'est pas totalement réuni sur tous les points [16].

Concernant les textes évangéliques, et malgré une grande variété d'interprétations divergentes ou même parfois franchement contradictoires, une intuition plus fine permet néanmoins de retenir certains éléments qui entrent en concordance avec notre réalité intérieure, un peu à la manière d'une personne qui, sensible à la dimension spirituelle, serait en mesure, parmi tous les objets exposés dans un magasin d'antiquités, de repérer les pièces ayant le plus de valeur.

Il en est de même pour l'approche d'un texte spirituel dont les multiples explications possibles ne peuvent pas toutes satisfaire à l'exigence pratique que réclame la transformation de soi. Cela ne veut pas dire pour autant qu'elles sont fausses, mais elles n'appartiennent pas toutes au même niveau ; les différents niveaux impliqués étant en quelque sorte emboîtés les uns dans les autres comme des poupées russes. C'est pourquoi je préfère ne pas m'attarder sur le grand nombre d'études qui ont été faites concernant le Jésus historique [17]. Bien que ces recherches historiques aient un grand intérêt en elles-mêmes, et qu'elles soient parfois très importantes pour comprendre le contexte et situer certaines notions, elles ne sont paradoxalement pas toujours un facteur d'éclaircissement du point de vue qui nous intéresse. Prenons en exemple le fait que les historiens sont arrivés à la conclusion que Jésus est né aux environs de l'an 6 avant J.-C. ! Ou encore qu'il a pu être établi avec un bon degré de vraisemblance que sa mort a eu lieu le 7 avril 30 : ces données n'ont pas d'incidence directe sur le contenu du message ni même sur sa formulation. Il en est de même pour nombre de faits et gestes de Jésus qui n'ont finalement de « réalité » que parce qu'ils recèlent une signification intime et profonde invitant à effectuer un changement de conscience, un retournement qui expose alors l'être tout entier à un autre ordre d'influence.

En admettant qu'une biographie totalement certaine du point de vue scientifique puisse être établie un jour (ce qui semble une impossibilité d'après les données actuelles), cette biographie n'aurait malgré tout aucun caractère transformateur sur le plan de l'être parce qu'un « fait » en tant qu'événement ne peut être opérationnel. Tout en citant Doris Lessing : « Quand va-t-on cesser de vouloir suspendre l'éternité à un fil d'araignée », le théologien allemand Heinz Zahrnt ajoute : « Personne ne peut vivre et mourir au vu de résultats historiques [18] ! »

La perspective de nombreux chercheurs est de partir en quête du Jésus historique. Aux États-Unis, le *Jésus Seminar* tente de distinguer quelles sont les paroles qui ont réellement été prononcées par Jésus (avec une gradation à quatre niveaux selon le degré de probabilité). Cependant, la méthode du vote employée pour la sélection des paroles n'est pas pleinement satisfaisante [19]. Elle peut même rappeler la procédure utilisée dans les anciens conciles où la crédibilité d'un enseignement se mesurait au nombre de mains levées !

La recherche des paroles authentiques de Jésus ne peut pas seulement consister en une certification historique. Elle dépend aussi et surtout de la reconnaissance d'une réalité spirituelle ou encore d'une vérité intrinsèque. Cette vérité est alors en conformité profonde avec l'ensemble d'un enseignement intérieur et peut du même coup entrer en résonance avec d'autres cheminements authentiques. Mais cela suppose une lecture qui postule au départ la possibilité d'une transformation radicale de l'être et de la conscience et qui puisse aussi admettre que les textes s'y réfèrent en priorité. Cette approche accorde donc la primauté à l'intériorité par rapport à d'autres interprétations, justifiables d'un point de vue critique sans pour autant être déterminantes dans l'optique d'une voie spirituelle effective. « Les profanes comprennent les symboles charnellement et grossièrement, a pu écrire Jean Scot, si bien que dans toutes les manifestations [de l'Écriture], on ne cherche rien de mystique ni d'allégorique, mais on les accepte pour ainsi dire dans leur nudité, comme une simple histoire d'événements qui se sont produits naturellement [20]. »

De la même façon que l'année liturgique – le cycle saisonnier de l'année ecclésiastique – est le symbole et la description d'un itinéraire complet qui mène à la transformation totale de soi-même, les Évangiles évoquent sous de multiples aspects cette métamorphose qui mène à une conscience pleinement éveillée. Sans aucun doute, la vie de Jésus est un enseignement par elle-même et un mystique a pu dire de la sorte que « si l'on ne passe pas par le Vendredi de la Crucifixion, on ne passera pas non plus par le Dimanche de la Résurrection ».

Le mont des Oliviers est en nous, la Crucifixion est en nous, la Résurrection est en nous, car tout chemin de transformation passe nécessairement par de telles étapes et de telles expériences. En fait, non seulement les grands moments de la vie de Jésus, mais aussi le détail de ses actions, les circonstances dans lesquelles elles se déroulent, les personnages mentionnés fournissent des indications précieuses sur nous-mêmes et la voie à emprunter. Les Évangiles ne se contentent donc pas d'annoncer une Bonne Nouvelle, ils donnent des directives d'une remarquable précision pour réaliser cette Nouvelle Alliance. Jean Biès a justement souligné que « l'Évangile n'est autre que la description d'un processus évolutif à l'intérieur de l'être humain et d'abord de soi-même » et il ajoute cette remarque importante : « L'Évangile est vérifiable [21] ». Il faut en effet découvrir et sentir quelles sont les mystérieuses correspondances entre les situations évoquées dans les textes et telle ou telle réalité psycho-spirituelle. De même que les grands mythes de l'Ancien Testament, l'Évangile propose et décrit « des états de conscience, des étapes évolutives, des transformations successives conduisant à l'Éveil définitif [22] ». Chaque détail (que ce soit une parole prononcée, un lieu nommé, un personnage ou un événement particulier) peut être alors interprété comme correspondant à une réalité intérieure spécifique. Les paroles de Jésus demandent, bien entendu, à être déchiffrées tant elles sont riches et lapidaires, mais elles s'inscrivent dans l'ensemble de l'Écriture qui renvoie sans cesse aussi à l'intériorité de chacun sous une forme à la fois subtile et symbolique. Les textes évangéliques relatent avec une grande minutie le cheminement spirituel dans tout ce qu'il a d'intime et de personnel. Ils proposent par conséquent la réactualisation d'un mythe au sens noble du terme ; un mythe, précisera Alan Watts, « qui n'est pas seulement la remémoration révérencieuse d'une histoire passée, mais la célébration récurrente et le revécu d'une vérité intemporelle [23] ».

La caractéristique principale d'un texte spirituel étant de nous orienter vers notre réalité intérieure, cela ne semble pas être un bon postulat de départ que d'en rechercher systématiquement le cœur de l'explication en se tournant vers l'extérieur. Les Anciens interprétaient au contraire les Écritures en les comprenant comme un agent essentiel pour une alchimie intérieure, ils y découvraient des directives précises les guidant dans leur propre cheminement. Cette lecture spirituelle et mystique des textes sacrés n'est évidemment pas une interprétation forcée et artificielle. Elle est au contraire une pénétration jusqu'au cœur même des Écritures saintes, qui apparaissent alors comme un véritable support pour l'expérience intérieure. Ainsi, dans l'Ancien Testament, YHVH dit à Ezéchiel : « Ouvre ta bouche, et mange ce que je te donnerai ! Je regarderai, et voici, une main était étendue vers moi, et elle tenait un livre en rouleau. Il le déploya devant moi, et il était écrit en dedans et en dehors » (Ez 2, 8-10).

Jean Borella commente ce passage en disant que « cette injonction d'avoir à manger un livre à l'intérieur et à l'extérieur (qui est d'ailleurs elle-même symbolique), c'est-à-dire d'avoir à connaître un message qui possède un sens manifeste et visible et un sens invisible et mystérieux, fut essentiellement mise en pratique par les prophètes qui, réinterprétant certains événements fondamentaux et fondateurs de l'histoire sainte d'Israël (Adam et le Paradis, le Déluge, l'Exode, etc.), les transforment en figures symboliques et sacrées [...] dans lesquelles se déchiffrent plus ou moins clairement, non seulement le destin futur d'Israël, mais aussi celui de l'âme humaine [24] ». Cette compréhension intériorisée, aussi bien de l'Ancien Testament que des Évangiles, ne recouvre pas nécessairement les multiples interprétations possibles. Cependant, l'approche privilégiée par les spirituels est toujours celle qui oriente le plus directement vers l'expérience. Ils sauront discerner dans les textes les instructions nécessaires à leur propre chemin de transformation. Les textes sont alors des cartes qu'ils vont déchiffrer et utiliser comme des guides qui éclairent leur ascèse et dirigent leurs efforts.

Pour les moines et les contemplatifs, la *Lectio divina* ne consistait pas seulement en une lecture mais aussi en une méditation, puis une lente assimilation permettant de passer ainsi progressivement de la lettre à l'Esprit.

Lorsque Moïse mène son peuple de la terre de servitude à la Terre promise, il s'agit de reconnaître avant tout que l'Égypte est en nous, que Moïse et le peuple sont en nous.

Les archéologues n'ont pu jusqu'à ce jour découvrir au Sinaï le moindre tesson de poterie attestant qu'un peuple entier y ait jamais séjourné. L'Exode apparaît comme un mythe décrivant un cheminement de purification. Le peuple est la multitude des tendances qui nous habitent et nous maintiennent en esclavage. Moïse est cet aspect en nous qui va pouvoir rassembler cette foule et la mener vers la liberté après de nombreuses épreuves. Il est intéressant de noter que la Torah (qui en hébreu signifie « direction à prendre ») ne décrit pas l'arrivée de Moïse dans la Terre promise car ce dernier n'y accède pas. Il doit au contraire s'effacer en tant que tel pour accomplir sa mission. En effet, ce n'est pas le moi, même cohérent et bien structuré, qui peut accéder à la libération et encore moins ce qui correspond au peuple en nous, c'est-à-dire tous les aspects de nous qui ne sont pas encore transformés, renouvelés. D'ailleurs, le peuple qui accédera à la Terre promise sera celui de la nouvelle génération, celle des descendants et non celle qui a quitté l'Égypte. « Il ne suffit pas de quitter l'Égypte, il faut encore entrer dans la Terre promise », remarque Jean Chrysostome, insistant ainsi sur le fait qu'il y a un itinéraire à parcourir pour passer d'un plan de conscience à un autre.

Dans la Genèse, le déluge et l'arche de Noé ne sont pas non plus à prendre au sens littéral. Le déluge est celui des passions, des émotions qui ravagent, nous emportent et recouvrent toute terre habitable. « La terre était corrompue devant Dieu, la terre était pleine de violence » (Gn 6, 11). Noé reçoit l'ordre de construire une arche (c'est encore le thème de la traversée et de la survie à travers les épreuves pour accéder à la terre ferme). La construction de cette arche correspond à celle d'une structure intérieure qui va recueillir et abriter tout ce qui nous compose afin de nous conduire au-delà des périls. De la même façon, le Bouddha a utilisé le thème de la traversée avec un radeau pour atteindre « l'autre rive ». On retrouve ainsi l'idée d'un périple, d'un voyage qui comporte ses risques, mais qui est d'autant plus nécessaire qu'il s'agit de sauver sa vie en s'échappant d'un état de captivité.

Noé doit recueillir dans son arche toutes les espèces deux à deux, c'est-à-dire les paires d'opposés qui nous habitent, symbolisées par les animaux de la terre. Il a été aussi demandé à Adam de nommer tous les animaux, autrement dit de voir et de reconnaître tous les aspects qu'il porte en lui. Il est en effet courant dans les traditions anciennes d'assimiler les caractéristiques humaines et les émotions au règne animal. L'iconographie tibétaine représente ainsi les poisons de base de l'esprit que sont l'avidité, la haine, l'illusion sous la forme d'animaux tels que le porc, le serpent et le coq. Pour évoquer des penchants humains, on sait que La Fontaine s'est beaucoup inspiré des fables antiques d'Ésope, qui mettaient également en scène des animaux.

La colombe qui rapporte une feuille d'olivier est l'annonce de la proche délivrance du tourment. Elle apporte une bonne nouvelle, la promesse d'une libération imminente, et ce n'est que lorsque les eaux diminuent que la terre réapparaît, permettant à l'homme de s'établir dans la sécurité et la stabilité de la vérité. C'est l'accession à la terre ferme qui sauve et donne cette paix véritable dont la colombe est l'heureux messager. Le nom *Noah* lui-même provient de la même racine que *nyach*, qui signifie « paix de l'existence ».

Bien entendu, le langage mythique, symbolique, allégorique est devenu pratiquement étranger à la mentalité moderne, ce qui nous demande un effort supplémentaire, d'une part pour ne pas considérer ces mythes comme un sous-langage naïf et d'autre part pour pressentir à quel point les allusions qu'ils contiennent nous concernent de près. André Chouraqui confie ainsi : « Ma lecture de la Bible, sur les conseils des rabbis d'Israël, reconnaît à chaque verset de la Thora soixante-dix sens possibles. » Mais, là encore, il n'est pas nécessaire de prendre le nombre soixante-dix au sens littéral ! Peut-être y a-t-il soixante-dix sens possibles, mais ce nombre, tout en appartenant évidemment à l'ordre quantitatif, fait surtout allusion ici à un passage qualitatif. Lorsque Jésus dit par exemple qu'il faut pardonner non pas sept fois (le chiffre sept a toujours eu une importance particulière exprimant la totalité), mais soixante-dix fois sept fois, il ne veut pas simplement dire quatre cent quatre-vingt-dix fois, c'est-à-dire « de nombreuses fois », mais il évoque surtout le passage d'un plan à un autre, d'un état de conscience à un autre dans lequel le pardon n'est pas un « acte » à réitérer indéfiniment, mais plutôt *un état permanent* d'où émanera nécessairement l'action juste, aimante, tolérante. Il ne s'agit plus du tout du même ordre de réalité et de fonctionnement. Cette compréhension vécue n'est pas plus accessible au « mental » ordinaire que ne le sont les tentatives actuelles de décoder à l'aide d'ordinateurs le message mystique des textes hébreux anciens [25].

Si l'on prend par exemple au niveau habituel la loi du Talion, on aboutit à un contresens en faisant de l'Éternel un Dieu vengeur et cruel qui condamne et punit. Or il ne s'agit pas avant tout d'infliger une punition au coupable, bien que toute société soit fondée sur la réparation possible des préjudices subis et sur l'instauration d'une justice rétablissant un équilibre : « Tu ne commettras point d'iniquité dans tes jugements : tu n'auras point égard à la personne du pauvre, et tu ne favoriseras point la personne du grand, mais tu jugeras ton prochain selon la justice » (Lévitique 19, 15). Et plus loin : « Tu ne te vengeras point et tu ne garderas point de rancune... » (Lv 19, 18). Sur un plan plus subtil, il est question d'une loi d'action-réaction, c'est-à-dire de la juste rétribution des actes en ce sens que tout acte posé appelle une autre force égale et opposée, même si celle-ci ne se manifeste pas immédiatement et de manière évidente. C'est le sens de cette parole selon laquelle, lorsque les parents mangent des fruits acides, les enfants en ont les dents gâtées jusqu'à la septième génération. Il n'y a là aucune représaille morale de la part de qui que ce soit, mais une loi à l'œuvre qu'il importe de connaître si l'on veut éviter des répercussions fâcheuses. On récolte ce que l'on sème : « Moi, l'Éternel, j'éprouve le cœur, je sonde les reins, pour rendre à chacun selon ses voies. Selon le fruit de ses œuvres » (Jérémie 17, 10).

La parole de l'Exode : « Tu donneras vie pour vie, œil pour œil, dent pour dent » (Ex 21, 23-24), que l'Ancien Testament lui-même ne prenait pas à la lettre, a pu être interprétée comme désignant trois plans différents de l'évolution d'un homme : de la même façon que les dents du jeune enfant sont remplacées par celles de l'adulte, l'œil ordinaire l'est par une autre vision et, enfin, la vie ordinaire par une vie

34

métamorphosée. Cette interprétation ne correspond plus au niveau où il est question d'une lutte vengeresse où l'on va s'édenter, s'éborgner et s'entre-tuer!

Ainsi que le remarque Geza Vermès, il ne s'agit pas de toute façon d'infliger un dommage équivalent sur le plan physique à une personne qui s'est rendue coupable de violences. La revanche sanguinaire est au contraire remplacée par une compensation monétaire établie juridiquement. Flavius Josèphe mentionne ce point dans ses *Antiquités juives* (4, 280) ainsi que les exposés des lois et des coutumes (*Mishnah*, mBQ 8, 1). Les Targums palestiniens, la paraphrase araméenne des textes bibliques, proposent cette traduction : « La valeur d'un œil pour un œil, la valeur d'une dent pour une dent [26]... » Il est vrai que même si une interprétation a beaucoup de sens et qu'on peut lui reconnaître une certaine clarté, rien ne prouve pour autant que telle est bien l'intention première des rédacteurs. C'est pourquoi il faut toujours garder une certaine prudence dans ce domaine et maintenir en éveil notre capacité de discernement. Aborder l'aspect ésotérique des enseignements ne doit pas devenir un prétexte et une justification pour laisser l'imagination se débrider. Il faut donc se méfier de certaines interprétations qui pour être habiles n'en sont pas moins suspectes, comme par exemple cette façon douteuse d'interpréter les lettres INRI, *Jesus Nazarenum Rex Judeorum* : Jésus, le Nazaréen, roi des Juifs par *Igne Natura Renovabitur Integra*, la nature sera renouvelée totalement par le feu ! Ce n'est pas ce genre de direction qu'il faut emprunter, car cela revient à confondre l'herméneutique – l'interprétation des textes sacrés – avec un simple jeu ou la science ésotérique avec un rébus [27]. Il n'est pas question dans ce domaine de chercher à se faire plaisir en jonglant avec des significations supposées. L'érudition peut être à cet égard redoutable dans la mesure où elle risque d'alimenter l'intellect d'une manière très sophistiquée, mais en aucun cas transformante. Évagre le Pontique résume ce point avec concision en déclarant que « la science du Christ n'a pas besoin d'une âme dialectique mais d'une âme voyante [28] ». L'évêque Théophane le Reclus, qui traduisit la *Philocalie* en russe au XIXᵉ siècle, le rejoint lorsqu'il dit : « Il convient de descendre du cerveau dans le cœur. Pour le moment, il n'y a que des réflexions cérébrales sur Dieu, mais Dieu Lui-même reste à l'extérieur. »

Il faut donc rester vigilant pour ne pas perdre de vue ce qui peut vraiment nous venir en aide, et savoir le distinguer parmi une multitude d'informations intéressantes mais non décisives. Prenons l'exemple de la belle et profonde rencontre entre Jésus et la Samaritaine au puits de Jacob. Jésus quitte la Judée pour retourner en Galilée et ce long trajet à pied passe par la Samarie. Lorsqu'il s'arrête au puits et engage la conversation avec la Samaritaine qui allait y puiser de l'eau, il lui dit à un moment : « Va, appelle ton mari et reviens ici. » La femme lui répond : « Je n'ai pas de mari. » Jésus lui dit : « Tu as bien fait de dire : "Je n'ai pas de mari", car tu as eu cinq maris et celui que tu as maintenant n'est pas ton mari ; en cela tu dis vrai » (Jn 4, 16-18). Apparemment, cette femme mène une vie immorale dans la mesure où, pour les Samaritains comme pour les Juifs, pas plus de trois mariages ne sont autorisés. Qui plus est, non seulement cette femme en a eu cinq, mais elle vit actuellement avec un amant. Certains exégètes s'arrêtent là et considèrent qu'il n'y a aucune raison particulière de chercher autre chose en dehors de ce qui relève pour eux de la simple évidence : dans ce dialogue, Jésus se révèle d'une part comme étant doué de faculté de divination ; la Samaritaine ne peut rien lui cacher de sa vie intime. D'autre part, il se montre très compassionné à son égard, ne tenant pas compte non seulement du fait qu'il s'agit d'une Samaritaine que les Juifs habituellement méprisaient, mais aussi du fait qu'elle mène une vie dissolue. Cette version exalte les qualités de Jésus et souligne sa grandeur.

Il y a cependant plusieurs interprétations qui ont été données à l'expression « cinq maris ». Certains y ont vu un renvoi à II Rois 17, 24-25 : « Le roi d'Assyrie fit venir des gens de Babylone, de Cutha, d'Avva, de Hamath et de Sepharvaïm, et les établit dans les villes de Samarie à la place des enfants d'Israël. Ils prirent possession de Samarie, et ils habitèrent dans ses villes. » La Samarie symbolise alors Israël envahi par d'autres nations. Les peuples païens ayant infligé des malheurs au peuple d'Israël sont les Égyptiens en 1700 avant notre ère, les Assyriens en 721, les Babyloniens en 586, les Perses sous Syrus le Grand et les Grecs en 333. « Et celui que tu as maintenant n'est pas ton mari » correspond au sixième, c'est-à-dire à l'envahisseur romain (en 63 avant notre ère). À travers la Samaritaine, Jésus s'adresse à tout le peuple juif, dans la perspective de son histoire tourmentée.

Comme en hébreu le mot « mari », *ba Ôal*, signifie « maître, Seigneur », une autre version considère qu'il s'agit des dieux païens qui ont été l'objet de cultes (Flavius Josèphe les ayant ramenés de sept à cinq). La femme représente la Samarie et les cinq maris, les cinq divinités païennes. Le sixième n'est pas le sien dans le sens où Jésus dit plus loin : « Vous vous prosternez devant ce que vous ne connaissez pas » (Jn 4, 22), faisant allusion à l'idolâtrie des Samaritains se prosternant dans un lieu de culte établi sur le mont Garizîm, montagne considérée par eux comme sacrée.

Origène adoptera provisoirement la version selon laquelle les cinq maris font référence aux cinq livres de Moïse, le Pentateuque, que seul les Samaritains considéraient comme canonique. En fait, toutes ces considérations ne concernent pas jusqu'à présent la vie intérieure, mais si « les cinq maris » correspondent aux cinq sens, comme l'entendait par exemple saint Augustin, il en est tout autrement. Par les cinq sens, la Samaritaine n'a accès qu'à un ordre de réalité ordinaire, le monde sensible qui ne parvient pas à étancher sa soif. Elle ne comprend pas ce que lui dit Jésus quand il lui parle de cette eau qui jaillit en vie éternelle et qui fait que l'on n'aura plus jamais soif. Il lui annonce la possibilité d'une réalité invisible aux sens ordinaires, mais pourtant tangible et vitalement nécessaire. Le mari avec lequel elle vit et qui n'est pas le sien correspond à ce qu'on appelle en Inde « le sixième sens ». Celui-ci coordonne tous les autres, mais aussi déforme les sensations pour en faire des perceptions colorées par les expériences passées, accumulant les impressions et les conditionnements qui exilent ainsi de plus en plus de la vision claire et directe du réel. On a vu que « mari » voulait dire aussi « maître », or il y a là un maître qui ressemble plutôt à un dictateur ou à un « roi cruel », pour reprendre l'expression du prophète Esaïe (19, 4). Ce « roi cruel » contrôle totalement la façon d'appréhender la réalité en faisant tomber l'homme dans les rets des pensées et des opinions. Au sujet de ce même passage des Évangiles, Arnaud Desjardins souligne qu'« étant donné la brièveté des Évangiles, il est impossible qu'il y ait un chiffre, une précision qui ne nous concerne pas, nous, aujourd'hui, qui ne nous parle pas de nous, dans nos erreurs, nos tâtonnements, notre espérance [29] ».

C'est de la même manière qu'il est fait allusion aux organes des sens (à la perception ordinaire) à propos des cinq pains dans le miracle de la multiplication des pains (Jn 6, 9) ou encore dans l'expression suivante de l'Évangile selon Thomas : « Car il y en aura cinq dans une maison... » (log. 16). La maison a toujours traditionnellement représenté l'homme lui-même. Et le texte poursuit : « ... trois seront contre deux et deux contre trois », ce qui est notoirement une manière de désigner une grande confusion, par le conflit, la division.

La guérison du paralytique à la piscine de Bethesda ne se trouve que dans l'Évangile de saint Jean : « ... une piscine qui s'appelle en hébreu Bethesda et qui a cinq portiques. Sous ces portiques gisaient une multitude d'infirmes, aveugles, boiteux, impotents... » (Jn 5, 2-3). Ces cinq portiques désignent les cinq sens qui nous maintiennent au niveau du monde sensible avec le cortège d'infirmités et de souffrances qui lui sont attachées. « Il y avait là un homme qui était infirme depuis trente-huit ans. » C'est le même nombre d'années que dura la marche des Hébreux pour se rendre de Kadès-Barnéa au passage du torrent de Zéred (Dt 2, 14). Jésus lui demande : « Veux-tu guérir ? ». Question essentielle. Et la réponse l'est tout autant pour commencer une vie nouvelle.

Henri Le Saux a relevé un passage dans Osée (2, 6) et en donne un commentaire qui peut fort bien s'appliquer à l'épisode de la Samaritaine : « Dieu ne fit-il pas cette promesse au prophète Osée que, dans son amour irrésistible pour l'âme et malgré toutes ses infidélités et défaillances, il viendrait la prendre et la conduirait au désert ; il fermerait tous les chemins qui mènent chez ses "amants" – les désirs et les pensées de ce monde – et la garderait là, seule avec lui, face à face [30] ? »

Une lecture superficielle ne relèvera pas les implications immenses que revêt cette notion de « celui que tu as maintenant n'est pas ton mari » et qui désigne ce qu'on appelle en sanscrit *manas*, que les Anglais traduisent par *mind* et au sujet duquel on pourra forger le néologisme *mental* qui vient du bas latin *mentalis* et de *mens* (il est intéressant de remarquer à ce propos, comme l'a fait Arnaud Desjardins, que c'est l'étymologie du mot « mensonge »). Cela correspond exactement à ce que Jésus appelle en d'autres endroits « le Malin », « le prince de ce monde », « le menteur et le père du mensonge » (Jn 8, 44) et que le prophète Jérémie désignait comme étant en nous le « trompeur par dessus tout » (Jr 17, 9). Un sage indien contemporain, Ramana Maharshi, l'appelle de la même façon « le déceveur suprême ». Cet aspect du psychisme qui nous aveugle est précisément ce dont les enseignements spirituels essayent de nous affranchir, car le mental est à l'origine de toutes les incompréhensions et de tous les malentendus. Il est, si l'on peut dire, « l'organe » même de la *di-vision*, de la vision double qui correspond en réalité à un véritable trouble de la vision. Le mental étant par définition particulièrement retors, il est très difficile de le démasquer dans ses ruses, et c'est pourquoi une aide sous la forme d'un enseignement authentique est indispensable pour se « garder du Mauvais » (Jn 17, 15), ainsi que la présence d'un directeur spirituel qualifié. Sinon, livré à lui-même, il est à la source de toutes les aberrations et confirme l'adage antique selon lequel « l'homme est Dieu jouant à l'insensé ».

Le mental étant très difficile à prendre « la main dans le sac », il semble nécessaire ici de préciser en quoi il consiste, de cerner ses distorsions les plus notoires afin que cette notion ne demeure pas trop abstraite. Julienne de Norwich poursuit une démarche semblable par rapport au péché lorsqu'elle déclare : « Je crois qu'il n'a pas de substance ou d'existence réelle. Il ne peut être connu que par la peine qu'il cause. »

On aborde pour ainsi dire l'enseignement de Jésus *a contrario* en gardant les yeux ouverts devant sa dégradation la plus grossière.

II

LE MALIN VIENT ET S'EMPARE *

Le philosophe danois Sören Kierkegaard établissait une grande différence entre ce qu'il appelait le christianisme et la chrétienté, faisant ainsi allusion aux tragiques déviations qui se sont opérées peu à peu. Jacob Needleman en propose une explication en notant que « l'enseignement du Christ tel que nous le connaissons est destiné à des êtres d'un niveau supérieur au nôtre. Et l'élément perdu du christianisme, ce sont les méthodes spécifiques et les idées qui peuvent, d'abord, nous montrer que nous appartenons à un niveau sous-humain et, ensuite, nous conduire jusqu'au niveau où l'enseignement du Christ pourra être suivi dans les faits, et non en imagination. Bref, il y a des niveaux de christianisme. Faute de le comprendre, l'enseignement chrétien s'est déformé, avec toutes les conséquences qu'implique cette distorsion dans l'histoire collective de la civilisation occidentale [1] ». Un enseignement spirituel qui ne serait reçu que par le seul niveau psychique en l'homme peut se transformer en une arme extrêmement dangereuse. Il peut même en venir à alimenter et aggraver les aspects de l'homme les plus obscurs. L'interprétation de saint Irénée se révèle tout à fait justifiée : « Comment d'ailleurs seras-tu Dieu, alors que tu n'as pas encore été fait homme ? Comment seras-tu parfait,

---
* Matthieu 13, 19.

41

alors que tu viens à peine d'être créé ? [...] Car il te faut d'abord gagner ton rang d'homme et ensuite, seulement, recevoir en partage la gloire de Dieu [2] ». Et « gagner son rang d'homme » demande déjà toute une ascèse afin d'accéder à un degré de maturité suffisant pour être en mesure d'entendre véritablement l'enseignement. Sinon, celui-ci est en quelque sorte pris en otage par le mental qui lui fait dire ce qu'il veut et le détourne à ses propres fins. Ce qui en résulte est alors aberrant, non seulement par rapport à l'esprit initial mais aussi par rapport au simple bon sens.

La poursuite des hérétiques a fait autant de ravages et de martyrs que les persécutions romaines. Clément de Rome, rappelant sans doute Paul (Épître aux Romains 13), écrit aux alentours de l'an 120 : « Celui qui n'obéit pas aux autorités divinement ordonnées sera mis à mort. »

À la parole de Jésus qui ne comporte aucune ambiguïté : « Eh bien ! moi je vous dis : Aimez vos ennemis et priez pour vos persécuteurs » (Mt 5, 44), saint Augustin répond au Ve siècle en considérant que « la peur et la force étaient nécessaires dans l'Église, car chrétiens et païens ne répondaient habituellement qu'à la peur » (*De Baptismo*). Peter Brown note dans sa biographie de l'évêque d'Hippone : « Il écrivit le premier traité justifiant dans l'Église le droit politique de supprimer les non-catholiques. » Augustin écrit ces mots saisissants au comte Boniface : « Il y a une persécution injuste, celle que font les impies à l'Église du Christ ; et il y a une persécution juste, celle que font les Églises du Christ aux impies [...] ; l'Église persécute par amour, et les impies par cruauté [3] ». Au XIIIe siècle, saint Thomas d'Aquin approuve la condamnation à mort de tous ceux qui sont reconnus hérétiques : « En ce qui concerne les hérétiques, ils méritent d'être séparés de l'Église par l'excommunication, mais aussi d'être retranchés du monde par la mort [4] ».

Il n'est pas nécessaire de revenir sur les raisons qui ont fait que, par la suite, la confusion s'est amplifiée quand, au concile de Nicée convoqué par l'empereur Constantin en 325, puis au concile de Chalcédoine convoqué par l'empereur Marcien en 451, on a cherché à enfermer dans les concepts de la philosophie grecque traduite en latin l'expérience de la nature divine de Jésus en soulevant la question de la « consubstantialité » du Père et du Fils.

L'acharnement contre les gnostiques, le pillage et le massacre de peuples autochtones au cours d'entreprises missionnaires, les croisades, l'antisémitisme – y compris de la part de certains Pères de l'Église, et non des moindres [5] –, la lutte contre les chrétiens orientaux en 1204 (la ruine de Constantinople, le saccage et la profanation de la cathédrale Sainte-Sophie, et même la torture des prêtres orthodoxes pour les forcer à rendre les fragments de la vraie croix), tout cela fit dire à Montaigne « qu'il n'est pas, en effet, d'hostilité plus grande que l'hostilité chrétienne ».

En 1233, le pape Grégoire IX confie l'Inquisition à l'Espagnol Dominique Guzman, ce dernier déclarant après l'échec de la prédication : « Puisque aucun remède n'a d'effets sur le mal, que celui-ci soit extirpé par le feu ! Que les malheurs de la guerre ramènent les personnes à la vérité [6] ! » La Sainte Inquisition deviendra officiellement en 1542 le Saint Office. Le Grand Inquisiteur Michel Ghislieri, un dominicain, deviendra Pie V en 1565. Au XIIIe siècle déjà, nombre de papes avaient participé à des meurtres, des complots, des condamnations à mort, comme par exemple Grégoire IX, Clément IV ou Innocent IV (ce dernier a autorisé la torture dans sa bulle *Ad extirpenda*).

L'Inquisition allait durer six siècles, en terrorisant non seulement l'Espagne mais aussi l'Amérique. Il est permis de se demander, bien entendu, comment on peut à ce point s'éloigner de ce que Jean rappelait dans sa première Épître :

« Celui qui n'aime pas n'a pas connu Dieu car Dieu est Amour. » Élargissant à l'ensemble du Nouveau Testament, André Chouraqui écrit : « Si le péché contre l'Esprit, dont Jésus disait qu'il était irrémissible, existe, il faut le trouver peut-être dans le fait que ces textes rédempteurs aient servi de prétexte à tant de guerres, de luttes implacables entre sectes, confessions, religions et nations, qu'ils aient servi d'armes aux déviations de toute espèce que Jésus lui-même dénonçait en termes cinglants [7] ». C'est plus qu'il n'en faut, pour un esprit brillant comme Voltaire, pour rejeter en bloc tout ce qui touche à la religion. On se souvient de cet épisode où Voltaire a frôlé la condamnation pour blasphème, risquant de se faire couper la langue et les mains. Au cours de travaux de rénovation d'une église et d'un cimetière, dans sa propriété de Ferney, il a voulu faire déplacer une immense croix de bois dressée juste devant l'une des fenêtres de son château. Il ordonna à ses ouvriers : « Ôtez-moi cette potence ! » Le pasteur de Moens eut vent de la remarque qu'il considéra comme une insulte et demanda à Voltaire de se rétracter, mais les six ouvriers qui avaient été témoins de la scène prirent sa défense en arguant que le mot « potence » est un terme technique de charpenterie désignant une poutre en forme de T. L'ecclésiastique, peu satisfait de l'explication, conduisit l'affaire devant le tribunal de Dijon, qui finalement acquitta Voltaire grâce à l'intervention de son ami Tronchin.

Voltaire a été profondément marqué par le cas du chevalier Jean-François de la Barre (1747-1766) condamné à l'âge de dix-neuf ans à « la torture ordinaire et extraordinaire » pour ne pas avoir enlevé son chapeau – alors qu'il pleuvait – devant une procession de capucins dans les rues d'Abbeville.

Lorsque la confusion dans le domaine dit « spirituel » atteint ce degré, il devient très délicat de reprendre contact avec le sens profond de l'enseignement des Évangiles, car les différents plans sont mélangés. L'ordre de réalité qui prime est alors celui qui appartient au monde psychique avec son cortège d'émotions, de contradictions, d'incohérences. Et il est ardu de s'en dégager puisque l'illusion comporte la caractéristique de se développer à partir d'elle-même en évacuant systématiquement tout ce qui pourrait la remettre en cause [8].

On retrouve ainsi dans la tradition chrétienne – mais ce n'est pas la seule – ce hiatus entre l'aspect exotérique et l'aspect ésotérique de la religion, entre l'aspect doctrinal, dogmatique, et l'aspect expérimental, mystique. Le jeune abbé d'un monastère cistercien a pu remarquer que « l'Église n'a survécu que par ses saints » ; pourtant, les mystiques ont été l'objet de tourments et de persécutions, non seulement de la part des autorités ecclésiastiques mais aussi des moines eux-mêmes en proie à toutes sortes d'émotions perturbatrices. On a tenté à deux reprises d'assassiner saint Benoît, saint François d'Assise a été de son vivant dépossédé de son Ordre pour avoir laissé apparaître des stigmates, sainte Thérèse d'Avila a été tout d'abord suspectée, puis persécutée lorsqu'elle entreprit la réforme du Carmel, saint Jean de la Croix a été enfermé pendant neuf mois dans un réduit avec à peine de quoi survivre, Maître Eckhart a été condamné, surtout victime de rivalités politiques et des dissensions entre dominicains et franciscains, Jacob Boehme a été marginalisé, Hildegarde de Bingen excommuniée à plus de quatre-vingts ans avec tout son couvent pour avoir enterré dans sa propriété une jeune révolutionnaire, Marguerite Porète, brûlée vive en 1310 pour avoir écrit *Le Miroir des âmes simples et anéanties*.

Dans son livre *Comment je vois le monde*, Albert Einstein a remarqué que « c'est précisément parmi les hérétiques de toutes les époques que l'on trouve les hommes qui furent imprégnés des plus hauts sentiments religieux et qui, pourtant, ont été souvent considérés comme des athées par leurs contemporains... » La réponse, la véritable réponse des saints et des mystiques est leur vie illuminée elle-même, leur fidélité sans compromission à l'essence de l'enseignement de Jésus : une totale révolution intérieure qui les fait vivre, envers et contre tout, dans l'amour et la compassion. C'est alors cette admirable remarque de sainte Thérèse d'Avila à l'adresse des conquistadors, considérés comme des héros parce qu'ils rapportaient des tonnes d'or péruvien à la cour d'Espagne : « Aventuriers, ô conquérants des Amériques, au prix d'efforts plus grands et de souffrances plus dures que les vôtres j'ai découvert un monde toujours nouveau parce qu'il est éternel. Osez me suivre et vous verrez ! » Ou encore ce poème si touchant de saint Jean de la Croix en dépit de ce qu'on lui a infligé :

Car je sais bien, moi,
la fontaine qui court et coule,
malgré la nuit,
cette fontaine éternelle et secrète,
je sais bien, moi, où elle a sa cachette,
malgré la nuit.

Il y a de nombreux voiles qui recouvrent « l'intelligence du cœur », interdisent la compréhension des paroles de Jésus et mènent à de véritables aberrations. Dans le domaine religieux comme dans tout autre domaine, le voile redoutable est celui de l'opinion qui se travestit en vérité. Ce travestissement est par excellence l'œuvre du mental qu'illustre l'expression du Moyen Âge : *demonus est deus inversus,* « le démon est l'autre face de Dieu », ou encore celle des musulmans disant que « Satan est le singe de Dieu ».

Dostoïevski considérait que s'il avait à choisir entre le Christ et la Vérité, il choisirait le Christ ! Or, si l'on y regarde

46

de plus près, une telle attitude, sous les apparences d'une sublime dévotion, contient en fait la potentialité de toute violence et intolérance. On en arrive ainsi à ce qu'a connu Galilée en 1630, contraint de se dédire publiquement et de renier sa propre découverte : « Moi, Galilée, étant dans ma soixante-dixième année, prisonnier agenouillé, et devant vos Éminences, ayant devant mes yeux le Saint Évangile sur lequel j'appose les mains, j'abjure, maudis et déteste l'erreur et l'hérésie du mouvement de la terre [9] ».

Il est encore de nos jours, en Israël, des religieux qui considèrent les dinosaures comme un « symbole d'hérésie » parce qu'ils sont pour eux l'emblème de la négation de la création. Le monde, affirment-ils, a été créé il y a 5 753 ans, alors que les scientifiques situent le règne de ces sauriens à environ cent millions d'années. On est loin à cet égard de l'attitude du Dalaï-Lama, qui répète sans cesse que si des découvertes scientifiques récentes venaient infirmer ce qui est écrit dans les textes bouddhistes traditionnels, il renoncerait immédiatement à ceux-ci sans hésiter [10].

Face à l'attitude de Dostoïevski, il est bon de rappeler celle de Simone Weil qui considère que « le Christ aime qu'on lui préfère la Vérité, car avant d'être le Christ il est la Vérité. Si on se détourne de lui pour aller vers la vérité, on ne fera pas un long chemin sans tomber dans ses bras [11] ». Placer le Christ au-dessus de tout, et en particulier de la vérité, comporte donc un grand danger, même si cela se fait avec les meilleures intentions du monde : d'un acte de foi apparemment grandiose, on en arrive « au mieux » à être coupé des autres, au pire à vouloir les faire plier par la force physique ou la contrainte psychologique (culpabilisation ou peur) pour les soumettre au même avis. Une mauvaise compréhension de la parole célèbre : « Je suis le Chemin, la Vérité et la Vie. Nul ne vient au Père que par moi » (Jn 14, 6), risque donc d'engendrer une certaine intolérance si l'on s'attache à la personne de Jésus d'une manière ordinaire, sans tenir compte de la dimension ultime, du mystère le plus profond de notre être [12]. On risque de finir par s'octroyer le monopole du Saint-Esprit. Pie XII, dans son encyclique *Divini Praecones*, énonce que « l'Église n'a jamais traité les doctrines païennes avec mépris et dédain ; elle les a délivrées de toutes les erreurs, les a complétées et couronnées de la sagesse chrétienne [13] ». Le Christ, uniquement considéré dans son sens le plus restreint comme *le* Fils de Dieu, ne devient plus, paradoxalement, l'inspirateur de l'ouverture, de l'accueil et de la communion, mais au contraire du repli dans l'exclusivisme et la condescendance. Jésus a bien souligné le fait qu'être fils de Dieu n'est pas exclusif et qu'il appartient à chacun de réaliser lui-même qu'il est fils de *Alaha* (en araméen, l'Unité sacrée). Lorsqu'il donne ses directives spirituelles, c'est « afin de devenir fils de votre Père qui est aux cieux » (Mt 5, 45).

Dans son ouvrage intitulé *Bouddha vivant, Christ vivant*, le moine bouddhiste vietnamien Thich Nhat Hanh s'arrête un moment sur les propos suivants tenus par Jean-Paul II : « Saint Paul est profondément conscient de l'originalité absolue du Christ, qui est unique et inimitable. S'il était seulement un sage comme Socrate, un "prophète" comme Mahomet, s'il était un "illuminé" comme le Bouddha, sans aucun doute le Christ ne serait pas ce qu'Il est. Il est l'unique Médiateur entre Dieu et les hommes [14] ». Et, très simplement, Thich Nhat Hanh fait ce commentaire : « Cette affirmation ne semble pas refléter le profond mystère de l'unité de la Trinité, ni le fait que le Christ est aussi le Fils de l'Homme. Lorsqu'ils prient Dieu, tous les chrétiens s'adressent à Lui en tant que Père. Bien sûr, le Christ est unique. Mais qui ne l'est pas ? Socrate, Mahomet, le Bouddha, vous et moi sommes tous uniques. L'idée qui transparaît toutefois dans cette affirmation, c'est que le christianisme est la seule voie de salut et que toutes les autres traditions religieuses sont inutiles. Une telle attitude exclut le dialogue et favorise l'intolérance religieuse et la discrimination [15] ».

Si l'on pénètre plus profondément dans l'expérience même à laquelle Jésus nous invite et si l'on progresse dans la voie de la purification, non seulement le dialogue avec les autres traditions spirituelles apparaît comme un enrichissement, mais aussi comme une évidence. De telles rencontres coulent de source parce qu'elles nous rejoignent dans ce qu'il y a de plus intérieur et sacré. Elles éclairent, sous un angle différent, notre propre chemin de transformation. Lors du premier Parlement des religions à Chicago, en 1893, l'archevêque de Canterbury déclina l'invitation car il était offensé que d'autres religions soient placées sur le même pied d'égalité que le christianisme, et il s'en justifia avec cette désolante affirmation : « La religion chrétienne est la seule religion. » Pour être caricaturale, cette attitude formulée franchement n'en énonce pas moins tout haut ce que beaucoup pensent encore tout bas [16]. Pourquoi y a-t-il autant de méfiance et de peur ? Pourquoi l'ouverture à la différence est-elle à ce point ressentie comme une menace ou un affront ? Henri Le Saux, que l'on peut considérer comme un véritable mystique contemporain et dont l'ascèse a été nourrie par le déchirement entre le christianisme et l'hindouisme, considère que « l'Église est comme une mère qui a peur de laisser son enfant marcher tout seul et le soutient toujours d'une ceinture d'étoffe qu'elle lui passe sous les bras. Comment l'enfant arrivera-t-il jamais à son Père [17] ? » En un sens, il résout son déchirement par le haut et nous montre l'exemple d'un dépassement de la forme – même si celle-ci est sublime – pour nous orienter vers la profondeur vraie et le silence que l'on a tous en partage. Il note dans son *Journal* : « Au-delà du christianisme de secte, de l'hindouisme de secte, partout affleure la Présence, s'arrêter, adorer, et là s'asseoir et se recueillir dans un prosternement de l'esprit plus profond encore que le prosternement du corps dans le rite [18] ».

Enlever un à un les voiles, les revêtements, est une tâche qui nous incombe si nous voulons être en mesure d'accomplir ce que Jésus enseigne. Par paliers successifs, le cheminant se rapproche ou plutôt laisse transparaître en lui une conscience plus claire, purifiée de ses scories. Tournés vers l'intérieur, les disciples d'une voie spirituelle authentique convergent tous vers le même point parce que, quelle que soit la voie empruntée, la paix véritable est toujours la paix et la compassion véritable est toujours la compassion. Il ne s'agit donc pas de simplement suivre Jésus vaguement à la trace « comme un loup renifle un cadavre ou une mouche est attirée par les effluves d'une marmite », pour reprendre les images très crues de Maître Eckhart [19], mais plutôt de suivre une démarche jalonnée d'indications extrêmement précises et qu'il faut saisir sans aucune approximation pour être en mesure de vraiment les approfondir.

Si nous nous sommes arrêtés un moment sur certaines des déviations les plus flagrantes de l'enseignement évangélique, ce n'est pas pour nous livrer à ce que les théologiens appellent la *delectatio morosa*. Il s'agit plutôt de bien établir que le mental est la source même de l'illusion, de l'erreur, et que toutes les conséquences qui en découlent ne sont pas de simples figures de style. Évidemment, aborder ce thème est à double tranchant dans la mesure où l'on s'expose soi-même au risque de se laisser emporter par son propre mouvement de réprobation. Ainsi, en toute bonne conscience, le fait de s'offusquer risque de perpétuer par notre réaction même la rotation de la roue, nous rendant ainsi complice de ce que nous prétendons précisément dénoncer. En effet, une réaction émotionnelle d'opposition n'échappe pas aux lois et aux rouages à la base de toutes les tragédies évoquées ; elle se situe sur le même plan de conscience et par conséquent n'apporte non seulement aucune solution, mais entretient exactement le nœud du problème sous une apparence pourtant inversée. Il est en revanche beaucoup plus fructueux – et difficile – de suivre le conseil du célèbre Rabbi Hillel, un contemporain de Jésus : « Là où les hommes font défaut, sois homme. »

Et si l'on veut parvenir à « haïr le péché et aimer le pécheur », il faut au préalable accéder à une conscience transformée, à un changement de niveau d'être rendant impossible les élans négatifs et les révoltes stériles.

Les possibilités de déviation et de glissements sont tellement nombreuses par rapport à un enseignement spirituel authentique que l'on peut considérer le cheminement comme un effort permanent pour corriger les erreurs et rectifier le cap. La progression se fait par un affinement de la compréhension ou, en d'autres termes, par des réajustements successifs par rapport à des vues erronées. Jésus met clairement en garde à cet égard : « Entrez par la porte étroite. Large, en effet, et spacieux est le chemin qui mène à la perdition, et il en est beaucoup qui s'y engagent ; mais étroite est la porte et resserré le chemin qui mène à la Vie, et il en est peu qui le trouvent » (Mt 7, 13-14). La Voie est étroite comme « le fil du rasoir », disent les *Upanishads,* considérant aussi que la marge est très mince et d'autant plus difficile à emprunter. Face aux difficultés et aux nombreux dangers qui guettent les « adeptes de la Voie » (Actes 9, 2), le guide va accompagner le disciple et lui montrer les écueils. Tout disciple formule ainsi une demande comme celle du Psalmiste : « [...] fais-moi connaître cette voie où je dois marcher [...] » (Ps CXLIII, 8) et Jésus propose en réponse une méthode concrète et les conditions d'une mise en pratique en disant : « Mettez-vous à mon école » (Mt 11, 29). Mais l'accession à l'authenticité du message est parsemée d'obstacles sous la forme de malentendus et de distorsions. La progression vers une compréhension juste est le plus souvent compromise parce que tout ce qui est enseigné est sans cesse dévié, réinterprété et ramené à ce qui est connu, aux manières habituelles de penser, aux préjugés courants, aux opinions devenues une seconde nature, aux normes et aux conventions qui nous imprègnent dès la naissance. Si l'on veut, pour reprendre les expressions du père François Varillon, « déblayer le terrain » et « effacer les faux plis », la tâche se révèle d'une ampleur immense et l'accomplissement à atteindre comme le plus grand défi qui soit. Après avoir évoqué rapidement les trahisons les plus grossières de l'enseignement des Évangiles, il est possible d'en venir à un aspect beaucoup plus délicat : celui du glissement du domaine strictement spirituel au niveau de la morale, c'est-à-dire de l'obscurcissement de la dimension transcendante par le mental à l'aide de notions telles que celles du Bien et du Mal.

On se souvient que Gurdjieff soulignait à quel point l'enseignement de Jésus avait été déformé, nous livrant parfois « des informations tout justes bonnes à servir de thèmes pour des contes de nourrice [20] », et le père Richard Gutzwiller rappelle à son tour que « les Évangiles ne sont pas des contes de Perrault pour enfants, ce sont des couteaux tranchants, un tonnerre qui gronde, un tremblement de terre dans le domaine de l'intelligence [21] ». Il ne faut donc pas s'attendre à ce que Jésus entretienne les douillettes habitudes fondées sur des sécurités illusoires, fût-ce au nom du Bien lui-même. En mettant l'accent principal sur la possibilité d'une transformation intime et personnelle, il était inévitable que son enseignement fût en rupture avec les conventions sociales et morales de son époque, tout au moins telles qu'elles étaient pratiquées par les catégories les plus influentes du monde juif du Ier siècle. En ce sens, il remplit une fonction de renouvellement et de rafraîchissement de la tradition ancienne. Cela se produisit aussi en Inde au Ve siècle avant J.-C. avec le Bouddha, qui chercha à purifier le brahmanisme plutôt que de créer une nouvelle religion, et en Chine au VIe siècle avant J.-C. avec Lao-tseu. La revitalisation spirituelle des enseignements antérieurs implique un dépassement de la morale établie et conventionnelle dans la mesure où les anciens cadres de référence, nécessairement relatifs, ne sont plus des supports appropriés et peuvent même éventuellement devenir des obstacles. En aucun cas l'enseignement de Jésus ne peut se réduire à un code moral ou à un système de croyances puisqu'il propose une vision radicalement nouvelle et l'accès à une réalité qui n'est pas de ce monde. Il y a donc un bouleversement complet dans la manière conventionnelle de percevoir les choses, et c'est ce que traduit par exemple de façon identique un Tchouang-tseu lorsqu'il considère que « s'adapter aux choses en les harmonisant, voilà la vertu, s'accommoder des choses en les épousant, voilà le Tao [22] ».

La première attitude relève d'une conformité à un code moral, la seconde d'une réalisation proprement spirituelle correspondant à une grande maturité intérieure. Cette « accommodation » reflète une fluidité et une soumission de l'être tout entier à l'ordre même de l'univers en épousant la manifestation sans aucune limite ni réticence. Elle suppose un état d'être dont la profondeur échappe aux fonctionnements ordinaires du mental qui s'accroche sans cesse aux idées reçues et aux règles instituées. Un tel accomplissement – et les attitudes spontanées qui en résultent – est par nature subversif par rapport aux valeurs morales en vigueur. Bien sûr, cela ne veut pas dire pour autant qu'il suffit de rayer d'un trait toute norme morale pour être établi dans cette sagesse transformatrice.

Cette différence de plan entre la morale habituelle et les lois mystérieuses qui régissent la transformation de l'être se trouve déjà soulignée dans l'Ancien Testament, en particulier dans le Livre de Job et l'Ecclésiaste. L'adversité et les souffrances de Job restent inexplicables au niveau ordinaire, ses tourments sont incompréhensibles pour un fidèle serviteur de Dieu « intègre et droit » tel que lui, soucieux de faire le bien et sur qui pourtant tous les malheurs s'abattent. La morale courante est choquée par le fait que ses plaintes et ses implorations restent sans réponse, et d'ailleurs ses trois amis « élevèrent la voix et pleurèrent » à ses côtés. Pratiquer le bien ne semble donc même plus être une garantie de bonheur et, qui plus est, Dieu lui-même lui refuse tout secours.

En fait, c'est l'Éternel qui accorde à Satan le droit d'infliger à Job des épreuves. Satan signifie l'Adversaire, celui qui est sur l'autre versant et grâce auquel il est possible de se mesurer, de se dépasser. Ce n'est donc pas un ennemi puisque la situation adverse peut éventuellement contribuer à faire grandir, conduisant ainsi à une tout autre compréhension. L'ennemi au contraire est, selon l'étymologie, celui qui suscite notre inimitié (*inimiscus*). Nous restons alors enfermés dans une réaction émotionnelle et toute possibilité de croissance intérieure s'en trouve bloquée.

Il est par conséquent question ici de l'histoire d'une transformation et le récit biblique nous montre clairement que les critères du monde ne sont pas les mêmes que ceux de la sagesse ultime. Comme tout disciple sur la voie, Job doit payer le prix fort pour accéder à l'expérience de Dieu. Son retournement intérieur – et la restauration de la prospérité qui s'ensuivit, c'est-à-dire l'introduction à un ordre nouveau – ne sont possibles qu'en quittant le domaine des perceptions ordinaires, des valeurs régnantes et des normes de la morale reçue. S'adressant à Dieu, il lui dit : « J'avais entendu parler de toi par ouï-dire, mais maintenant mon œil peut te voir » (Jb 42, 5). À ce moment-là seulement l'incompréhension est dissipée, laissant loin derrière le moralisme des hommes et les vues étroites dans lesquelles ils se sont enfermés. Une stricte obéissance aux lois civiques, morales et même religieuses ne peut suffire. Elle peut même être une source d'orgueil et de vanité. Jusqu'à présent, Job avait entendu parler de Dieu ; c'est-à-dire qu'il se conformait à des prescriptions et y excellait d'une façon irréprochable. Et pourtant, la nature réelle des défis qu'il allait rencontrer lui demeurait incompréhensible, laissant la place aux lamentations et à une révolte impuissante. Son application méticuleuse ne s'appuyait que sur l'ouï-dire, autrement dit sur des indications de seconde main ressassées par la mentalité ambiante ainsi que sur l'identification à ce qu'il était persuadé être le bien selon la conception communément admise.

Le fait que les spécialistes aient tendance à distinguer deux catégories dans la tradition des sages d'Israël – celle qui concerne la morale (par exemple les Proverbes ou l'Ecclésiastique, un apocryphe du IIe siècle av. J.-C.) et celle qui concerne la sagesse (Job, Ecclésiaste) – nous permet de mieux souligner la distinction entre ces deux plans avant d'aborder la question de l'enseignement de Jésus à cet égard. Comme nous allons le voir, il est très facile de dériver d'un niveau à l'autre et cette déviation est lourde de conséquences.

Il est tout d'abord important de noter que Jésus ne parle jamais du péché originel et qu'il n'en est pas fait mention dans les Évangiles. On ne peut, à moins de faire un contresens, considérer que Jean-Baptiste et Jésus font allusion au péché originel lorsqu'il est question de la rémission des péchés. C'est Paul surtout qui va l'aborder : « Voilà pourquoi, de même que par un seul homme le péché est entré dans le monde, et par le péché la mort, et qu'ainsi la mort a passé en tous les hommes, du fait que tous ont péché »

(Rm 5, 12) et : « Car la mort étant venue par un homme, c'est par un homme aussi que vient la résurrection des morts » (I Co 15, 21). Saint Augustin, au Vᵉ siècle, poursuivra cette inflexion en la développant, orientant ainsi la conscience occidentale dans une direction particulière. Le développement ultérieur du christianisme a accordé une aussi grande place à Jésus qu'à Paul, saint Augustin et saint Thomas d'Aquin, ce qui donne finalement un climat tout autre que si la simple exclusivité avait été accordée à Jésus, c'est-à-dire à sa vie et son enseignement, ses actes et ses paroles, éventuellement commentés par un Origène, Grégoire de Nysse, Clément d'Alexandrie, Grégoire de Nazianze ou Jean Climaque.

À propos du péché originel, père François Varillon précise cependant qu'il ne faut pas « imaginer les choses de la manière caricaturale qu'on appelle "le coup du plombier divin". Dieu, le plombier suprême, avait fabriqué le monde avec toute une tuyauterie qui fonctionnait parfaitement bien. L'homme s'est arrangé pour démolir cette tuyauterie. D'où la décision du plombier d'envoyer son Fils réparer l'ensemble, de telle sorte que cela marche encore mieux que dans le plan primitif [23]. » Il faut bien reconnaître qu'au cours des siècles, c'est bien ainsi que le mythe a été compris.

S'en tenir strictement à l'enseignement de Jésus écarte dès le départ la possibilité de se considérer comme un être *intrinsèquement* méprisable, déchu, dégradé. Cela n'empêche certes pas Jésus d'avoir des mots très sévères à l'égard de la condition humaine en général, et il rejoint sur ce point le vocabulaire commun à tous les enseignements spirituels : le statut de l'homme ordinaire est d'être « endormi », « divisé contre lui-même », « ivre », « aveugle dans son cœur ». Le tableau est désolant, mais il s'agit d'un constat nécessaire sans lequel aucun affranchissement ultérieur n'est possible. Il n'y a là aucune culpabilisation ni accusation au sens où l'on reprocherait à l'homme d'être ce qu'il est tout en y puisant le prétexte d'exercer sur lui un pouvoir coercitif.

D'une façon tout aussi significative, on ne trouve pas le mot « chute » dans l'hébreu de la Bible, il s'agit seulement « d'exil ». Ce que constate le maître spirituel relève du diagnostic médical et non pas du jugement de valeur. On voit mal en effet un médecin accuser ou accabler un patient parce qu'il est malade. Il va au contraire l'accueillir et éventuellement lui demander sa propre collaboration dans le sens où Hippocrate disait : « Quand quelqu'un désire la santé, il faut d'abord lui demander s'il est prêt à supprimer les causes de la maladie. Alors seulement est-il possible de l'aider. »

Jésus annonce sans ambiguïté : « Ce ne sont pas les gens en bonne santé qui ont besoin de médecin, mais les malades » (Mc 2, 17 ; Lc 5, 31). Il existe en araméen deux mots différents pour désigner le médecin : le premier utilisé dans les textes est *asya*, qui signifie « guérisseur », et le second, qui appartient au langage courant, est *hakim* – un dérivé du mot *khakam*, « être sage ». *Khakima* est l'homme sage, et cela correspond bien à l'allégorie utilisée ici. Comme il n'est pas de plus grave maladie que la maladie spirituelle, cela explique pourquoi la pertinence du remède consiste en des instructions qui sont surtout de l'ordre de la prescription médicale et non pas seulement d'une nouvelle codification des comportements extérieurs. Le but du cheminement intérieur est le salut, terme qui correspond très exactement au mot « guérison », *soteria* [24]. Le fait même de sauver a pour origine le mot « sain » ; il consiste à maintenir en bonne santé, à délivrer de la maladie. Ainsi que le précise Xavier Léon-Dufour, « le résultat de l'action est de "guérir", en sorte que les guérisons effectuées par Jésus symbolisent le salut [25] ». Le sens symbolique des guérisons est très profond et concerne avant tout le domaine spirituel. Là est le vrai miracle. Le texte grec affirme indistinctement : « Ta foi t'a sauvé » ou :

« Ta foi t'a guéri » (Mc 10, 52 ; Lc 17, 19 ; 18, 42). En Luc 4, 18, Jésus fait référence au passage d'Esaïe (61, 1) :

Car l'Éternel m'a oint pour porter de bonnes nouvelles aux malheureux,
   Il m'a envoyé pour guérir ceux qui ont le cœur brisé,
   Pour proclamer aux captifs la liberté,
   Et aux prisonniers la délivrance.

Tel est l'état de l'homme : exilé, malade, captif. Mais il est dans le même temps question de la guérison, du salut, de la délivrance. On sait que les grandes traditions spirituelles proposent le même objectif, et cela est bien compréhensible dans la mesure où la maladie est toujours de même nature, quelles que soient les conditions culturelles, les lieux et les époques. « Si l'on ne cultive pas l'homme intérieur, remarquait Origène, on ne peut pas être appelé homme-homme, mais homme tout court ou homme psychique, car l'homme intérieur pour qui le titre d'homme prend un sens authentique et noble est endormi en lui [...] écrasé par les soucis et les inquiétudes de ce monde, et il ne mérite pas d'être appelé de ce nom [26] ».

C'est à cet état englué, c'est-à-dire identifié à soi-même et au monde, que Jésus entend nous arracher. Lui-même étant radicalement libre, il correspond à ce qu'on appelle en Inde le *jîvan-mukta*, c'est-à-dire le « libéré-vivant ». Il est l'instrument par lequel Dieu agit dans le monde et va chercher les hommes là où ils sont, jusqu'au fin fond de leur enfer. Cela demande un amour et une compassion sans limite, et il est intéressant à cet égard de s'arrêter un moment sur la façon dont Jésus s'adresse aux scribes et aux pharisiens.

Ces derniers sont en effet une cible privilégiée. Les scribes, aussi appelés « docteurs de la Loi », détiennent de très grands pouvoirs vis-à-vis du peuple juif. Ils remplissent à la fois les fonctions de légiste, de juriste, de théologien et ils sont finalement plus puissants et considérés que les prêtres eux-mêmes ou les dirigeants politiques.

De leur côté, les pharisiens (de l'hébreu *perouchim*, « séparés ») constituent une secte religieuse qui prétend incarner le véritable Israël. Ce sont en général des laïques versés dans l'étude de la Loi, qu'ils s'évertuent à suivre et à faire respecter à la lettre. Leur attachement à la Loi les rend particulièrement méticuleux en ce qui concerne le sabbat, la pureté rituelle et le paiement des dîmes. Scribes et pharisiens sont mis par Jésus dans le même sac et il s'adresse à eux en des termes peu complaisants. Il s'en prend à leur orgueil, leur rigorisme, leur puritanisme.

Comme tout ce qui figure dans les Évangiles ne doit pas être projeté dans une extériorité commode, il convient de voir « le scribe et le pharisien » en nous et de sentir que Jésus s'adresse aussi à cet aspect qui nous habite et dont nous sommes victimes. Il est particulièrement remarquable de constater qu'en dépit de son extrême sévérité, sa compassion est toujours présente, sous-jacente au moindre geste qu'il pose, à la moindre parole qu'il prononce, parce que c'est avant tout l'aveuglement qu'il voit et la souffrance de l'autre enfermé dans son propre égocentrisme. Ainsi donc, même si l'intervention est énergique ou véhémente, il n'y a jamais de condamnation au sens moral du terme.

L'apostrophe de Jésus traduite le plus souvent par : « Malheur à vous, scribes et Pharisiens hypocrites » (Mt 23, 13 et suiv.) est source de confusion parce qu'elle met dans la bouche de Jésus une condamnation, pire même, une malédiction. C'est ainsi que ce passage a été communément intitulé les « Sept malédictions aux scribes et aux Pharisiens ». Or l'exclamation *oï* en hébreu, qui a été transposée en inventant le mot grec *ouai*, est une onomatopée qui exprime une certaine affliction. André Chouraqui la rend plus justement par « hélas ! ». Le « malheur à vous » signifie donc en réalité « malheureux êtes-vous », ce qui est tout différent. La Bible de Jérusalem traduit par exemple Matthieu 18, 7 en : « Malheur au monde... », alors que la traduction œcuménique de la Bible retient à juste titre : « Malheureux le monde... » En adoptant cette dernière expression, elle est fidèle au sens selon lequel Jésus est attristé de constater l'état intérieur des scribes et des pharisiens. Du fond de sa compassion, il le déplore et se lamente. Cette nuance, dégagée de toute désapprobation strictement morale, est confirmée par la signification véritable du mot « hypocrite » qui suit immédiatement dans le texte.

Certains commentateurs attirent l'attention sur le fait de ne pas considérer les versets de Matthieu 23, 13-32 en tant que jugements moraux [27]. En dehors des Évangiles, dans *La Didaché*, un texte très important pour la catéchèse et datant environ des années 50-75 après J.-C., les mots grecs correspondants à « hypocrisie » ou « hypocrite » ne comportent pas non plus une quelconque connotation d'ordre moral [28]. D'après F. F. Bruce, l'expression apparemment impitoyable « d'engeance de vipères » (Mt 23, 33) laisse entendre, d'après le contexte, que cette formule doit être comprise comme une lamentation et non pas comme une accusation au sens fort du terme [29].

Le grec du Nouveau Testament *hypocritès*, rendu par « hypocrite », laisse entendre en français que les scribes et les pharisiens sont des dissimulateurs et qu'ils présentent volontairement une façade pieuse tout en étant eux-mêmes dépourvus de toute sincérité. Cette interprétation ne peut pas être retenue car les religieux juifs étaient au contraire d'une grande dévotion ; ils ne cherchaient pas à feindre *consciemment* quoi que ce soit. Ils étaient dévoués à ce qu'ils considéraient en toute bonne foi comme étant la pratique juste. D'ailleurs, à l'époque des Maccabées, ils résistèrent à la tentation d'être assimilés par le paganisme et préférèrent subir le martyr plutôt que de trahir leur héritage religieux.

Le premier sens du mot, qui dérive du verbe *hypocrinô* signifiant « répondre » (comme la réplique que donne le comédien au théâtre), ne s'applique pas à eux. Ils ne cherchent pas à jouer un rôle dans le but intentionnel de simuler ce à quoi ils ne croient pas eux-mêmes. Par conséquent, leur état intérieur est encore plus pernicieux en ce sens que sa nature réelle échappe complètement à leur propre lucidité et qu'il entraîne à sa suite de graves conséquences pour les autres. En effet, ils sont aveugles : « Ôte d'abord la poutre de ton œil et alors tu verras clair » (Mt 7, 5 ; Lc 6, 42). Il s'agit bien entendu d'une obscurité spirituelle qui occulte leur capacité de discernement et d'appréciation.

« Mais pourquoi ne jugez-vous pas par vous-mêmes de ce qui est juste ? » (Lc 12, 57). En disant cela, Jésus s'adresse ici également aux foules, ce qui est une manière de souligner que ce qui est dit ne concerne pas une catégorie spécifique de gens à l'exclusion des autres.

« Lorsque vous voyez un nuage se lever au couchant, aussitôt vous dites que la pluie vient, et ainsi arrive-t-il. Et lorsque c'est le vent du midi qui souffle, vous dites qu'il va faire chaud, et c'est ce qui arrive. Hypocrites, vous savez discerner le visage de la terre et du ciel ; et ce temps-ci alors, comment ne le discernez-vous pas ? » (Lc 12, 54-56). Cette mention de « ce temps-ci » est de même nature qu'en Marc 1, 15 lorsque Jésus proclame : « Le temps est accompli et le Royaume de Dieu est tout proche ». Il ne s'agit pas cependant, comme le laisse suggérer Marc, de l'accomplissement d'une prédiction, car « le terme grec utilisé ici pour exprimer la notion de "temps", *kairos*, ne concerne pas le temps chronologique, le temps "ordinaire". Il se réfère à un temps "décisif", l'heure d'un rendez-vous chargé d'un sens extraordinaire [30] ». Cette rencontre décisive ne peut se faire que par un revirement intérieur complet, au plus intime de l'être, dans une dimension verticale et atemporelle.

En dehors même du fait que Luc y voit une allusion aux temps messianiques, il est évident que Jésus souligne la cécité spirituelle de ses auditeurs et leur incapacité à transposer dans le domaine de l'intériorité cette compétence qu'ils ont su pourtant développer par rapport au monde extérieur. Leur obsession à distinguer ce qui est pur de ce qui est impur, ou encore à se préoccuper d'ablutions rituelles et de prélèvements monétaires, n'a plus rien à voir avec un chemin de transformation authentique. Jésus les interpelle ainsi : « Vous qui acquittez la dîme de la menthe, de la rue et de toute plante potagère, et qui délaissez la justice et l'amour de Dieu ! » (Lc 11, 42 ; cf. Mt 23, 23). Leur application de la Loi est tellement scrupuleuse qu'elle fait sombrer les pharisiens dans une exagération à la fois grotesque et redoutable. Paradoxalement, elle les fait aussi basculer dans l'impiété. C'est pourquoi Claude Tresmontant préfère traduire le mot « hypocrite » par celui de « mécréant » qui restitue le sens initial, puisque le problème est beaucoup plus profond qu'une simple question de piété formaliste et de mensonge volontaire. Les pharisiens sont des faux justes qui se veulent des modèles. Le mot araméen qui a été rendu en grec par *hypocritès* est intraduisible et veut dire littéralement « preneurs-au-visage », c'est-à-dire « attrape-figures » ou même « attrape-nigauds ». Jésus s'en prend à leur comportement, mais pour remonter à la source réelle du problème. Cependant, cette source ne se laisse pas facilement démasquer parce que cela remet directement en cause les anciennes structures de l'individu. D'ailleurs, les scribes et les pharisiens essaieront par tous les moyens de se défaire de la présence d'un tel maître qui les empêche de continuer à « tourner en rond ». Ne dit-on pas en Orient qu'il y a deux choses dangereuses dans la vie : se tenir debout derrière un cheval et assis devant un maître spirituel !

L'enjeu d'une véritable remise en question est trop élevé pour eux et bien peu seront ceux qui, parmi eux, se risqueront à aller le consulter, même en secret.

Le fait que les propos véhéments à l'encontre des scribes et des pharisiens aient été rassemblés dans un même discours par l'ultime rédacteur matthéen reflète probablement la situation conflictuelle du moment entre les pharisiens et les juifs nouvellement convertis. En 5, 43, Matthieu force le trait lorsqu'il cite tout en le déformant le commandement : « Tu aimeras ton prochain et tu haïras ton ennemi », alors que le texte de la Bible dit simplement : « Tu aimeras ton prochain comme toi-même » (Lv 19, 18). Le verset qui précède est d'ailleurs on ne peut plus clair : « Tu ne haïras point ton frère dans ton cœur » (v. 17), et encore : « Tu ne te vengeras point, et tu ne garderas point de rancune contre les enfants de ton peuple. » Les mots « hais ton ennemi » ne se trouvent nulle part dans la Bible hébraïque ni dans ses commentaires classiques. Il n'est pas plus légitime de les mettre dans la bouche de Jésus, même s'il est vrai que ce point est légèrement adouci si l'on tient compte du fait que « haïr », en hébreu ou en araméen, signifie plutôt « mettre de côté » ou « aimer moins ».

Après avoir évoqué avec le Livre de Job la nécessité d'établir une distinction entre ce qui relève de la morale et ce qui relève de la sagesse, et montré que Jésus ne descend pas au niveau du jugement de valeur (même à l'endroit des pires aberrations dont l'homme est capable), il devient clair que son enseignement n'est ni moral ni immoral, mais plutôt amoral. Il rejoint en cela toute sagesse traditionnelle qui ne cherche pas fondamentalement à légiférer du dehors, mais à opérer en chacun une révolution intérieure dont l'ampleur est telle que la vie s'en trouve complètement changée et, en conséquence, tout l'ancien système de valeurs aussi. Bien évidemment, sur le plan de la logique quotidienne, un tel processus de croissance et de maturation engendre de nombreux remous, de telle sorte que la personne de Jésus et son enseignement sont l'occasion de multiples réactions chez ses disciples les plus proches, de même que chez la plupart de ses contemporains, qui sentaient leur position et leurs intérêts directement menacés.

Comment, en effet, tout en restant prisonnier du monde de la dualité et asservi aux paires d'opposés que symbolisent en puissance les notions de Bien et de Mal, comprendre un enseignement qui se situe au-delà même de ces notions ? Il est inévitable que chacun tente de ramener à l'intérieur de ses propres conceptions et catégories la portée réelle de l'enseignement, interprétant ainsi tout en fonction de ses critères personnels ou ceux communément admis. Ce que Jean rapporte correspond à ce qui se passe toujours à cet égard : « On chuchotait beaucoup sur son compte dans les foules. Les uns disaient : "C'est un homme de bien". D'autres disaient : "Non, il égare la foule" » (Jn 7, 12). Mais la question essentielle est de savoir comment les aveugles peuvent en juger alors qu'ils sont précisément victimes de cette coloration dualiste en « bien/mal ». Pourtant, Jésus est tout à fait explicite lorsqu'il propose de « devenir fils de votre Père qui est aux cieux, car il fait lever son soleil sur les méchants et sur les bons, et tomber la pluie sur les justes et les injustes » (Mt 5, 45). N'est-ce pas vouloir faire éclater les références ordinaires dans lesquelles les hommes s'enferment ? En reprenant les termes « bon », « méchant », « juste », injuste », Jésus descend délibérément au niveau ordinaire et, partant de là, propose la possibilité d'une autre vision qui pulvérise les schémas de pensée habituels. La formulation de Luc est différente, mais le principe revient au même : « Votre récompense alors sera grande, et vous serez les fils du Très-Haut, car il est bon, Lui, pour les ingrats et les méchants » (Lc 6, 35). Ici, la logique courante est brisée, mais d'une autre manière : le « bon » ne s'oppose plus au « méchant », il l'éclaire ! C'est encore une autre façon de dire que la dualité est dépassée.

Dans un contexte différent, on retrouve le même enseignement subtil de l'unité dans la formule suivante : « Ne vend-on pas deux passereaux pour un as ? » (Mt 10, 29).

Avoir mangé le fruit de l'arbre de la connaissance du bien et du mal, c'est-à-dire instaurer la dualité, est une erreur fondamentale réitérée en permanence au plus profond de chacun. Les Pères de l'Église considèrent d'ailleurs le péché originel comme ayant lieu à chaque instant, car c'est une erreur qui est à l'origine de toutes nos souffrances, ici et maintenant.

À partir du moment où l'on commence à entrevoir que l'enseignement de Jésus ne s'inscrit pas dans la perspective dualiste du bien et du mal, une autre dimension émerge peu à peu, d'un tout autre ordre. Cette dimension nouvelle correspond à un état d'être qui échappe complètement à l'entendement ordinaire et que Michel Hulin décrit, dans son livre consacré à la mystique, comme une « béatitude supramondaine inhérente à un état originel d'innocence en deçà du bien et du mal [31] ». Échapper à la dualité suppose cependant une vigilance permanente pour ne pas retomber dans l'ancienne manière d'appréhender les choses, car pendant longtemps les habitudes de pensée, les schémas mentaux sont plus puissants que l'évidence nue des paroles salvatrices prononcées par le maître.

Par rapport aux textes évangéliques eux-mêmes, l'accumulation de trois et parfois quatre couches rédactionnelles, les différentes traductions de termes n'appartenant pas au même univers culturel, les retranscriptions successives des copistes, les adaptations en fonction des audiences auxquelles ces textes sont destinés ainsi que les ajouts en fonction des besoins du moment ont laissé une place aux interprétations contingentes qui peuvent faire dévier considérablement de l'intention première du message. Il est d'autant plus important de revenir au sens originel des mots employés qu'une légère modification dans l'acception d'un terme oriente la pensée dans une ligne particulière et peut mettre en péril la possibilité d'une compréhension véritable.

Il suffit parfois d'un seul mot, jouant en quelque sorte le rôle d'une « plaque tournante », pour que la déformation soit démesurément amplifiée. C'est en particulier le cas du mot « péché », chargé de diverses significations. Le mot araméen *khtahayn*, rendu par « péché », signifie exactement « erreur » au sens du mot familier « ratage ». Autrement dit, si le point précis est raté, on passe à côté du but, de la vérité. C'est ce que souligne dans un tout autre univers culturel ce texte du ch'an, en Chine : « S'en éloigne-t-on de l'épaisseur d'un cheveu, c'est comme un gouffre profond qui sépare le ciel et la terre [32]. » Les conséquences qui en résultent sont donc d'une particulière gravité parce que, la cible étant manquée dès le départ, la pensée se déploie ensuite dans une fausse direction et ne fait qu'amplifier la distorsion par rapport à la vérité. Les images traditionnelles utilisées pour illustrer le sens du mot « péché » sont celles du cheval qui fait un faux pas et heurte le pavé avec son sabot, ou celle du tireur à la fronde qui manque son but. Lorsque le jeune berger David abat Goliath, le géant, il utilise sa fronde et l'atteint droit au front, siège des pensées. Les Anciens disent que le caillou blanc qu'il ramasse et utilise comme projectile correspond au nom de Dieu, c'est-à-dire à la puissance de Dieu, à la force de la vérité elle-même qui annihile la pensée à la racine et, par conséquent, réduit du même coup toute possibilité de décalage par rapport à ce qui est. Le péché est bien une faute, mais dans un sens identique à celui d'une faute d'orthographe ou d'une erreur dans un calcul arithmétique. Il s'agit donc là d'une erreur objective, d'un manquement à l'exactitude, au vrai ou encore à ce qui est juste. En grec, *hamartia* signifie « erreur », *hamartanô*, « manquer le but », et c'est principalement dans ce sens qu'il est utilisé dans le Nouveau Testament puisqu'on le retrouve – ou avec des termes de la même racine, *hamart* – deux cent quatre-vingt-seize fois alors que *adika*, dans le sens « d'iniquité » qui relève de la terminologie juridique, est employé vingt-deux fois et *parabasis*, la transgression d'ordonnances divines, quatorze fois [33].

Si le péché est le fait de ne plus être en accord avec la vérité, on peut alors le concevoir, ainsi que le fait l'Ancien Testament, non pas comme une violation d'interdits mais comme une rupture de l'Alliance avec Dieu, à condition cependant de ne pas la projeter dans le vague et de se réfugier ainsi dans le général.

En allemand, par exemple, les mots *Sünde*, « péché », et *Absonderung*, « séparation », ont la même étymologie. L'être est séparé de Dieu, mais aussi de sa propre profondeur, et c'est ce qu'il peut y avoir de plus nuisible pour l'homme : « Celui qui me manque se blesse lui-même », lit-on dans les Proverbes (8, 36).

L'erreur, le fait d'être dans la non-vérité, est quelque chose d'intime, de personnel à chacun, et même si l'erreur se produit à tout moment et en tous – ce qui rend le phénomène quasi universel –, cela ne veut pas dire que l'affranchissement est global et collectif.

Un autre exemple de distorsion du sens originel se retrouve dans la crucifixion. À propos de la mort de Jésus sur la croix, il n'est jamais question du « rachat » dans les Évangiles, et l'authenticité des propos sur la « rançon » dans les textes de Matthieu (20, 28) et Marc (10, 45) a été sérieusement mise en doute par les spécialistes [34]. Quoi qu'il en soit, il est intéressant de noter que le mot « rançon », *lytron* en grec, dérive de *lyō* qui signifie « détacher, délier, libérer ». Le terme de « rédemption » peut être légitimement associé non pas à la « rançon » mais à la « délivrance ». Une interprétation dans le sens mystique et intériorisé retiendra plutôt ce dernier terme qui correspond aussi à la traduction du mot araméen *porkana*, le « salut ».

Le péché, en tant qu'erreur, inscrit donc la démarche spirituelle dans une perspective qui n'est pas à proprement parler d'ordre moral : il s'agit de se libérer du mensonge qui nous maintient en esclavage. Dans la *Vulgate*, saint Jérôme utilise le terme *liberare* près de deux cents fois.

Se libérer – et la libération est aussi un leitmotiv dans la spiritualité de l'Orient – consiste en un dépassement de la manière ordinaire de voir les choses, un réajustement de la vision qui fait disparaître l'erreur et restaure ainsi la vérité. Jésus l'affirme explicitement : « Vous connaîtrez la vérité, et la vérité vous rendra libres » (Jn 8, 32). On ne peut donc à la fois être libre et rester dans la non-vérité, en désaccord avec ce qui est, notamment en continuant à fonctionner dans la qualification propre aux jugements de valeur. La vérité ultime est au-delà de telles catégories, de la même façon que le soleil brille indistinctement sur les « bons » et les « méchants ».

Ce n'est certes pas à l'homme de régenter l'ordonnance de l'univers et l'Ecclésiaste pose à juste titre la question suivante : « Qui peut redresser ce que Dieu a fait tordu ? » (Qo 1, 15). Cela équivaut, disent les maîtres taoïstes, à vouloir rallonger les pattes du canard et raccourcir les pattes du héron. L'attachement et l'identification aux notions relatives de bien et de mal, de bon et de mauvais, est l'erreur par excellence parce qu'elle nous enlise dans le monde des opposés et nous voile ainsi l'unité foncière qui sous-tend toutes choses. Cependant, parler du mal sans l'inscrire dans un contexte moral semble relever du tour de force. Ce mot est en effet chargé de lourdes connotations et on peut se demander combien d'erreurs tragiques ont été commises au nom de la lutte contre le mal ou ce qui a été considéré comme tel. George Bernard Shaw remarquait à ce sujet que s'il y a une chose à apprendre de l'histoire, c'est que l'homme n'apprend jamais rien de l'histoire.

Autre exemple de détournement de sens, le texte de la Peshitta contient le mot araméen *bisha* que l'on retrouve en de nombreux endroits avec diverses traductions : « À chaque jour suffit sa *peine* » (Mt 6, 34) ; « Si donc vous, qui êtes *mauvais...* » (Mt 7, 11) ; « ... mais délivre-nous du Mauvais (ou du *Mal*, du *Malin*) » (Mt 6, 1 3). *Bisha*, qui est traduit par « mal », a le sens à la fois de « erreur », « irréel », « non ajusté », « dévié », « imparfait », « corrompu », « immature »[35]. Dans le langage parlé, c'est le contexte qui va déterminer le terme le plus approprié. Dans tous les cas, il s'agit d'un constat et non d'un jugement. Un homme peut être immature de la même façon qu'un arbre n'est pas arrivé à maturité ; il n'y a donc pas place pour la condamnation morale dans la mesure où l'on constate seulement un état de fait. À partir de là, cependant, certaines décisions peuvent être prises ou certaines actions posées pour tenter de rectifier la situation. D'autant plus que le terme *bisha*, lorsqu'il concerne une action, veut dire qu'elle n'est pas adaptée, qu'elle n'est pas mûre, c'est-à-dire qu'elle n'a pas lieu à un moment adéquat ou qu'elle se prolonge au-delà du moment qui convient[36]. Elle est donc inappropriée, elle manque son but parce qu'elle arrive trop tôt ou trop tard. On retrouve ici la définition du péché en tant qu'erreur, inadéquation par rapport à ce qui est juste. *Bisha* indique donc une rupture de rythme par rapport à la totalité. À l'inverse, dans le langage araméen, le mot *taba*, habituellement traduit par « bon », indique le fait d'être accordé, à temps ou encore en harmonie avec l'Unité sacrée,

Alaha. D'après ses racines T et B, remarque Neil Douglas-Klotz, le mot *taba* pointe vers quelque chose qui maintient son intégrité et sa santé (T) par une croissance intérieure en harmonie avec ce qui l'entoure (B) [37].

En gardant ces précisions à l'esprit, on peut se rendre compte que Jésus est beaucoup plus concerné par la vérité et la non-vérité, la vision juste et l'aveuglement que par les notions toutes relatives de bien et de mal considérées comme des critères absolus pour déterminer le comportement des hommes. Il nous montre que la morale et la mentalité religieuse ne sont pas à même de libérer l'esprit, parce qu'elles sont encore soumises aux lois ordinaires. Or son Royaume n'est pas de ce monde, tient-il à préciser (Jn 18, 36), ce qui montre bien qu'il n'est pas soumis aux mêmes lois, au même ordre de réalité, et que, par conséquent, les paroles qu'il prononce ou les actes qu'il pose sont des réponses obéissant à un ordre supérieur ne relevant plus des réactions habituelles du commun des hommes.

Sa vie elle-même est la pleine illustration de son enseignement et constitue, par la force des choses, un affront aux yeux des hommes encore sous le joug de leurs préjugés, leurs opinions et leur manière restreinte d'appréhender les phénomènes. Jésus n'enseigne pas en priorité des croyances ou une éthique nouvelle, il propose une voie de transformation très précise dont l'exposé, à lui seul, est déjà source d'un immense bouleversement pour ceux qui l'écoutent réellement. Il ne cherche pas à provoquer ou à choquer, mais cela se produit inévitablement, compte tenu du fait qu'en incarnant l'amour dans sa dimension la plus profonde il est parfois amené à pulvériser les limites de la respectabilité imposées par une morale sécurisante. La bonne conscience au service de la mesquinerie et de l'égocentrisme ne trouve pas grâce à ses yeux et elle est au contraire impitoyablement balayée au nom d'une vérité plus haute à laquelle il se soumet avec une rigueur et un courage inébranlables. Ce dépassement de la logique rétrécie du mental devient une évidence dès qu'on regarde l'attitude de Jésus à l'égard des exclus et des gens considérés comme peu fréquentables. Il les accueille en priorité et l'on sait à quel point, dans la Palestine de l'époque, le fait d'inviter quelqu'un à sa table et de partager son repas avec lui est le témoignage d'une profonde reconnaissance et d'une véritable acceptation (Lc 7, 36). Il invite ainsi Lévi, un fonctionnaire percepteur, à le suivre pour aller manger avec lui (Mt 9, 9 ; Mc 2, 14 ; Lc 5, 27-29) ; or les publicains étaient très mal vus par la population, non seulement parce qu'ils étaient des agents à la solde des Romains mais aussi parce qu'ils étaient réputés pour être avides et malhonnêtes, pour exploiter les gens et avoir des mœurs dissolues. « Comme il était à table dans la maison, voici que beaucoup de publicains et de pécheurs vinrent se mettre à table avec Jésus et ses disciples » (Mt 9, 10). Il leur dispense aussi son enseignement, leur donnant sans faire de distinction ce qu'il a de précieux à partager : « Cependant tous les publicains et les pécheurs s'approchaient de lui pour l'entendre. Et les Pharisiens et les scribes de murmurer : "Cet homme, disaient-ils, fait bon accueil aux pécheurs et mange avec eux !" » (Lc 15, 1-2).

Jésus s'invite dans la maison de Zachée, le chef des publicains, dont on nous dit qu'il était riche, lui dont la profession était méprisée par tous (Lc 19, 1-2). Alors que Zachée veut donner la moitié de sa fortune aux pauvres et rembourser au quadruple tout ce qu'il a pu extorquer aux gens, allant au-delà même de ce que prescrit la Loi juive, Jésus lui dit : « Aujourd'hui le salut est arrivé pour cette maison », et il le reconnaît comme un fils d'Abraham (Lc 19, 9).

Sans se préoccuper de la moralité douteuse de ceux qui l'approchent, il voit toujours en eux leur être essentiel ; loin de les rejeter ou de les juger en fonction d'un quelconque « péché originel », il les accueille plutôt au nom de ce que Matthew Fox appelle « la grâce originelle ». Il dit à la femme adultère : « Moi non plus, je ne te condamne pas. Va, désormais ne pèche plus » (Jn 8, 11). Il laisse une femme pécheresse le toucher – ce qui est habituellement considéré comme une souillure – et lui permet de verser un parfum de grand prix sur les pieds (Lc 7, 37-38). La conscience commune est heurtée de plein fouet lorsqu'il annonce aux hommes pieux et aux bien pensants : « En vérité je vous le dis, les publicains et les prostituées arrivent avant vous au Royaume de Dieu » (Mt 21, 31). Quel plus grand défi peut-il y avoir pour tous ceux qui sont attachés non seulement à l'avoir, au pouvoir, au savoir, mais aussi à ce qu'ils considèrent comme étant le Bien ? Et c'est ce qui se produit avec tout disciple engagé dans une voie réelle de transformation ; l'arrachement aux illusions et aux identifications est un douloureux processus qui remet radicalement en cause l'estime de soi et les fausses images dont est constitué l'ego. Le cadre moral est tout d'abord pulvérisé parce qu'il ne résiste pas au choc que constitue l'émergence d'un nouvel ordre de réalité beaucoup plus subtil et dont Jésus est le témoin vivant. Les conventions et les catégories protectrices édictées par les hommes ne peuvent qu'éclater sous l'impact d'un tel enseignement. Ce n'est pas que Jésus bafoue à dessein la tradition, bien au contraire, mais il remet en cause, sans concession, les interprétations que les hommes en font en fustigeant leurs opinions sociales, morales et religieuses. Et cela est pour beaucoup une confrontation insoutenable, d'autant plus que l'audience n'est pas constituée que de disciples dévoués – et même dans ce dernier cas, la tâche est particulièrement ardue !

Jésus invite ceux qui l'écoutent à une véritable transformation personnelle. Puisque le « péché » ou le « mal » est une question d'immaturité, il insiste donc sur l'inévitable processus de maturation par lequel il va falloir impérativement passer. Le passage d'un état d'immaturité et de mensonge à une maturité plus grande et une vision plus claire se fait par une lente métamorphose comparable à la fermentation qui permet de fabriquer le pain et le vin. La fermentation est cet échauffement, ce feu nécessaire qui permet le passage d'un état à un autre.

Jésus a énoncé le programme par ses propos et il l'a illustré par ses actes. Mais le danger, pour le pratiquant sincère, est de vouloir correspondre tout de suite à l'idéal proposé sans tenir compte de son degré réel de maturité. Les commandements eux-mêmes deviennent alors le point de départ d'une grave distorsion, parce que l'on considère qu'ils doivent être applicables immédiatement. Dans cette perspective, on ne peut qu'aboutir à ce que France Quéré appelait « la morale démoralisante ». Si les directives à mettre en œuvre sont précises, elles ne peuvent cependant être accomplies avant un sérieux travail de purification. Elles ne peuvent en fait être pleinement réalisées qu'après la transformation progressive de l'être et de la conscience. C'est pourquoi il est significatif de relever que le temps employé est non pas l'impératif mais le futur de l'indicatif : « Tu ne tueras pas... », et non : « Ne tues pas [38] ». La perspective d'une évolution est donc sous-entendue ici, permettant de réaliser un jour le respect spontané et sans effort correspondant à la prescription. Le danger consiste donc à ramener l'essentiel du message : « *Tu aimeras le Seigneur ton Dieu de tout ton cœur, de toute ton âme et de tout ton esprit :* voilà le plus grand et le premier commandement. Le second lui est semblable : *Tu aimeras ton prochain comme toi-même* » (Mt 22, 37-39), à une injonction morale qui a pour effet immédiat de produire un écartèlement entre cet idéal et le niveau réel de l'auditeur. Les spécialistes sont d'accord pour reconnaître que lorsque Jésus affirme : « Vous donc, vous serez *parfaits* comme votre

Père céleste est *parfait* » (Mt 5, 48), il ne s'agit aucunement d'une quelconque perfection morale, car Jésus se réfère au fait de devenir « vrai, sincère, entier » (cf. Dt 18, 13) [39]. Ce point est d'une grande importance, car il montre la nature du but à atteindre. Ce but vers lequel il faut se diriger est une authentique plénitude, une complétude qui ne peut se trouver que dans une totale transparence de l'être. Le terme araméen pour « parfait » est *gmar*, qui vient du verbe signifiant accomplir, se réaliser ou être complet. Il est intéressant de relever au passage que le deuxième sens du mot veut dire : « complètement consumé, cesser ou disparaître » [40].

Sur la voie spirituelle, les Anciens distinguaient différents niveaux correspondant aux commençants, aux progressants et aux parfaits. Le parfait est celui qui est passé par un engendrement comparable à une résurrection et établi dans la vérité divine. Plus fidèle au sens du mot grec *teleios* utilisé dans ce contexte, *The Anchor Bible* l'a traduit non pas par « parfait » mais par « vrai », et Maurice Nicoll par « complet, parachevé ».

Le mot grec correspondant dans la Septante et attribué à Noé (Gn 6, 9) ou Job (1, 1) est relié au mot *tâmîm* et au mot hébreu-cananéen *tâm*, « vrai ». Il y a également en hébreu un lien entre *tâmîm* et *Ôemeth* (la vérité) ainsi qu'avec, dans la Septante, le mot grec *alethinos*, l'homme « vrai ». La perfection ne concerne donc pas un vague moralisme mais relève d'un tout autre registre et d'une tout autre dimension : le plein accomplissement d'un état spirituel qui est la réalisation de la vérité ultime. Lorsque Jésus invite un jeune homme riche à le suivre après avoir vendu ses biens, il commence par lui annoncer : « Si tu veux être parfait [entier, complet] » (Mt 19, 21). Il lui fait en quelque sorte une promesse en lui déclarant que, s'il en a le courage, il pourra retrouver dans sa profondeur une unité cohérente, une totalité intégrée dont la valeur est telle qu'elle ne peut être comparée aux biens les plus précieux de ce monde. Il lui promet la perfection divine !

F. F. Bruce et N. Douglas-Klotz traduisent en anglais « parfait » par *all-embracing* : « incluant tout, tout embrassant ». Cette réalisation intérieure est un état d'être qui se manifeste par une ouverture totale, sans restriction. La perfection équivaut à une complète dépossession du moi et a pour conséquence naturelle une compassion illimitée. On trouve en Luc 6, 36 une parole de Jésus qui ressemble à celle citée en Matthieu 5, 48 : « Montrez-vous compatissants, comme votre Père est compatissant. » Mais la différence provient sans doute d'une autre façon de traduire en grec des mots qui furent prononcés en araméen. Dans la synagogue, la lecture en hébreu des textes sacrés était complétée par une paraphrase en araméen (Targum). La traduction araméenne d'un passage qui prescrit par exemple la bonté envers les animaux se termine par ces mots : « De même que votre Père est compatissant dans les cieux, vous devez être compatissant sur la terre. »

La tentative de mise en pratique de l'enseignement proposé par Jésus se trouve assez vite confrontée à l'exigence abrupte qu'il réclame. Exigence d'authenticité, d'intégrité, de courage pour la remise en question de toutes les croyances afin de les soumettre au feu brûlant de la vérité. À ce propos, Mark Twain a remarqué avec humour que ce qui le dérange le plus dans la Bible, ce n'est pas ce qu'il ne comprend pas mais ce qu'il comprend !

Jésus n'a de cesse de souligner à quel point la vérité n'est pas vue, qu'elle est déviée à travers toutes sortes de prismes déformants, orientant le disciple dans des chemins de traverse trompeurs. En conséquence, il va falloir trancher dans le vif tout ce qui ne lui est pas fidèle. Être uni au Père, entrer en conformité avec Dieu demande un sérieux émondage auquel Jésus va s'employer avec une compassion et une détermination extraordinaires. Il a pour cela des paroles tranchantes et radicales à l'égard de ceux qui « aiment la gloire des hommes plus que la gloire de Dieu » (Jn 12, 43), ceux qui « mettent de côté le commandement de Dieu pour s'attacher à la tradition des hommes » (Mc 7, 8). Il s'adresse aux pharisiens et les met en cause dans leur attitude à l'égard de l'argent : « Vous êtes, vous, ceux qui se donnent pour justes devant les hommes, mais Dieu connaît vos cœurs ; car ce qui est élevé pour les hommes est objet de dégoût devant Dieu » Lc 16, 15), ou encore dans leur recherche d'honneurs et de pouvoir : « vous qui aimez le premier siège dans les synagogues et les salutations sur les places publiques ! » (Lc 11, 43). Les légistes se voient reprocher leur moralisme puritain et asphyxiant : « [...] vous chargez les gens de fardeaux impossibles à porter et vous-mêmes ne touchez pas à ces fardeaux d'un seul de vos doigts ! » (Lc 11, 46) Il n'est pas étonnant qu'après avoir entendu de tels discours la réaction des auditeurs soit violente : « Quand il fut sorti de là, les scribes et les Pharisiens se mirent à lui en vouloir terriblement » (Lc 11, 53).

Une telle situation résume à elle seule la nature de l'enjeu et la fonction du maître spirituel qui est de démasquer les mensonges, ce que Yvan Amar a appelé « la dénonciation du faux [41] ». Les scribes, les légistes, les pharisiens, en tant que garants de la morale et de la religion, sont particulièrement visés, mais à travers eux, ce sont les aspects correspondants en chacun de nous qui sont concernés. Bien entendu, l'approche de Jésus n'est pas pour autant négative car, ainsi que le note Marcus Borg, « lorsque nous disons que Jésus s'opposait à la morale conventionnelle, nous devons toujours garder à l'esprit qu'il percevait la réalité comme étant essentiellement charitable, gracieuse et compatissante. Nous ne devons pas comprendre cette remise en question comme une nouvelle *exigence* ; sinon, c'est l'enseignement de Jésus lui-même qui devient une nouvelle forme de morale conventionnelle, et une forme particulièrement redoutable. Sa remise en question est une *invitation* à voir les choses telles quelles sont réellement, et à comprendre qu'au cœur de toute chose il y a une réalité qui nous aime [42] ».

Il s'agit pour lui d'enlever les voiles et les recouvrements afin de laisser émerger en chacun la plénitude du Royaume, mais le chemin qui y mène est périlleux, car les illusions sont coriaces et les résistances prêtes à relever la tête et à lutter jusqu'au bout pour ne pas céder. L'identification aux valeurs instituées étant un refuge privilégié pour la conscience ordinaire, on comprend dès lors que Jésus ait constamment cherché à en saper la base, aussi bien par ses propos que par ses comportements. Il a voulu mettre à nu tous ceux qui tentaient de se protéger derrière de fausses vertus, cherchant à faire éclater les limites imposées par la bonne ou la mauvaise conscience afin de préparer l'accès à un autre ordre de réalité.

Pour mieux comprendre la portée de ce « nettoyage », il est possible d'avoir recours, même rapidement, à un philosophe tel que Nietzsche. Ce dernier éclaire, dans un style qui lui est propre, l'intention réelle de Jésus.

Nietzsche, qui a été philologue avant d'être philosophe, a dénoncé avec véhémence cette confusion entre deux plans, celui de la morale et celui de la mystique. Il considérait comme une véritable insulte à l'égard de la personne de Jésus la réduction qui a été infligée à son enseignement. Sans souscrire nécessairement à l'ensemble de sa philosophie, ni même partager le ton souvent excessif qu'il emploie – lorsqu'il affirme par exemple qu'il y a eu un vrai chrétien mais que, malheureusement, il est mort sur la croix –, il faut reconnaître qu'il a eu des intuitions pénétrantes. Les titres de ses ouvrages sont évocateurs : *Ainsi parlait Zarathoustra, Humain trop humain, Par-delà le Bien et le Mal, La Généalogie de la morale, Ecce Homo, Gai Savoir, Le Crépuscule des idoles.* Ils permettent d'évoquer le fait que le remplacement d'une spiritualité vivante par un simple moralisme est un obstacle entravant gravement toute possibilité d'épanouissement de l'être.

« Armé d'une torche dont la lumière ne tremble pas, écrit-il dans *Ecce Homo,* je promène une clarté aiguë dans les souterrains de l'idéal. » Cette entreprise, pour être décapante, n'en est pas moins nécessaire, et c'est ce que Jésus a tenté de faire.

La pensée de Nietzsche a souvent été discréditée [43], sur la base d'incompréhensions, en considérant notamment la « volonté de puissance » comme une volonté personnelle cherchant à conquérir ou dominer les autres alors qu'il s'agit d'une force de vie, d'un élan vital universel. D'un autre côté, la notion du « surhomme » n'a rien à voir avec une donnée génétique, biologique ou raciale : elle désigne le sage accompli, l'homme qui a épanoui toutes ses potentialités et dépassé ainsi la norme commune. Il s'agit donc plutôt d'une qualité d'être exceptionnelle, d'un accomplissement spirituel correspondant à une dépossession du moi. « J'ai pour précurseur la philosophie du Vedânta et Héraclite », affirme Nietzsche dans *Ainsi parlait Zarathoustra* (Notes et aphorismes), et cela lui permet de voir directement en Jésus le « joyeux messager » (*Antéchrist,* chap. 33) qui nous propose « une pratique et non une doctrine. Il nous prescrit comment agir et non ce qu'il faut croire » (*Zarathoustra,* chap. 39).

En ce sens, on ne peut considérer Nietzsche comme un nihiliste, parce que ce qu'il nie, c'est justement, selon lui, la négation de la vie, c'est-à-dire l'étroitesse dogmatique, le carcan religieux, la piété embourbée dans les valeurs illusoires, les conformismes sécurisants et, surtout, la réduction du divin à la seule perspective morale qui débouche sur la vénération d'un Dieu en contradiction totale avec la vie « au lieu d'en être la transfiguration et le oui éternel ! » (*Antéchrist*, chap. 18). On attribue à Nietzsche la célèbre formule : « Dieu est mort », en oubliant de mentionner que c'est du Dieu moral qu'il est question. « Vous dites que c'est une décomposition spontanée de Dieu, mais ce n'est qu'une mue : il se dépouille de son épiderme moral. Et bientôt vous le retrouverez – par-delà le bien et le mal » (*La Volonté de puissance*, t. II, chap. 407). Dans *Zarathoustra*, Nietzsche écrit : « Car ce Dieu ancien ne vit plus : il est foncièrement mort, celui-là. » Le fait d'ajouter « celui-là » revêt une grande importance qui est confirmée par cette autre proposition : « La réfutation de Dieu : en somme, ce n'est que le Dieu moral qui est réfuté. »

Nietzsche s'en prend donc essentiellement à une conception de Dieu distordue et réductrice qui ne repose que sur un système de fausses valeurs engendrant l'hypocrisie, le ressentiment, la culpabilité et une oscillation sans fin entre la peur du châtiment et la quête d'une récompense. Il considère que le message de Jésus est trahi parce qu'on l'a réduit à une question de points de mérite ou de démérite, alors qu'il s'agit avant tout de transformer l'homme, de le diviniser. La négation du Dieu moral peut se compenser par : « Plutôt être soi-même Dieu ! » (*Ainsi parlait Zarathoustra*, IV, « Hors de service »), car « si l'évolution a un sens, la terre est une usine à fabriquer des dieux ».

Paradoxalement, la mort du Dieu moral n'aboutit pas à l'athéisme mais à la restauration d'une perspective nouvelle invitant à une expérience transformante et libératrice : « S'il y a un Dieu, comment supporter de ne l'être pas ? », se demande-t-il, faisant en cela écho non seulement à ce que Jésus est venu annoncer lui-même mais rejoignant aussi l'invitation essentielle de toutes les autres sagesses traditionnelles. Et il pose encore cette question qui revient à un défi ultime : « *Ne faut-il pas devenir nous-mêmes des dieux pour paraître seulement dignes de nous-mêmes ?* »

La plénitude de la vie exige de réaliser la transcendance, mais cette perspective a été oubliée, contrairement à ce que Jésus préconisait. L'homme « a généralement appliqué à Dieu ses facultés d'idéalisation en le moralisant de façon croissante. Qu'est-ce que cela peut signifier ? Rien de bon, la diminution de la vigueur de l'homme » (*La Volonté de puissance*, t. II, chap. 482), et dans *Le Crépuscule des idoles* il considère que la morale est contre nature dans la mesure où elle condamne une certaine vigueur, un dynamisme inhérent à la vie elle-même : « Jésus disait à ses compatriotes juifs : "La loi était pour les esclaves – aimez Dieu comme je l'aime, en fils, que nous importe la morale, à nous, fils de Dieu » (*Par-delà le Bien et le Mal*, chap. 164). Tout en s'adressant à ses contemporains et en considérant la modernité comme décadente, Nietzsche reste finalement fidèle au message central de Jésus, qu'il considère comme le prototype même du sage et de l'homme accompli. Il rappelle que « "le royaume des cieux" est un état du cœur – non pas quelque chose qui arrive "au-dessus de la terre" ou "après la mort " » (*Antéchrist*, chap. 34).

La reconquête du divin en l'homme se fait donc ici et maintenant par la pleine acceptation de la vie qui devient transfigurée. « Que veut dire "bonne nouvelle" ? La vraie vie, la vie éternelle est trouvée, on ne la promet pas, elle est là, elle est en nous : en tant que vie dans l'amour sans réticence ni exclusive, sans distance » (*Antéchrist*, chap. 29). Ce n'est pas Dieu qui est éliminé, mais plutôt le fait « qu'un quelconque rapport de distance entre Dieu et l'homme est aboli – la "bonne nouvelle", c'est justement cela », *ibid.*, chap. 33) ; « il n'y a plus d'antagonismes » (*ibid.*, chap. 32).

Tout en considérant Jésus comme le modèle par excellence, Nietzsche entend suivre sa trace en s'attaquant à une morale qui accuse pour lui substituer une sagesse qui bénit. Il dénonce les valeurs humiliantes et stériles qui entretiennent le mépris de soi ainsi que le jugement. Dégagé des fausses idoles que l'homme a fabriquées, il peut alors s'ouvrir à une acceptation joyeuse de l'existence et devenir un véritable adorateur. La souffrance elle-même n'est plus une entrave et ne fait pas sombrer dans le pessimisme ou le nihilisme. Il écrit ainsi à Malwida von Meysenberg, dans une lettre datée du 14 janvier 1880 : « Nulle souffrance n'a pu et ne pourra me tenter de donner un faux témoignage sur la vie. » Et après la traversée d'autres épreuves, il précisera encore : « On en revient régénéré avec un goût plus subtil pour la joie, avec des sens plus joyeux, avec une seconde et plus périlleuse innocence dans la joie. »

Avec un style incisif qui lui est propre, Nietzsche procède à la manière d'un chirurgien qui manie le scalpel pour extirper le moralisme et l'idéalisme religieux de la conscience humaine. Loin d'aboutir à un état désabusé, révolté et négatif, sa démarche cherche à emboîter le pas au « joyeux messager ». Il rappelle à sa façon l'essence même de toute religion authentique et rejoint en ce sens ce que révèle une simple concordance du Nouveau Testament : à savoir que l'on peut y dénombrer deux cent quatre-vingt-sept références à la joie, la réjouissance, l'allégresse ou la gaieté [44].

III

S'ENGAGER SUR LA VOIE

Dans la mesure où le péché n'est plus perçu dans la perspective du bien et du mal mais dans celle du vrai et du faux, il apparaît clairement que le dépassement du plan moral n'aboutit pas à l'immoralité mais au contraire à la restauration d'une autre dimension jusque-là occultée. L'attitude impeccable de Jésus est la preuve manifeste de la nécessité d'une conformité à un ordre supérieur qui ne laisse plus aucune place à la compromission. L'effacement de l'esprit moralisateur qui se cramponne à des préceptes contingents rend possible peu à peu une véritable obéissance aux lois de Dieu. Mais cette nouvelle orientation que Jésus veut promouvoir est difficile à saisir pour ses auditeurs et ses disciples parce qu'ils sont toujours tentés d'assimiler ce qu'ils entendent à ce qu'ils connaissent déjà. Le caractère transformateur et libérateur des directives se trouve ainsi désamorcé. Au niveau intellectuel, les auditeurs sont victimes d'une perception dualiste qui les enferme dans les notions de bien et de mal – symbole de tous les autres antagonismes et paires d'opposés : si le péché est une faute, celle-ci est beaucoup plus ressentie et perçue sous la forme : « Ce n'est pas bien » (ou « cela ne devrait pas être ») que comme le constat d'une erreur objective. Au niveau émotionnel, ils risquent d'interpréter ce qu'ils entendent en fonction de la peur et de la culpabilité tapies au fond de leur conscience.

On voit ainsi de quelle manière l'appel à la repentance peut être entendu.

C'est surtout la prédication de Jean-Baptiste qui commence par « Repentez-vous, car le Royaume des Cieux est tout proche » (Mt 3, 2), et proclame « un baptême de repentir pour la rémission des péchés » (Mc 1, 4 ; Lc 3, 3). On lui attribue aussi la parole suivante : « Produisez donc un fruit digne du repentir » (Mt 3, 8 ; Lc 3, 8), rendue dans le texte de la Peshitta par « des fruits égaux au repentir », c'est-à-dire « proportionnés, répondant à ». Ce n'est pas le repentir qui produit des fruits (comme s'il s'agissait d'une gratification morale), mais les fruits supposent l'existence d'un arbre (il en est fait mention au verset 10), et c'est l'arbre qui est bon pour le repentir. Il n'est pas question ici d'*avoir* un comportement particulier mais d'*être*. Et c'est d'un être transformé qu'émaneront spontanément les fruits, les bonnes œuvres.

Il faut tout d'abord noter la rareté des paroles attribuées à Jésus au sujet du repentir : celles-ci se trouvent en Matthieu (11, 21 ; 12, 41) et Luc (13, 5). Marc y fait allusion lorsqu'il présente son résumé de la prédication de Jésus (Mc 1, 15) et Jean ne l'évoque nulle part. Il est fort possible que Jésus s'abstienne d'en parler afin d'éviter, justement, que ses auditeurs fondent leur orientation spirituelle sur la base d'un quelconque sentiment de culpabilité ou d'un jugement dépréciatif. Il préfère, semble-t-il, s'abstenir de formuler une injonction directe à ce sujet, ce qui ne l'empêche d'ailleurs pas d'inviter en permanence ceux qui l'approchent à une réorientation majeure de leur vie. Il le fait d'une façon souvent frappante et radicale, mais en utilisant les situations qui se présentent à lui ou des images et des paraboles.

Le sens premier du mot que l'on traduit par « repentir » ne renvoie nullement au fait d'être pris de remords, d'éprouver du regret ou d'être envahi par la culpabilité. Il s'agit plutôt d'un revirement de l'attitude intérieure qui va être fondé sur une compréhension juste, une vision lucide, une prise de conscience. Le mot araméen *tâb* indique quelque chose qui tourne ou se retourne (T) en un cercle ou une spirale pour revenir à son origine ou à son rythme originel (AB) [1].

Les différents sens du mot grec *metamelomai* impliquent « un changement (*meta*) par rapport à ce qui tient à cœur (*melei*) ». Le nom hébreu *teshubah*, traduit habituellement par « repentance », renvoie au verbe *shub* qui signifie soit « se détourner » soit « retourner à ». *Teshubah* désigne donc un retournement complet, un changement de direction. Cependant, il n'est pas encore question à ce niveau d'une transformation totale de l'être. C'est aussi le sens du mot sanscrit utilisé par Patanjali dans ses *Yoga-Sutras : pratyahar*, qui signifie le « retour à soi-même ».

Que ce soit en sanscrit, en araméen, en hébreu ou en grec, cette réorientation dans la manière de voir les choses (que A. Chouraqui traduit par « faire retour ») ne doit pas être confondue avec ce qui est désigné par le terme *metanoïa*, qui est encore d'un autre ordre et qui correspond à une bascule irréversible dans la profondeur de l'être, au-delà même de la pensée. Ce terme équivaut alors au sanscrit *manonasha*, au sens de destruction du mental et des modes ordinaires de fonctionnement [2].

Pour qu'une telle expérience libératrice se produise – et qui est bien loin du sens donné au mot « conversion » pour traduire *metanoïa* –, il est de toute façon nécessaire que l'on se détourne d'abord des voies erronées, que l'on fasse retour vers ce qui est juste au détriment de ce qui tient à cœur, c'est-à-dire en l'occurrence les illusions !

Les aspects les plus subtils de la voie ne pourront être abordés qu'après une élimination lente et progressive des vues fausses, des opinions arbitraires, des conceptions acquises par osmose avec le milieu ambiant ou d'autres formes de conditionnements. Le mental ne lâche pas sa prise aussi facilement dans la mesure où il se sent toujours justifié et évite à tout prix de remettre en cause ce qui lui est cher. Pourtant, on peut attribuer au présent contexte cette parole commune à tous les maîtres : « Je te le dis, tu ne sortiras pas de là que tu n'aies rendu même jusqu'au dernier sou » (Lc 12, 59).

Un des aspects de l'enseignement de Jésus a consisté précisément en cette tentative d'éradiquer chez ses auditeurs – que ce soit la foule ou les disciples – leurs conceptions les plus grossières, prenant souvent à contre-pied les idées les plus enracinées et les plus tenaces. On peut trouver un exemple de cette situation dans le passage suivant : « En ce même temps survinrent des gens qui lui rapportèrent ce qui était arrivé aux Galiléens, dont Pilate avait mêlé le sang à celui de leurs victimes. Prenant la parole, il leur dit : "Pensez-vous que, pour avoir subi pareil sort, ces Galiléens fussent de plus grands pécheurs que tous les autres Galiléens ? [...]. Ou ces dix-huit personnes que la tour de Siloé a tuées dans sa chute, pensez-vous que leur dette fut plus grande que celle de tous les hommes qui habitent Jérusalem ?" » (Lc 13, 1-5). Ces deux tragédies ont aux yeux des gens une signification particulière, car ils y voient une punition divine pour leurs péchés. Or Jésus leur signale qu'ils se trompent en interprétant ces événements malheureux selon leurs critères personnels. Les Galiléens tués ou les habitants de Jérusalem victimes d'un accident ne sont ni pires ni meilleurs que les autres ; il n'y a pas là de châtiment particulier infligé à leur égard par Dieu lui-même. Voilà qui révolutionne complètement leur manière de voir les choses parce qu'ils raisonnaient en fonction d'une certaine logique fondée sur la rétribution des actes, c'est-à-dire la corrélation directe entre une faute et une calamité qui en serait la punition. Jésus tente de rectifier une telle vision en élargissant le champ au-delà d'une simple question de récompense et de châtiment. Il ne faut donc pas se méprendre au sujet de ce qu'est la volonté divine en lui attribuant un sens définitif selon nos propres catégories étriquées. Ce n'est pas à vue humaine et au nom d'idées morales, de principes religieux et de conceptions ordinaires relatives à la « justice » que l'on peut attribuer une signification quelconque aux événements qui se produisent dans le monde. En une autre occasion, Jésus répond par la négative lorsque des disciples, voyant passer devant lui un homme aveugle de naissance, lui demandent s'il est né aveugle à cause de ses péchés ou ceux de ses parents (Jn 9, 1-3).

Luc précise – ou ajoute, selon certains – à deux reprises une réponse que Jésus lui-même donne à ses propres questions : « Non, je vous le dis, mais si vous ne vous repentez pas, vous périrez tous pareillement », et encore : « Non, je vous le dis ; mais si vous ne voulez pas vous repentir, vous périrez tous de même. »

Si ces paroles ont été prononcées, il est certain qu'elles n'ont pas pour but de renforcer les superstitions dont sont déjà victimes les Hébreux, ou encore de les utiliser à des fins prosélytes en attisant simplement la peur.

Jésus saisit l'occasion qui lui est donnée pour exposer, en une première approche, ce qu'est *tâb*, *teshubah*, la « repentance », et il montre d'emblée qu'elle réclame un renversement complet de la perspective. Le monde sensible, l'apparence, ne doit pas être sujet à une interprétation hâtive, celle de notre mental et de nos conceptions limitées. La première idée est que cela va réclamer un volte-face, un arrachement par rapport à ce qui nous semblait relever pourtant de la simple évidence. La seconde idée est que ce retournement est en rapport avec le fait de chercher à se mettre en accord avec la volonté du Père. C'est donc un effort pour abandonner ses prérogatives personnelles et toutes les vues restreintes inhérentes au moi extérieur, superficiel et grossier. Un tel alignement exige un retournement qui, seul, permettra peu à peu de devenir, comme le dit Karlfried Graf Dürckheim, « transparent à la transcendance intérieure ». Ce n'est pas notre réalité intérieure qui doit être gouvernée par le monde extérieur – les événements en eux-mêmes ainsi que notre façon de les considérer –, mais l'inverse. On en arrive de la sorte à la troisième idée selon laquelle, si l'on n'opère pas ce retournement, on aboutit inexorablement à la destruction spirituelle, à la souffrance, à la mort. Non pas que nous soyons punis – puisque ces pauvres gens eux-mêmes n'ont pas été tués à la suite d'une punition – mais notre sort sera néanmoins tout aussi peu enviable.

Jésus insiste pour dire que si notre vie n'est pas consacrée à la recherche intérieure et orientée vers un éveil spirituel, nous partagerons le destin commun, nous mourrons comme le commun des hommes ; ce que Gurdjieff appelait laconiquement « crever comme un chien ».

Du point de vue de la terminologie, la distinction n'est pas toujours nettement précisée entre les différents niveaux ; ainsi, dans les Actes : « Repentez-vous et convertissez-vous » (3, 19), le "repentir" n'est pas à situer sur le même plan que la *metanoïa*. Dans une note explicative à propos du "repentez-vous" attribué à Jean le Baptiste (Mt 3, 2), les commentateurs de la Bible de Jérusalem ne dissipent pas la confusion : « La *metanoïa*, étym. changement de sentiments, désigne un renoncement au péché, un « repentir ». Le regret, qui regarde vers le passé, s'accompagne normalement d'une « conversion » (verbe grec *epistrephein*), par laquelle l'homme se retourne vers Dieu et s'engage dans une vie nouvelle. Ces deux aspects complémentaires d'un même mouvement de l'âme ne se distinguent pas toujours dans le vocabulaire. »

D'autre part, dans la deuxième Épître aux Corinthiens (7, 9), Paul parle d'une « tristesse qui vous a porté au repentir », *eis metanoian*. Il s'agit d'un remords, non d'une compréhension (la lettre se poursuit ainsi : « Voyez plutôt ce qu'elle a produit chez vous, cette tristesse selon Dieu. Quel empressement ! Que dis-je ? Quelles excuses ! Quelle indignation ! Quelle crainte ! Quel ardent désir ! Quel zèle ! Quelle punition ! »).

Il faut donc veiller à ne pas confondre cette attitude de retour à soi-même, où l'être est touché par une qualité de profondeur inhabituelle, avec une simple émotion située sur le même plan qu'une réaction ordinaire.

Lorsque Jésus se fait baptiser par Jean dans le Jourdain, il se montre solidaire de tous les hommes, mais il leur indique en même temps la voie à emprunter : il témoigne devant tous d'un acte profondément personnel que chacun aura à reprendre pour lui-même. Ce geste intérieur atteste la décision d'orienter sa vie dans une perspective nouvelle et essentielle. Le message ainsi sous-entendu est que chaque homme qui veut s'engager de tout son être dans la recherche du Royaume ne peut le faire que dans le repli le plus secret de son cœur.

La quête spirituelle concerne la personne dans son intériorité, et c'est ce qu'a illustré Jésus lui-même lorsqu'il s'est retiré au désert ou encore qu'il se mettait à l'écart pour se recueillir ou qu'il recommandait de prier dans sa chambre après en avoir fermé la porte. L'intention n'était pas seulement de se soustraire aux regards afin d'éviter l'orgueil et la vanité, mais aussi de faciliter l'accès à cet espace intime et sacré qu'est le sanctuaire intérieur.

Tâb n'est donc pas un acte de contrition à bon marché, une manière d'excuse pour les péchés commis, où plus on est désolé et rongé par la culpabilité plus on a l'impression d'être pieux et de pouvoir ainsi se racheter une bonne conscience. Une telle attitude fait encore le jeu d'une compensation stérile qui n'a aucun caractère réellement transformateur. *Tâb* est plutôt une décision prise par toutes les fibres de notre être pour faire retour à soi-même – à soi-même et au Père.

Les prophètes de l'Ancien Testament considèrent le plus souvent la nécessité d'un retournement en vue de la restauration d'Israël, ils s'adressent au peuple et l'appellent à un repentir collectif et national : « Venez, retournons à l'Éternel ! » (Osée, 6, 1), ou encore les exhortations à la repentance du prophète Jérémie : « Reviens, infidèle Israël ! dit l'Éternel » (Jn 3, 12 ; 14, 22).

Cependant, Esaïe s'adresse à l'homme au singulier : « qu'il retourne à l'Éternel celui dont le cœur est plein de méchanceté et d'iniquité » (Is 55, 7), autrement dit en proie aux émotions perturbatrices. Il en est de même en d'autres passages de Jérémie qui lance un appel individuel : « Revenez chacun de votre mauvaise vie » (Jn 18, 11 ; 35, 15). Mais c'est le prophète Ézéchiel qui s'adresse de la façon la plus insistante à l'homme en particulier, au « fils de l'homme », pour l'inviter à effectuer ce retournement (Ez 33, 7-20). S'il est demandé un acte individuel, particulier et non pas collectif et national, cela signifie du même coup que le pardon des péchés ou le salut est tout aussi individuel et non pas à l'échelle collective.

Durant tout son ministère, il n'y a que trois moments où l'on attribue à Jésus un appel collectif à la repentance : les malédictions à l'adresse des trois villes des bords du lac qui n'ont pas fait pénitence : Chorazeïm, Bethsaïde et Capharnaüm (Mt 11, 24 ; Lc 10, 13-14) ; l'évocation des hommes de Ninive qui se repentent à la proclamation de Jonas à la différence de cette « génération mauvaise et adultère » (Mt 12, 38-42 ; Lc 11, 29-32) ; la menace faite aux Galiléens : « si vous ne vous repentez pas, vous périrez tous pareillement » (Lc 13, 1-5).

Ce dernier texte a été assez vite écarté parce que reconnu dépendant de Flavius Josèphe (*Antiquités juives*, XVIII, 87). Les deux autres passages ont été sérieusement remis en cause par certains exégètes, en particulier par Rudolf Bultmann qui remarque que, dans les deux cas cités, les Gentils sont mis en parallèle avec Israël et son absence de repentir ; les deux textes sont construits selon une structure identique et l'on retrouve aussi la même « répétition semblable à un refrain de reproche ». La conclusion de Bultmann rejoint celle de Fridrischsen selon laquelle « ces deux passages donnent l'impression qu'ils ont été construits pour se conformer aux tournures polémiques du christianisme primitif [3] ».

Une chose est certaine, cet appel de Jésus au retournement intérieur ne peut pas être pris à la légère, et aucune allusion à la multitude ne doit en diluer l'abrupte exigence. Le risque est pris, en glissant dans l'ordre du général, de réduire l'impact de l'appel en l'attribuant au peuple tout entier : les païens doivent se tourner vers Dieu en devenant chrétiens. En ce domaine, pourtant, la responsabilité ne peut être qu'individuelle et non collective. Chacun sera inévitablement renvoyé à lui-même, à un moment ou un autre. « En vérité, je vous le dis, si vous ne retournez à l'état des enfants, vous n'entrerez pas dans le Royaume des Cieux » (Mt 18, 3). Il s'agit bien de l'accès à un état au plus intime de soi.

L'appel au changement constitue un défi radical que le disciple formule en ces termes : « Voici que nous, nous avons tout laissé et nous t'avons suivi » (Mc 10, 28). Et si l'abandon des possessions peut être pris au pied de la lettre, il implique en réalité beaucoup plus : le sacrifice de l'identification suprême au moi limité, à ce que Karlfried Graf Dürckheim appelle « le moi existentiel » par opposition à « l'être essentiel ».

Dans un livre consacré au prix à payer pour être disciple, Dietrich Bonhoeffer a cette phrase lapidaire : « Lorsque le Christ appelle un homme, il lui propose de venir et de mourir [4] ». L'homme s'expose alors à une grâce qui va lui coûter très cher. « Elle est coûteuse parce qu'elle coûte à l'homme sa vie, et c'est une grâce parce qu'elle donne à l'homme la seule vraie vie [5] ».

Il est saisissant de constater à quel point l'aventure spirituelle comporte ses lois propres, incontournables, avec lesquelles il est impossible de tricher. De ce point de vue, peu importe de quelle voie particulière il est question pour peu qu'elle soit encore vivante et authentique. Lorsqu'un candidat-disciple voulait s'engager plus avant dans l'ascèse, le maître indien contemporain Swâmi Prajnânpad l'avertissait par ces mots : « *You will have to pay the full price* » (Vous aurez à payer le prix complet). Et il ne s'agissait pas là d'une quelconque cruauté ou d'un manque de compassion, bien au contraire. Il lui signalait dès le début, avec une grande bienveillance, ce que la voie elle-même exigerait bientôt de lui et par conséquent ce à quoi il devait s'attendre.

« Dans ses appels individuels, Jésus a montré une égale fermeté, écrit C.-H. Dodd. Le fait même que le don de Dieu est offert aux hommes confère une signification particulière à leur réponse. Cette réponse, d'accueil ou de refus, détermine toute l'orientation de la vie d'un homme, et donc son destin [...]. Maintenant que l'offre est faite, il est impossible d'échapper à la décision, tout comme le débiteur qui est traîné devant le tribunal ou l'employé licencié qui doit échafauder rapidement un plan d'action avant qu'il ne soit trop tard.

« À mesure que se déroulent les événements, il devint de plus en plus clair que ceux qui répondaient à l'appel de Jésus devaient "faire leur bilan". Jésus devait dire aux éventuels disciples : "Le trésor est à portée de votre main ; mais quel prix en donnerez-vous ?" Non pas que les bénédictions du royaume de Dieu puissent s'acheter à n'importe quel prix ; elles sont le don de Dieu. Mais parce que la situation exigeait un sacrifice, la question restait posée, à savoir que seule une sincérité absolue serait prise en compte. "Voulez-vous accepter le royaume de Dieu ?" signifiait concrètement : "Voulez-vous jouer votre vie dessus [6] ?" »

L'appel à la repentance est aussi un appel à un engagement inconditionnel, dont l'implication est d'une telle portée qu'elle a de quoi faire tressaillir. Il est probable, à cet égard, que celui qui n'a pas connu de tels frissons ne s'est pas encore exposé au véritable enjeu qu'implique ce genre d'invitation. « Faire retour » va consister en une inversion par rapport aux tendances dans lesquelles le moi se complaît, et c'est pourquoi le prix de cette inversion lui paraît extrêmement élevé.

D'énormes obstacles, sous la forme de résistances et de fascinations, peuvent se lever, retardant l'échéance d'une inexorable métamorphose. C'est ainsi qu'un disciple encore immature peut chanceler à tout moment, de la même façon que Pierre s'est rétracté au moment décisif devant la perspective vertigineuse qui s'ouvrait devant lui. Jésus lui dit : « Simon, Simon, voici que Satan vous a réclamés pour vous cribler comme le froment ; mais moi j'ai prié pour toi, afin que ta foi ne défaille pas. Toi donc, *quand tu seras revenu*, affermis tes frères » (Lc 22, 31-32). Bien qu'ayant été un proche de Jésus, Pierre n'avait donc pas encore effectué ce retour auquel il avait pourtant sans cesse été invité. À vue humaine, l'ampleur de ce retournement, une fois pressentie, risque de réveiller cette peur et cette faiblesse cachées dans les recoins de l'âme (c'est-à-dire du psychisme), et la tentation du repli est presque inévitable. Cependant, le courage d'effectuer ce demi-tour est nécessaire, car il prépare, pour le candidat-disciple, tout le cheminement à venir. Il l'oriente dès le départ vers l'essentiel.

Au cours de son ministère, Jésus a bien entendu insisté sur l'urgence d'un tel retournement, puisque sans ce dernier aucune possibilité réelle de transformation intérieure ne peut s'amorcer.

Son enseignement ne comporte pas de développements systématiques, mais se trouve adapté à chaque situation particulière. Ce sont les situations qui lui donnent l'occasion d'aborder tel ou tel aspect de la démarche spirituelle et de préparer ainsi la compréhension plus profonde d'une réalité appartenant à un ordre supérieur. Répondant à des questions que lui ont posées des disciples ou des auditeurs occasionnels, ses propos ont été retenus sous la forme de dits (logia), de proverbes et de paraboles. Il reste en cela fidèle à tout le courant de la pensée juive, qui a volontiers recours à la forme métaphorique. Dans son commentaire sur Matthieu, saint Jérôme remarque d'ailleurs que « les Syriens et plus particulièrement les Palestiniens ont coutume d'ajouter des paraboles à tous leurs discours, de sorte que ce qui ne peut pas être pleinement saisi par les auditeurs au moyen de simples déclarations peut l'être à travers les comparaisons et les exemples ».

C'est par conséquent sur la comparaison que sont fondées les paraboles de Jésus, et le terme grec *parabolè* signifie bien une « mise en parallèle ». Ce mot correspond à la traduction du concept de *mashal*, dans le judaïsme, ou encore au terme araméen *mathla* (« énigme »). La comparaison permet de jouer sur différents plans de réalité, de désigner des réalités célestes en abordant des réalités terrestres ou encore d'indiquer ce qui est subtil et transcendant en mentionnant un plan plus grossier et immédiatement accessible aux sens. Si l'intention première est de clarifier par une illustration, il se peut aussi que la parabole soit posée pour susciter une interrogation et inviter à la recherche d'une signification plus profonde.

La finesse de l'enseignement de Jésus permet différents degrés de signification car, sous son angle allégorisant, la comparaison revêt aussi l'apparence d'une énigme qu'il appartient à chacun de résoudre selon sa propre faculté de perception des réalités spirituelles. Certaines interprétations proposées des paroles de Jésus peuvent ainsi laisser une insatisfaction dans la mesure où l'on peut sentir confusément que le point essentiel n'est pas abordé et que l'interprétation est réductrice – dans le sens où elle n'est pas au service d'une vérité d'un ordre strictement spirituel, mais plutôt ramenée à un plan simplement littéral, social, doctrinal, théologique.

Concernant la nécessité de cette réorientation de l'intelligence et du cœur, de ce demi-tour qui fait quitter la préoccupation exclusive du monde extérieur, c'est-à-dire la surface des choses, en s'arrachant à la force de dispersion inhérente aux organes sensoriels, Luc a réuni trois paraboles qui ont certainement été racontées à des moments différents : la brebis perdue, la drachme perdue, le fils prodigue.

« Lequel d'entre vous, s'il a cent brebis et vient à en perdre une, n'abandonne les quatre-vingt-dix-neuf autres dans le désert pour s'en aller après celle qui est perdue, jusqu'à ce qu'il l'ait retrouvée ? Et, quand il l'a retrouvée, il la met, tout joyeux, sur ses épaules et, de retour chez lui, il assemble ses amis et voisins et leur dit : "Réjouissez-vous avec moi, car je l'ai retrouvée, ma brebis qui était perdue !" C'est ainsi, je vous le dis, qu'il y aura plus de joie dans le ciel pour un seul pécheur qui se repent que pour quatre-vingt-dix-neuf justes, qui n'ont pas besoin de repentir » (Lc 15, 4-7). Chez Luc, cette parabole est insérée dans le contexte d'une réponse de Jésus à ses détracteurs, les pharisiens et les scribes qui lui reprochent de faire bon accueil aux pécheurs et de manger avec eux.

Matthieu, qui rapporte la même parabole en des termes légèrement différents, la place dans le cadre d'un enseignement que Jésus adresse à ses propres disciples : « À votre avis, si un homme possède cent brebis et qu'une d'elles vienne à s'égarer, ne va-t-il pas laisser les quatre-vingt-dix-neuf autres sur les montagnes pour s'en aller à la recherche de l'égarée ? Et s'il parvient à la retrouver, en vérité je vous le dis, il tire plus de joie d'elle que des quatre-vingt-dix-neuf qui ne se sont pas égarées. Ainsi on ne veut pas, chez votre Père qui est aux cieux, qu'un seul de ces petits se perde » (Mt 18, 12-14).

Il convient de remarquer que le contexte dans lequel la parabole est insérée a d'ores et déjà une incidence sur le sens du texte. Si les auditeurs sont les pharisiens, la parabole a un accent apologétique puisqu'il s'agit de montrer que Dieu n'abandonne pas les pécheurs et qu'il se réjouit de celui qui se repent. En répondant à ceux qui le critiquent, Jésus prend le parti des faibles et étend sa mission aux Gentils et aux infidèles. Dans la narration, ce passage est situé au milieu du récit de voyage, lors de la montée vers Jérusalem.

Si les auditeurs sont les disciples de Jésus, la parabole prend alors la tournure d'une exhortation, car elle est placée au milieu de son discours sur l'autorité de l'Église et la discipline (chap. 18). La parabole est ainsi utilisée pour encourager la réconciliation parmi les membres de la communauté en s'adressant à ses chefs et pour leur enjoindre de se comporter comme ce bon pasteur.

Si l'on en restait là, il s'agirait finalement d'un message au contenu assez pauvre, car Jésus n'est pas un simple militant prosélyte cherchant à rallier le plus grand nombre à une doctrine quelconque, et il n'est pas non plus un simple moralisateur sermonnant ceux de son entourage. S'il y a non seulement une parabole mais trois paraboles sur le même thème, c'est sans doute que Jésus a voulu insister sur un point important. Or ce point ne peut être qu'une instruction spirituelle proprement dite puisque sa vie toute entière est consacrée à la transmission d'un enseignement libérateur. Dans ce cas, de quel enseignement s'agit-il ? Il ne faut pas oublier qu'il est en particulier question d'illustrer le sens véritable de *tâb*, pour souligner à la fois la nature réelle et l'importance de ce geste intérieur. Toutefois, ne serait-ce que par l'insertion de la parabole dans un autre contexte que celui dans lequel elle a été prononcée, une certaine altération apparaît quant à son interprétation, puisque c'est la qualité même du destinataire, c'est-à-dire de l'auditeur, qui éclaire en miroir l'intention initiale du propos. La plupart des spécialistes s'accordent à reconnaître, comme le fait Eta Linnemann, que dans l'interprétation des paraboles par l'Église primitive « elles ont acquis un caractère différent et c'est ce caractère qui a déterminé leur compréhension jusqu'à nos jours [7] ».

Il est fort probable que Jésus ait saisi l'occasion d'une question qu'ont soulevée les pharisiens pour exposer le sens profond de la repentance plutôt que de chercher à ressouder les membres d'une Église qui n'était pas encore constituée.

À cet égard, la parabole de la brebis perdue apporte un bon exemple de la façon dont la perspective des sentences de Jésus peut être modifiée dans les Évangiles écrits, et peut-être même déjà à l'époque de la tradition orale, en fonction des besoins ponctuels d'une Église naissante. C.-H. Dodd est même très circonspect quant aux conclusions que l'on trouve chez Luc et Matthieu, Luc affirmant : « C'est ainsi, je vous le dis, qu'il y aura plus de joie dans le ciel pour un seul pécheur qui se repent... » et Matthieu : « Ainsi on ne veut pas, chez votre Père qui est aux cieux, qu'un seul de ces petits se perde. » « Ces morales ne peuvent être originelles toutes les deux, remarque-t-il. Il est possible qu'aucune ne le soit [8] ».

Cette parabole de la brebis perdue a pour cadre un environnement très familier aux Palestiniens du Ier siècle : l'image du berger avec son troupeau était pour les gens non seulement une réalité pastorale quotidienne, mais aussi une référence implicite aux Écritures. David ne chantait-il pas (Psaume XXIII, 1-3) :

L'Éternel est mon berger : je ne manquerai de rien.
Il me fait reposer dans de verts pâturages,
Il me dirige près des eaux paisibles.
Il restaure mon âme,
Il me conduit dans les sentiers de la justice,
À cause de son nom.

Dans les Psaumes, la mention du berger en tant que maître protecteur et guide revient à plusieurs reprises ; de même, dans Ézéchiel, cette adresse aux pasteurs d'Israël : « Les pasteurs ne devaient-ils pas paître le troupeau ? [...] Vous n'avez pas fortifié celles [les brebis] qui étaient faibles, guéri celle qui était malade, pansé celle qui était blessée ; vous n'avez pas ramené celle qui s'égarait, cherché celle qui était perdue... » (Ez 34, 2-4). Le prophète Jérémie y fait allusion (Jr 31, 10). On retrouvera bien sûr le thème du bon pasteur développé dans l'Évangile de Jean (10, 1-18).

L'interprétation la plus simple est par conséquent de considérer que Dieu, ou encore Jésus, est le bon pasteur qui, rempli de sollicitude, éprouve de la joie à retrouver la brebis égarée, c'est-à-dire l'homme jusque-là en perdition. Une telle comparaison est, à n'en pas douter, accessible à tous.

L'insistance est communément mise sur la mansuétude, la bonté et la compassion du pasteur, au point que la parabole de la brebis perdue est parfois appelée par certains auteurs celle du bon pasteur ! Mais fallait-il vraiment que Jésus utilise une parabole pour vanter les qualités supérieures de Dieu ? Est-ce là simplement le fond de l'enseignement à tirer et, surtout, y a-t-il une quelconque indication précise permettant de comprendre en quoi consiste le « retournement » ?

Mettre ici l'accent sur la mansuétude de Dieu nous éloigne pour ainsi dire de l'épicentre de la parabole. On ne voit pas en effet comment cela pourrait apporter quelque chose de nouveau et de convaincant, car les détracteurs de Jésus, les pharisiens et les scribes, étaient déjà suffisamment pieux et n'avaient nullement besoin de développements supplémentaires concernant la bonté de l'Éternel. L'anecdote suivante illustre cet appauvrissement de sens : lorsqu'un jour un visiteur vint se prosterner aux pieds d'un sage à l'humour et à la bonhomie légendaires, Swâmi Râmdas, ce dernier lui demanda : « Quelles sont les nouvelles ? Quelles sont les nouvelles ? » Alors le visiteur répondit : « Les nouvelles ? Dieu est tout Amour. Dieu est toute Compassion. Dieu est Miséricordieux. » À quoi Swâmi Râmdas rétorqua en riant : « Ce sont cela les nouvelles ? Elles sont plutôt rassies ! Cela fait déjà un bon nombre d'années que Râmdas est au courant ! »

Un commentateur a pu dire de cette parabole que « nous en avons fait un roman psychologique à l'eau de rose dont voici la trame habituelle : "Il était une fois une pauvre brebis bien obéissante qui s'échappa du troupeau, elle se perdit (et les sentimentaux s'en donnent à cœur joie et à chaudes larmes), mais son maître qui était bon l'a cherchée et retrouvée [9]". » Cette remarque souligne à juste titre le danger d'une lecture moralisante des enseignements évangéliques. Cette lecture de la parabole est néanmoins déjà présente dans le texte de Luc lui-même qui, selon les exégètes, a été retouché par l'ultime rédacteur lucanien [10]. En comparant avec le texte de Matthieu, on voit en effet que le rajout concerne les thèmes de pécheurs et de justes : « pour un seul *pécheur qui se repent* que pour quatre-vingt-dix-neuf *justes qui n'ont pas besoin de repentir* », alors que Matthieu dit : « ... a plus de joie d'elle que des quatre-vingt-dix-neuf qui ne se sont pas égarées. »

Ces additions correspondent à un autre texte de Luc : « Je ne suis pas venu appeler les justes mais les pécheurs au repentir » (5, 32) ; or la phrase qui précède ce passage est une citation faite par Jésus d'un proverbe populaire : « Ce ne sont pas les gens en bonne santé qui ont besoin de médecin, mais les malades. » (En Marc 2, 17, le « au repentir » n'existe pas.)

Ainsi, « il y a des raisons de soupçonner que la morale ne fait pas partie de la sentence originelle mais est une interprétation approximative de la parabole dans une ligne allégorique [11] ». Cette remarque s'applique tout aussi bien à la parabole de la brebis perdue telle que Luc nous la relate. Il est possible d'y voir un accent polémique à l'égard des pharisiens en considérant que puisqu'ils sont dans l'illusion d'être des « justes », autant les laisser à leur triste sort !

D'un autre côté, quand Luc avance l'opposition « juste/pécheur », l'allégorie apparaît alors sous le jour suivant : les brebis dociles sont les justes, celles qui s'égarent sont les pécheurs et celles qui sont retrouvées correspondent aux pécheurs repentis. Et la conclusion est qu'un repenti vaut mieux que quatre-vingt-dix-neuf justes !

Dans le cas où il est question de véritables justes, cela équivaudrait à dire, remarque Stephen Mitchell, qu'il y a plus de lumière qui passe à travers une fenêtre dont la vitre a été essuyée dans un recoin plutôt qu'à travers quatre-vingt-dix-neuf fenêtres totalement transparentes [12]. De plus, l'invitation de Jésus (Mt 5, 45) au dépassement des notions de « justes » et « injustes » est oubliée.

On voit bien ici qu'une tentative d'interprétation trop littérale nous enferme dans une logique qui aboutit à un paradoxe. Ce que l'on peut pressentir cependant, c'est qu'il y a certainement eu un paradoxe dans les propos mêmes de Jésus, mais qu'une allégorie posée dans les termes de Luc n'ouvre pas l'accès à l'enseignement qu'elle recèle. Eugen Drewermann a remarqué à ce sujet qu'en apparence « le Christ accepte les règles du jeu – c'est là où sa parabole s'arme de ruse. Il accepte qu'il y ait des justes et des brebis égarées. Il va jusqu'à admettre en rhétorique les schémas discriminatoires de ses détracteurs. Mais sa conviction est ailleurs. [...] Jésus ruse dans sa parabole, car le Christ connaît bien le fonctionnement de la société, il sait qu'elle a ses règles, son ordre hiérarchique et sa cruauté. C'est pourquoi il utilise une image qui ne vaut qu'en apparence, qui boite si on l'applique à la société, mais qui fait illusion sur le moment [13] ». Encore faut-il ne pas la prendre soi-même au pied de la lettre.

De même qu'insister sur la joie qu'éprouve Dieu à l'égard du repenti revient à considérer que la clé principale se situe dans la relation berger/brebis ; or ce n'est pas le cas. En se tenant à l'allégorie selon laquelle Dieu est le berger, peut-on supposer qu'il abandonne un seul instant son troupeau au risque de le perdre en entier ? Tous les connaisseurs de la Palestine sont unanimes à témoigner qu'aucun berger n'abandonnera son troupeau et qu'il y veillera comme à la prunelle de ses yeux. « Il y avait dans la même région des bergers qui vivaient aux champs et gardaient leurs troupeaux durant les veilles de la nuit » (Lc 2, 8) ou encore : « Celui qui entre par la porte est le pasteur des brebis. Le portier lui ouvre et les brebis écoutent sa voix, et ses brebis à lui, il les appelle une à une... », et d'après le texte hébreu : « Il les appelle chacune par son nom » (Jn 10, 2-3), ce qui apporte d'ailleurs une précision touchante et significative.

Entendue de cette façon, la parabole ne fonctionne pas de manière convaincante, à moins de vouloir la ramener à une simple apologie de la Bonne Nouvelle et de considérer que le repentir correspond à ce qu'on entend d'habitude par « conversion ». Le tout couronné par l'insistance portée sur la joie de Dieu et sa miséricorde à l'égard du repentant. En fait, si l'on regarde de plus près le texte, on peut faire une constatation évidente : Matthieu commence par « si un homme possède cent brebis... » et Luc par « lequel d'entre vous, s'il a cent brebis... ». Autrement dit, il s'agit d'un homme, c'est-à-dire ici de nous-même et non pas de Dieu ! Le texte ne parle pas du divin Berger mais de ce qui doit se passer dans notre for intérieur, car même si le Royaume des Cieux est déjà en nous, quelles sont les instructions pertinentes qui peuvent permettre de nous en rapprocher ? Arrivé à ce point de questionnement, les prêches, les exhortations, les proclamations ne nous servent de rien. Il faut plus, beaucoup plus. Au-delà même du plaidoyer pour l'indulgence sans limites et la compassion sans bornes.

Bien sûr, « le Fils de l'homme est venu chercher et sauver ce qui était perdu » (Lc 19, 10), mais de quelle manière, avec quelles directives, quelles instructions ? T. W. Manson a appelé l'Évangile de Luc « l'Évangile des exclus », mais en un sens, chacun de nous est un exclu – ce qui rend la situation encore plus cuisante. Cette exclusion est avant tout un exil, et c'est de cela dont il faut revenir. « En vérité je vous le dis, *si vous ne retournez* à l'état des enfants, vous n'entrerez pas dans le Royaume des Cieux » (Mt 18, 3). Il est nécessaire de revenir à un état d'être dont la complétude est symbolisée par le troupeau de cent brebis (en réalité, il s'agirait plutôt de moutons incluant à la fois brebis et béliers).

Comme l'a remarqué Paul Joüon, le texte grec rend « la manière hébraïque et araméenne d'exprimer notre idée complexe de "redevenir" : hébreu, *shûb*, araméen, *tûb* [14] ». Les formulations varient selon les traductions et l'on trouve aussi : « si vous ne changez et ne devenez comme... » ; « si vous ne retournez pas et ne devenez pas... » ; « si vous ne vous convertissez et si vous ne devenez comme... » ; « si vous ne changez pas et si vous n'êtes pas comme... ». L'essentiel étant de ne pas perdre de vue qu'il s'agit d'un état intérieur, d'une conscience d'être qu'il faut réintégrer – car nous l'avons tous déjà connu ou, plutôt, tout est déjà là mais nous n'avons pas encore réalisé cette présence. Saint Basile a écrit de la sorte que « l'attention à soi-même conduit à la connaissance de Dieu [15] ». Il faut par conséquent commencer par tourner le regard vers soi et même à l'intérieur de soi.

Puisque c'est un homme qui a cent brebis, cela signifie que l'on va parler de sa réalité intérieure, mais en partant d'une image qui correspond à une réalité extérieure, quotidienne, que tout le monde connaît. Le nombre de cent brebis évoque un troupeau certes modeste, bien que déjà enviable pour la plupart des bergers de l'époque. Ce nombre cent avait en lui-même un certain prestige à leurs yeux. Les gens plus riches étaient rares et ils possédaient un ou plusieurs milliers de moutons et de chèvres qu'ils comptaient sur la base cent. Cette référence de base était convoitée, et le propriétaire qui avait réussi à atteindre ce cap de la centaine pouvait s'estimer heureux. À partir de là, on peut considérer que le troupeau de cent brebis représente une totalité en l'homme à laquelle rien ne doit être retranché. Il suffit qu'il manque une brebis pour que le déséquilibre soit considérable, laissant apparaître une incomplétude, un inachèvement. Il suffit qu'une brebis s'égare pour que la rupture soit entamée. Ces dernières remarques sont confirmées par une ancienne manière de compter qui utilisait la main gauche pour les dizaines. Arrivé au nombre quatre-vingt-dix-neuf, le passage à la centaine se faisait en un déplacement vers la main droite. Autrement dit, cette dernière unité permet un changement qualitatif (le passage des dizaines aux centaines) qui désigne bien entendu ici une vérité sur le plan intérieur. La brebis égarée de la parabole est donc celle qui a le plus de valeur puisque c'est d'elle que dépend – à condition de la retrouver – le passage qualitatif en question, c'est-à-dire la réintégration à la totalité, ou encore sa restauration.

L'Évangile de Thomas formule la parabole en ces termes : « Jésus a dit : Le Royaume est comparable à un berger qui avait cent moutons. L'un d'entre eux, le plus gros, disparut. Il laissa les quatre-vingt-dix-neuf, il chercha l'un jusqu'à ce qu'il l'eût trouvé. Après l'épreuve, il dit au mouton : je te veux plus que les quatre-vingt-dix-neuf [16] ! » (log. 107). De même qu'en Matthieu et Luc, la brebis perdue est celle qui a le plus de prix et cela du fait même qu'elle est perdue ! Mais le prix attaché à cette perte ne doit pas être mal interprété : cette unité est supérieure aux quatre-vingt-dix-neuf autres parce que le passage qualitatif dépend d'elle. Et ce passage ne se fait pas tout seul : « après l'épreuve », précise le texte, car il faut en effet partir à sa recherche dans des conditions difficiles. Matthieu situe le troupeau sur les montagnes et Luc dans le désert, ce qui est une façon différente de traduire le mot araméen *bétura* qui désigne indistinctement les deux. Quoi qu'il en soit, en Palestine les pentes sont escarpées, le terrain est parsemé d'embûches et la chaleur du soleil écrasante. Il s'agit ici de notre paysage intérieur, ce qui laisse entrevoir du même coup les difficultés auxquelles on s'expose si l'on entreprend une telle recherche !

Certains auteurs tentent d'invalider le texte de Thomas en considérant que le mobile de la recherche ne peut pas être la grosseur particulière de la bête puisque Matthieu évoque au contraire « l'un de ces petits ». Cette contradiction apparente provient d'une interprétation littérale des textes.

Souligner que la bête égarée est la plus grosse fait certes intervenir une question de taille, mais pour signifier qu'on lui attribue une valeur toute particulière. C'est l'importance qu'elle revêt à nos yeux qui la rend remarquable, digne d'intérêt, précieuse, et non pas son poids en tant que tel ni ses mensurations. On retrouve cet aspect précis dans la parabole de l'homme qui découvre un trésor dans un champ et vend tout ce qu'il possède pour acheter ce champ (Mt 13, 44 ; Th 109, 1-10) ou encore, dans la parabole de la perle : « Le Royaume des Cieux est encore semblable à un négociant en quête de perles fines : en ayant trouvé une de grand prix, il s'en est allé vendre tout ce qu'il possédait et il l'a achetée » (Mt 13, 45 ; cf. Thom 76, 1-7). On attribue chaque fois une grande valeur à cette perle, ce trésor, cette brebis. On peut donc retenir ce point, même si ces différentes paraboles n'abordent pas les choses exactement sous le même angle. En comparant la parabole de la brebis égarée telle que nous la rapporte Matthieu avec la parabole exposée dans Thomas au logion 8, cette analyse devient encore plus évidente : « Et il a dit : L'homme est comparable à un pêcheur avisé qui avait jeté son filet à la mer ; il le retira de la mer plein de petits poissons. Parmi eux, le pêcheur trouva *un gros* et bon poisson. Il rejeta tous les petits poissons au fond de la mer, il choisit *le gros* poisson sans peine. Que celui qui a des oreilles pour entendre entende ! »

À titre indicatif, il est intéressant de mettre en parallèle la parabole correspondante chez Matthieu (13, 47-50) pour noter la conclusion qu'il en tire : « Ainsi en sera-t-il à la fin du monde : les anges se présenteront et sépareront les méchants d'entre les justes pour les jeter dans la fournaise ardente [...]. » On retombe ici dans la dichotomie « méchants/justes » avec un châtiment à la clé.

Même si Clément d'Alexandrie parle plutôt de « beau poisson » (*Stromates*, I, 16, 3), la question demeure en suspens : de quoi peut-il bien être question au niveau intérieur ?

Concernant toute réalité d'ordre subtil, il est très difficile d'en faire un exposé conceptuel direct puisqu'il s'agit avant tout d'une expérience et de l'accession à une compréhension vécue en deçà même des mots. C'est pourquoi Jésus a eu abondamment recours aux paraboles, car elles pointent du doigt dans une certaine direction, utilisant les mots pour aller au-delà et dépasser le fonctionnement ordinaire de la pensée.

Cependant, la difficulté inhérente à toute transmission d'un enseignement spirituel persiste : « Entre ceux qui sont passés sur "l'autre rive" et ceux qui, encore prisonniers de cette rive-ci, aspirent à les rejoindre, remarque Michel Hulin, le dialogue sera toujours précaire et grevé de malentendus, car les mots changent littéralement de sens en volant d'une rive à l'autre [17] ». De plus, le langage métaphorique peut concerner simultanément différents niveaux de réalité sans qu'ils soient par ailleurs exclusifs les uns des autres. Il est ainsi impossible de pouvoir prétendre épuiser la richesse d'une parabole. On peut, tout au plus, en évoquer les facettes multiples et l'aborder selon des angles différents qui seront autant d'éclairages nous rapprochant de vérités intérieures à l'homme. Cela ne veut pas dire pour autant que ces vérités sont floues. Bien au contraire, c'est le mental lui-même qui est flou et résiste en s'opposant à la dimension de profondeur. Si l'homme lui-même a tout à y gagner, le mental, lui, a tout à perdre.

La brebis retrouvée (la centième) est la plus grosse, la plus belle, etc., parce qu'elle est la plus importante, la plus précieuse. Mais elle ne l'est que par rapport à un but, une intention qui est de retrouver une intégralité, un niveau supérieur de conscience. C'est pourquoi, avec la métaphore du pêcheur, ce dernier est considéré comme avisé. Il sait fondamentalement ce qu'il veut et « il choisit le gros poisson sans peine » – parce que cela lui paraît évident, clair (mais cela ne veut pas dire qu'il sera dispensé de tout effort).

Le passage des dizaines à la centaine est une façon simple de désigner le passage d'un état d'être à un autre. Et, il faut bien le souligner, ceci est le propre d'un véritable cheminement spirituel où le chercheur sera l'objet d'un processus de maturation d'une telle finesse qu'il ne pourra pas toujours en repérer les contours. On peut imaginer par quels bouleversements une chenille doit passer pour se métamorphoser en papillon et aboutir ainsi au terme de son évolution. Mais lorsqu'un changement qualitatif s'opère au sein de l'être, il s'en dégage automatiquement une atmosphère très particulière, un sentiment paisible et en même temps profondément heureux qui ne dépend de rien d'extérieur. Cet état est décrit dans la parabole d'une façon métaphorique en se référant à l'expérience ordinaire et commune : la joie éprouvée lorsqu'on parvient à retrouver quelque chose que l'on a perdu et auquel on attachait une grande valeur. Ce soulagement, cette joie ordinaire que tout le monde a pu éprouver dans des circonstances identiques, n'est qu'une évocation approximative d'un état totalement différent, parce qu'il appartient à un tout autre plan. Mais comment en parler sans se référer à une quelconque expérience des auditeurs eux-mêmes, c'est-à-dire en évoquant ce qu'ils connaissent déjà à leur niveau, même s'il s'agit d'un état encore très frelaté et dépendant ? Les textes mentionnent donc la « joie » reliée aux « retrouvailles », c'est-à-dire au fait même d'un changement de niveau et non pas concernant le reste du troupeau (Mt 18, 13). Ceci est exprimé aussi sous la forme : « Réjouissez-vous avec moi », chez Luc, dans la parabole de la brebis perdue et de la drachme perdue (Lc 15, 6 et 15, 9), ou encore chez Matthieu où l'homme est « ravi de joie » dans la parabole du trésor (Mt 13, 44).

Il y a une différence de nature entre une émotion positive (et donc heureuse) et un sentiment d'allégresse inhérent à l'être. Une grande part du cheminement intérieur consiste précisément à se qualifier pour être en mesure d'échapper à ce premier niveau de fonctionnement, mais, pendant longtemps, les émotions interdisent l'accès à cette autre possibilité de ressenti.

Si, en dernier ressort, la mystérieuse et ultime transformation de l'être dépend de la grâce divine, il n'en reste pas moins que l'homme lui-même est convié à une participation active par des efforts conscients et bien orientés. C'est le berger qui affronte les difficultés et les épreuves lorsqu'il part en recherche. Il est intéressant de noter que dans la parabole de la drachme perdue (que l'on ne trouve que chez Luc en 15, 8-10), la femme allume tout d'abord une lampe, ce qui signifie sans équivoque, dans le langage intérieur, qu'elle fait un effort de vigilance, qu'elle met toute sa présence dans ce qu'elle va entreprendre. Puis elle balaie sa maison (on a vu que la maison symbolise l'homme, c'est-à-dire son psychisme ou son cœur). Elle entreprend un travail de nettoyage, de purification, sans lequel aucune découverte ultérieure n'est possible. Et, enfin, elle se met à rechercher « avec soin », avec attention, sérieux, minutie. Elle a en effet une réelle motivation pour atteindre son but.

Transposée dans un autre contexte, cette parabole a donc exactement le même sens que la précédente. La pièce d'argent perdue, une fois retrouvée, signifie aussi le saut qualitatif, mais cette fois marqué par le passage de neuf à dix.

Si ces paraboles ont été proposées pour illustrer le sens de *tâb* – ce retournement intérieur malencontreusement traduit par le terme de « repentir » –, il faut donc attacher une grande importance à cette question de changement de niveau d'être qui dégage un sentiment d'une finesse toute particulière. S'il est question d'un retour, d'une perte et d'une découverte, c'est bien parce que l'état initial est erroné et qu'il faut changer d'orientation pour accéder à un état différent.

Avant même qu'il soit question d'une transformation radicale de l'être, l'enseignement de Jésus rapporté par ces textes montre bien que l'homme ne peut rien escompter en se fondant simplement sur sa manière ordinaire et habituelle de fonctionner. En prenant un échantillon à une échelle restreinte et ponctuelle (mais la transformation se passe en réalité à cette échelle et non ailleurs), le saut qualitatif dont il est question peut fort bien correspondre à un geste intérieur d'adhésion totale qui fait basculer au cœur de la réalité. Cela explique aussi la « joie » particulière qui apparaît : du fait même que la totalité est retrouvée, l'harmonie est rétablie et l'être repose alors en lui-même, dans son équilibre foncier. Ce geste, qui est un véritable retournement par rapport à la force des inerties habituelles, est à juste titre hautement valorisé – cela apparaît clairement d'après plusieurs images données dans les Évangiles. Selon les différents angles d'approche, on peut considérer d'une part que la brebis retrouvée correspond au geste qui permet le retour à la cohésion et à l'unité : à la suite d'un effort précis et bien mené, on adopte une attitude intérieure qui restaure en la personne son intégralité. On en arrive à une acceptation totale vis-à-vis de laquelle une adhésion à quatre-vingt-dix-neuf pour cent est quantité négligeable, le dernier pour cent étant précisément le seuil à franchir à partir duquel tout se joue. D'autre part, le troupeau que l'on « délaisse » représente la multitude des refus qui nous habitent avec leur cortège d'états négatifs. On peut, une fois ce retournement intérieur effectué, y revenir et les inclure alors en se retrouvant du même coup situé à un autre niveau, un niveau qui permet que l'on se « réjouisse ». Ce passage, une fois stabilisé, correspond au sein de l'être à une révolution, de la même façon qu'en chimie une solution saturée arrive brusquement à une cristallisation. Mais il faut beaucoup chercher pour le découvrir... et faire ensuite en sorte de ne pas le perdre avant qu'une cristallisation définitive ne s'accomplisse !

Par rapport à la recherche de la brebis, Luc écrit : « Et, quand il l'a trouvée », alors que Matthieu formule de la façon suivante : « Et s'il parvient à la trouver. » Ce dernier admet donc la possibilité d'un échec par rapport au but de la recherche entreprise (ce qui montre encore une fois que l'on ne peut pas assimiler le berger à Dieu). En un sens, Matthieu est plus réaliste dans la mesure où il reconnaît qu'il n'y a pas de garanties quant à l'aboutissement de la quête. Transposée au domaine de l'intériorité, cette simple différence de formulation peut donner à réfléchir.

La parabole étant placée chez Matthieu au chapitre du « discours ecclésiastique », l'interprétation ricoche pour ainsi dire dans un domaine de préoccupations encore très extérieures. Il en est de même avec celle rapportée par Luc, mais pour d'autres raisons. Il faut donc résister à une interprétation littérale des textes qui s'appuie sur une base historique – au sujet de laquelle on peut apporter de très nombreuses précisions – mais ne permet pas l'ouverture à la dimension intérieure et spirituelle de l'homme. *Pour Jésus, il est avant tout question de l'accession au Royaume par la transformation radicale de soi.*

La lecture des Évangiles doit se faire en gardant toujours présent à l'esprit ces propos d'Origène : « Il ne faut pas s'imaginer que les événements historiques sont figures d'événements historiques et les choses corporelles figures de choses corporelles, mais les réalités corporelles sont figures de réalités spirituelles et les réalités historiques de réalités intelligibles [18]. »

Même si l'on adopte la version de Luc selon laquelle les quatre-vingt-dix-neuf brebis correspondent aux « justes », c'est-à-dire aux pharisiens qui se croient « justes », pourquoi ne serait-il pas tout aussi légitime de considérer que ces derniers représentent aussi des caractéristiques que nous avons au fond de nous-même et que nous cherchons à justifier ? Si l'on entrevoit que la parabole se réfère à une réalité intérieure à l'homme, on peut alors admettre que, par extension, l'aspect « pharisien » en nous symbolise aussi tout ce qui est faux, fallacieux, mensonger. Nous croyons voir la vérité telle qu'elle est, chérissons des opinions que nous considérons comme inamovibles, jugeons autrui sur la base de critères tout à fait arbitraires. Peut-être avons-nous comme eux le souci de notre réputation, de l'image que les autres ont de nous-même, essayant sans cesse d'apparaître sous un jour flatteur et cherchant à gagner les faveurs de Dieu en étant fanatiquement attaché à notre propre conception de ce qu'est le Bien!

On peut élargir cette manière de voir à tout ce qui n'est pas essentiel, vital pour notre véritable croissance, y compris toutes sortes de réussites et d'acquis dont l'aspect convention-nel et limité finit par nous échapper complètement et nous accaparer sans même que nous nous en rendions compte.

Il est évident que si les quatre-vingt-dix-neuf brebis repré-sentent ce domaine – que l'homme ordinaire considère à tort comme étant ce qui fait sa propre valeur, son patrimoine –, il est impossible d'envisager une quelconque transforma-tion. La simple accumulation d'accomplissements dans le domaine de l'avoir, du savoir et du pouvoir est le plus sou-vent un obstacle à la croissance dans la mesure où elle multi-plie les possibilités de diversion et risque de favoriser une identification aux formes et aux objets. De nombreuses fois, Jésus a eu l'occasion de manifester son intransigeance à cet égard et d'exposer sans ambiguïté les conditions requises. La parabole laisse entendre que ce n'est pas du côté des quatre-vingt-dix-neuf brebis que peut s'effectuer un début d'évolu-tion. Il faut au contraire s'occuper avec la plus grande dili-gence de ce qui manque, c'est-à-dire ce qui est perdu de vue et égaré. L'invitation à une réorientation complète réclame, en réponse, un engagement réel qui seul peut favoriser l'ou-verture puis la progression sur la voie. Le germe de départ contient en lui-même la promesse d'une évolution future dont le point d'aboutissement est l'accession au Royaume des Cieux.

La volonté de Dieu est que nous retrouvions ce « petit » en nous puisque ce n'est qu'à partir de ce « petit » que quelque chose d'un autre ordre peut grandir. « Ainsi, votre Père qui est aux cieux veut qu'aucun de ces petits ne se perde » (Mt 18, 14). Telle est en essence la loi fondamentale qui veut que toutes les potentialités de l'être soient réalisées.

Mais, d'un autre côté, de même que tout gland n'arrive pas nécessairement à la maturité du chêne, tout être ne parcourra pas en son entier ce chemin intérieur de maturation. « S'il le trouve... », avait bien précisé Matthieu.

Même si tout reste encore à parcourir, le fait de retrouver ce « petit » en nous est un tel instant de reconnaissance que l'être s'en trouve bouleversé au plus profond, éprouvant à la fois une immense espérance et un sentiment de gratitude qui dépasse de beaucoup toutes les joies ordinaires. Cette allégresse chargée d'une nouvelle espérance est un sentiment d'une qualité tout à fait différente de la simple émotion heureuse éprouvée lors de la satisfaction d'un désir quelconque.

Pour bien faire ressortir ce point, les textes attribuent à Dieu lui-même ce ressenti de nature supérieure. Dès le premier instant, ce réajustement, cette mise en conformité avec la part essentielle de nous-même s'apparente à des retrouvailles qui justifient pleinement une certaine réjouissance. Joachim Jeremias a remarqué que, « retraduite en araméen, la sentence finale de Matthieu (18, 14) rend le même son que celle de Luc (15, 7) : "Telle est la joie de Dieu !" Car en Mt 18, 14, la négation porte sur la seconde moitié de la phrase (« De même, c'est la volonté de votre Père qui est dans les cieux *qu'il ne se perde pas* un seul de ces petits ») et *ra' awa*, retraduction araméenne de "volonté", a aussi le sens de "contentement, plaisir". Le sens originel de Mt 18, 14 est donc : "Tel est le plaisir qu'a Dieu quand seulement un seul des "plus petits" est sauvé de la perdition" [19] ».

Pour que le sceau du divin soit éprouvé de cette façon, cela signifie qu'un geste intérieur de réunification et de remise en conformité avec la vérité a été effectué. Un tel geste ne peut émaner que d'un espace très spécifique en nous et Jésus nous invite à le découvrir. Il nous est dit qu'il est « petit », qu'il est perdu et qu'il faut le retrouver.

Dans une autre perspective, cette petitesse peut aussi concerner la part en nous qui n'est pas mûre. Dans ce cas, elle ne peut pas jouer un grand rôle dans notre vie, non seulement bien entendu lorsqu'elle n'est pas découverte, mais aussi quand on ne la fait pas réellement fructifier. Nous avons précédemment évoqué le fait que le geste de retournement nécessaire impliquait entre autres choses une attitude d'adhésion, d'acceptation – renversant ainsi le mouvement naturel du mental qui nous pousse à refuser et à nous opposer au courant de la vie. En d'autres termes, cela revient à faire sa volonté propre plutôt que de chercher à s'abandonner à la divine providence [20]. Or Jésus se réfère indirectement, dans la parabole, à cette faible capacité et à ce degré de compréhension encore très limité. N'avait-il pas déjà apostrophé un auditoire en ces termes : « Gens de peu de foi ! » (Mt 6, 30), que A. Chouraqui traduit par « nains de l'adhérence ! » ; une formulation qui peut prêter à sourire mais qui a le mérite de renvoyer d'une façon explicite au thème de l'adhésion, de l'acceptation ainsi qu'à la capacité réduite de la mettre en pratique [21].

Lorsque Jésus dit : « Ainsi, votre Père qui est aux cieux veut que pas un seul de ces petits ne se perde », il établit un lien direct entre la volonté du Père et le petit qui est perdu. Puisque c'est sa volonté que pas un seul ne se perde, c'est à cette injonction-là qu'il faut prêter l'oreille et c'est elle qu'il faut suivre. Ce « seul » est, dans la profondeur de chacun, ce qu'il faut par conséquent retrouver pour être en accord avec la volonté du Père. Et si l'on n'effectue pas ce retour, si l'on ne reconnaît pas les cieux au-dedans de nous, alors l'égarement est inévitable. Tel est le sens que l'on peut donner à la parole – dont l'authenticité a été contestée – rapportée dans Luc : « Si vous ne voulez pas vous repentir, vous périrez tous de même » (Lc 13, 5). Autrement dit : « Si votre vouloir s'oppose à mon Vouloir... ».

Le fait de traduire ce passage par « si vous ne vous convertissez pas, vous périrez tous de la même manière » a pour inconvénient de lui donner une allure de chantage, étant donné que, dans la plupart des esprits, « se convertir » signifie avant tout « embrasser une religion particulière ». Ce terme comporte en réalité un sens beaucoup plus « technique », *metanoïa* désignant un renversement complet dans la manière d'appréhender les choses, une révolution intérieure qui modifie de fond en comble la manière de voir et de ressentir. Dès l'abord, il est donc question d'apprendre à se conformer à la volonté du Père. Dans le *Notre-Père*, il est bien énoncé : « Que ta volonté soit faite sur la terre comme au ciel » (Mt 6, 10), ce qui laisse supposer une évidence qui nous échappe le plus souvent, à savoir que la volonté du Père n'est pas faite sur la terre et que le sens de notre requête est précisément qu'elle le soit de la même façon qu'elle l'est au ciel ! Nous sommes conviés à une participation active pour l'accomplir... Origène avait d'ailleurs souligné fort justement : « Si la volonté de Dieu est faite sur la terre comme au ciel, la terre ne reste plus terre... , tous nous serons ciel [22]. »

Selon les différents contextes, la désignation de « petit » dans les Évangiles est généralement attribuée soit aux disciples, aux apôtres, soit au tout jeune enfant que Jésus prend comme modèle, soit encore aux membres les plus fragiles de la communauté, ceux qui par faiblesse se laissent égarer par de faux prophètes ou succombent sous le poids de leurs propres épreuves. Lorsque Matthieu mentionne en 18, 14 l'expression « un seul de ces petits », le terme grec employé est *païdon*, ce qui signifie un petit enfant. C'est aussi le cas en 18, 4 : « Qui donc se fera petit comme ce petit enfant-là... » Dans la phrase qui lui fait suite : « Mais quiconque entraînera la chute d'un seul de ces petits » (18, 6), le mot grec utilisé est cette fois *mikros*, qui signifie « petit », mais dans le sens d'« insignifiant », « minuscule » (d'où « microscopique »). On en arrive ainsi à une signification d'un autre ordre qui ne concerne plus le petit enfant mais bien une petite capacité de compréhension en l'homme, ou plutôt cette compréhension qui naît à partir de ce qui est encore petit en lui [23]. C'est la même allusion qui est faite lorsque Jésus déclare : « Quiconque donnera à boire à l'un de ces petits (*mikros*) rien qu'un verre d'eau fraîche, en tant qu'il est un disciple, en vérité je vous le dis, il ne perdra pas sa récompense » (Mt 10, 42). Ces deux dernières citations montrent que Jésus a à l'esprit cette part qui réside au fond du chercheur spirituel. Il convient tout d'abord de la reconnaître et ensuite de la faire croître. Dans les Évangiles, le fait de donner à boire ou de se désaltérer a une profonde signification symbolique (cf. par exemple la Samaritaine au puits de Jacob en Thomas 13, 13-14 : « Car tu as bu, tu t'es enivré à la source bouillonnante »), renforcée ici par le fait qu'il est explicitement question de disciples.

Ces textes révèlent aussi l'immense valeur que Jésus attribue à cette mystérieuse part en l'homme, aussi « petite » soit-elle. Elle peut désigner, mais à un niveau plus profond encore, cette parcelle de divinité à laquelle fait allusion Thomas Merton lorsqu'il forge l'expression *point vierge*. « Au centre de notre être, précise-t-il, il y a un point de néant qui n'est pas touché par le péché ni l'illusion, un point de vérité pure, un point ou une étincelle qui appartient totalement à Dieu, qui n'est jamais à notre disposition, d'où Dieu dispose de nos vies, qui est inaccessible aux fantaisies de notre propre mental ou aux brutalités de notre volonté. Ce petit point de néant et de *pauvreté absolue* est la plus grande gloire de Dieu en nous. C'est en somme son nom écrit en nous, en tant que filiation. C'est comme un diamant pur, brillant de la lumière invisible. Il est en chacun [24]. »

La brebis perdue qui représente « un seul de ces petits » mérite une attention toute particulière. L'enjeu est immense dès le départ et, à la mesure de l'immensité même de cet enjeu, les oppositions et les obstacles vont se lever.

« Il est fatal, certes, qu'il arrive des scandales », a prévenu Jésus (Mt 18, 7), mais pour comprendre cette dernière phrase, il est nécessaire de s'arrêter sur la « traduction » en français du mot grec *skandalon*. Ce terme de la Septante traduit soit le mot hébreu *môqéch*, « tendre un piège », soit *mikechôl*, de la racine *kâchal* qui signifie « trébucher, tomber ». En gardant le mot « scandale », simple décalque, la traduction de la Bible de Jérusalem – à la différence de la Traduction œcuménique de la Bible – rend le texte incompréhensible à un lecteur français contemporain : « Mais si quelqu'un doit scandaliser (*skandalizein*) l'un de ces petits qui croient en moi... » ; or le scandale n'est pas ici un événement révoltant, un mauvais exemple ou une attitude éhontée, mais une « occasion de chute, ce qui fait trébucher ». La nature de la mise en garde par rapport à « un seul de ces petits » devient alors plus claire : « Oui, il est fatal que viennent les trébuchements » (A. Chouraqui) ; « et celui qui mettra un obstacle pour faire buter, trébucher et tomber un seul de ces petits qui sont certains de la vérité [qui est] en moi... » (C. Tresmontant). Jésus prévient au passage qu'il est inévitable que l'on rencontre, dans la quête de l'intériorité, des pierres d'achoppement et des obstacles. Il exprime aussi un avertissement pour attirer l'attention sur toutes les tendances – quelles que soient leurs formes – qui vont interférer et constituer une entrave à la progression intérieure. Enfin, on peut y déceler aussi une forme d'encouragement et de stimulation, de la même façon qu'il avait lancé, après avoir énuméré les épreuves possibles qui attendent les disciples : « ... mais celui qui aura tenu jusqu'au bout, celui-là sera sauvé » (Mt 10, 22).

Une interprétation plus intérieure des deux paraboles précédentes se trouve magnifiquement confirmée, et même précisée, dans la parabole célèbre du fils prodigue (Lc 15, 11-32). En fait, cet intitulé est impropre dans la mesure où le terme « prodigue » n'y est pas employé et que la prodigalité du fils en tant que telle n'a rien à voir avec les points d'enseignement essentiels qu'il convient de souligner.

Ce titre dérive du texte latin de la Vulgate, *De filio prodigo*, et différents auteurs en ont proposé d'autres qui ne mettent pas plus l'accent sur l'essentiel (ou, pire, qui peuvent même faire diversion et nous en éloigner encore plus) comme par exemple « la parabole des deux fils » ou « la parabole de l'amour du père ».

La structure de la parabole peut se décomposer en deux parties distinctes, et certains exégètes ont remis en cause l'authenticité de la seconde moitié (v. 25-32) en la considérant comme un ajout de Luc à la parabole primitive. On y retrouve la polémique anti-pharisienne qui figurait déjà dans les additions pratiquées par l'ultime rédacteur lucanien dans la parabole de la brebis perdue [25].

La première moitié (v. 11-24), dans toute sa richesse et sa profondeur, permet d'insister sur les thèmes majeurs déjà abordés et même d'en compléter l'explication.

Il dit encore : « Un homme avait deux fils. Le plus jeune dit à son père : "Père, donne-moi la part de fortune qui me revient." Et le père leur partagea son bien. Peu de jours après, rassemblant tout son avoir, le plus jeune fils partit pour un pays lointain et y dissipa son bien en vivant dans l'inconduite.

« Quand il eut tout dépensé, une famine sévère survint en cette contrée et il commença à sentir la privation. Il alla se mettre au service d'un des habitants de cette contrée, qui l'envoya dans ses champs garder ses cochons. Il aurait bien voulu se remplir le ventre des caroubes que mangeaient les cochons, et personne ne lui en donnait. Rentrant alors en lui-même, il se dit : "Combien de mercenaires de mon père ont du pain en surabondance, et moi je suis ici à périr de faim ! Je veux partir, aller vers mon père et lui dire : Père, j'ai péché contre le Ciel et envers toi ; je ne mérite plus d'être appelé ton fils, traite-moi comme l'un de tes mercenaires." Il partit donc et alla vers son père.

« Tandis qu'il était encore loin, son père l'aperçut et fut pris de pitié ; il courut se jeter à son cou et l'embrassa tendrement. Le fils alors lui dit : "Père, j'ai péché contre le Ciel et envers toi, je ne mérite plus d'être appelé ton fils." Mais le père dit à ses serviteurs : "Vite, apportez la plus belle robe et l'en revêtez, mettez-lui un anneau au doigt et des chaussures aux pieds. Amenez le veau gras, tuez-le, mangeons et festoyons, car mon fils que voilà était mort et il est revenu à la vie ; il était perdu et il est retrouvé !" Et ils se mirent à festoyer. »

Il est impossible de s'en tenir à la simple transposition du père à Dieu et du fils perdu à l'infidèle, même si, déjà à l'époque de Jésus, les auditeurs interprétaient la parabole en ce sens et considéraient cette forme d'allégorisation comme allant de soi [26].

En réalité, la parabole décrit d'une manière frappante l'état psychologique de la plupart des hommes. Jésus ne fait qu'exposer ce qu'est le lot commun. Le message de Jésus sur ce point, comme sur beaucoup d'autres d'ailleurs, coïncide exactement avec le fond commun de toutes les sagesses traditionnelles. La description du statut ordinaire de l'homme est qu'il est endormi, égaré, hypnotisé et, si ce n'était pas le cas, il serait inutile de chercher à s'éveiller, renaître, revenir à la vie.

En Inde, on considère qu'à la suite d'une ascèse bien menée on peut devenir *samskrita*, c'est-à-dire « bien fait, sculpté, raffiné », alors que dans l'état naturel, commun, l'être humain naît *prakrita*, c'est-à-dire « grossier, non raffiné ».

Tous les enseignements de Jésus se proposent de nous acheminer de la même façon d'un état d'être à un autre, un état totalement différent dont l'existence ne peut même pas être soupçonnée tant qu'il n'a pas été intimement éprouvé. Encore faut-il déjà réaliser l'état de départ ainsi que ses multiples implications.

La parabole du fils perdu illustre à merveille un tel schéma et elle est parsemée de précieuses indications. Encore une fois, Jésus part de l'expérience commune, de la réalité concrète à laquelle chacun participe quotidiennement et, dans la droite ligne de l'univers propre à la pensée hébraïque, il en tire un enseignement au sujet des réalités spirituelles et intelligibles.

Le jeune fils réclame sa part d'héritage à son père, ce qui était tout à fait légal à l'époque. Il lui dit donc : « Père, donne-moi la part de fortune qui me revient. » Or il ne s'agit pas ici de n'importe quel patrimoine, propriété ou richesse. Dans le grec de la Septante (Tobie 14, 13 ; II Maccabées 3, 28), le terme utilisé pour « propriété, substance » et parfois pour « terre » est *ousia*, qui signifie aussi « substance, essence ». Au verset 13, il est rapporté que « le jeune fils partit pour un pays lointain et y dissipa son bien ». Littéralement, le texte dit qu'il « dispersa, gaspilla sa substance », *tên ousian autou*. Le bien dont il a hérité de plein droit et qu'il dilapide n'est évidemment pas d'ordre matériel. Ce bien est sa propre essence, ce qui est substantiel, et par conséquent capital pour sa propre survie, au sens spirituel du terme. Le fait de tourner le dos à cette réalité supérieure qui est la substance même de son être condamne l'homme à sa perte, et pour échapper au désastre, le seul recours qui lui reste est d'effectuer une volte-face.

Dans cette parabole, le thème de la nourriture est chargé d'une profonde signification. Au-delà des apparences, la « famine sévère » et le fait de chercher à « se remplir le ventre » (litt. « être rassasié » ; cf. Lc 6, 21 et 9, 17) évoquent une situation intérieure critique, tant sur le plan psychologique que spirituel.

Selon la parabole, la privation est telle qu'il est prêt à se nourrir de ce qu'on donne à manger aux porcs. Garder les cochons – ce qui est le comble de la déchéance – est encore insuffisant pour lui assurer sa subsistance et il est réduit à envier leur nourriture. Mais, là encore, personne ne lui donne de caroubes !

Dans les contrées semi-désertiques, les voyageurs et les pauvres se nourrissaient de plantes et de fruits sauvages de la même façon que les animaux. Le mot araméen pour « caroube », *kharobey* (qui dérive de *khorba*, un endroit isolé), désigne une plante comestible qui pousse dans certaines régions de Syrie. Sa pulpe sucrée est un aliment commun qui, avec d'autres plantes, sert de nourriture pendant les périodes de sécheresse et de famine. Habituellement, la base était constituée de pain, de fromage, de miel, de légumes. Le fils est donc rendu à la dernière extrémité ; autre façon de dire qu'il s'est fourvoyé au péril de sa vie.

Une des demandes formulées dans le *Pater* concerne d'ailleurs cette nourriture essentielle symbolisée par le pain, dont la nature réelle rejoint l'un des thèmes majeurs de la parabole.

Le contexte de la famine correspond au départ à une réalité historique, les famines étant fréquentes dans la Palestine du Iᵉʳ siècle. Ce fils « partit pour un pays lointain », car les moyens de subsistance étaient insuffisants pour supporter tout le peuple d'Israël. Certains allaient tenter leur chance dans les villes commerçantes du Levant. L'émigration était à l'ordre du jour et l'on a pu estimer à un demi-million la population de juifs palestiniens pour quatre millions de juifs vivant dans la Diaspora [27]. D'un autre côté, le thème du fils perdu se retrouve sous forme d'évocation ou d'histoire dans différents enseignements de sagesse, comme par exemple dans le *Sûtra du Lotus* ou dans la mystique juive hassidique, où les maîtres répètent : « N'oublie jamais que tu es le fils d'un roi. »

Partir et revenir (voir Malachie 3, 7) est à prendre symboliquement, de la même façon qu'en un autre passage de Luc : « Un homme de haute naissance se rendit dans un pays lointain pour recevoir la dignité royale et revenir ensuite » (Lc 19, 12), texte que Maître Eckhart a admirablement commenté dans son *Traité* intitulé « De l'homme noble ». Parler d'éloignement et de retour est une autre manière d'aborder la distinction entre l'homme extérieur et l'homme intérieur. Eckhart dit ainsi « qu'à l'homme extérieur appartient tout ce qui est inhérent à l'âme, enveloppé de chair et mêlé à elle, faisant œuvre corporelle commune avec et dans chaque membre, comme l'œil, l'oreille, la langue, la main et autres. Et l'Écriture nomme tout cela le vieil homme, l'homme terrestre, l'homme extérieur, l'homme ennemi, l'homme esclave. L'autre homme qui est en nous est l'homme intérieur ; l'Écriture le nomme un homme nouveau, un homme céleste, un homme jeune, un ami et un homme noble [28] ».

Le fils qui s'éloigne de la maison paternelle se coupe de sa réalité fondamentale, il est alors en proie à toutes sortes de fascinations et se disperse. Cette dispersion est d'ordre psychologique : le fils est un « étourneau », car il « dissipa son bien ». Le verbe se réfère aux volatiles beaucoup plus qu'aux luxurieux. Le fils se perd lui-même en gaspillant ses ressources. Le texte dit « vivant dissolument », *asôtôs* (*a* privatif et *sôzein*), c'est-à-dire, au sens littéral, d'une manière qui n'est pas salutaire. Le verset 13 est complété dans la deuxième partie de la parabole, Luc rapportant une accusation du frère aîné selon laquelle il « a dévoré son bien avec des prostituées » (v. 30). Une telle remarque favorise immédiatement le cadrage de la parabole dans une perspective morale. Elle risque d'en dénaturer l'intention initiale et d'atténuer considérablement la teneur de l'enseignement qu'elle contient.

Il y a des façons très subtiles de ne pas mener une vie salutaire ainsi que de nombreuses formes de prostitution. De plus, le substrat araméen qui signifie « avec luxe, prodigalité » a pu être confondu avec le mot « femme » (sous-entendu « femme dissolue ») qui lui est sémantiquement très proche, de la même manière que le latin *ganeo*, « glouton », peut l'être avec *ganea*, « maison close »[29].

L'axe de la parabole se situe au verset 17 où il est dit : « Rentrant alors en lui-même... » *Cette prise de conscience liée à ce retour à lui-même et en lui-même est la pointe de la parabole.* Tout le reste en dépend. Il réalise brusquement à quel point ceux qui sont restés chez son père « ont du pain en surabondance, et moi je suis ici à périr de faim ! » Jésus appelle chacun à une prise de conscience similaire, qui est de la plus haute importance car elle mène à *une prise de décision.* Sans cela, l'homme continue à dépérir tout en continuant à se maintenir dans l'illusion. À cet endroit du texte, la traduction ne doit pas être édulcorée sous peine de perdre sa signification profonde. Ce n'est pas : « Je vais aller vers mon père et je lui dirai », ni « je veux partir, aller vers mon père et lui dire », mais : « *Je me lèverai* donc, j'irai vers mon père et lui dirai... » Il ne s'agit donc pas simplement de prendre la décision de partir. Il faut noter d'autre part que ce n'est pas le verbe « se repentir » qui est utilisé, mais « se lever, se relever ». Et il est difficile de ne pas évoquer la résurrection dont le mot même évoque le fait de « se mettre debout »[30]. La confirmation, si besoin en était, se trouve au verset 24 qui sonne comme une conclusion : « ... car mon fils que voilà était mort et il est revenu à la vie ; il était perdu et il est retrouvé ! »

Fréquemment, dans les Évangiles, la mort est prise au sens figuratif pour désigner la mort spirituelle, l'agonie dans laquelle l'homme est plongé s'il n'est pas à l'écoute de l'être essentiel au fond de lui. L'injonction péremptoire et

tranchante de Jésus : « Laisse les morts enterrer leurs morts »
(Lc 9, 60), ne laisse la place à aucune excuse ou tergiver-
sation.

Aussi choquante que puisse paraître cette remarque dans
le contexte de la société juive du Iᵉʳ siècle, l'accent est mis sur
l'importance primordiale d'une vie consciente, vigilante,
éveillée, sans laquelle l'homme n'est qu'un moribond ou
même déjà un cadavre. Pourquoi, dans ce cas, accorder
solennellement la prééminence au respect des obligations
religieuses si la question de l'éveil n'est jamais abordée ? Est-
ce vraiment « honorer son père et sa mère » que de s'en tenir
à des rites conventionnels ou des actes de piété sans rien
entreprendre pour ne plus être soi-même un mort-vivant ?
Un propos célèbre du Bouddha consigné dans *Le Dhammapada* (chap. 21) affirme : « Ceux qui sont vigilants ne meurent
pas. Ceux qui sont négligents sont déjà morts. » Et, en effet, si
l'on est déjà mort, quelle importance peut-on bien accorder à
tout ce qui sera effectué dans un tel état ? Voilà la question
qu'a posée Jésus, reléguant sans équivoque au second plan
tout ce qui ne participe pas à ce chemin d'éveil. Alors qu'en
Matthieu 8, 22 la parole s'arrête sur cet aspect radical qui
renvoie le disciple face à lui-même : « Suis-moi, et laisse les
morts enterrer leurs morts », en Luc 9, 60, la même injonction est diluée en lui attribuant une intention apologétique :
« ... pour toi, va-t'en annoncer le Royaume de Dieu. »

La parabole met bien en parallèle le fait d'être mort et
revenu à la vie avec celui d'être perdu et retrouvé. Cette précision éclaire d'un relief nouveau les deux paraboles précédentes. De même que pour le berger ou la femme, le père ne
peut pas être assimilé à Dieu puisque le fils dit explicitement : « Père, j'ai péché contre le Ciel et envers toi » (v. 18).
On peut retrouver en Exode 10, 16 une distinction du même
ordre : « Aussitôt Pharaon appela Moïse et Aaron, et dit : J'ai
péché contre l'Éternel, votre Dieu, et contre vous. »

L'éloignement et le non-respect de sa dimension céleste est pour l'homme l'erreur par excellence. En tant qu'il préconise une voie de transformation personnelle, l'enseignement de Jésus se doit d'insister, par différentes illustrations, sur la nécessité de réintégrer une dimension qui échappe aux perceptions courantes. La parabole indique que cette profondeur attend tout homme et qu'il ne tient qu'à chacun de se retourner vers elle et de la reconnaître. « Étant encore loin, son père le voit. Pris aux entrailles, il court se jeter à son cou et, se penchant, l'embrasse » (v. 20). Le fait de se tourner à nouveau vers ce qui est juste et d'entrer en conformité avec la vérité n'appelle pas des félicitations de l'extérieur mais procure un immense soulagement, un sentiment d'union et d'adéquation qui s'accompagne d'une dilatation du cœur et d'une véritable reconnaissance.

La fidélité à soi-même, une fois retrouvée, justifie pleinement les évocations symboliques de la parabole : le fils reçoit une robe de fête parce que c'est une façon de le considérer comme un haut dignitaire, il a en effet retrouvé sa dignité intrinsèque. De plus, endosser un manteau neuf est une image du temps du salut (cf. Mc 2, 21) ; ce qui est ancien est dépassé et la manière ancienne de percevoir les choses n'a plus cours. On lui passe aussi un anneau au doigt (symbole d'une remise des pleins pouvoirs car il s'agit d'une bague comportant un sceau ; cf. Maccabées 6, 15) et on lui met enfin des chaussures aux pieds parce qu'il a quitté le statut d'esclave. Il va être alors en mesure de progresser dans la voie qui s'ouvre devant lui.

IV

CONSIDÉRER L'INTÉRÊT
DE L'AUTRE

Comme dans tout enseignement spirituel, les propos
tenus par Jésus et rapportés dans les Évangiles ne sont acces-
sibles qu'en fonction de notre propre niveau de compréhension. Il peut arriver qu'une parole nous paraisse complètement claire et que, après quelques années, nous réalisions à
quel point nous étions passés à côté. Cela signifie du même
coup que le sens véritable ne peut pas résider dans une
simple compréhension intellectuelle reposant sur l'exégèse,
mais qu'il faut avant tout passer par une expérimentation
concrète, vivante. Une réelle intégration au niveau de toutes
nos fonctions ne peut se faire que très progressivement, au
fur et à mesure de la purification du cœur et du dégagement
de la conscience.

Il faudra certainement passer par beaucoup d'épreuves
et relever de nombreux défis avant d'en arriver à ce que
Origène appelle « chevaucher à travers les vastes étendues
de la compréhension mystique et spirituelle [1] ».

À cet égard, il est tout à fait possible de reconnaître, sans
pour autant se départir de son pragmatisme, que les Évangiles recèlent un enseignement initiatique et ésotérique au
sens noble de ces termes. En s'adressant aux chrétiens de
Syrie ou d'Égypte, saint Jacques fait allusion dans son Épître
à cette « Parole qui a été implantée en vous et qui peut sauver
vos âmes » (Jc 1, 21), rappelant par là qu'il s'agit bien d'un

enseignement transformateur et d'une connaissance libératrice. Il enjoint cependant à recevoir « avec docilité » cette Parole, ce qui suppose une qualité d'ouverture et de réceptivité. Ce préalable, qui constitue l'une des caractéristiques essentielles du disciple qualifié, peut requérir une très longue préparation.

En abordant les Évangiles, certains exégètes ont bien compris qu'il était insuffisant de s'en tenir à une étude distante et ils ont forgé l'expression savante d'« herméneutique existentielle » pour souligner les limites d'une approche strictement historico-critique qui n'aborde son sujet que de l'extérieur. De la même façon, mais dans un style qui lui est propre, Alan Watts remarque que « le Jésus historique peut être pris comme une curiosité académique, mais il est difficile d'en extraire les éléments pour une quête spirituelle ; quant aux tentatives érudites pour extraire les faits concrets et les séparer de la poésie et de la mythologie évangéliques, elles ne sont pas sans ressembler à une étude des sonates de Mozart en termes de physique des sons [2] ».

La difficulté réelle qui se présente est que, même si l'enseignement de Jésus est fondamentalement d'ordre mystique et spirituel – et par conséquent universel et atemporel – il se trouve inséré dans un contexte déterminé dont on ne peut faire abstraction. Cet aspect est particulièrement évident par exemple en ce qui concerne la position de Jésus par rapport à la Loi et la mentalité religieuse qui lui est attenante. On ne peut donc négliger ici la toile de fond ou « le milieu de vie », même s'il ne faut jamais oublier qu'il s'agit là d'une dimension horizontale et relative et non pas de la dimension verticale et ultime.

En chaque point de l'horizontale, Jésus n'a eu de cesse d'indiquer la verticale, c'est-à-dire la brèche possible dans la perception ordinaire du monde. C'est pourquoi il s'est heurté à d'incessantes incompréhensions, autant de la part de ceux qui étaient mal intentionnés à son égard que de ceux qui le suivaient.

Une parole extraite du Livre de Job est évocatrice : « Tais-toi, et je t'enseignerai la sagesse » (Jb 33, 33), car la première chose est en effet de faire taire le mental. Et quelques versets plus loin : « Vous qui êtes intelligents, prêtez-moi l'oreille ! Car l'oreille discerne les paroles comme le palais savoure les aliments. Choisissons ce qui est juste, voyons entre nous ce qui est bon » (Jb 34, 3-4). On peut remarquer qu'en ce qui concerne la sagesse, il est par conséquent question de voir, de goûter, d'entendre : autant de manières différentes d'évoquer une aptitude fondamentale sans laquelle aucune compréhension véritable ne peut naître. Jésus a parfois ponctué ses propos par une exclamation en forme d'énigme et d'avertissement : « Si quelqu'un a des oreilles pour entendre, qu'il entende ! » (Mc 4, 23 et 7, 16 ; Mt 11, 15 et 13, 9). Et il n'y a pas de raisons de douter qu'une telle phrase ait été prononcée. Elle en dit long sur ce que Jésus percevait en général quant au niveau spirituel de ses auditeurs. Elle laisse supposer aussi combien l'accès à une réalité d'un autre ordre est subtil, délicat et d'une extrême difficulté. Il y a là un défi qu'il est bien rare de relever jusqu'au bout. Néanmoins, l'enseignement est toujours disponible dans sa totalité, porteur d'incessantes bénédictions et de vérités qui ne demandent qu'à être découvertes et réalisées dans l'intimité de l'être.

Jésus fait aussi la supposition que quelqu'un peut entendre, et laisse en tout cas toujours ouverte cette possibilité. Le Bouddha lui-même avait eu un moment d'hésitation quant à l'utilité de retransmettre l'essence d'une réalisation spirituelle dont la sublimité risquait d'échapper à la plupart des hommes.

De par son côté abrupt, l'interpellation de Jésus peut aussi susciter une réflexion sur ce qu'est la transmission d'une science sacrée, en dehors même de tout sentimentalisme religieux. Que les premiers recueils de logia et, à leur suite, les Évangiles eux-mêmes détiennent des instructions essentielles pour la transformation de soi, cela ne fait aucun doute. Cependant, P. D. Ouspensky considère « qu'un homme, si intelligent et éduqué qu'il puisse être, ne comprendra pas les Évangiles sans indications *spéciales* et sans une connaissance ésotérique *spéciale* ». À moins, pourrait-on ajouter, de qualifications spirituelles innées, mais il ne peut être dans ce cas question que d'exceptions.

« Le Nouveau Testament est un livre bien étrange, poursuit Ouspensky. Il est écrit pour ceux qui ont déjà un certain degré de compréhension, pour ceux qui possèdent une clé. C'est une très lourde erreur de croire que le Nouveau Testament est un livre simple, et qu'il est intelligible aux simples et aux humbles. Il est impossible de le lire simplement, tout comme il est impossible de lire simplement un livre de mathématiques plein de formules, d'expressions spéciales, de références manifestes ou voilées à la littérature mathématique [...]. En même temps, il y a dans le Nouveau Testament un grand nombre de passages qui peuvent être compris émotionnellement, c'est-à-dire produire une certaine impression émotionnelle, différente pour les différentes personnes, ou même pour la même personne à des moments différents de sa vie. Mais il est certainement faux de penser que ces impressions émotionnelles épuisent tout le contenu des Évangiles. Chaque phrase, chaque mot contient des idées cachées, et c'est seulement lorsqu'on commence à amener à la lumière ces idées cachées que le pouvoir de ce livre et son influence sur les hommes, qui a duré deux mille ans, devient clair [3]. »

Il serait éventuellement possible de se tourner vers les grands aventuriers de l'esprit que sont les mystiques et les contemplatifs pour insister sur l'existence de ces nombreux paliers dans la compréhension intérieure des textes sacrés et de l'enseignement qu'ils recèlent [4]. Mais dans une perspective beaucoup plus modeste, il est déjà utile d'aborder certains aspects de cette ligne horizontale dont nous avons parlé, afin de dégager les accents propres à l'enseignement évangélique. Cet enseignement émerge d'un contexte historique, culturel et social qui n'a bien entendu plus rien à voir avec le monde contemporain que nous connaissons. La Palestine du Ier siècle avait ses structures sociales et économiques spécifiques, ses coutumes et sa mentalité religieuse, sa hiérarchisation des valeurs. Elle était déjà elle-même le produit d'un passé enraciné dans une tradition biblique qui accordait un rôle prépondérant à la Torah et au Temple. L'ensemble de la société juive était organisé autour de la vie religieuse et les six cent treize lois écrites de la Torah, comportant des obligations et des interdictions, étaient l'objet de nombreux débats et interprétations. Il ne faut pas oublier que la Torah légiférait l'ensemble de la vie séculière, servant de code de loi pour traiter les affaires civiles et criminelles. Elle réglementait non seulement tous les domaines de la vie privée et publique, mais aussi les grands rouages de la société, l'agriculture, le commerce, la propriété avec toutes ses implications financières.

Dans son essence cependant, la Torah n'est pas seulement une législation ; elle est même par excellence l'ensemble de la révélation de Yahweh, c'est-à-dire, si l'on maintient le terme de « loi », des lois qui régissent le monde spirituel et la relation de l'homme à Dieu. C'est dans cette perspective intériorisée que s'inscrit la citation du Psaume XL, 9, que l'on trouve dans l'Épître aux Hébreux : « Je veux faire ta volonté, mon Dieu ! Et ta loi est au fond de mon cœur » (10, 7-9). Là est l'essentiel. Dans son livre *Les Dix Commandements*[5], Yvan Amar a bien fait sentir l'importance primordiale de cette dimension d'intimité et d'intériorité. On peut aussi en trouver une merveilleuse illustration dans le hassidisme, l'une des traditions de la mystique juive.

Le mot hébreu *tôrâh* signifie littéralement « direction à prendre » et vient de *yârâh* : « montrer », « lancer », d'où montrer de la main et, par extension, « indication ». Il en vient à désigner l'enseignement lui-même. En même temps qu'une grâce, la *tôrâh* est une exigence, mais non pas au nom d'une autorité extérieure et étrangère à notre propre liberté intérieure. Elle permet au contraire de maintenir l'alliance conclue avec Dieu et de vivre ainsi la grâce de Dieu « écrite dans le cœur » (Jr 31, 33). Bien malencontreusement, les traducteurs judéo-alexandrins de la Bible hébraïque ont, au IIe siècle avant J.-C., traduit dans la Septante le mot *tôrâh* par le grec *nomos*, qui signifie littéralement « ce qui est attribué en partage », d'où « ce dont on fait usage », c'est-à-dire, par extension : « coutume », « loi », prescription légale ayant valeur en soi et qui ouvre par conséquent la voie au légalisme juif.

Le glissement de sens du terme hébreu *tôrâh* au grec *nomos* est très révélateur de la manière dont la pensée humaine peut dévier imperceptiblement à partir d'une ligne donnée et orienter ainsi dans une direction toute différente. Il y a en effet un décalage de signification entre l'expression « direction à prendre » et « ce qui est attribué en partage » (du grec *némô*). Et il y a même un autre décalage entre le terme *nomos* et le sens juridique qui lui a été attribué. On peut aisément entrevoir maintenant les répercussions qu'une telle conception peut avoir sur le plan psychologique en opérant un renversement des valeurs : il ne s'agit plus de se soumettre à un principe qui soutient l'homme dans sa profondeur et lui permet d'accéder à la libération et à la paix, mais de se conformer à une liste de prescriptions pour se mettre en règle avec Dieu. En résumé, ce n'est plus Dieu qui apaise l'homme, c'est plutôt l'homme qui cherche à apaiser Dieu ! Au passage, les tenants du pouvoir religieux et leurs interprètes (les scribes, dans les Évangiles) seront bien placés pour asseoir leurs droits et leurs privilèges, prolongeant en cela l'importance exagérée que les rédacteurs sacerdotaux du Pentateuque avaient déjà accordée aux prêtres et aux lévites.

Il est significatif que certains interlocuteurs de Jésus viennent le trouver pour lui demander : « Maître, que dois-je faire de bon pour obtenir la vie éternelle ? » (Mt 19, 17 ; Lc 10, 25 ; 18, 18). La question posée concerne le « faire » et non « l'être » ; or Jésus est venu pour régénérer les êtres et leur montrer où se trouve réellement la volonté de Dieu. Cette remise en adéquation avec la volonté divine réclame en effet une disposition intérieure qui relève en priorité d'une qualité d'être et non pas d'un simple acte visible ou superficiel, d'une préoccupation pour remplir des conditions extérieures afin de s'attirer certaines faveurs divines.

Une telle erreur n'est pas l'apanage de ceux, tels les scribes et les pharisiens, qui s'adonnent à une casuistique sophistiquée ou à des sophismes pervers. Non, elle peut être aussi le lot de tout un chacun et pas seulement de ceux qui essaient d'interpréter les Écritures à leur avantage et selon leurs propres critères religieux.

Peut-être même, encore plus profondément que les autres, les auditeurs sincères et les disciples fidèles tombent-ils dans ce travers. Ils sont tout à fait prêts à obéir, mais il est révélateur de constater que le mot « obéissance » utilisé tout au long du Nouveau Testament ne se trouve jamais sur les lèvres de Jésus lui-même. Et pourtant, il est quand même bien question d'une soumission, d'une reddition de toutes les prérogatives individuelles... À l'homme riche qui se voit rappeler les commandements, une demande d'un autre ordre est proposée, un autre niveau d'exigence, beaucoup plus profond, beaucoup plus intime. Sans doute cet homme s'était-il conformé à toutes les prescriptions légales avec sincérité et diligence. « Maître, lui dit-il, tout cela, je l'ai observé dès ma jeunesse » (Mc 10, 20 ; Lc 18, 21), et en Matthieu, cet homme qui a été rajeuni dit :

« Tout cela, lui dit le jeune homme, je l'ai observé ; que me manque-t-il encore ? » (Mt 19, 20). Dans sa réponse, Jésus lui demande, entre autres, d'abandonner tous ses biens, mais cette demande ne doit pas être prise seulement au premier degré (même si cela a pu lui être effectivement réclamé). Les biens en tant que tels ne sont pas en cause, mais plutôt l'attachement, l'appropriation elle-même. L'identification aux possessions et à toutes les formes « d'avoir » renforce le moi dans les notions factices de « mon, ma, mes ». L'enjeu extérieur apparent renvoie donc à un réel défi qui remet en cause les fonctionnements habituels et les fausses sécurités (cf. Lc 18, 28-30).

Avec les meilleures intentions du monde, la pratique véritable est ainsi déviée ou faussée sans que personne ne s'en aperçoive. Et, en un sens, plus les efforts dévoués se renforcent et se multiplient, plus on s'écarte de la pratique juste.

« Pourquoi m'appelez-vous "Seigneur, Seigneur", et ne faites-vous pas ce que je dis ? » (Lc 7, 46). Il serait possible de retraduire cette parole en ces termes : « Pourquoi autant de ferveur, de dévotion, de dévouement, de sentimentalisme religieux alors que vous ne cherchez même pas à comprendre le sens réel de la pratique ? » Celle-ci est située le plus souvent dans une perspective fausse, car il est en fait inévitable que, pendant longtemps, les tentatives de mise en pratique tombent dans les anciennes ornières mentales. Un tel danger a toujours existé et il est dans le rôle du maître spirituel de le signaler. Un maître tibétain contemporain, Chögyam Trungpa, l'exprime de la manière suivante : « Il est important de voir que le point essentiel de toute pratique spirituelle est de sortir de la bureaucratie de l'ego, c'est-à-dire de ce constant désir qu'a l'ego d'une forme plus haute, plus spirituelle, plus transcendante du savoir, de la religion, de la vertu, de la discrimination, du confort, bref, de ce qui fait l'objet de sa quête particulière. Il faut sortir du matérialisme spirituel [6]. » Un tel piège n'appartient pas à une époque spécifique parce qu'il concerne un obstacle inhérent à la voie spirituelle elle-même, qui confronte inévitablement les illusions et les mensonges de l'ego [7]. Il est cependant très difficile de se soumettre à une discipline et d'envisager la quête elle-même sans être sous le coup des motivations ordinaires, des intérêts purement égoïstes. Jésus prévient pourtant le chercheur d'une façon explicite, mais, comme cela arrive souvent en pareil cas, les instructions les plus précieuses passent inaperçues : « N'espérez rien en retour » (Lc 6, 35) [8]. De la même manière, le maître zen Taisen Deshimaru a sans cesse répété aux pratiquants de l'assise méditative : « *Mushotoku, mushotoku !* » ce qui signifie : « Sans but ni esprit de profit ». Tel est le paradoxe de la pratique : l'accès au Royaume des Cieux exige un abandon du but lui-même, un lâcher-prise par rapport à une recherche de bénéfices quelconques, y compris de bienfaits spirituels. La recherche d'une performance, même d'ordre moral, constitue un obstacle subtil au véritable don de soi et à la confiance totale. Le judaïsme en tant que religion a laissé se développer l'idée d'une correspondance étroite entre le mérite et la récompense, le démérite et le châtiment. L'ambition des rabbins était donc de se conformer le plus scrupuleusement à ce qu'ils considéraient comme méritoire afin d'en recueillir une récompense et de gagner ainsi une place d'honneur auprès de Dieu. En réalité, cette conception imprégnait la société elle-même, de sorte que le peuple en son entier – et par conséquent les disciples aussi – était dominé par cette mentalité. À l'occasion d'un massacre de Galiléens par Pilate ou de l'effondrement d'une tour qui avait tué dix-huit habitants de Siloé, Jésus avait déjà tenté une mise au point pour rectifier les interprétations courantes et montrer de quelle façon la mentalité générale peut induire en erreur. Cependant, une simple rectification ponctuelle ne peut pas à elle seule infléchir une manière de penser profondément ancrée comme en témoigne cette autre attitude des disciples qui épousent inconsciemment les idées environnantes en se polarisant sur l'idée d'une rétribution ou d'une position privilégiée : « Alors la mère des fils de Zébédée s'approcha de lui, avec ses fils, et se prosterna pour lui demander quelque chose. "Que veux-tu ?", lui dit-il. Elle lui dit : "Ordonne que mes deux fils que voici siègent, l'un à ta droite et l'autre à ta gauche, dans ton Royaume." Jésus répondit : "Vous ne savez pas ce que vous demandez. Pouvez-vous boire la coupe que je vais boire ?" Ils lui dirent : "Nous le pouvons." – "Soit, leur dit-il, vous boirez ma coupe ; quant à siéger à ma droite et à ma gauche, il ne m'appartient pas d'accorder cela, mais c'est pour ceux à qui mon Père l'a destiné" » (Mt 20, 20-23).

Ce dialogue est exemplaire et riche de contenu. Comme toutes les mères, cette femme a des attentes à l'égard de ses fils. Elle a de l'ambition pour eux et veut les voir promus à un brillant avenir ! Bien que ne posant pas la question directement pour elle-même, son attitude trahit une réalité psychologique commune faite de désirs, d'espoirs, d'attachements ainsi que la transposition de ces fonctionnements à une réalité qui appartient pourtant à un autre domaine. Le texte fait allusion ici à ce mélange des plans, cette confusion entre ce qui relève du psychique par rapport au pneumatique. C'est pourquoi Jésus répond : « Vous ne savez pas ce que vous demandez, vous demandez à ce que la *psyché* accède au *pneuma*, or c'est impossible. » Comme le monde spirituel est inaccessible au psychisme parce qu'il est d'une qualité trop subtile, il est même impossible de s'en faire une représentation exacte. La conception que cette femme a du Royaume est empreinte d'une certaine naïveté. Par ignorance, elle ramène une réalité qui lui échappe à ce qui lui est déjà connu.

Les fils, de leur côté, veulent répondre au désir de leur mère. Autrement dit, ils sont encore soumis aux mécanismes psychologiques ordinaires. En cherchant à satisfaire sa propre attente, ils ont aussi une forme d'attente au fond d'eux-mêmes. Ils montrent par là qu'ils ne sont pas encore libérés de certains fonctionnements psychologiques de base. S'ils veulent réellement s'affranchir un jour, ils devront pourtant purifier cette sphère émotionnelle qui les maintient prisonniers et parvenir à se dégager du pouvoir qu'exerce encore sur eux le lien maternel. Cependant, Jésus accepte de jouer le jeu : « Soit, leur dit-il, vous boirez ma coupe », puisqu'ils ont déclaré en être capables (plutôt que de la prétention, cette affirmation montre une certaine inconscience de leur part et leur incapacité totale à apprécier leur véritable degré de maturité intérieure). Et, enfin, la réponse tombe. Jésus leur dit que cela ne lui appartient pas de toute façon. Il convient de lâcher prise par rapport à ces attentes, de faire confiance et de s'en remettre entièrement au Père.

On trouve en un autre endroit : « À ce moment les disciples s'approchèrent de Jésus et dirent : "Qui donc est le plus grand dans le Royaume des Cieux ?" » (Mt 18, 1) ou encore : « Une pensée leur vint à l'esprit : qui pouvait être le plus grand d'entre eux ? Mais Jésus, sachant ce qui se discutait dans leur cœur... » (Lc 9, 46-47). L'occasion lui était une nouvelle fois donnée de leur délivrer un enseignement tout en se mettant à leur niveau et en reprenant leur propre terminologie. Cela ne l'empêche pas de faire éclater la conception ordinaire sous la forme d'un paradoxe susceptible de leur faire entrevoir une autre dimension : « Car celui qui est le plus petit parmi vous tous, c'est celui-là qui est grand » (v. 48).

À un premier niveau, l'attente d'une récompense se situe dans la recherche d'une gratification auprès des autres, d'une quête de louanges et de reconnaissance qui concerne par conséquent la vanité. Il ne s'agit pas, bien entendu, de pratiquer pour se faire remarquer des hommes ou d'être glorifié par eux (Mt 6, 1-2). Il ne faut pas chercher à être vu ou encore à feindre quoi que ce soit pour acheter leur admiration (Mt 6, 5 et 16). Mais pour Jésus, il fallait aller encore plus loin dans le bouleversement des croyances et des valeurs établies et ne pas s'arrêter en cours de route. L'Évangile selon Thomas rapporte l'échange suivant : « Ses disciples l'interrogèrent et lui dirent : Veux-tu que nous jeûnions ? Comment prierons-nous ? Comment donnerons-nous l'aumône ? Et qu'observerons-nous en matière de nourriture ? Jésus dit : Ne dites pas de mensonge, et ce que vous récusez, ne le faites pas, parce que tout est dévoilé à la face du ciel. Il n'y a en effet rien de caché qui ne se manifestera, et il n'y a rien de recouvert qui restera sans être dévoilé » (log. 6). Le mensonge consiste à aborder l'ascèse religieuse, la quête spirituelle sans remettre le moins du monde en cause les conditions extérieures réelles dans lesquelles une telle pratique va prendre place. Mais il n'y a pas de tricherie possible car « tout est dévoilé à la face du ciel » et il est donc préférable de faire face le plus vite possible à la vérité nue. Il y a là une invitation précise à un travail de purification, de dépouillement, dont le résultat sera la perte de toute attente, la disparition de tout espoir de récompense. Car c'est encore le moi limité qui escompte un résultat en fonction des gestes qu'il a posés et des efforts qu'il a entrepris.

La parabole du Serviteur s'inscrit dans la droite ligne de ces considérations. « Qui d'entre vous, s'il a un serviteur qui laboure ou garde les bêtes, lui dira à son retour des champs : "Vite, viens te mettre à table" ? Ne lui dira-t-il pas au contraire : "Prépare-moi de quoi dîner, ceins-toi pour me servir, jusqu'à ce que j'aie mangé et bu ; après quoi, tu mangeras et boiras à ton tour" ? Sait-il gré à ce serviteur d'avoir fait ce qui lui a été prescrit ? » (Lc 17, 7-9).

À cette question qui semble être la conclusion de la parabole, le verset suivant ajoute : « Ainsi de vous ; lorsque vous aurez fait tout ce qui vous a été prescrit, dites : Nous sommes des serviteurs inutiles ; nous avons fait ce que nous devions faire » (Lc 17, 10). Cette remarque est probablement une addition ultérieure qui coupe l'élan créé par la question posée et dont la réponse par la négative s'impose pourtant sans ambiguïté possible. Elle apporte aussi une certaine confusion par l'utilisation du terme « inutile » au sujet du serviteur. Les traducteurs l'adoptent pour garder le sens littéral du mot grec *achréios* qui signifie « inutile, qui ne vaut rien ». Or ce sens est inapproprié ici dans la mesure où le texte ne veut pas dire que le travail fait n'a pas de valeur ou que le serviteur est paresseux [9]. Dans les Évangiles, on ne trouve ce mot utilisé qu'une seule fois de cette manière, en Matthieu 25, 30 : « Et ce propre à rien de serviteur... »

Le terme est plutôt à prendre au sens de « pauvre » car il s'agit d'une invitation à l'humilité, à une attitude intérieure qui reconnaît, dans la sobriété du cœur et le silence des pensées, la justesse de ce qui doit être fait. À partir d'une telle attitude, il est totalement exclu de s'octroyer un mérite quelconque et par conséquent de s'imaginer en droit d'escompter une récompense. « Nous sommes de pauvres serviteurs » non pas parce que notre statut est servile, que nous sommes déclassés ou pitoyables, mais parce que nous devons être pauvres intérieurement, c'est-à-dire humbles, délivrés de toutes les attentes et dépouillés de toutes les prétentions. N'est-ce pas la prétention suprême d'estimer que Dieu nous doit quelque chose ? Un court dialogue auprès du maître indien Neem Karoli Baba le confirme d'une manière simple et touchante : « Sers le pauvre », conseilla-t-il un jour à un disciple. « Qui est pauvre, Maharaji ? – Chacun est pauvre devant le Christ », répondit-il.

Le même enseignement se retrouve dans la parabole des ouvriers envoyés à la vigne (Mt 20, 1-16). L'ouvrier de la onzième heure reçoit le même salaire d'un denier que ceux qui ont été embauchés le matin et ont par conséquent travaillé toute la journée. Cette parabole souligne la nécessité de renverser le mode de perception courant puisque la notion de rétribution ou de récompense n'obéit plus aux normes habituelles. La logique voudrait que la rémunération soit proportionnelle au temps consacré au travail ; eh bien ! non. Il en est de même pour le Royaume : il ne faut pas s'attendre à ce que nos critères étroits soient la norme !

Les lois auxquelles nous sommes accoutumés ne s'appliquent plus quand il s'agit d'une réalité qui appartient à un domaine fondamentalement différent. « Le soir venu, le maître de la vigne dit à son intendant : "Appelle les ouvriers et remet à chacun son salaire, en remontant des derniers aux premiers." Ceux de la onzième heure vinrent donc et touchèrent un denier chacun. Les premiers, venant à leur tour, *pensèrent qu'ils allaient toucher davantage* ; mais c'est un denier chacun qu'ils touchèrent, eux aussi » (v. 8-10). Et leur pensée, précisément, ne correspondait pas à la réalité, d'où leur frustration et leurs récriminations. La parabole illustre ici un mécanisme caractéristique du mental en montrant de quelle manière il peut nous mettre en porte-à-faux par rapport à la réalité chaque fois que nous projetons sur elle notre propre vision des choses.

L'attente est fausse parce qu'elle est fondée sur l'espoir d'une mise en conformité de l'extérieur par rapport à nous-même alors qu'à la vérité, comme le dit Jésus, cela « ne m'appartient pas ». Quelles que soient les raisons et les justifications invoquées, on ne peut pas réclamer un quelconque « dû » sous prétexte que celui-ci correspond à notre conception personnelle. Ni le patron de la vigne ni le Père dans les cieux ne sont tenus de répondre à ce genre d'attente. Il faut donc apprendre à se plier avec humilité à l'ordre des choses plutôt que de s'enfermer dans un marchandage avec Dieu (et, qui plus est, où nous fixerions nous-même le prix des marchandises !).

Le verset 16 est une conclusion généralisante qui ne figure pas dans les anciens manuscrits : « Voilà comment les derniers seront les premiers et les premiers seront les derniers » (cf. Mc 10, 31 ; Mt 19, 30). Cet ajout tardif oriente le sens de la parabole dans une autre direction, de même que l'insistance excessive portée sur la générosité et la magnanimité du « bon patron », ainsi qu'on a pu le nommer parfois. Dans une note, les commentateurs de la Bible de Jérusalem proposent l'explication suivante : « En embauchant jusqu'au soir des ouvriers sans travail et en leur donnant à tous plein salaire, le maître de la vigne fait preuve d'une bonté qui va plus loin que la justice, sans d'ailleurs léser celle-ci. Tel est Dieu, qui introduit dans son Royaume des tard venus comme les pécheurs et les païens. Les appelés de la première heure (les Juifs bénéficiaires de l'Alliance depuis Abraham) ne doivent pas s'en scandaliser. »

En collant de trop près à l'intention de l'ultime rédacteur matthéen, il n'est plus question ici d'éclairer un mécanisme erroné de la pensée afin de chercher à s'en libérer. Le sens de la parabole ne concerne plus une réalité intérieure et ne peut plus, en conséquence, être en quoi que ce soit opérant dans la perspective d'une transformation de soi.

La parabole des ouvriers envoyés à la vigne nous raconte qu'un homme capable d'une disponibilité totale et immédiate, tel l'ouvrier de la onzième heure, mérite un salaire égal à celui qui a pourtant travaillé dès la première heure. Envisagée sous une autre optique, cette parabole nous enseigne une nouvelle subtilité : être disponible et capable de répondre à tout moment à l'appel est, aux yeux du maître, une qualité de haute valeur.

La position de Jésus en ce qui concerne la Torah est particulièrement révélatrice de la teneur de son enseignement. En précisant son attitude à l'égard des interprètes de l'époque, il a pu ainsi donner des indications concrètes d'une grande profondeur et ayant valeur universelle. La primauté accordée sans équivoque et avec une forte énergie à la disposition intérieure a fini par remettre en cause ceux qui fondaient l'essentiel de leur pratique sur des actes extérieurs. Non que la question de l'action ne soit pas posée, mais elle ne doit pas prendre le pas sur une autre question, encore plus cruciale : *qui agit* ? En revenant toujours sur ce point, Jésus ne bouleverse pas l'ordre de la Torah mais ceux qui l'ont mal comprise et qui s'accrochent à leurs vues fausses et à leurs catégories limitées. Il introduit sans cesse ses propos par : « Vous avez entendu qu'il a été dit aux ancêtres... » (Mt 5, 21 et 27, 31, 33, 38, 43), se référant à l'enseignement traditionnel tel qu'il est donné oralement, surtout dans les synagogues. Pour lui, la Torah elle-même n'est absolument pas oppressive, à la différence de Paul qui parle de « cette Loi des préceptes avec ses ordonnances » (Épître aux Éphésiens 2, 15) et qui fait du Christ la fin de la Loi (Rm 10, 4). En fait, elle consiste plutôt en cette « loi de liberté » dont parle saint Jacques (Jc 2, 12), c'est-à-dire, si on en comprend l'essence, de principes qui peuvent mener à l'affranchissement. « Celui, au contraire, qui se penche sur la Loi parfaite de liberté et s'y tient attaché, non pas en auditeur oublieux, mais pour la mettre activement en pratique, celui-là trouve son bonheur en la pratiquant » (Jc 2, 25). On peut alors rapprocher la « Loi » du terme sanscrit *dharma* utilisé aussi bien par les hindous que les bouddhistes et que l'on peut aussi traduire par « Enseignement ». Il désigne « l'ordre juste », « ce qui soutient » et, par conséquent ce sur quoi on peut s'appuyer. Un passage du Psaume XIX en donne une belle description :

« La torah d'Adonaï est parfaite, elle restaure l'âme, le témoignage d'Adonaï est fidèle, il donne la sagesse au simple. Les préceptes sont droits, ils réjouissent le cœur. L'ordre d'Adonaï est clair, il illumine les yeux, le frémissement d'Adonaï est pur, il demeure à jamais, les jugements d'Adonaï sont la vérité, ils sont justes ensemble.

« Plus désirable que l'or, qu'une masse d'or pur, plus doux que le miel au suc des rayons.

« Ton serviteur aussi est illuminé par eux ; à leur garde, il est effet multiple [10]. »

Cependant, percevoir le sens intérieur de la Loi, caché pour ainsi dire, est d'une grande difficulté et Jésus va s'évertuer à en dégager les implications les plus délicates, quitte à se heurter inévitablement à de nombreuses incompréhensions. Il ne cherche pourtant pas à s'opposer aux scribes comme s'il établissait une distinction entre la lettre et l'Esprit, à la différence de Paul qui écrit : « Mais à présent nous avons été dégagés de la Loi, étant morts à ce qui nous tenait prisonniers, de manière à servir dans la nouveauté de l'esprit et non plus dans la vétusté de la lettre » (Rm 7, 6 ; cf. II Co 3, 6 sv.).

Jésus cherche plutôt à dégager de quelle manière il est possible de se mettre véritablement en accord avec la volonté de Dieu, dans la profondeur du cœur et non pas en surface, en apparence. En renvoyant à la Torah et à sa juste interprétation, il entend montrer l'intention réelle et remettre du même coup totalement en cause les structures du mental. Par voie de conséquence, remarque C. H. Dodd, « les censeurs de Jésus comprenaient très bien que son enseignement menaçait l'intégrité du judaïsme en tant que système, où se confondait indivisiblement religion et solidarité nationale[11]. » Le paradoxe est que Jésus ne se posait aucunement en réformateur religieux (et encore moins politique). Il n'a jamais remis en cause la validité de la Torah et a toujours cité respectueusement les Écritures. On peut se rappeler à ce sujet les paroles suivantes : « Car : amen, je vous dis, tant que ne seront passés le ciel et la terre, un seul i, un seul trait de la Loi ne passera, que tout ne soit arrivé » (Mt 5, 18). Luc formule ainsi : « Il est plus facile que le ciel et la terre passent, qu'un seul trait de la loi tombe ! » (Lc 16, 17). La différence de rédaction provient d'un recours à deux sources distinctes. On retrouve une idée approchante en Matthieu 24, 35 : « Le ciel et la terre passeront, mes paroles, non, ne passeront pas. » Il semble être question avant tout de la pérennité de la Torah et de son incorruptibilité, c'est-à-dire des vérités intemporelles qui ne dépendent pas des conditions et circonstances. C'est ce qu'on appelle en Inde *sanâtana-dharma*, que l'on pourrait traduire par Religion éternelle, la *Philosophia perennis*, la Sagesse éternelle.

Sœur Jeanne d'Arc note que le mot hébreu *amen* « évoque vérité, fidélité, solidité : "c'est vrai ! c'est sûr !" Avec *je vous dis*, il donne une portée solennelle à l'affirmation du maître. Cet *amen* ainsi employé est une caractéristique du style propre à Jésus [12]. » Mais le rédacteur matthéen ajoute : « que tout ne soit arrivé », de la même façon qu'il avait ajouté « les Prophètes » au verset précédent (Mt 5, 17) : « Ne pensez pas que je sois venu abolir la loi ou les Prophètes [13]. » Or ces additions faussent évidemment le sens général de la parole : la phrase est alors inscrite dans la perspective d'une réalisation d'annonces prophétiques étrangère au sens primitif.

Concernant la formulation lucanienne, une suggestion a été faite selon laquelle elle dénoterait d'une pointe d'ironie à l'égard du conservatisme des scribes. La phrase signifierait alors que « le monde va s'écrouler avant que ces derniers ne parviennent à renoncer à la plus petite part de leur interprétation traditionnelle de la loi [14] ». Une telle version est habile mais reste cependant incertaine.

Le *yod*, qui est la plus petite lettre de l'alphabet hébreu, correspond au *iota* grec et le menu trait, d'apparence insignifiante, a pourtant son importance. Le *yod* occupe une place prépondérante dans la langue et la grammaire hébraïques : il a pour fonction de transformer le temps et d'orienter la conjugaison dans le sens de l'accompli ou de l'inaccompli. « Quand il n'y a pas de *yod*, le verbe est à l'accompli dont le sens regroupe tous les temps du passé. Quand il y a un yod en préfixe, le verbe est à l'inaccompli, c'est-à-dire, futur, conditionnel, subjonctif. Simplement, pour dire l'avenir, il suffit de mettre et de dire le *yod* devant le verbe, comme une main, comme un doigt pointé, un engagement, une décision[15]. » Sa petitesse n'équivaut donc en aucun cas à une insignifiance. De la même façon, si l'on transpose cette règle grammaticale à la science spirituelle ou intérieure, c'est-à-dire aux lois qui concernent la Connaissance, on constate que ce qui a une valeur essentielle peut tout à fait passer inaperçu. Et c'est bien en cela d'ailleurs que réside la difficulté majeure. Il s'agit moins d'une lecture fidèle du texte au sens dogmatique et rigoriste du mot que d'une compréhension plénière de tout ce qu'il recèle, en incluant toutes ses subtilités et ses implications. Il faut ainsi se prémunir d'une lecture littérale qui engendre une méticulosité religieuse obsessionnelle voilant non seulement les vérités les plus fondamentales mais même parfois le simple bon sens.

Il n'y a pas non plus à condamner la lettre au nom de l'Esprit puisqu'il faut au contraire chercher à en pénétrer le sens le plus intérieur. Celui-là seul sera existentiellement transformateur et en définitive libérateur.

L'interprétation que fait Jésus des Écritures n'est pas une opinion comme une autre mais une vision profonde, pénétrante. Ce qu'il remet en question devant les rabbins, ce n'est pas la Torah mais « leur » Torah, leur faible compréhension, leurs vues étriquées – et finalement le sens même de leurs pratiques.

Plus de sept cents ans avant Jésus, le prophète Esaïe avait pourtant déjà énoncé clairement une mise en garde en faisant

dire à Yaweh : « Qu'ai-je à faire de la multitude de vos sacri-
fices ? dit l'Éternel. Je suis rassasié des holocaustes de béliers
et de la graisse des veaux. Je ne prends point plaisir au sang
des taureaux, des brebis et des boucs. Quand vous venez
vous présenter devant moi, qui vous demande de venir
souiller mes parvis ? Cessez d'apporter de vaines offrandes :
J'ai en horreur l'encens, les nouvelles lunes, les sabbats et les
assemblées. Je ne puis voir le crime s'associer aux solennités.
Mon âme hait vos nouvelles lunes et vos fêtes ; elles me sont
à charge, je suis las de les supporter » (Is 1, 11-14).

En jouant le jeu de la discussion au cours de débats avec
les juifs, Jésus ébranle jusque dans ses fondations tout leur
édifice conceptuel et toutes leurs identifications. C'est pourquoi l'enjeu n'est pas seulement lié à un contexte donné dans
une situation historique spécifique : celui du judaïsme palestinien au Ier siècle de notre ère. Il a aussi une dimension universelle et actuelle.

Sa vision ne peut que prendre à contre-pied la manière
ordinaire de considérer les choses. « Eh bien ! moi je vous
dis », reprend-il comme un leitmotiv (Mt 5, 22 et sv.) qui s'oppose à : « Mais vous, vous dites » (Mt 15, 5). Cette expression, « Or moi je vous dis », correspond à une formule en
usage dans les discussions rabbiniques. Elle fait à chaque fois
suite en Matthieu à une citation des Écritures. On a donc cru
à tort qu'elle signifiait une contestation de la Torah elle-
même, comme si Jésus voulait y substituer sa propre Loi ! Le
terme souvent utilisé d'« antithèses » à propos de Matthieu 5,
20-48 est d'ailleurs imprudent dans la mesure où il laisse
entendre « antithèses à la Loi », alors que ce n'est pas à
l'égard de la loi que l'antithèse est posée mais à l'égard de sa
compréhension limitée. En proposant comme sous-titre :
« La justice nouvelle supérieure à l'ancienne » pour présenter
ce passage, la Bible de Jérusalem ne fait qu'entretenir l'ambiguïté.

La prépondérance accordée aux interprétations étroites de la Torah finissait par polariser les esprits et les enfermer dans un formalisme religieux atrophiant qui contribuait à occulter la réalité du Royaume. Les commentateurs de la Synopse ont bien remarqué que l'interprétation de Jésus « se situait dans la ligne de la tradition sapientielle [16] ». Elle présente par conséquent un enseignement de sagesse dont la seule vocation est de transformer l'homme de fond en comble et non pas simplement de le faire adhérer à des idées nouvelles. Il ne s'agit pas de remplacer un système de croyances par un autre ni de contrer des conceptions limitées avec d'autres conceptions tout aussi limitées. Comment au contraire trouver une dimension verticale qui, seule, permet de restaurer l'intégralité de la personne ? La réponse va reposer sur la compréhension de l'essence des commandements. Cette compréhension n'est pas abstraite ou formelle et il n'est plus question de discuter sur des cas d'école car la connaissance libératrice est avant tout une expérience, une réalisation incluant tout autant la pensée, le cœur et le corps. La nature – la pureté – des actes sera ainsi fonction de l'intégration de ce qui est juste, c'est-à-dire conforme à la volonté de Dieu.

Par définition, la Torah montre la voie, elle indique le chemin. Bien comprise, elle aide l'homme à retrouver sa liberté en découvrant sa dimension transcendante. Mais encore faut-il en saisir la quintessence, sous peine de prendre les moyens pour la fin et d'accorder aux règles de discipline une valeur en soi. Et, en se perdant dans les méandres de la rhétorique, l'homme risque de se perdre de vue lui-même.

La contestation de Jésus est radicale, impitoyable, intransigeante par rapport au mental ordinaire, mais elle ne concerne pas la surface des choses. Il s'est d'ailleurs plié aux coutumes de son temps et a suivi les préceptes rituels et cérémoniels (Mt 8, 4 ; Mc 1, 44 ; Lc 5, 14 ; 17, 14). Il considérait certes le lavement des mains comme « une tradition des hommes » (Mc 7, 8), mais il n'y a pas de raisons de croire qu'il y était opposé par principe. Il contestait l'importance exagérée qu'on lui accordait quand c'était au détriment d'autres aspects essentiels. Il est peu probable également qu'il ait voulu abolir la distinction entre les aliments purs (*kasher*) et ceux considérés comme impurs. Le passage de Marc 7, 19 : « (ainsi il déclarait purs tous les aliments) » est certainement une glose mise entre parenthèses par le rédacteur, car si Jésus avait tranché la question, celle-ci ne se serait plus posée dans l'Église primitive, comme cela apparaît dans les Actes ou les Épîtres de Paul (Ac 10, 15 ; 11, 9 ; Ga 2, 12).

L'attitude de Jésus est difficile à comprendre : d'une part il fustige l'étroitesse d'esprit et dénonce les excès, d'autre part il respecte les commandements et témoigne de sa fidélité à leur égard par ses actes et son enseignement. C'est sans doute vis-à-vis du sabbat que la position de Jésus se révèle avec le plus d'acuité et permet de serrer au plus près ce que le maître cherche à transmettre.

Le terme hébreu *chabbât* signifie « cessation » et, par conséquent, « cesser de travailler », « se reposer ». On a parfois voulu relier le mot sabbat à *chebî`y*, « septième ». Dans l'Ancien Testament, le quatrième commandement rappelle, en Exode 20 8-11, que l'Éternel a créé le monde en six jours et qu'il s'est reposé le septième. Il a béni le jour du repos et l'a sanctifié. Les Israélites sont invités à faire de même. En Deutéronome 5, 12-15, il est précisé que ce jour de repos est une nécessité qui répond à un réel besoin, « afin que ton serviteur et ta servante se reposent comme toi ».

Jésus avait coutume de participer au culte du sabbat à la synagogue, lieu réservé autant à la pratique dévotionnelle qu'à l'enseignement. Il fréquente les synagogues en Galilée et deux d'entre elles sont mentionnées dans les Évangiles, celle de Capharnaüm (Mc 1, 21 ; Lc 4, 31) et celle de Nazareth (Lc 4, 15). Il est important de souligner que Jésus n'a jamais été condamné par les autorités légales pour avoir violé le sabbat. S'il l'avait fait, il est certain que les pharisiens auraient saisi cette occasion en or pour intervenir [17].

Dans le célèbre épisode des épis arrachés, ce n'est pas Jésus lui-même qui arrache les épis mais ses disciples. « En ce temps-là Jésus vint à passer, un jour de sabbat, à travers les moissons. Ses disciples eurent faim et se mirent à arracher des épis et à les manger. Ce que voyant, les Pharisiens lui dirent : "Voilà tes disciples qui font ce qu'il n'est pas permis de faire pendant le sabbat !" » (Mt 12, 1-2 ; Lc 6, 1-2 qui ajoute : « Arrachaient et mangeaient les épis en les froissant de leurs mains »). Chez Marc (2, 23-24), le texte propose : « Ses disciples se mirent à se frayer un chemin en arrachant les épis », afin d'éviter la question des interdictions légales et de simplifier en s'arrêtant au fait de ne pas abîmer un champ de plantations. Pour les casuistes, arracher un épi était interprété comme le fait de moissonner et froisser les grains comme celui de les moudre, deux activités frappées d'interdiction un jour de sabbat.

Les pharisiens s'adressent à Jésus d'une façon indirecte, de même que ce responsable de synagogue après que Jésus avait guéri une femme de son infirmité : « Mais le chef de la synagogue, indigné de ce que Jésus eût fait une guérison le sabbat, prit la parole et dit à la foule : "Il y a six jours pendant lesquels on doit travailler ; venez donc ces jours-là vous faire guérir, et non le jour du sabbat !" » (Lc 13, 14).

En se maintenant sans cesse dans cette délicate frontière qui sépare le licite de l'illicite, Jésus a un unique souci : montrer que le respect d'un commandement n'a de sens que s'il permet d'atteindre le but véritable pour lequel il a été donné. Et ce but n'a rien à voir avec une quelconque exigence arbitraire et dogmatique imposée par le mental humain et à laquelle il faudrait se plier (sous peine de lapidation ou d'une condamnation de Dieu lui-même en cas de transgression). Les scribes iront jusqu'à légiférer sur la distance qu'il est permis de parcourir le jour du sabbat : environ mille deux cents mètres, soit la distance entre le mont des Oliviers et Jérusalem [18] ! Et en quoi le fait d'interdire de défaire un nœud ou de tracer plus d'une lettre de l'alphabet ce jour-là contribue-t-il à rendre l'homme meilleur ? Puisque ce jour est un jour de repos, le moyen le plus profond de le sanctifier ne consiste-t-il pas à restaurer la tranquillité là où il y a le trouble ainsi qu'à guérir là où il y a la maladie et la détresse ?

Les juifs étaient un peuple pastoral devant s'occuper des troupeaux et, avant la captivité babylonienne, un certain nombre de tâches étaient autorisées le jour du sabbat. Il en était resté la permission de récupérer un animal tombé dans un fossé ; ce que les esséniens, à l'inverse des pharisiens, ne toléraient même pas. Ce point sera retenu par Jésus pour renvoyer ses détracteurs à leur incohérence : « Parti de là, il vint dans leur synagogue. Or il se trouvait là un homme qui avait une main sèche, et ils lui posèrent cette question : "Est-il permis de guérir le jour du sabbat ?" afin de l'accuser. Mais il leur dit : "Quel sera d'entre vous l'homme qui aura une seule brebis, et si elle tombe dans un trou, le jour du sabbat, n'ira la prendre et la relever ?" Or combien un homme vaut plus qu'une brebis ! Par conséquent il est permis de faire une bonne action le jour du sabbat » (Mt 12, 9-12).

À l'occasion des épis arrachés par les disciples, il les renvoie à leurs propres Écritures et se réfère à I Samuel 21, 2-6, pour leur rappeler que le prêtre du sanctuaire, Achimélec, avait autorisé David et ses compagnons affamés à manger du pain consacré : « Jésus leur répondit : "Vous n'avez donc pas lu ce que fit David, lorsqu'il eut faim, lui et ses compagnons, comment il entra dans la demeure de Dieu, prit les pains d'oblation, en mangea et en donna à ses compagnons, ces pains qu'il n'est permis de manger qu'aux seuls prêtres ?" » (Lc 6, 3-4).

Tout en n'étant jamais à court d'arguments dans les controverses, Jésus ne cherche pas cependant à briller dans les discussions avec les rabbins ni à marquer des points en face des casuistes les plus sophistiqués. Il cherche avant tout à montrer où est la vérité et à l'enseigner. La constance avec laquelle il s'y emploie ainsi que la perspicacité dont il fait preuve vis-à-vis de ses détracteurs n'est pas sans rappeler Socrate face aux sophistes. Devant Dieu ou la Vérité, la raison humaine est confrontée à l'incommensurable. « Les vertus courantes, notre personnalité trafiquée, les dignités terrestres, l'orgueil mis à se vanter d'un accomplissement purement formel de la Loi, tout cela sera cendre et poussière, sera comme nul et non avenu, écrit David Flusser. Comme Socrate a mis en question le côté intellectuel de la personne humaine, Jésus a mis en cause son côté moral. Tous deux ont été exécutés. Est-ce un hasard [19] ? » On est tenté de répondre par la négative car, par une approche en apparence différente, ils se sont néanmoins tous les deux attaqués à la même chose. Par-delà la différence des mentalités, des croyances, des réalités culturelles, sociales, économiques ou politiques, il y a toujours cette constante de l'esprit humain, avec son fonctionnement, ses mécanismes viciés, ses distorsions, ses mensonges.

Et, encore plus profondément, se trouve le noyau essentiel de l'être ; là où il n'y a plus ni hommes ni femmes, ni Grecs ni Juifs, pour reprendre une formulation propre à saint Paul. L'accès au pur « Je Suis », que mentionne plusieurs fois l'Évangile de Jean d'une façon remarquable, ne peut se faire que par une démarche progressive et méthodique. Pour un maître de sagesse, toutes les occasions sont bonnes en ce sens

qu'elles contiennent toujours la possibilité d'un enseignement, d'une indication permettant d'orienter vers un changement de niveau. Toutes les situations relatives à la question
du respect du sabbat ou de sa violation ne fournissent pas
seulement des renseignements sur le fonctionnement d'une
société à une époque donnée, mais servent plutôt de toile de
fond à un enseignement universel et transcendant.

Pour être d'ordre spirituel, cet enseignement n'est pas
pour autant éthéré. Jésus s'acharne au contraire à stigmatiser
les mécanismes du mensonge les plus enracinés et à dénoncer sans concessions tout ce qui est irréel en l'homme. Les
esséniens avaient surnommé les pharisiens « ceux qui recouvrent de crépi [20] », mais il ne faut pas voir dans ce phénomène de « recouvrement » une spécificité pharisaïque car tel
est en réalité le lot commun.

Pour dénoncer les mensonges et remettre les esprits dans
une juste perspective, Jésus utilise souvent des sentences
concises et directes qui touchent le cœur du problème.
Cependant la phrase célèbre : « Le sabbat a été fait pour
l'homme, et non l'homme pour le sabbat », que l'on trouve
seulement en Marc (2, 27), ne peut pas lui être attribuée car
elle existait déjà dans les commentaires rabbiniques [21]. Dans
ce cas, Jésus l'a simplement rappelée, utilisant le style à la fois
aiguisé et abrupt propre à la littérature sapientielle. En de
nombreux passages, on retrouve en effet dans les Évangiles
des « parallélismes antithétiques », c'est-à-dire des couplets
équilibrés dont la formulation est marquante parce qu'elle
repose sur une opposition. En s'appuyant sur l'hébreu,
C. F. Burney en a fait une étude pertinente et a pu en relever
différentes modalités : l'inversion percutante des termes,
comme en Marc 2, 27 : « Le sabbat a été fait pour l'homme,
et non l'homme pour le sabbat » (ou Mt 10, 39 ; 20, 16 ; 23,
12 ; Jn 1, 39) ; l'opposition simple : « Ainsi tout bon arbre
porte de bons fruits, et tout arbre mauvais de mauvais fruits »

(Mt 7, 17 ; Jn 3, 6), ou encore le contraste entre des termes identiques mais formulés positivement et négativement : « Car si vous pardonnez aux hommes leurs offenses, votre Père céleste vous pardonnera aussi. Mais si vous ne pardonnez pas aux hommes, votre Père ne pardonnera pas non plus vos offenses » (Mt 6, 14-15 ; Jn 3, 18) [22].

Marc fait suivre la formule par : « [...] en sorte que le Fils de l'homme est maître du sabbat » (cf. Mt 12, 8 ; Lc 6, 5). Il s'agit d'une addition née dans les milieux chrétiens issus du paganisme. L'analyse littéraire de Burney confirme aussi que, bien souvent, une citation authentique de Jésus est suivie d'un commentaire ou d'une explication [23]. En l'occurrence, l'inconvénient de cet ajout est qu'en considérant Jésus comme le maître du sabbat, il y a un déplacement sur sa personne en tant que telle. Seigneur du sabbat, c'est donc *lui* qui aurait par exemple autorisé ses disciples à arracher des épis alors que c'est la *nécessité interne à la situation* qui le commande, comme il a tenté de l'expliquer en se référant au précédent de David. Il se soumet au contraire à un ordre juste, il répond à une tout autre hiérarchie des valeurs qui, pour être profonde, n'en est pas moins réelle. Comme la plupart des hommes ne perçoivent pas du tout cette hiérarchie subtile, Jésus se trouve donc exposé en première ligne. On lui attribue un niveau de fonctionnement ordinaire d'après l'étalon de mesure commun : en d'autres termes, ses détracteurs – et sans doute aussi la majorité de ses disciples – lui attribuent à leur insu une volonté propre. Ils n'entrevoient pas que Jésus est un Serviteur : aux yeux de ses opposants, « non content de violer le sabbat, il appelait encore Dieu son propre Père, se faisant égal à Dieu » (Jn 5, 18).

Une telle incompréhension est une source de perpétuels malentendus car le décalage ne se situe pas seulement au niveau du langage ni même au niveau des actes. Il provient avant tout du fait que le cœur de la confusion n'est pas atteint. En effet, l'inférieur ne pourra jamais admettre le supérieur, le monde limité ne pourra jamais embrasser le monde illimité. Bien évidemment, d'un monde à l'autre, les critères ne sont plus les mêmes, de telle sorte que Jésus a beau prévenir, ses mises en garde deviennent elles-mêmes source de nouvelles confusions !

« N'allez pas croire que je sois venu abolir la Loi ou les Prophètes : je ne suis pas venu abolir, mais accomplir » (Mt 5, 17). Chez Marcion, Clément d'Alexandrie, Épiphane et Tertullien, cette parole se retrouve sous la forme suivante : « Je ne suis pas venu abolir la Loi, mais (l')accomplir [24]. » On a vu que l'ajout concernant les « Prophètes » changeait la portée du message et, dans le cas présent, le terme « accomplir » ne revêt plus ici le même sens.

La formulation longue ne peut pas correspondre à la parole originelle qui concerne le thème de l'approfondissement du sens et de la découverte d'une dimension verticale, de l'accomplissement ultime de l'amour et de la compassion. Mener la Torah jusqu'à la perfection ne veut pas dire cependant qu'elle est incomplète ou désuète mais qu'elle exige une pratique d'une incomparable qualité. La préoccupation majeure de Jésus ne consiste certainement pas à renforcer une tradition dont la puissance même est devenue une entrave. Ce qu'il veut avant tout c'est libérer l'homme de ses propres errements intérieurs. C'est au fond d'un cœur purifié et d'une conscience transformée que la Loi peut alors trouver son plein accomplissement.

Le mot grec « accomplir », *plêrousai*, rend l'hébreu *qiyyem* qui signifie « maintenir, soutenir », mais selon le syriaque et l'araméen, cela signifie « donner une fondation ferme à » plutôt que « établir » dans le sens de « défendre » [25].

Pour les juifs de Palestine, c'est l'hébreu *kiyyêm* et l'araméen *kaiyêm* qui correspond à « accomplir » ; ainsi que l'hébreu *bittêl* et l'araméen *battêl* pour « abolir ». Le premier terme est dérivé de *kaiyam*, « constant », qui implique non pas le sens « d'ériger » ou « d'établir » mais de « rendre constant », de « confirmer ». *Battêl* dérive directement de la racine *betêl*, « cesser » et signifie par conséquent « faire cesser » [26].

Il n'y a donc pas d'abolition, de destruction, mais un parachèvement qui s'appuie sur une compréhension solide. Ce qu'il faut ajouter tout de suite, c'est qu'un tel parachèvement va détruire de nombreuses illusions ! Jésus résume la situation en Marc 7, 6 lorsqu'il cite Esaïe : « Ce peuple m'honore des lèvres ; mais leur cœur est loin de moi » (Is 29, 13). Et pour réduire cette distance, il va falloir allonger le pas. Le degré d'exigence va être nettement plus élevé et la remise en cause plus profonde.

À quoi sert-il, par exemple, de déclarer des biens *korbân* (mot araméen qui signifie « offrandes », et plus particulièrement à Dieu) alors que ces mêmes biens seraient nécessaires pour assister son père ou sa mère ? (Mc 7, 11) À quoi sert-il de filtrer le moustique si c'est pour engloutir le chameau ? (Mt 23, 24) De tels propos ne doivent pas être enfermés dans le seul contexte du judaïsme pharisaïque car cela serait encore une manière de ne pas se sentir concerné par eux. Ne tombons pas dans le travers de la paroissienne qui va féliciter chaleureusement le curé pour son beau sermon : « Il n'y a pas une seule chose que vous avez dite qui ne concerne une personne ou une autre de mes connaissances ! »

Il n'en reste pas moins que chacun a sa propre conception de ce qu'est le bien auquel il conforme son attitude. Et remettre en cause cette conception qui paraît implicitement justifiée est de la plus grande difficulté dans la mesure où son aspect relatif est perdu de vue. C'est la raison pour laquelle l'enseignement vivant de Jésus donne en permanence l'impression de prendre à contre-courant la plupart des pratiques religieuses. En réalité, ce sont plutôt ces pratiques qui sont à contre-courant. Elles témoignent paradoxalement d'une non-conformité à la volonté divine. Et la remise en ordre ressemble beaucoup plus à un bouleversement perturbateur qu'à un réconfort apaisant. « N'allez pas croire que je sois venu apporter la paix sur la terre ; je ne suis pas venu apporter la paix, mais le glaive » (Mt 10, 34). *Jésus n'annonce pas ici le but qu'il se propose mais la conséquence inévitable qu'engendre cette remise en ordre elle-même.* Si Jésus apportait le glaive au sens littéral, c'est-à-dire si telle était son intention première, il y aurait une contradiction totale avec l'essence de son enseignement. Ce qu'il veut dire, c'est que cette remise en ordre ne peut pas se produire sans qu'il y ait de frictions. De telles réactions peuvent survenir à l'échelle de la société ou de la famille, comme cela a souvent été rapporté dans les Évangiles, mais elles se passent surtout sur le plan intérieur. Jésus évoque les véritables déchirements intérieurs qu'occasionne inévitablement la métamorphose de l'être. Il est en effet très naïf d'envisager la progression spirituelle uniquement comme l'accession à des états de plus en plus paisibles et extatiques, où tout entre en conformité avec notre conception habituelle du bonheur.

L'accomplissement de la Torah n'est pas le résultat d'une abolition (ou alors d'une abolition des limites de l'ego), ni d'une substitution, mais d'une transformation. Celle-ci implique un travail de purification très précis, en particulier des mécanismes émotionnels ordinaires. C'est une erreur grave de ne pas en tenir compte alors que Jésus y a fait mention avec insistance et en des termes très clairs.

La conversation concernant la question des aliments purs ou impurs est exemplaire à cet égard et peut être élargie à de nombreux autres domaines : ce qui prime, c'est le niveau d'être, le degré réel de purification et non pas tout ce que l'on pourra dire ou faire à la surface. Et peu importe aussi au nom de quoi on prétend le dire ou le faire ! Jésus attire l'attention sur cette réalité des émotions pour indiquer que c'est à ce niveau que doit véritablement commencer le travail sur soi. La déclaration suivante est sans équivoque : « Car c'est du dedans, du cœur des hommes, que sortent les desseins pervers : débauches, vols, meurtres, adultères, cupidités, méchancetés, ruse, impudicité, envie, diffamation, orgueil, déraison. Toutes ces mauvaises choses sortent du dedans et souillent l'homme » (Mc 7, 21-23). De la même façon, l'Évangile de Thomas précise : « Jésus a dit : On ne récolte pas de raisin sur les épines et on ne cueille pas de figues sur les chardons, car ils ne donnent pas de fruit. Un homme bon produit du bon de son trésor, un homme mauvais produit du mauvais du trésor mauvais qui est dans son cœur, et il dit des choses mauvaises : car de l'abondance du cœur il produit du mauvais » (log 45).

Quant au fait de considérer les règles extérieures plus importantes que la réalité émotionnelle sous-jacente, Jésus ne peut qu'ironiser pour en montrer toute l'inconséquence : « Vous aussi, vous êtes à ce point sans intelligence ? Ne comprenez-vous pas que rien de ce qui pénètre du dehors dans l'homme ne peut le souiller, parce que cela ne pénètre pas dans le cœur, mais dans le ventre, puis s'en va aux lieux d'aisance » (Mc 7, 18-19). De cette manière, il veut couper court aux spéculations mentales qui développent des croyances rassurantes et aux fausses pratiques qui ne font qu'entretenir l'illusion. Lorsqu'il affirme que c'est « par la patience que vous posséderez vos âmes » (Lc 21, 19), il laisse entendre tout d'abord que nous ne les possédons pas. Cette affirmation en apparence très énigmatique prend tout son sens si l'on se souvient que l'âme concerne le niveau psychique et psychologique. Or, le plus souvent, c'est ce niveau qui nous possède en ce sens qu'il a tout pouvoir sur le reste.

Habituellement, nous n'avons pas de maîtrise par rapport à nos fonctionnements psychiques (à moins d'entreprendre une immense rééducation). Cette parole indique la nécessité d'un travail patient sur soi, et c'est ce travail patient qui aboutira à ce que l'on possède un jour son âme. Il est même possible de trouver une indication sur la nature spécifique de l'ascèse à entreprendre si l'on retient qu'en grec, un des sens du mot « patience » signifie « tenir en haut, tenir droit, supporter » [27]. Du point de vue de l'état intérieur (si on laisse de côté l'effet extérieur de la patience dans son acception courante), cela correspond à un état de contrôle et de désidentification. Nous ne sauverons pas nos vies par la pratique de la patience, même si elle est une qualité louable, mais par un travail précis qui consiste à faire naître peu à peu en nous un état de témoin permanent qui « sup-porte » ou « tient en haut » tous les autres états. On peut voir là, au passage, comment un glissement de sens peut désamorcer une parole et lui enlever toute sa pertinence en tant que directive sur un chemin spirituel.

Chaque commandement est abordé par Jésus au niveau de l'intériorité, non pas pour annuler celui-ci – ce qui serait absurde – mais pour rappeler la nécessité d'un réel travail sur soi-même. Étant donné que cette perspective est particulièrement dérangeante, elle peut faire lever une résistance capable d'entraver toute démarche dans cette direction, ou encore d'en occulter complètement l'existence. À cet égard, les sadducéens peuvent très bien représenter cet aspect positiviste et réducteur qui ne s'en tient qu'à la raison. Les pharisiens quant à eux représentent l'aspect pieux et scrupuleux, mais leur dévotion repose sur une confusion des vraies valeurs. Quoi qu'il en soit, le résultat est le même dans la mesure où le travail intérieur de purification n'est pas réellement entrepris, le pratiquant s'étant égaré dans des chemins de traverse, victime inconsciente de ses propres diversions et subterfuges.

En montrant sans aucune concession où se trouve la voie (toute concession à cet égard serait une trahison de la vérité),

Jésus rehausse considérablement le degré d'exigence et impose de tourner le regard vers l'intérieur. Il donne un enseignement au sujet du fonctionnement émotionnel lui-même en insistant sur la nécessité de le purifier. À partir du rappel de chaque commandement, il énonce l'instruction suivante. Cette nouvelle indication est une précision essentielle qui oriente vers une pratique concrète. Le commandement lui-même est au futur de l'indicatif, ce qui laisse supposer qu'un certain exercice sur soi sera nécessaire avant de pouvoir l'observer véritablement. Le père Sylvain, un moine d'Égypte, précise de la sorte : « Tout se corrompt lorsque l'on en arrive à confondre le travail intérieur avec ses résultats. Faire l'expérience de l'amour de Dieu, ou du prochain, même pour un instant, ne constitue pas moins un résultat qu'une expérience mystique. Être vertueux est un résultat. Avoir la foi constitue un résultat. De même, la sagesse et la compassion constituent des résultats. Toute corruption de la tradition commence avec le mélange et la confusion du travail intérieur avec ses résultats [28]. »

Ainsi, « tu ne tueras pas » relève plus d'un programme que d'une injonction. Car même si aucun meurtre n'est perpétré extérieurement, ce n'est pas là que se situe le véritable enjeu ! « Or moi je vous dis : Tout homme en colère contre son frère sera passible de jugement. Qui dira à son frère : "Crétin !", sera passible du Sanhédrin. Qui lui dira : "Fou !" sera passible de la géhenne du feu » (Mt 5, 22).

Puisque le meurtre est passible du tribunal, Jésus poursuit dans la même logique pour illustrer son enseignement, mais il est évident qu'il ne s'agit pas d'une quelconque casuistique judiciaire. Il faut comprendre qu'il y a ici une progression dans l'intensité de l'émotion et par conséquent de l'emportement qui en résulte. Tel est le point essentiel à retenir et qui est rendu par le parallèle entre le « délit » et l'importance de « l'instance juridique » qui le traite. Cela ne veut surtout pas dire que l'émotion doit être jugée et condamnée, mais plutôt qu'elle n'est jamais justifiée en ce sens qu'elle est toujours la marque d'une non-vision, d'une fausse pensée.

La colère ressentie à l'égard d'un frère – ou de qui que ce soit – est donc la manifestation d'une pensée viciée qu'il convient de traiter en elle-même, même si elle ne s'exprime pas spécifiquement au dehors. Elle est passible du jugement, c'est-à-dire qu'elle relève de simples tribunaux comme il y en avait dans tout le pays pour traiter des affaires courantes. Cela suppose donc de mobiliser une instance en nous susceptible de traiter adéquatement nos émotions, en l'occurrence la colère, car la nature même de celle-ci doit être remise en question. Le fait qu'il soit simplement question de tribunaux ordinaires montre qu'il s'agit d'un travail sur soi qui doit devenir courant, quotidien. Le pas suivant dans la gravité est rendu par le fait qu'il s'agit d'une insulte. Il y a donc, dans ce cas, une expression de l'émotion, un emportement. L'insulte utilisée est un mot araméen, *raqa*, qui signifie « tête vide, sans cervelle » et qui se trouve traduit de différentes façons : « crétin, vaurien », ou même parfois par « racaille », terme méprisant ayant la même consonance en français mais qui s'éloigne du sens premier. La racine du mot, *raq* signifie « cracher » et comme, à la différence des Palestiniens, cette habitude était inconnue des Grecs, le terme est resté non traduit [29]. Cette invective était une expression populaire de colère qui réclame donc une prise en charge beaucoup plus importante, ce qui est rendu par la mention du Grand Sanhédrin, c'est-à-dire la plus haute autorité administrative et judiciaire de Judée. L'étape suivante est un emportement encore plus grand traduisant une émotion plus intense, ou en tout cas plus profonde. Le terme choisi pour le symboliser est l'insulte de « fou » qui est la marque suprême du mépris, l'affront le plus incisif, qui relève du dédain plutôt que de la colère. Pour une oreille juive, ce terme ne signifie pas « insensé » mais comporte une nuance beaucoup plus grave d'impiété religieuse : « renégat, apostat, rebelle devant Dieu. » La gravité de l'emportement émotionnel est soulignée cette fois en condamnant celui qui profère l'insulte au feu de la géhenne. Il s'agit d'une vallée au sud de Jérusalem où l'on faisait brûler les cadavres et les détritus. Cet emploi métaphorique montre avec force à quel échelon se trouve relégué le fait d'être sous l'emprise d'une émotion incontrôlée.

On peut trouver dans l'Ancien Testament un passage intéressant à cet égard où Jonas est en proie à l'irritation. Au moment où Jonas arrive en ville sous un soleil de plomb, l'Éternel décide de faire pousser un arbre, un ricin, pour que Jonas puisse s'abriter sous son ombre et cesser d'être irrité. Or, le lendemain matin, un ver pénétra dans l'arbre et le fit mourir. « Au lever du soleil, Dieu fit souffler un vent chaud d'orient, et le soleil frappa sur la tête de Jonas, au point qu'il tomba en défaillance. » Jonas ne décolérant pas, « Dieu dit à Jonas : Fais-tu bien de t'irriter à cause du ricin ? Il répondit : Je fais bien de m'irriter jusqu'à la mort » (Jonas 4, 9). Peut-on trouver une plus claire illustration du refus de la réalité, de l'identification à l'émotion et de la tentative obstinée de sa justification ? C'est sur ce point que Jésus insiste en appelant à une grande responsabilité par rapport à ce qui peut naître au fond du cœur. L'émotion est en soi une dégradation, un mensonge, avant même que l'enchaînement des réactions prenne place. Et, sur ce point précis, la phrase de saint Paul reste ambiguë : « *Emportez-vous, mais ne commettez pas le péché* : que le soleil ne se couche pas sur votre colère » (Ep 4, 26). Jésus a pourtant montré que l'emportement, c'est déjà commettre un péché, c'est-à-dire une erreur. Quant à l'émotion en soi, elle est l'erreur par excellence.

Le recours à la notion de jugement, qui implique par conséquent une condamnation, souligne la nécessité d'une dénonciation de ce qui est faux, erroné. La facilité avec laquelle on peut tomber dans le versant moral est évidente, alors qu'il est en fait question de lois inhérentes à la réalité psychique et dont il faut s'affranchir. Rectifier l'erreur, redresser le porte-à-faux, demande à cet égard une acuité de compréhension qui ne souffre aucune approximation. La constatation de l'aspect autodestructeur de l'émotion elle-même peut être un bon point de départ pour entreprendre une remise en question plus sérieuse. C'est en ce sens que le Talmud de Babylone propose cette description évocatrice : « Celui qui est en proie à la colère assombrit son visage, se tire les oreilles, déchire ses vêtements, casse les assiettes, dilapide l'argent, et bien qu'il soit exempt du jugement des hommes, il sera cependant livré au ciel pour un jugement [30]. »

Il est évident qu'il ne peut pas être réaliste de prétendre vouloir accéder au Royaume des Cieux sans s'être au préalable sérieusement purifié de tout ce qui relève d'un tel niveau inférieur de fonctionnement. C'est pourquoi Jésus déclare nettement : « Car je vous le dis : si votre justice ne surpasse pas celle des scribes et des Pharisiens, vous n'entrerez pas dans le Royaume des Cieux » (Mt 5, 20). Il ne s'agit pas d'un chantage mais d'un avertissement, d'une précision afin d'éviter de se méprendre en toute bonne foi. Ce n'est pas l'enseignement des scribes et des pharisiens qui est en cause mais leur pratique. De la même façon, peu importe les théories que l'on peut échafauder et les idées auxquelles on peut adhérer, ce qui compte est la mise en pratique – et plus précisément la manière dont le mode d'emploi est compris puis appliqué intérieurement et extérieurement. Il y a donc là un appel à un autre ordre de mobilisation d'une tout autre qualité. Ce n'est même pas que la nouvelle pratique doit dépasser l'ancienne, la surpasser en poursuivant dans la même ligne que la précédente. Non, ce qui est réclamé est une totale révolution au-dedans et par conséquent une révision draconienne de la pratique antérieure. On peut retenir à ce sujet l'expression de certains traducteurs qui ont choisi : « Si votre justice ne surabonde pas » ou « n'a pas plus de profusion », mais tout en gardant à l'esprit son caractère qualitatif et en insistant sur la nécessité du passage d'un niveau à un autre. Bien évidemment, il faut sortir du contexte où la justice consistait avant tout à faire l'aumône, pratiquer le jeûne et la prière, car une telle justice pour hommes pieux et bien pensants ne suffit pas. Qui plus est, un comportement religieux n'est pas garant de la justice car il peut y avoir une pratique corrompue de la vertu ! « Gardez-vous de pratiquer votre justice [« votre religion », selon la TOB] devant les hommes, pour vous faire remarquer d'eux ; sinon, vous n'aurez pas de récompense auprès de votre Père qui est dans les cieux » (Mt 6, 1).

L'appel à un autre niveau de pratique signifie aussi l'appel à un autre niveau de conscience – un niveau qui appartient en propre au monde de la spiritualité et qui, par conséquent, inverse totalement l'échelle des valeurs : « Car tout homme qui s'élève sera abaissé, mais celui qui s'abaisse sera élevé » (Lc 18, 14). « Il faut que lui grandisse et que moi je décroisse » (Jn 3, 30).

Cet enseignement était déjà présent dans la parabole des ouvriers dans la vigne, qui ne cherche pas à illustrer la générosité de Dieu – une parabole n'est pas nécessaire pour cela – mais à faire comprendre une ordonnance, une justice nouvelle qui bouscule les conceptions habituelles et, de ce fait, est très difficile à saisir. Il est tout aussi incompréhensible aux yeux ordinaires que ce soit au sujet d'un centurion romain, un envahisseur, que Jésus déclare : « Je vous le dis : pas même en Israël je n'ai trouvé une telle foi » (Lc 6, 9), que ce soit à une Samaritaine qu'il demande à boire ou encore qu'il dise au larron crucifié à ses côtés : « En vérité, je te le dis, aujourd'hui tu seras avec moi dans le Paradis » (Lc 23, 43). La conscience dominante n'est pas préparée à appréhender la signification de telles attitudes et elle ne perçoit pas à quelles injonctions supérieures elles répondent. Elle cherche même à se réconforter par l'application méticuleuse de certaines règles de vie, ce que Jésus appelle « la tradition des hommes », sans chercher aucunement à sortir du cadre de références auquel elle est attachée. Pourtant, tous les attachements, toutes les identifications doivent être questionnés jusqu'à la racine car ils constituent de sérieux obstacles sur la voie. La recherche irrépressible de la vérité doit d'ailleurs conduire jusqu'à la remise en cause de l'identité religieuse elle-même : « Ne vous avisez pas de dire en vous-mêmes : "Nous avons pour père Abraham." Car je vous le dis, Dieu peut, des pierres que *voici*, faire surgir des enfants à Abraham » (Mt 3, 9). La nécessité de dissiper de telles identifications représente une tâche d'une immense difficulté. Il y a ici un jeu de mots en hébreu entre « pierres », *abanîm* et « fils », *banîm*. Celui-ci permet de renforcer encore la dénonciation de l'identification à cette « catégorie privilégiée » que constituent ceux qui se considèrent comme « enfants d'Abraham ». De plus, la pierre symbolise ce qui est rigide, dogmatique.

Ce genre d'identification est tenace et appartient à chaque homme en particulier. À l'échelle individuelle, le mental trouve sans cesse des justifications pour rester campé sur ses positions et maintenir ainsi sa propre manière de percevoir le monde.

Il est au premier abord surprenant que Jésus promette une récompense du Père céleste à ceux qui pratiquent la justice dans le secret de leur cœur alors que, par ailleurs, il a été dit que toute attente de récompense est fausse. Cette apparente contradiction fait partie des inévitables paradoxes que l'on rencontre dans tout cheminement spirituel. En lâchant prise par rapport à la recherche d'un résultat, le résultat lui-même se révèle en son temps, en dehors d'une quelconque appropriation de l'ego. La tradition chrétienne dit que « l'homme propose et Dieu dispose » et la tradition hindoue formule la même idée en disant que l'homme a droit à l'action mais non aux fruits de l'action. Cette attitude réclame, dans un cas comme dans l'autre, une certaine transparence.

Il est aussi nécessaire non seulement de s'affranchir du regard des autres en cessant de chercher auprès d'eux une approbation ou des louanges, mais aussi de développer une capacité à ne pas entretenir d'amour-propre ou une estime de soi renforçant les tendances égocentriques. Ce qu'un moine du VIIe siècle, saint André de Crète, caractérisait en disant que « l'homme est idolâtre de lui-même ».

Ce dernier aspect est de loin le plus pernicieux parce qu'il est difficile à déjouer ; c'est pourquoi Jésus préconise : « que ta main gauche ignore ce que fait ta main droite » (Mt 6, 3). Cette recommandation ne concerne évidemment pas la seule question de l'aumône mais s'applique à l'attitude générale du pratiquant : celui-ci doit laisser en dehors de sa pratique tout ce qui risque de la pervertir, de la gauchir. Dans le même sens, « un savetier qui ignore qu'il est un savetier est plus grand qu'un saint qui sait qu'il est un saint ».

Tout moment vécu dans la vérité ou toute action juste peut être en effet immédiatement appropriée par les mécanismes ordinaires et entraver ainsi la progression en polluant et en profanant le sanctuaire intérieur : « Jésus entre au temple. Il jette dehors tous ceux qui vendent et achètent dans le temple. Les tables des changeurs, il les retourne, et les sièges des vendeurs de colombes. Il leur dit : "Il est écrit : Ma maison sera appelée maison de prière. Et vous, vous vous en faites une caverne de bandits !" » (Mt 21, 12-13).

La parabole du semeur peut être vue sous le même angle : « Et il advint, comme il semait, qu'une partie du grain est tombée au bord du chemin, et les oiseaux sont venus et ont tout mangé. Une autre est tombée sur le terrain rocheux où elle n'avait pas beaucoup de terre, et aussitôt elle a levé, parce qu'elle n'avait pas de profondeur de terre ; et lorsque le soleil s'est levé, elle a brûlé et, faute de racine, s'est desséchée. Une autre est tombée dans les épines, et les épines ont monté et l'ont étouffée, et elle n'a pas donné de fruit » (Mc 4, 4-7). Les oiseaux qui dévorent les graines, le soleil ardent qui les brûle et les ronces qui les étouffent symbolisent ces tendances en nous qui, dans notre for intérieur, détruisent les possibilités d'évolution et de transformation.

Dans le sens biblique du terme, la notion de justice revêt une signification à la fois belle et profonde. Elle ne relève pas en priorité du domaine juridique. La *tsedâqâh* se réfère à « une attitude qui fonde et entretient entre deux parties une alliance de communion [31] ». Le mot araméen correspondant, *zadîqûthêh*, évoque à la fois la droiture, la confiance, la reconnaissance et l'honnêteté qui sont atteintes par la restauration d'une harmonie dans la relation à l'univers [32]. La justice appartient alors plus au domaine mystique que juridique et concerne avant tout la manière dont on est relié au divin. L'expression hébraïque *berit hadaschah* a été traduite dans la Septante par l'expression grecque *diathèkèn kainèn* ; or *kainè diathèkè* a été traduit à son tour en latin par *novum testamentaum* qui a donné « Nouveau Testament » mais signifiait à l'origine « Nouvelle Alliance ».

Chaque enseignement spirituel authentique propose une nouvelle alliance en ce sens que tout homme, bien que n'étant jamais séparé de Dieu dans sa profondeur, a oublié la nature de cette communion. Il lui appartient de la retrouver mais il a besoin d'être guidé dans sa recherche car le chemin est semé d'embûches et peut être par moments périlleux. Il lui est impossible de retrouver par lui-même la direction juste et de compter seulement sur ses propres forces pour se libérer de ses obstacles intérieurs.

Les difficultés rencontrées par les auditeurs de Jésus (aussi bien ses détracteurs que la foule ou ses propres disciples) sont exposées tout au long des Évangiles. La présence de telles difficultés offre l'opportunité de réfléchir non seulement aux caractéristiques de son enseignement mais aussi à la nature même de tout enseignement spirituel afin d'en mieux comprendre le véritable enjeu.

Il semble que pour éviter des malentendus supplémentaires, Jésus n'ait utilisé le mot justice qu'avec une certaine prudence pour ne pas encourager les travers propres à la mentalité ambiante qui accordait une grande importance à la récompense des actes méritoires (ou considérés comme tels) [33].

Néanmoins, son invitation à un changement intérieur revient à proposer un réajustement, à être ajusté à la vérité, à ce qui est, à la volonté divine. Si, comme l'annoncent les Psaumes, « la vie est dans le sentier de la justice », c'est parce que, en dehors de ce sentier, elle ne pourrait véritablement subsister un seul instant. Ainsi, seule la conformité pleinement consentie aux lois divines accorde à la vie sa dimension spirituelle et permet non seulement un accord harmonieux avec l'univers mais aussi un état de communion qui rejoint la perfection du Père.

En ce sens, il a toujours été considéré que celui qui accomplit la justice, le Juste, est saint [34]. Il répond aux valeurs les plus précieuses inhérentes à l'être. Et celles-ci ne correspondent pas toujours, loin de là, à ce que les hommes ont voulu instaurer.

Sans être annulées, toutes les prescriptions formulées négativement dans le Décalogue concernant l'attitude envers autrui (Dt 5, 17 et sv.) peuvent être transcendées si l'on peut réaliser en plénitude la prescription positive de l'amour et de la compassion que le Lévitique avait énoncée ainsi : « Tu aimeras ton prochain comme toi-même. Je suis l'Éternel. Vous observerez mes lois » (Lv 19, 18). Mais être en mesure de réaliser cette prescription est la tâche d'une vie entière, le résultat naturel d'un long chemin de maturation. Un tel résultat ne peut pas être donné immédiatement – et il suffit d'un minimum d'honnêteté pour s'en rendre compte. Jésus ne demande pas d'être arrivé au but tout de suite mais de parcourir avec rigueur et détermination le sentier qui y mène. Là est la valeur essentielle de son enseignement ; il apporte des directives vitales, non seulement sous forme de paroles percutantes mais par l'exemple même de sa vie. Si tel n'était pas le cas, cela reviendrait à dire qu'il n'a fait que citer l'Ancien Testament et que son ministère a été inutile. En réalité, il n'apporte pas de nouvelles obligations mais il ne cesse de montrer la voie, d'enseigner une méthode de libération et d'ouvrir en chacun de nouvelles possibilités. Il indique comment éveiller en l'homme l'immense potentiel spirituel qui est en lui, comment s'affranchir grâce à la vérité et accéder au Royaume en ressuscitant. Ce n'est pas faire affront à son originalité que d'affirmer que c'est exactement ce que proposent toutes les autres sagesses traditionnelles. L'originalité réside dans la manière dont il a montré la voie et dans la façon dont il l'a lui-même incarnée. « Je ne crois vraiment pas, remarque Arnaud Desjardins, qu'on puisse lire sincèrement les Évangiles sans conclure que Jésus a été superbement viril, sûr de lui, audacieux, courageux, indépendant, totalement libre de toute forme de peur, inébranlable même seul contre tous. Et pourtant, quelle délicatesse, quelle tendresse, quelle toute simple bonté [35]. »

La justice n'est pas avant tout une affaire entre les hommes mais entre l'homme et Dieu. Jésus affirme : « Je ne puis rien faire de moi-même. Je juge selon ce que j'entends : et mon jugement est juste, parce que je ne cherche pas ma volonté, mais la volonté de celui qui m'a envoyé » (Jn 5, 30). À partir d'une telle reddition des prérogatives individuelles, l'amour sera inconditionnel et la compassion illimitée. Le maître indien Swâmi Prajnânpad résumait l'ensemble du cheminement par cette formule concise : « Moi seulement, moi et les autres, les autres et moi, les autres seulement. » Il s'agit de la même inversion *progressive* des points de référence. Celle-ci ne peut s'opérer que peu à peu, au fur et à mesure de la progression dans l'ascèse. Mais le retournement de la perspective égocentrique, ou encore son effacement laissant conjointement la prééminence à l'autre, est sans aucun doute la chose au monde la plus difficile à réaliser. Non pas qu'il soit impossible, dès maintenant, de poser des actes qui ne soient pas purement égoïstes mais ce n'est pas encore cela dont il s'agit en profondeur. La confusion à ce sujet a considérablement dilué l'efficacité de l'enseignement proposé dans les Évangiles.

On peut prendre comme illustration les Béatitudes exposées en Matthieu (5, 1-11) qui inaugurent le discours évangélique pour souligner, comme le font les exégètes, la facilité avec laquelle on peut ramener au *faire* ce qui appartient avant tout au domaine de l'*être* : « Comme dans Luc, mais d'une tout autre manière, il y a un glissement du point de vue théologique (Dieu seul donne la vie bienheureuse) au point de vue éthique : les béatitudes deviennent des "vertus". Cet aspect moralisateur se trouve renforcé par l'addition de bénédictions supplémentaires (miséricorde, pureté de cœur, service de la paix) qui expriment d'emblée un comportement actif et non une simple situation de fait [36]. » Une telle déviation déprécie de beaucoup la valeur d'un enseignement spirituel et déplace subrepticement son intention première pour le réduire à un domaine qui ne peut plus être transformateur, à savoir celui de la morale. Aussi surprenant que cela puisse paraître, Jésus ne préconise pas *un mode de comportement* mais *une nouvelle qualité d'être*. De cette dernière seule dépendra d'ailleurs la nouveauté dans les comportements. Au niveau du « faire », je ne peux pas aller au-delà de ce que je suis, car ce que je fais est l'expression inévitable de ce que je suis.

Comme l'exprime magnifiquement un Psaume : « Celui qui marche dans l'innocence agit avec justice, dit la vérité en son cœur, ne calomnie pas de sa langue, ne nuit pas au semblable, ne jette pas l'opprobre sur son prochain » (XV, 2-3). André Chouraqui commente ce passage en disant : « Le *marcheur d'innocence* : marche dans ce monde comme s'il n'était pas de ce monde. L'*artisan de justice* : agit dans l'unité de son cœur, de sa langue, de son acte [37]. » Ce qui est une manière de dire que lorsque la personne retrouve sa cohérence intérieure, qu'elle réintègre l'état d'innocence primordiale et que, par conséquent, son être devient transparent à la dimension divine, alors tout ce qu'elle pourra faire sera nécessairement pour l'autre et en fonction de l'autre.

Être capable de marcher dans le monde sans être de ce monde veut dire aussi que l'Ignorance fondamentale est dissipée, ce qui résout du même coup non seulement la question cruciale de la souffrance mais permet de dégager naturellement une attitude saine et bénéfique à l'égard d'autrui. On comprend pourquoi Jésus se désole de la faible capacité de compréhension de ses auditeurs : « Mais pourquoi ne jugez-vous pas par vous-mêmes de ce qui est juste ? » (Lc 12, 57), et il souligne en ce sens leur manque de discernement, leur immaturité qui fait qu'ils ne perçoivent pas avec justesse la réalité.

Comment est-il possible, à partir de là, d'agir correctement, c'est-à-dire d'une manière ajustée ? Jésus en fait la démonstration exemplaire et il invite ceux qui l'approchent à l'imiter. Mais il ne faut pas s'y tromper, la voie spirituelle ne consiste pas à singer un modèle ou à répéter mécaniquement les paroles du maître. Cette imitation est essentiellement une invitation à *être* – la plus belle invitation qui soit. Elle laisse ouverte la possibilité d'un accomplissement, à condition de mettre en œuvre une pratique juste. Le résultat n'est évidemment pas donné tout de suite, mais la teneur de l'enseignement lui-même est sans équivoque. « Je vous donne un commandement nouveau : vous aimer les uns les autres ; comme je vous ai aimés, aimez-vous les uns les autres » (Jn 13, 34 ; cf. 15, 12).

Saint Augustin résume toute la pratique en une formule restée célèbre : « Aime et fais ce que tu veux », mais la question demeure entière puisque le point capital est précisément d'être capable d'amour ! Par définition, l'individu encore prisonnier d'un moi limité n'en est pas capable et l'injonction : « Aimez vos ennemis » (Mt 5, 44 ; Lc 6, 27 et 35), ne peut être qu'une pure absurdité si elle ne s'accompagne pas d'une méthode permettant de la mettre en œuvre.

Pour un disciple engagé dans un chemin de transformation, les ennemis sont surtout d'ordre intérieur et désignent des états [38]. Toute l'ascèse va consister à parvenir à aimer ces états négatifs, pénibles, difficiles afin déjà de ne pas les renforcer en s'y opposant. Dans sa salle d'exercice, Gurdjieff avait fait inscrire une directive identique : « Aime ce que tu "n'aimes pas" », appelant ainsi à un dépassement du fonctionnement psychique habituel et mécanique. Tous les témoignages des ascètes chrétiens, des Pères du Désert, des moines contemplatifs attestent de l'extrême difficulté et subtilité de la démarche. Même si l'on considère l'ennemi du point de vue extérieur, la difficulté subsiste car « il est impossible à un ego d'aimer ses ennemis. S'il y a amour des ennemis, c'est qu'il n'y a plus d'ego [39] ».

Toutefois, l'enseignement de Jésus est pragmatique au plus haut point, et c'est parce qu'il est réaliste et concret qu'il préconise un démantèlement méthodique de tout ce qui, en nous, s'oppose à la percée de cet état d'amour.

La parole : « Nul n'a plus grand amour que celui-ci : donner sa vie pour ses amis » (Jn 15, 13), est le plus souvent comprise comme le fait de se donner physiquement en sacrifice. Entendre la phrase de cette manière provient de ce que, dans ce passage, on a traduit *psychè* par « souffle de vie » ou « vie physique ». Or le sacrifice peut (et doit) être intériorisé et appartenir au domaine de la vie psychique, c'est-à-dire être synonyme de la destruction du mental, de l'extinction du moi (« Il faut que lui grandisse et que moi je décroisse », ou encore : « Ce n'est plus moi qui vis mais le Christ qui vit en moi »). Il ne peut y avoir de plus grand amour que celui-ci dans la mesure où seule cette destruction permet à l'amour véritable d'émerger. Les exemples qui attestent de cette « logique du non-égoïsme » dans les textes évangéliques sont nombreux et ils illustrent toujours un état d'être qu'il convient de réaliser à notre tour. On est donc très loin ici du « faire » au sens ordinaire, puisque l'action émane d'un espace de profondeur qui coïncide en quelque sorte avec la justice de Dieu. À ce niveau, la distinction classique entre le bien et le mal est transcendée ; il n'est plus question de « faire le bien » par opposition à quoi que ce soit, mais simplement de laisser s'exprimer un état naturel, foncièrement bon et aimant, qui jaillit spontanément. Tel est le miracle permanent dont portent témoignage les sages, les éveillés, les spirituels de toutes les époques et de toutes les traditions.

Thomas Merton évoque de la façon suivante cet état de réalisation : « Les variations et les oppositions entre des forces conflictuelles sont des réalités évidentes. Mais quand les hommes se laissent entraîner à analyser et à juger ces oppositions et à les séparer en bien et en mal, en désirable et indésirable, profitable et inutile, ils s'enfoncent davantage dans l'illusion et pervertissent leur vision de la réalité. Ils ne peuvent plus voir le lien profond derrière les oppositions, parce qu'ils sont obsédés par les divisions superficielles. En réalité, la distinction n'est pas à établir entre cette force qui est bonne et vraie, et cette autre force qui est mauvaise et fausse, mais c'est la perception de l'unité sous-jacente qui est la clé de la vérité et de la bonté, alors que l'attachement à la séparation superficielle mène à l'erreur et à la laideur morale.

Dieu voit toutes choses comme bonnes, parce qu'il voit l'harmonie intérieure derrière les oppositions apparentes. Mais les hommes séparent ce que Dieu a uni [40]. »

La vérité, la bonté et l'amour véritable (qui n'est pas un attachement ou une simple inclination) ne peuvent émaner que d'un tel niveau de conscience. À la mesure de cette qualité d'être et de conscience, la qualité d'amour équivalente en rayonne naturellement, laissant de plus en plus la place à autrui et à la réalité de ses demandes. « Acquiers la Paix intérieure, disait saint Séraphin de Sarov, et une multitude sera sauvée à tes côtés. »

C'est donc le degré de purification intérieur qui détermine la qualité de la relation à l'autre. Cette vérité est souvent oubliée alors qu'elle est fondamentale. Pour être connue, la formule : « Tu aimeras ton prochain comme toi-même », mérite néanmoins quelques réflexions. En admettant provisoirement cette traduction la plus courante en français, on peut déjà dégager une double signification. D'une part, notre prochain est « comme nous-même », c'est-à-dire qu'il n'y a pas de différence : « l'autre » est « nous-même » et mérite par conséquent autant d'amour. Cet aspect évoque le niveau le plus profond de la communion ; il n'y a plus de séparation et la rencontre se fait d'être à être, dans un unique climat d'amour. D'autre part, « aimer son prochain comme soi-même » laisse entendre aussi que l'on aime son prochain à la mesure que l'on s'aime soi-même. Cette vérité psychologique incontournable est trop souvent oubliée. L'accueil, la reconnaissance et l'amour de l'autre sont entravés par le fait que nous sommes divisés intérieurement, en conflit avec tel ou tel aspect de nous-même que nous condamnons, jugeons ou tout simplement refusons de voir. Comment l'amour de l'autre pourrait-il alors apparaître sur la base de telles dissensions intérieures ? Comment « un royaume divisé contre lui-même » pourrait-il devenir un facteur de communion et d'harmonie ? Et le fait que cette impossibilité soit le plus souvent masquée derrière de grands principes et des idéaux mensongers n'y change rien.

Le second commandement, semblable au premier, « Tu aimeras ton prochain comme toi-même », est en Matthieu 22, 39 (cf. 5, 43 et 19, 19) une citation faite par Jésus de Lévitique 19, 18. En Luc 10, 27, la même citation est mise dans la bouche d'un légiste en réponse à une question que Jésus lui pose.

Cette citation de l'Ancien Testament doit être rendue par : « Tu aimeras ton compagnon comme toi-même », parce que l'hébreu *réa`* signifie « compagnon » ou, plus exactement, « autrui » dont on veut devenir le compagnon. Cette nuance est essentielle car la traduction de la Bible hébraïque dans le grec de la Septante introduit avec *plèsion* l'image de « celui qui est près », d'où « prochain ».

La notion de proximité ne doit pas pour autant nous faire dévier dans une généralisation moralisante. Nietzsche avait ironisé à ce sujet en disant que « le prochain, c'est le voisin du voisin » ! Paradoxalement, l'emploi du terme de « prochain » ne pose pas l'autre comme référent principal, mais nous-même ! Si l'autre est proche, c'est parce qu'il se situe dans *ma* proximité, par rapport à *moi* en tant que centre. Le sens premier de la parabole du Bon Samaritain va consister justement à inverser du tout au tout cette ancienne manière de voir qui ne fait qu'encourager subtilement l'égocentrisme.

À propos de l'histoire du Samaritain, Joachim Jeremias a d'ailleurs remarqué « qu'on se masque la compréhension de l'histoire si, en Luc 10, 29, on traduit par "prochain" le mot *plèsion* (= *réa`*). Le concept chrétien de "prochain" est un produit de l'histoire et non point de départ de celle-ci [41] ».

Après que Jésus a fait énoncer au légiste les deux commandements lui permettant d'avoir en héritage la vie éternelle, ce dernier veut poursuivre la discussion. « Mais lui, voulant se justifier, dit à Jésus : "Et qui est mon compagnon ?" Jésus reprit : "Un homme descendait de Jérusalem à Jéricho, et il tomba au milieu de brigands qui, après l'avoir dépouillé et roué de coups, s'en allèrent, le laissant à demi mort. Un prêtre vint à descendre par ce chemin-là ; il le vit et passa outre. Pareillement un lévite, survenant en ce lieu, le vit et passa outre. Mais un Samaritain, qui était en voyage, arriva près de lui, le vit et fut pris de pitié. Il s'approcha, banda ses plaies, y versant de l'huile et du vin, puis le chargea sur sa propre monture, le mena à l'hôtellerie et prit soin de lui. Le lendemain, il tira deux deniers et les donna à l'hôtelier, en disant : "Prends soin de lui, et ce que tu auras dépensé en plus, je te le rembourserai, moi, à mon retour. Lequel de ces trois, à ton avis, s'est montré le compagnon de l'homme tombé aux mains des brigands ?" Il dit : "Celui-là qui a exercé la miséricorde envers lui." Et Jésus lui dit : "Va, et toi aussi, fais de même" » (Lc 10, 29-37).

Même si ce texte a été reconnu comme étant une rédaction typiquement lucanienne, il n'y a pas de doute que dans ce contexte-ci, ou un autre semblable, Jésus a été amené à poser cette question qui renverse complètement la perspective. Il n'est pas question d'établir une démarcation entre ceux que l'on doit aider ou non en fonction de nos catégories personnelles (résultant des conditionnements dus à la mentalité ambiante, la culture ou la religion avec ses règles spécifiques). Autrui est posé au contraire comme une valeur absolue, c'est-à-dire l'homme en tant que tel, dans son humanité et sa réalité la plus fondamentale. Jésus retourne donc la question du légiste dans l'autre sens et inverse ainsi complètement la perception ordinaire car *la question n'est pas de savoir qui est mon compagnon, mon prochain, mais si je suis prêt, moi, à devenir le compagnon, le prochain d'autrui.*

Le terme « compagnon » signifie « celui avec qui on partage le pain » (d'où le mot familier « copain ») et cela a un sens très profond. Ce n'est pas que l'autre, la personne, soit proche de nous physiquement, mais plutôt que cet autre, de par notre attitude intérieure à la fois d'effacement et d'ouverture, devient le seul et unique centre d'intérêt.

La parabole du Bon Samaritain n'est qu'une illustration circonstancielle de cette vérité intérieure qui correspond à une profonde réalisation spirituelle. Pour reprendre l'expression araméenne, il s'agit d'avoir « les entrailles de la miséricorde [42] » à l'égard d'autrui, autrement dit un sentiment profond qui ne dépend ni d'une humeur passagère ni d'une attraction particulière ou préférence personnelle. Selon les situations, un tel sentiment va se manifester sous forme d'une aide concrète et précise, en étant toujours adaptée au besoin réel de l'autre – aide qui peut être éventuellement, ainsi que le montre la parabole, celle d'une assistance immédiate.

Si l'on considère que les juifs de Judée étaient très hostiles aux Samaritains, il devient évident que Jésus invite à un sérieux travail sur les dynamismes psychiques ordinaires et les habitudes émotionnelles. Comment atteindre cet état d'amour permanent si les préjugés sont encore profondément enracinés ? C'est impossible. Ici, la bonne volonté ou même la sincérité dans l'intention d'accomplir son devoir moral se révèlent insuffisantes. Ces qualités ne sont pas dénuées d'intérêt en elles-mêmes, mais Jésus appelle à autre chose encore : *à un mode différent de perception par une révolution totale au fond de la conscience.*

En fait, aimer véritablement autrui implique d'être libre soi-même, dégagé de tous les préjugés, les opinions et les identifications. La démarche préconisée consiste donc à devenir un compagnon, à purifier le cœur et la conscience pour qu'ils soient clairs et disponibles à autrui. Alors seulement sera-t-il possible de répondre pleinement à sa souffrance et à sa détresse.

Les premiers Pères de l'Église considéraient, à propos de cette parabole, qu'il ne s'agissait pas seulement de blessures physiques mais surtout de blessures spirituelles. « Bander les plaies, verser de l'huile et du vin » est une manière symbolique de mentionner les soins qu'il convient de prodiguer à autrui. Le Christ lui-même porte témoignage de la conscience, montre l'exemple par ses œuvres... et nous invite à faire de même ! (Jn 14, 12.) Lorsque, prenant le Samaritain comme modèle, Jésus dit au légiste : « Va, et toi aussi, fais de même », il ne lui demande pas en essence d'imiter un comportement particulier, mais de parvenir à un même état d'être qui lui permettra naturellement d'être en mesure d'aimer comme lui [43].

Une telle instruction relève de la plus haute exigence et, d'une façon générale, ne peut pas être accomplie tout de suite. Elle réclame tout un travail progressif d'érosion des dynamismes mentaux ordinaires. Ces derniers voilent en effet la clarté de vision et enferment l'individu dans un monde étriqué où autrui n'a pas réellement de place.

À un niveau qui peut être immédiatement accessible et qui oriente dans la bonne direction, on peut trouver l'énoncé de la Règle d'or : « Ainsi, tout ce que vous voulez que les hommes fassent pour vous, faites-le vous-mêmes pour eux » (Mt 7, 12 ; Lc 6, 31). Bien entendu, cette instruction ne concerne pas encore l'enseignement ultime ; elle se situe par rapport à l'état de conscience habituel mais apporte déjà un élément de réflexion susceptible d'induire une pratique dont les conséquences seraient déjà en elles-mêmes extrêmement positives. Toute l'Antiquité connaissait déjà une instruction du même genre formulée de différentes façons. Lorsqu'on demanda à Thalès de Millet (600 av. J.-C.) quel était le principe fondamental pour bien vivre, il répondit : « Ne fais pas ce que tu trouves mauvais chez les autres. » Pythagore (580 av. J.-C.) énonçait aussi : « Ce dont tu as horreur chez les autres, ne le fais pas toi-même. » En Chine, Confucius (551-470 av. J.-C.) proposait comme règle de vie : « Ce que tu ne désires pas pour toi, ne le fais pas aux autres » et la grande épopée de l'Inde, le *Mahabharata* (400 av.-400 ap. J.-C.) affirme : « Ce que tu hais, ne le fais à personne. » Le judaïsme attire également l'attention sur cette règle universelle. Dans l'Ancien Testament, il est dit : « Ne fais à personne ce que tu ne voudrais pas subir [44] » (Tb 5, 15).

Un jour, un païen se présenta devant le célèbre rabbin Hillel, contemporain de Jésus, et lui demanda : « Accepte-moi dans le judaïsme à condition de me dire toute la loi pendant que je me tiens sur un seul pied. » Hillel répondit : « Ne fais pas aux autres ce tu ne voudrais pas que l'on te fasse à toi-même. Va et apprends [45] ! »

Une instruction de cette sorte ne fait aucunement intervenir le premier commandement de l'amour de Dieu et n'appelle pas non plus à une totale métamorphose de l'être. Elle repose plutôt sur une constatation raisonnable et invite à un comportement intelligent. Ce qui est, il est vrai, déjà beaucoup.

Jésus reprend l'instruction, mais en des termes positifs, et lui redonne en quelque sorte une nouvelle impulsion. Chacun comprend aisément qu'il recherche pour lui-même le bonheur et qu'il souhaite que les autres se comportent à son égard avec bienveillance et amour. Il n'est par conséquent pas difficile de supposer que les autres ont les mêmes aspirations. Cette simple constatation a des conséquences pratiques immédiates qui se révèlent éminemment bénéfiques pour soi et pour autrui.

V

SE QUALIFIER
EN TANT QUE DISCIPLE

La véritable intention d'un enseignement spirituel est de conduire à la transformation de l'être et non pas de proposer un système particulier de croyances. Il est certain qu'un code moral et des règles de comportement peuvent s'en dégager, mais telle n'est pas l'intention première. La recherche de la vérité et de la conformité à la volonté de Dieu appartiennent cependant à un niveau intérieur tellement fin qu'un chemin précis doit être emprunté avec l'aide d'un guide. On retrouve ainsi dans les Psaumes cette demande que formule tout chercheur : « Fais-moi connaître tes voies, Adonaï, enseigne-moi tes sentiers, Conduis-moi dans ta vérité... » (XXV, 4)

De tous temps, les enseignements traditionnels de sagesse ont été comparés à une voie, un chemin. Les Actes mentionnent : « Les adeptes de la Voie » (Ac 9, 2) et Lao-tseu, le célèbre sage chinois, parlait aussi de la « Voie » en tant qu'abréviation de « la Voie du Ciel ».

Dans sa traduction en français du *Tao te king, Le Livre de la Voie et de la Vertu*, le père Claude Larre note en introduction : « Il m'est arrivé, en lisant Lao-tseu, de songer à Jésus-Christ, à la sagesse de Salomon, à telle formule de l'ascèse chrétienne », et il remarque plus loin qu'« est venu le temps où l'on ne retiendra plus de Jésus-Christ que ce qu'il a dit et ce qu'il a fait. Rien n'empêche plus de placer la Foi en Jésus-Christ au cœur d'une spiritualité simple, ardente et discrète comme celle dont le *Livre de la Voie et de la Vertu* m'a paru avoir donné l'enseignement [1]. » De son côté, le Bouddha a enseigné l'Octuple Sentier qui est une voie de transformation intérieure par étapes progressives.

Quelle que soit la stature spirituelle des sages et des maîtres évoqués, il est toujours question d'instructions précises pouvant aider les adeptes ou les disciples à se transformer. Les méthodes et les techniques, de même que les formulations, peuvent être très différentes les unes des autres, mais elles concernent toujours un changement de niveau d'être et de conscience. L'auteur anonyme de l'Épître aux Hébreux l'exprime clairement en ces termes : « Vivante, en effet, est la parole de Dieu, efficace et plus incisive qu'aucun glaive à deux tranchants, elle pénètre jusqu'au point de division de l'âme et de l'esprit, des articulations et des moelles... » (4, 12) C'est précisément à ce point de passage stratégique de l'âme *(psûkhê)* à l'esprit *(pneuma)* que se situent toutes les ascèses. Articulation délicate qui nécessite la présence d'un maître de sagesse, un expert en science sacrée ou mystique pour conduire le novice au-delà de son individualité limitée et des écueils inhérents à son psychisme. En ce sens, il peut être légitime de considérer que l'enseignement de Jésus est un *yoga* dans l'acception noble du terme. D'après la définition classique que nous en donne Jean Filliozat, « le terme *yoga* dérive de la racine *yuj*, "atteler, mettre au joug", et aussi "joindre, ajuster". L'adepte du yoga, le *yogin*, est celui qui, tenant sous le joug ses sens et sa pensée, est pleinement adapté à la réalité [2] ».

L'Évangile selon Matthieu rapporte ces propos de Jésus : « Venez à moi, vous tous qui peinez et ployez sous le fardeau, et moi je vous soulagerai. Chargez-vous de mon joug et mettez-vous à mon école, car je suis doux et humble de cœur, et vous trouverez soulagement pour vos âmes. Oui, mon joug est aisé et mon fardeau léger » (Mt 11, 28-30). Le joug (*yoke* en anglais) renvoie à l'étymologie du mot *yoga*, mais il ne s'agit pas seulement d'étymologie. Dans la même perspective, le mot « religion » vient de « relier » et par conséquent « se relier ».

Il est évident qu'ultimement, Jésus ne se réfère par au joug romain, c'est-à-dire à la domination et à l'exploitation qu'exerce l'envahisseur. Même si les taxes impériales ainsi que les prélèvements sacerdotaux étaient élevés, il n'est pas question ici d'un allégement fiscal ! Le poids du formalisme religieux ne suffit pas non plus à expliquer en profondeur le sens de ces paroles. Selon les traductions, il est dit « mettez-vous à mon école », « apprenez de moi » ou encore « recevez mes instructions », ce qui évoque clairement la relation de maître à disciple, d'instructeur à apprenti. La nature du « programme » n'est pas spécifiée dans ce passage, tout au moins directement, mais Jésus insiste sur l'effet bénéfique d'un tel apprentissage. Il évoque un soulagement de ce qui pèse, un affranchissement, une libération. L'expression « ployer sous le fardeau », en araméen *shqîlay mâwblê*, signifie plus exactement « enlisé dans le désir » avec une notion d'alourdissement, d'enflement. Le verset suivant propose, plutôt que de ployer sous le fardeau du désir, de s'absorber soi-même dans *nîry* (mot habituellement traduit par « joug ») mais qui évoque un travail, tel par exemple que celui d'un champ nouvellement labouré et qui est prêt à être ensemencé. Ce terme oriente aussi vers des images d'illumination et de lumière[3].

Comme le rappelle justement, à propos de ce passage, la Bible de Jérusalem (note *a*), Jésus se présente ici comme un « maître de sagesse ». Les commentateurs de la Synopse abondent dans le même sens : « Sans doute Jésus, la Sagesse, impose un joug à ses disciples : l'accomplissement de la volonté de Dieu ; mais ce joug est léger et il ne faut pas beaucoup de peine pour trouver le repos spirituel que procure l'exercice de la Sagesse[4]. » En réalité, il faudra beaucoup de peine, c'est-à-dire se donner beaucoup de mal, pour pouvoir enfin atteindre cette paix intérieure. Une certaine tâche incombe à l'homme ; ainsi que le dit l'Ecclésiaste (9, 10) : « Tout ce que ta main trouve à faire avec ta force, fais-le. »

Le joug que propose Jésus est la méthode pratique qu'il préconise pour se transformer, elle demande de la part du disciple une totale consécration. Celui-ci ne peut pas jouer sur tous les tableaux en même temps et, s'il veut atteindre la quiétude intérieure, il lui faudra passer impérativement par la voie indiquée. « Nul ne peut servir deux maîtres » (Mt 6, 24 ; Lc 16, 13), avait-il été précisé. Et dans l'Évangile de Thomas : « Jésus a dit : Il n'est pas possible qu'un homme monte deux chevaux, qu'il bande deux arcs ; et il n'est pas possible qu'un serviteur serve deux maîtres, sinon il honorera l'un et il outragera l'autre » (log 47, 1-8).

« Dieu » et « l'Argent » est une manière concise et symbolique d'évoquer deux plans différents de réalité, le yoga consistant à s'acheminer progressivement d'un plan à un autre. Il ne faut pas oublier qu'une telle démarche n'est en rien anodine puisqu'elle concerne au contraire le but essentiel de l'existence, à savoir la nécessité de mourir à un niveau pour renaître à un autre. Lorsque Henri Le Saux parle du yoga de Jésus [5] ou que Ravi Ravindra intitule son commentaire de l'Évangile selon Jean *Le Yoga du Christ*, le terme « yoga » désigne l'ascèse spirituelle dans ce qu'elle a de plus pragmatique, révolutionnaire et transformatrice.

Il est vrai que, pour les Occidentaux, ce mot est trop souvent associé à une gymnastique physique – même intelligente. La tradition ascétique et mystique inclut bien évidemment le corps dans l'ascèse, mais il n'est pas justifié non plus de la réduire à des jeûnes ou à des attitudes corporelles spécifiques favorisant par exemple la prière et le recueillement.

D'un autre côté, il est vrai qu'en tant que réceptacle, l'ensemble psychophysique doit être considérablement purifié ainsi que le rappelle Ravi Ravindra : « La vérité est une chose à laquelle nous devons être préparés : non seulement pour la comprendre (*understand*), mais aussi pour la supporter (*withstand*). La vérité dont il s'agit ici n'est pas une question d'accepter ou de croire aveuglément une quelconque affirmation, mais de voir directement cette vérité, d'en faire soi-même l'expérience et de la vivre. Sans une préparation adéquate, être exposé à une vérité supérieure et aux énergies correspondantes peut se révéler dangereux pour le corps et pour le psychisme qui n'ont pas la force de la supporter, comme l'attestent de nombreux textes mystiques didactiques, particulièrement ceux du yoga [6]. »

Le yoga de Jésus met en œuvre une énergie fantastique qui peut certes guérir, mais aussi détruire. Les disciples seront parfois exposés à cette puissance d'un ordre supérieur. Cependant, Jésus rassure ceux qui l'écoutent en leur promettant que cette transformation radicale d'eux-mêmes mérite qu'on s'y engage. Il se présente comme un guide sûr et le détenteur d'une sagesse qui libère de la souffrance et des tourments. Issus de sa profonde compassion, ses propos ne sont pas sans rappeler l'invitation faite par les grands sages aux hommes égarés par l'ignorance et les passions. L'Ecclésiaste (51, 23-27) affirme : « *Approchez-vous de moi*, ignorants, et demeurez dans la maison où l'on enseigne… achetez-la (la Sagesse) sans argent. Mettez votre cou *sous son joug* et que vos âmes reçoivent l'instruction (hébreu : *le fardeau*). Il n'y a pas loin pour la trouver. Voyez de vos yeux, *j'ai peiné un peu* et j'ai trouvé pour moi *beaucoup de repos*. »

De même, Krishna s'adresse à Arjuna : « Abandonnant tout souci de la loi, viens à moi seul ; je te libérerai de tout mal, sois sans inquiétude [7]. »

Jésus s'inscrit dans la Tradition primordiale [8]. Même si on lui a très vite attribué différents titres, il n'en a pas moins été avant tout un Éveilleur. En tant qu'incarnation de Dieu, il est un Sage, c'est-à-dire un être réalisé, un témoin vivant de la dimension divine et transcendante. En tant que guide, il est un maître de sagesse qui enseigne et montre aux hommes le chemin à parcourir.

Au cours de l'histoire, tous les sages n'ont pas été des instructeurs, certains sont restés très discrets et ont même gardé le silence. À propos de Jésus, Marcus Borg remarque « qu'il était certes plus qu'un maître, mais il n'était pas moins que cela [9] ».

En tant que maître, il a recours à tous les moyens possibles pour venir en aide, assister et secourir autrui, soulager les souffrances, arracher aussi les masques et les mensonges pour conduire à une plus grande clarté de conscience, à un niveau d'être plus élevé. Une telle alchimie ne peut se faire qu'à travers la mystérieuse relation qui s'instaure entre le maître et le disciple. Au sens propre, le maître donne sa vie pour le disciple et, d'un certain point de vue, il est en état permanent de crucifixion.

« Tout ce que le Père me donne viendra à moi, et celui qui vient à moi, je ne le jetterai pas dehors » (Jn 6, 37). Il est constamment à l'écoute de la souffrance d'autrui : voilà ce qui ressort d'un bout à l'autre des Évangiles. Il s'effondre de fatigue et s'endort (Mc 4, 38) et ne prend même pas le temps de manger (Mc 3, 20 ; 6, 31). Mais, plus précisément, il montre la Voie et donne des instructions précises à ceux qui ont le courage et la force de s'y engager. « Le maître de sagesse enseigne à l'aide de maximes, de paraboles, d'énigmes qui piquent l'attention du disciple et l'invitent à questionner le maître, remarque le père Xavier Léon-Dufour. [...] L'enseignement des sages est un appel à écouter et à s'avancer vers le maître (Pr 9, 1-6 ; Si 24, 18-21). Ainsi parlera Jésus qui [...] offrira une réponse aux problèmes de la personne [10]. »

Du fait des limites propres aux disciples, la tâche qui incombe au maître est d'une redoutable difficulté. Le maître s'en prend à la condition ordinaire de l'être humain, à son aveuglement. Il s'attaque sans répit et avec une compassion illimitée à ceux que les Psaumes appellent « les ouvriers du néant » ou « les diseurs de mensonges ».

« Fils de l'homme, jusqu'à quand, ma gloire en dérision, aimerez-vous le néant, rechercherez-vous l'illusion ? » (Ps IV, 3). Jésus prévient qu'étant donné l'ampleur de l'entreprise, la voie n'est pas facile. Elle est même très ardue et il a jugé bon de le rappeler : « Étroite est la porte et resserré le chemin qui mène à la Vie » (Mt 7, 14). Paradoxalement, cet avertissement qui est pourtant célèbre, n'est pas souvent apprécié à sa juste valeur, et il faut toute la capacité d'anesthésie propre à l'entendement habituel pour ne pas être dérangé ni interpellé par une déclaration de cette sorte. Ce n'est pas non plus pour faire un simple effet de style que les *Upanishads* insistent pour dire aussi : « Il est malaisé de passer par dessus la lame effilée du rasoir : ainsi les poètes expriment la difficulté du chemin [11]. » Le chercheur qui s'engage sur le sentier du Soi parcourt « l'étroit chemin des origines [12] ».

Si l'on voulait être exact, il ne faudrait pas seulement dire que la voie est difficile à emprunter, mais qu'elle est aussi difficile à trouver ! Cela nécessite une recherche ardente et persévérante de la part de l'apprenti qui, même épaulé par un guide spirituel, devra expérimenter lui-même ses propres tâtonnements. Dans sa *Règle*, saint Benoît, qui s'adressait pourtant à des êtres qualifiés, précise de la sorte : « Pour les moines ou les personnes qui pratiquent *afin de rechercher la Voie.* »

Une des grandes ruses du mental – du Malin – est de faire croire que la « Voie » est accessible à bon compte et qu'il est aisé de comprendre de quoi il retourne. Jésus, de même que les autres maîtres authentiques, ne laisse pas planer de fausses certitudes à cet égard. En grec, le terme même de disciple, *mathètès*, signifie non seulement « apprendre » mais aussi « s'habituer à quelque chose, se rendre familier de ». Il suppose donc un long exercice, un long apprentissage, avec tout ce que cela peut comporter d'obstacles et d'épreuves.

Dans tout le Nouveau Testament, le terme de « disciple » n'apparaît que dans les Évangiles et les Actes. Il désigne « toujours celui qui est en relation étroite et définitive avec une personne [13] ». L'engagement devient alors peu à peu intime, profond, jusqu'à être finalement total. Et c'est au sein même de cette relation que l'apprentissage se poursuit, parce qu'un enseignement authentique est avant tout vivant, en prise directe avec l'expérience. La tradition du zen affirme qu'il se transmet « d'esprit à esprit ». Dans cette démarche, l'intellect n'est pas la seule fonction sollicitée, parce que c'est l'être tout entier qui est impliqué. Il y faut d'ailleurs beaucoup plus qu'une simple accumulation de connaissances. Ces dernières peuvent même devenir une source supplémentaire de confusion. En effet, des idées se référant à des niveaux différents peuvent être mélangées et il est alors nécessaire de faire un tri, comme en témoigne ce dialogue avec un scribe instruit, après que Jésus a dispensé un enseignement en paraboles : « "Avez-vous compris tout cela ?" Ils lui dirent : "Oui." Il leur dit : "Aussi tout scribe devenu disciple du royaume des cieux est semblable à un homme, un maître de maison qui extrait de son trésor choses neuves et choses vieilles" ». (Mt 13, 51-52) En définitive, seul ce qui pourra vraiment aider à la transformation aura une réelle valeur.

Il y a dans l'Évangile selon saint Jean un passage particulièrement significatif en ce qui concerne l'aspirant sur la voie. « Jésus se retourna et, voyant qu'ils le suivaient, leur dit : "Que cherchez-vous ?" » (Jn 1, 38). C'est la première question essentielle qu'un maître pose à un candidat. Si l'on sait écouter, il s'agit d'une question vitale qui remet tout en cause, immédiatement, de fond en comble. De la même façon, il est arrivé à Swâmi Prajnânpad de demander au nouveau venu : « Qu'est-ce que vous voulez ? », et sous les apparences d'une question banale, presque anodine, se cachait à la fois un sujet grave et une réalité grandiose. Pour l'élève, c'est un défi.

« Ils lui dirent : "Rabbi – ce qui veut dire Maître –, où demeures-tu ?" Il leur dit : "Venez et voyez" » (Jn 1, 38-39) Échange exemplaire et magnifique qui résume le point de départ du postulant aussi bien que l'attitude du maître qui l'accueille et l'invite à la découverte *par la vision, la vision intime et personnelle.*

Les noms des disciples peuvent évoquer des qualités, des caractéristiques ou des états intérieurs. C'est tout d'abord André qui apparaît. Ce nom d'origine grecque signifie « le vaillant » ou « le viril ». Le courage est une qualité indispensable pour qui s'engage dans la quête intérieure parce que la peur sera nécessairement présente. Il faudra donc trouver la force de l'affronter et même de la traverser.

Vient ensuite Simon, traduction de l'hébreu *chîmôn* que l'on fait dériver de *chama*, « a entendu ». Simon veut dire « Dieu a entendu ». Du point de vue du disciple, l'écoute, la capacité à entendre, est également une qualité essentielle. Il faut en effet une oreille pour entendre, ainsi que cela est sans cesse rappelé dans les Évangiles. « Sans l'oreille intérieure, affirme K. G. Dürckheim, on est limité à la croyance dans son développement spirituel, jusqu'au jour où l'on perce l'horizon de cette conscience et on se trouve tout à coup sur un autre plan [14]. »

Le surnom de *Kêphas*, Pierre, que lui donne Jésus est souvent considéré comme l'attestation d'une solidité, mais il évoque aussi la fixité et le danger d'une rigidité intellectuelle [15].

Philippe, littéralement, en grec, « ami des chevaux », est le disciple suivant que rencontre Jésus et à qui il dit : « Suis-moi ! » Un dresseur de chevaux est à la fois ferme et capable de souplesse, il doit pouvoir allier la patience à la détermination. Autant de qualifications requises pour entreprendre jusqu'au bout le voyage intérieur.

Et enfin Nathanaël, dont une tradition dit qu'il a été apôtre de l'Inde et de l'Asie Mineure. Son nom signifie « don de Dieu ». Même s'il apparaît encore susceptible de préjugés ou de jugements à l'emporte-pièce (« De Nazareth, peut-il sortir quelque chose de bon ? » ose-t-il demander), il symbolise néanmoins l'homme capable d'ouverture. Jésus lui prédit d'ailleurs : « Tu verras mieux encore. » Nathanaël est, comme tout homme, porteur des dons éternels de Dieu et il ne tient qu'à lui de les faire fructifier.

Il est vrai que les qualifications nécessaires pour être disciple peuvent se développer et s'approfondir au fur et à mesure de la maturation intérieure. Il semble par exemple difficile d'éprouver une confiance absolue dès le départ puisque celle-ci réclame déjà un amoindrissement considérable d'obstacles naturels tels que la peur ou le doute. La compréhension ne peut pas non plus être stable et pénétrante dès le début. D'une façon générale, un long processus de purification est nécessaire pour être en mesure d'intégrer peu à peu les vérités essentielles de l'enseignement. Dans la quête initiatique, le temps joue son rôle et tout finit par arriver à son heure. Il y a un temps pour les semailles, la germination, et un temps pour la moisson.

En de nombreuses occasions dans les Évangiles, Pierre est par exemple représenté comme un élève ayant une compréhension limitée, et il se fait rabrouer sans ménagement par Jésus à cause de cela. Mais rien n'est fixe et définitivement établi. La possibilité même du changement – une loi fondamentale dans le domaine matériel autant que dans le domaine spirituel – laisse par conséquent la place à d'éventuels progrès ultérieurs. À cet égard, la chronologie peut revêtir un sens profondément symbolique et permet d'illustrer ainsi ce qu'il en est du point de vue de la transformation intérieure [16]. Dans l'Évangile de Jean, le cas de Nicodème en est un exemple (Jn 3, 1-10). « Or il y avait parmi les Pharisiens un homme du nom de Nicodème, un notable des Juifs. Il vint de nuit trouver Jésus... » Le passage qui précède laisse supposer que Nicodème est venu à Jésus la nuit de la Pâque ; promesse d'un passage à d'autres niveaux de l'être. On peut admettre que Nicodème prend un risque en allant voir Jésus et qu'il préfère rester discret. *Nicodemos* signifie « dirigeant » et, en tant que membre du Sanhédrin, sa démarche auprès de Jésus peut être périlleuse pour lui. Du point de vue symbolique, Nicodème appartient encore au monde de la nuit, c'est-à-dire des ténèbres, de l'ignorance. D'ailleurs cette ignorance se révèle très vite dans l'entretien qu'il a avec Jésus. Il prend ce qu'on lui dit au premier degré et son questionnement est bien naïf. « Jésus lui répondit : "Tu es Maître en Israël, et ces choses-là, tu ne les saisis pas ?" » Mais plus loin, on voit Nicodème intervenir dans une chaude discussion avec les pharisiens au sujet de Jésus. Bien que timide, sa position apparaît plutôt comme celle d'un défenseur. « Nicodème, l'un d'entre eux, celui qui était venu trouver Jésus précédemment, leur dit : "Notre Loi juge-t-elle un homme sans d'abord l'entendre et savoir ce qu'il fait !" Ils lui répondirent : "Es-tu de la Galilée, toi aussi ? Étudie ! Tu verras que ce n'est pas de la Galilée que surgit le prophète" » (Jn 7, 50-52).

En dépit de son statut social, il ose s'exposer aux railleries de ses congénères. Plus tard, c'est encore Nicodème qui sera au Calvaire avant la fin du jour avec Joseph d'Arimathie pour enlever le corps de Jésus. « Nicodème – celui qui précédemment était venu, de nuit, trouver Jésus – vint aussi, apportant un mélange de myrrhe et d'aloès, d'environ cent livres. Ils prirent donc le corps de Jésus... » (Jn 19, 39-40).

Du rappel de sa visite nocturne, on passe maintenant au lever du jour. C'est, pour le disciple, la naissance d'une nouvelle compréhension. Cette dernière, toutefois, n'est pas fréquente, car « la lumière est venue dans le monde et les hommes ont mieux aimé les ténèbres que la lumière... » (Jn 3, 19). Pour Nicomède, cependant, un long chemin a été parcouru entre l'interlocuteur ignorant et rempli de méfiance et celui qui recueille, à l'aube, le corps de Jésus. Il est passé d'une discrétion fondée sur la peur et l'incompréhension à une discrétion fondée sur une humilité véritable et une silencieuse conviction. Un tel parcours résume en quelque sorte l'itinéraire spirituel lui-même : c'est un chemin qui mène de la peur à l'amour.

Lorsque Jésus déclare : « Je suis le Chemin, la Vérité et la Vie » (Jn 14, 6), ce « Je » est une pure impersonnalité ; c'est une conscience immaculée qui, au travers du maître, arrive jusqu'aux hommes pour leur enseigner le chemin à suivre. Il s'adresse essentiellement à eux « au sujet du lieu de la Vie » (Thom 4, 4) et prépare ainsi à la métamorphose ceux qui s'y sentent appelés. L'accès à la vision véritable est toutefois semé d'obstacles et d'embûches : « Jésus a dit : Heureux l'homme qui a connu l'épreuve, il a trouvé la Vie » (Thom 58, 1-3) et, en un sens, Jésus intensifie parfois l'acuité même de l'épreuve, non pas au nom d'une cruauté sans borne, mais au nom d'une véritable compassion. Il est difficile d'admettre, en restant dans la perspective ordinaire, que certaines souffrances peuvent être inhérentes au fait même d'emprunter la Voie. Cette réalité, en effet, ne correspond pas à une vision romantique et sentimentale de la démarche spirituelle dans laquelle le but est idéalisé. Et, bien souvent, le disciple sous-estime le degré d'exigence nécessaire et apprécie mal ce que la voie lui réclamera. « Simon-Pierre lui dit : "Seigneur, où vas-tu ?" Jésus lui répondit : "Où je vais, tu ne peux pas me suivre maintenant ; mais tu me suivras plus tard." Pierre lui dit : "Pourquoi ne puis-je pas te suivre à présent ? Je donnerai ma vie pour toi." » (Jn 13, 36-37) L'image du chemin ainsi que celle de la traversée d'une rive à l'autre est universelle et elle est reprise par la plupart des sagesses traditionnelles. Mais pour l'élève, la nature du défi est identique. « Se voyant entouré de foules nombreuses, Jésus donna l'ordre de s'en aller sur l'autre rive. Et un scribe s'approchant de lui dit : "Maître, je te suivrai où que tu ailles." Jésus lui dit : "Les renards ont des tanières et les oiseaux du ciel ont des nids ; le Fils de l'homme, lui, n'a pas où reposer la tête" » (Mt 8, 18 20). La foule entière ne peut pas passer d'une rive à l'autre et même le postulant sincère se voit rappeler sans ambiguïté ce à quoi il s'expose ainsi que le prix qu'il devra payer.

Le maître est un navigateur expérimenté ou un passeur entre deux rives, mais il ne peut éviter au disciple les frayeurs de la traversée. « Or il advint, un jour, qu'il monta en barque ainsi que ses disciples, et il leur dit : "Passons sur l'autre rive du lac." Et il gagnèrent le large » (Lc 8, 22). Devant le danger, le cri du cœur de l'élève affolé est celui-ci : « Maître, maître, nous périssons ! » Ce passage, cette traversée, est une allusion évidente au chemin initiatique, image également commune à l'hindouisme et au bouddhisme. L'hébreu *hébèr* et le grec *péran* désignent en un seul mot « autre côté, autre rive ». Cela suppose de quitter une rive, celle du connu, pour s'aventurer au-delà en dépassant toutes les sécurités relatives, jusqu'à « aller au-delà du par-delà », comme le dit le texte célèbre de la *Prajnâparâmita*. Pour passer d'un état d'être à un autre, il y a beaucoup de choses à dépasser et à traverser, de la même façon que le navigateur doit affronter la mer, les vagues, le vent, les tempêtes. Il doit aussi savoir les utiliser. Ce n'est pas un hasard si le texte aborde aussi le thème de l'endormissement et du réveil. Marie Vidal a remarqué que « l'évangéliste façonne en grec un nouveau verbe, *diegeirô*, pour dire éveiller. Impossible à traduire littéralement, ce verbe a l'accent hébreu de *passer* [17] ». Il se retrouve six fois dans le

Nouveau Testament et peut avoir le sens de « éveiller à travers, éveiller en faveur de, éveiller pour passer, pour respirer, tenir en éveil, secouer [18] ». Autant de façons de rappeler là où doit porter l'effort et d'insister ainsi sur l'aspect éminemment pragmatique de la voie.

À la façon de Nicodème qui avait suivi une évolution progressive, toute guérison de la cécité spirituelle s'inscrit donc dans une démarche qui se déroule par étapes – jusqu'à ce que, à un moment donné, une réelle compréhension cristallise et permette l'accès à la pleine clarté. Cet aspect est magnifiquement illustré avec l'épisode de la guérison d'un aveugle à Bethsaïde : « Ils arrivent à Bethsaïde et on lui amène un aveugle, en le priant de le toucher. Prenant l'aveugle par la main, il le fit sortir hors du village. Après lui avoir mis de la salive sur les yeux et lui avoir imposé les mains, il lui demandait : "Aperçois-tu quelque chose ?" Et l'autre, qui commençait à voir, de répondre : "J'aperçois les gens, c'est comme si c'était des arbres que je vois marcher." Après cela, il mit de nouveau ses mains sur les yeux de l'aveugle, et celui-ci vit clair et fut rétabli, et il voyait tout nettement, de loin » (Mc 8, 22-25). À un premier niveau, il est très probable que Jésus avait effectivement opéré des miracles, celui-ci et beaucoup d'autres. Dans les annales, de nombreux témoins ont attesté et rapporté des miracles accomplis par les saints de toutes traditions. Il est en même temps évident que l'essentiel n'est pas là. Il y a, à ce sujet, des histoires savoureuses montrant comment les maîtres se chargent de détruire chez leurs disciples cette fascination excessive qu'ils éprouvent à l'égard de tels phénomènes miraculeux. Ainsi, « un miracle n'a aucun rapport avec un prodige de prestidigitateur ou un enchantement de sorcier. Un miracle est un signe et porte une signification ; un miracle est un fait extraordinaire qui a pour but de propager un enseignement » [19]. En tant que fait exceptionnel, le miracle se présente moins comme une infraction aux lois de la nature que comme la manifestation de la présence et de la puissance divines. De tels actes sont le plus souvent la réponse à une requête précise et sont l'expression d'une attitude charitable (Mt 20, 34), compassionnée (Mc 6, 34 ; 8, 2 ; Lc 7, 13) et miséricordieuse (Mc 5, 19).

Dans les Évangiles, les miracles de Jésus sont une façon symbolique d'aborder les mystères de la conscience et d'évoquer le miracle d'un changement de niveau d'être qui permet, seul, de conduire au Royaume des Cieux ou à l'Éveil. Il est remarquable de constater à quel point, dans les textes évangéliques, les mentions aux infirmités physiques ne sont, en toute certitude, qu'une manière de parler des infirmités spirituelles, de l'occultation de la conscience ou encore, en d'autres termes, de la condition ordinaire de l'homme. L'homme non régénéré est un mort-vivant comparable à un aveugle, un sourd, un paralysé et même un cadavre.

Il est particulièrement important de s'arrêter au domaine qui concerne l'œil, la vue et « la vision » dans la mesure où l'évocation de la démarche spirituelle y est encore plus évidente. C'est dans ce domaine aussi que l'on peut relever des directives précises par rapport à un cheminement concret et réaliste. La plupart du temps, de telles directives passent *inaperçues*. Une certaine cécité s'exerce en effet à l'égard des instructions elles-mêmes dont la mise en pratique méticuleuse permettrait portant une émancipation progressive. De l'obscurité totale, l'homme de Bethsaïde passe à une clarté toute relative où il peut commencer à distinguer vaguement des formes. Mais avant cela, Jésus a dû le sortir de la ville. Bethsaïde représente l'incrédulité, l'incroyance (Mt 11, 21), qui correspond donc à la plus grande immaturité spirituelle.

Il voit ensuite les gens comme des arbres qui se déplacent, ce qui équivaut à un flou dans sa compréhension, à une approximation dans sa façon d'appréhender les choses. Peu à peu, la mise au point se fait et sa vue est moins partielle. Il finit par voir nettement et même de loin ; il a trouvé une précision, une acuité qui lui permet d'être en contact avec la réalité telle qu'elle est, sans aucune déformation. Tel est le schéma de la progression sur la voie. C'est pourquoi Catherine de Gênes considérait que la première qualité de la vie spirituelle est la « netteté ». On peut retenir différents sens : aussi bien la rigueur, la droiture morale, l'intégrité que l'acuité de perception, la précision de compréhension. Aucun directeur spirituel ne laissera d'ailleurs le disciple s'installer dans le flou et se complaire dans l'approximation, parce qu'il sait que cela peut lui faire manquer le but. Chaque fois que Jésus évoque l'aveuglement de l'homme et chaque fois qu'il guérit de la cécité, c'est toute l'histoire du cheminement spirituel qui est mise en avant.

Jésus ne cherche certainement pas à attirer l'attention sur sa personne et encore moins à forcer l'admiration. Ce qui l'intéresse, c'est l'homme en tant qu'il a la possibilité d'accomplir la volonté même de Dieu et de contribuer à répandre sa justice. Mais pour cela, il doit auparavant avoir les yeux décillés et apprendre ensuite à développer la capacité à voir. En attendant qu'il ait, pour reprendre une expression de Marie-Madeleine Davy, « les yeux lavés par la grande Expérience ».

Les évocations au fait de recouvrer la vue sont nombreuses et renvoient constamment à l'essentiel de l'enseignement mystique dont le propos est de sauver « les fils des hommes parce qu'ils sont aveugles dans leur cœur et ne voient pas qu'ils sont venus au monde vides et en sont même à tenter de repartir vides » (Thom 28, 6-10). Situation tragique de l'homme qui justifie l'exclamation de Jésus : « Insensés et aveugles ! » (Mt 23, 17). Mais la pratique réaliste de l'Enseignement peut modifier cet état de fait. Et quant à ceux qui ont osé poser des questions sur la nature et la fonction du guide spirituel, « Jésus leur répondit : "Allez rapporter à Jean ce que vous entendez et voyez : les aveugles voient [...] et les sourds entendent, les morts ressuscitent [...] et heureux celui qui ne trébuchera pas à cause de moi !" » (Mt 11, 4-6 ; Lc 7, 22).

La guérison des deux aveugles de Jéricho apporte deux éléments importants. « Comme ils sortaient de Jéricho, une foule nombreuse le suivit. Et voici que deux aveugles étaient assis au bord du chemin ; quand ils apprirent que Jésus passait, ils s'écrièrent : "Seigneur ! Aie pitié de nous, fils de David !" La foule les rabroua pour leur imposer silence ; mais ils redoublèrent leurs cris : "Seigneur ! aie pitié de nous, fils de David !" Jésus, s'arrêtant, les appela et dit : "Que voulez-vous que je fasse pour vous ?" Ils lui dirent : "Seigneur, que nos yeux s'ouvrent !" Pris de pitié, Jésus leur toucha les yeux et aussitôt ils recouvrèrent la vue. Et ils se mirent à sa suite » (Mt 20, 29-34 ; Mc 10, 46-52 ; Lc 18, 35-43).

Bien que les textes parallèles comportent des différences, l'essentiel de l'enseignement subsiste et il est toujours question d'une restauration de la vue, de l'accès à une pleine vision, c'est-à-dire à la compréhension spirituelle. Ce qui est tout d'abord remarquable dans ce passage, c'est que les deux aveugles implorent Jésus parce qu'ils savent qu'ils vivent dans l'obscurité. Si l'on n'oublie pas qu'il est question d'obscurcissement spirituel et d'ignorance et non pas d'une simple déficience d'un organe sensoriel, on pourra alors effectivement considérer cet aspect comme essentiel. La prise de conscience de l'état réel dans lequel on se trouve réclame non seulement une bonne dose de lucidité mais aussi une grande humilité. Telle est l'attitude dont témoignent les deux aveugles de Jéricho : *ils savent qu'ils ne savent pas*. La reconnaissance de cet état d'ignorance est primordiale pour commencer à entreprendre une quête réelle. Un des pièges du mental consiste justement à camoufler cette réalité de l'ignorance de telle sorte qu'aucune tentative pour la dissiper n'est mise en œuvre. Ce danger est connu et a été maintes fois souligné. Reprenant l'enseignement de son maître, Platon illustre cet aspect dans l'allégorie de la caverne où les prisonniers, ne se rendant pas compte qu'ils sont prisonniers, ne cherchent par conséquent aucunement à se libérer. Socrate considérait que celui qui croit connaître ne connaît pas et que c'est en cela que réside la plus grande source d'erreurs [20]. À cet égard, l'enseignement rapporté dans les Évangiles est catégorique et constitue un avertissement pour ceux qui ont une fausse approche de la religion. Lorsque Jésus leur dit : « Vous connaîtrez la vérité, et la vérité vous libérera », ils lui répondent : « Nous sommes semence d'Abraham : de personne nous n'avons été esclaves, jamais ! Comment dis-tu : vous deviendrez libres ? » (Jn 8, 32-33) ou encore : « Jésus dit alors : "C'est pour un discernement que je suis venu en ce monde : pour que ceux qui ne voient pas voient et que ceux qui voient deviennent aveugles" » (Jn 9, 39).

« Ceux qui voient », ce sont « ceux qui croient voir », ceux qui s'imaginent avoir compris quelque chose. Ceux « qui se trouvaient avec lui, entendirent ces paroles et lui dirent : "Est-ce que nous aussi, nous sommes aveugles ?" Jésus leur dit : "Si vous étiez aveugles, vous n'auriez pas de péché ; mais vous dites : Nous voyons ! Votre péché demeure" » (Jn 9, 40). L'erreur consiste donc à prétendre voir – au nom d'une accumulation de savoir, d'une capacité intellectuelle développée, ou plus simplement au nom d'une grande prétention et arrogance, ou encore d'un statut social élevé qui favorise et entretient l'illusion sur soi-même. Pour l'être éveillé, tout cela est pur néant et représente un mensonge qu'il va falloir implacablement démanteler. Les conceptions personnelles de la vérité, les pensées au sujet de Dieu, l'identification à des opinions, tout cela va être remis en cause, combattu et détruit sans aucune concession.

Les deux aveugles se rendent compte de leur état intérieur et de leur degré d'immaturité mais ils veulent en sortir et changer de niveau. À la différence de l'aveugle de Bethsaïde ou encore de l'aveugle de naissance (Jn 9, 6), ce sont eux qui prennent l'initiative et qui, aspirant de tout leur cœur à la transformation, appellent au secours. Jésus avait posé à l'infirme, à la piscine de Bethesda, une question qui demande une réponse claire : « Veux-tu guérir ? » (Jn 5, 6).

Le texte nous apporte un autre élément important : « La foule les rabroua pour leur imposer silence ; mais ils redoublèrent leurs cris. » Cette demande sincère, vitale même, est contrecarrée par la foule qui cherche à la faire taire. Or la foule représente ici les autres tendances ou dynamismes en l'homme, ceux qui s'opposent à la recherche de la vérité, ceux qui ne veulent pas entendre parler de la quête de l'absolu, de la libération, du Royaume des Cieux. Cette foule intérieure a d'autres intérêts, à la fois multiples et contradictoires. Elle essaie de préserver son pouvoir en maintenant une dictature et en imposant le silence aux voix qui ne lui font pas exactement écho. C'est « le royaume divisé contre lui-même » au sujet duquel Jésus a déjà attiré l'attention et qui correspond à une profonde réalité psychologique. L'homme est morcelé au fond de lui-même, et cette absence de cohésion et de structure fait de lui un possédé en proie à toutes sortes de tendances conflictuelles. Il est peu flatteur de considérer que le démoniaque de Gadara n'évoque pas un simple dément mais le lot commun et la condition naturelle de tout homme qui n'a pas entrepris de travail sur lui-même. « Et sans cesse, nuit et jour, il était dans les tombes et dans les montagnes, poussant des cris et se tailladant avec des pierres. Voyant Jésus de loin, il accourut, se prosterna devant lui et cria d'une voix forte : "Que me veux-tu, Jésus, fils du Dieu Très-Haut ? Je t'adjure par Dieu, ne me tourmente pas !" Il lui disait en effet : "Sors de cet homme, esprit impur !" Et il l'interrogeait : "Quel est ton nom ?" Il dit :

"Légion est mon nom, car nous sommes beaucoup" » (Mc 5, 5-9). Dans l'état de folie ordinaire, c'est la vérité qui semble apporter des tourments supplémentaires ! Ce pauvre homme redoute que Jésus le tourmente alors que c'est lui qui est déjà tourmenté. Il a peur de quitter son état et qu'on le lui arrache de force. Pourtant, il vit parmi les tombes, dans un univers de mort. Il pousse des cris, c'est-à-dire qu'il est dominé par tout ce qui l'habite et n'a pas la maîtrise de lui-même. Il se taillade avec des pierres. Les pierres représentent les idées figées, les préjugés, les attitudes dogmatiques et même certaines vérités que le mental s'approprie et avec lesquelles on peut véritablement se mutiler (la lapidation a aussi un sens symbolique comparable).

Le mérite des deux aveugles consiste dans le fait qu'ils arrivent à élever la voix encore plus fort que la foule elle-même. Du fond de leur incohérence et de leur division intérieure, un appel incoercible se lève et réussit à se faire entendre : telle est la condition première pour pouvoir être guéri un jour. À cette motivation que rien ne saurait éteindre, Jésus répond, car toute demande réelle appelle nécessairement la réponse. La parole en forme de dicton : « Frappez et l'on vous ouvrira », trouve ainsi une résonance dans ce proverbe tibétain affirmant qu'« il n'y a pas de petites portes, mais de petits frappeurs ».

Dans l'Évangile de Jean, le chapitre neuf est particulièrement orienté sur le thème de la vision. Dans ce seul chapitre, on peut relever sept fois l'expression « les yeux ouverts » [21] et, en dehors d'elle, trois fois le mot « yeux », treize fois « aveugle, non-voyant » et treize fois « voir, voyant » !

Le fait de voir est inséparable de la lumière. « Tant que je suis dans le monde je suis la lumière du monde », affirme Jésus. « Ayant dit cela, il cracha à terre, fit de la boue avec sa salive, enduisit avec cette boue les yeux de l'aveugle et lui dit : "Va te laver à la piscine de Siloé" – ce qui veut dire :

Envoyé. L'aveugle s'en alla donc, il se lava et revint en voyant clair » (Jn 9, 6-7). Saint Irénée voit ici dans la boue un symbole de l'homme qui tire son origine de la poussière et qui est façonné à partir de l'argile (cf. Job 4, 19 et 10, 9). L'homme, le « glaiseux » (*adamah*), est vivant par le Souffle de Dieu (Gn 2, 7), mais l'intervention de Jésus, sa bénédiction, permet à nouveau de soulever la question : « Qu'est-ce qui – dans la poussière – est capable de voir la Lumière [22] ? » Jésus restaure la vision, il permet l'accès à la lumière à partir de l'humaine condition elle-même, « cette condition pour le moins embourbée, boueuse [23]. » La piscine de Siloé, dont les eaux sont mentionnées en Esaïe 8, 9, est un lieu de purification. Jean précise que Siloé doit être interprété comme voulant dire « Envoyé ». Jésus est envoyé pour laver l'homme de son ignorance et de son aveuglement. *Chîlôah* signifie en hébreu le canal qui « envoie » l'eau dans un bassin.

La conscience ordinaire doit se plonger (*baptizai*) dans cette eau purificatrice pour renaître à un autre niveau. L'accès à la vision est une expérience spirituelle intime, et lorsqu'on part à la recherche de cet homme qui a recouvré la vue pour lui demander ce qui s'est passé, il ne peut que mettre en avant son témoignage personnel en s'exclamant : « *Egô eimi* ! », « Je Suis ! » Il n'a rien à dire de plus parce que c'est une réalisation du réel, au-delà même de l'intelligence et de ses catégories. Son exclamation exprime une reconnaissance : la vision, en pleine clarté, qu'il est « fils de lumière » (Lc 16, 8 ; Jn 12, 36). L'expérience de cet homme qui jusqu'à présent avait vécu dans les ténèbres est enfin semblable à l'expérience que mentionnent les voyants de *l'Upanishad* : « Voici quel est son signalement : le cri ah ! qu'on pousse quand il a éclairé des éclairs, ah ! quand les yeux ont cligné. Ainsi dans l'ordre du divin [24]. »

L'homme de Siloé est bien en difficulté pour fournir des explications, autant aux voisins ou à ceux qui l'avaient vu mendier qu'aux théologiens érudits qui s'affrontent sans rien y comprendre. Pourtant, « les réponses de cet homme transformé ont un accent direct et spontané qui garantit l'authenticité de son expérience profonde. Il sait que l'homme Jésus a quelque chose à voir avec son éveil, mais refuse de philosopher sur le mystère du Christ, sur son identité ou sa demeure réelles. Il ne se fonde que sur sa perception directe ; "je n'en sais rien" exprime la même clarté de prise de conscience de soi que le fait de reconnaître et d'admettre sa cécité [25] ».

Le message est explicite. Il réaffirme sans équivoque possible que l'homme, à partir de son état d'ignorance et de mendicité, peut parvenir à se transformer et à prononcer un jour ce que proclame le divin : « Je Suis ! »

D'une façon encore plus précise, certaines paroles contenues dans les Évangiles entrent dans le détail de la mise en pratique, mais le sujet est délicat. En effet, leur accès est difficile : il y a trop d'interférences, de voiles subjectifs qui s'interposent sous la forme de conceptions arrêtées, d'émotions latentes ou non, d'inerties d'habitudes. Les forces de sommeil, dont la puissance est considérable, s'opposent non seulement à la mise en pratique mais aussi à la saisie juste de la nature même de cette pratique. Jacques évoque en ces termes la difficulté que rencontre tout chercheur spirituel : « Ne soyez pas seulement des auditeurs qui s'abusent eux-mêmes ! Qui écoute la Parole sans la mettre en pratique ressemble à un homme qui observe sa physionomie dans un miroir. Il s'observe, part, et oublie comment il était » (Jc 1, 22-24).

Au sens fort, on peut sans doute parler de l'oubli de notre vrai visage, le visage originel. Celui que l'on retrouve après être entièrement passé à travers le feu des épreuves purificatrices, à la manière du cardinal Newman qui s'étonnait un jour de la parole biblique : « "Tu nous éprouves, Seigneur, comme l'argent sous le feu du fondeur." Il décida d'aller voir

198

un fondeur à l'œuvre et lui demanda : "Quand savez-vous que l'argent est prêt, qu'il est pur, dégagé de sa gangue grossière ?" Ce dernier lui répondit : "Je sais que l'argent est mûr lorsque, me penchant sur lui, je peux y voir se refléter les traits de mon propre visage." [26] »

L'oubli de soi, le manque d'observation et de vigilance sont les principaux obstacles à la pratique. Ils ramènent les aspirants à l'état « d'auditeurs oublieux ». Plein de compassion, Jésus a souvent exprimé sa tristesse de ne pas être correctement compris. Et c'est aussi du fond de sa compassion qu'il a parfois exprimé de la colère.

« Et quiconque entend ces paroles que je viens de dire et ne les met pas en pratique, peut se comparer à un homme insensé qui a bâti sa maison sur le sable. La pluie est tombée, les torrents sont venus, les vents ont soufflé et se sont rués sur cette maison, et elle s'est écroulée. Et grande a été sa ruine ! » (Mt 7, 26). La maison sur le sable représente l'homme non structuré, instable. Les grains de sable sont multiples et mouvants comme ses propres états intérieurs et il ne peut compter sur eux pour assurer en lui une base solide, une fondation ferme et unique. Il faut autre chose d'un ordre entièrement différent. La construction de cette structure intérieure dans le corps humain relève de la physiologie subtile et répond à des lois qui sont le plus souvent négligées voire même oubliées.

La tradition du zen a accordé une grande importance au bassin et au ventre, le *hara* ou *kikaï tanden*, « l'océan d'énergie » parce que, bien développé, il apporte à la fois une vigueur et une stabilité du corps et de l'esprit. Il faut retenir à ce sujet que la citation de l'Écriture en Jean 7, 38 doit être traduite de cette façon : « De son *ventre* couleront des fleuves d'eau vive. » Dans son livre *Hara, centre vital de l'homme*, Karlfried Graf Dürckheim présente des photographies de sculptures du Christ où l'importance du ventre est soulignée par une proéminence ou encore une spirale formée par les replis de la robe [27]. Ce que l'on a appelé « le ventre gothique », en histoire de l'art, correspond à une réalité spirituelle essentielle et qui est aussi reconnue par les textes bibliques lorsqu'ils évoquent « le ventre », « les entrailles » ou « les reins ». Ces termes ont des sens différents qui ne correspondent pas toujours à la désignation précise de ce centre de vitalité, mais ils s'y réfèrent parfois : « Sa force est dans ses reins et sa vigueur dans les muscles de son ventre » (Job 40, 11). L'énergie étant comparée à une eau vive qui ne cesse de couler : « Tu seras comme un jardin arrosé, comme une source dont les eaux ne tarissent pas » (Is 58, 11). La phrase que l'on trouve citée dans l'Évangile de Jean : « De son ventre couleront des fleuves d'eau vive », n'est pas une simple image mais une allusion directe à une pratique particulière et à une expérience personnelle dont la portée est cependant universelle. Certains traducteurs retiennent non pas « de son ventre » mais « de son sein », et désignent ainsi la poitrine au lieu du bassin. Cependant, le mot *koilia* signifie littéralement « ventre ». Cette préférence – si elle n'est pas due à une certaine pudeur – peut venir aussi du fait que la Septante utilise le mot « entrailles » dans le même sens que « cœur ». D'après le *Codex Alexandrinus*, on trouve le mot « cœur » dans le texte de l'Apocalypse, en 10, 9, alors que d'autres manuscrits rendent par « entrailles » (de même en TOB et Bible de Jérusalem). En araméen, l'expression *min giwwêth* signifie autant « de son ventre » que « de son intérieur » [28]. Les variantes dans les traductions ne facilitent donc pas la tâche pour serrer au plus près la description de réalités qui, déjà en elles-mêmes, ne sont pas aisées à comprendre.

La parole du maître est certainement porteuse d'une énergie d'un autre ordre. Toutefois, il est important d'en saisir le sens puisqu'il s'agit aussi de directives très concrètes s'adressant à l'élève et lui demandant de faire un effort particulier. À ce sujet, la transmission de l'enseignement de vive voix est essentielle. La progression réclame par définition des réajustements en cours de route ainsi qu'une adaptation permanente à l'état intérieur du disciple, de la même façon que Jésus a dû symboliquement s'y reprendre à deux fois pour aider l'aveugle de Bethsaïde à recouvrer la vue. Selon les nécessités du moment, en fonction de l'auditoire ou de l'auditeur et de son degré de maturité, c'est-à-dire ce qu'il est prêt à voir ou à entendre, l'enseignement est présenté sous différents angles. L'intention étant toujours de faire accéder à un niveau plus profond de compréhension, de permettre une vision beaucoup plus précise et affinée. Une même instruction peut cependant être comprise à différents niveaux, et ce qui pourra se révéler utile à un élève ne le sera pas nécessairement à un autre. Par ailleurs, une directive identique n'aura plus le même sens pour un élève selon l'étape où il en sera sur son propre chemin. Les différentes possibilités de traduction rendent compte aussi de la complexité du phénomène et les interprétations les plus savantes ne sont pas toujours celles qui soulignent l'aspect le plus profond de l'enseignement. Il est certain que le sens donné à un terme peut, à une nuance près, déterminer l'orientation d'un passage tout entier. Il est possible aussi de manquer des indications pourtant très précieuses en retenant un terme plutôt qu'un autre.

Étant donné l'insistance des textes évangéliques sur le thème de la vue – et par conséquent sur celui de la vision spirituelle – on peut en conclure avec certitude que cet aspect se trouvait au cœur même de l'enseignement de Jésus. Un texte mérite une attention particulière à ce sujet. On le trouve le plus souvent traduit sous cette forme : « La lampe du corps, c'est l'œil. Si donc ton œil est *sain*, ton corps tout entier sera lumineux. Mais si ton œil est malade, ton corps tout entier sera ténébreux. Si donc la lumière qui est en toi est ténèbres, quelles ténèbres ! » (Mt 6, 22-23).

Certains commentateurs proposent comme explication que pour thésauriser des trésors au ciel, le disciple doit avoir son « œil spirituel » en bonne santé (cf. Lc 11, 34). De la même façon que le corps est illuminé par l'œil (comparable à une fenêtre), il en est de même avec l'œil spirituel à travers lequel l'esprit de l'homme peut être soit illuminé, soit dans les ténèbres. Un tel sens, qui va de soi, représente un premier niveau de signification. Il est cependant nécessaire de s'arrêter ici plus longuement sur le terme que l'on traduit par « sain », *haplous*, qui signifie littéralement « simple ». Le terme araméen correspondant est *pesîtâ*.

J. N. Darby est l'un des rares traducteurs à maintenir le mot « simple » [29]. Le mot grec *haplous* veut dire « simple » dans le sens de « sans mélange, franc, qui va droit au but, direct, sincère, sans faille, pur ». On peut déjà discerner ici une extension en considérant qu'il se réfère à l'intégrité de l'homme dont le regard est seulement fixé sur Dieu et sur sa loi. C'était déjà le sens donné à la « simplicité » dans l'Ancien Testament, avec parfois la connotation supplémentaire de « bienfaisant » et « généreux ».

En Matthieu, œil simple s'oppose à œil mauvais. L'« œil mauvais » désigne plus particulièrement l'envie, la jalousie, le fait d'être avare et incapable de donner (cf. Mt 7, 22). Cette expression est mentionnée par exemple en Matthieu 20, 15 après que le propriétaire de la vigne a déclaré aux ouvriers envieux : « Est-ce qu'il ne m'est pas permis de faire ce que je veux de mes biens ? »

Comme le passage concerné fait immédiatement suite à l'enseignement qui propose de ne pas amasser de trésors sur la terre, l'accent est donc mis sur l'opposition généreux/avare ; magnanime/envieux ou encore biens célestes/biens terrestres.

Tout naturellement, la parole sur « œil simple » (dont la traduction la plus fréquente est « sain » ; parfois « intact, parfait, transparent » – avec la double idée de sain et clair) devient alors un prolongement de la leçon sur le détachement et peut même revêtir, en filigrane, une connotation d'ordre moral. Mais cette interprétation reste encore insuffisante. Dans ce cas, « œil » n'est pas du tout utilisé comme une analogie qui permettrait la transposition allégorique du domaine physique au domaine spirituel. Or il y a un jeu de mot en araméen avec le terme *aynâ* qui veut dire à la fois « œil » et « source », de telle sorte que si la source est trouble, si le moyen de voir clair est perturbé ou divisé, il ne peut s'ensuivre que de la confusion et de l'obscurité.

En se fondant sur les anciens manuscrits syriaques et araméens, Georges Gander traduit le passage de cette façon : « L'œil est l'organe de la vue. Si ton œil est en bon état, tu verras clair. Mais si ton œil est en mauvais état, tu verras mal. De même, si ton âme n'est pas en bonne condition, comment pourrais-tu connaître la Lumière [de la vie éternelle] [30] ? »

Et la bonne condition de l'âme va être considérée comme étant la générosité, l'intégrité, la franchise – ce qui est indéniable mais n'apporte rien de nouveau. L'expression « œil sain » a la préférence des traducteurs parce qu'elle est mise en opposition rhétorique avec « si ton œil est malade » (*ponèros*). Ce terme signifie soit « dans la peine, souffrant », soit « en mauvais état, défectueux » ou encore « mauvais, méchant » (*o Ponèros*, le Malin). Par conséquent, la traduction par « malade » en 6, 23 amène à traduire *haplous* comme un antonyme, c'est-à-dire par « sain ».

On retrouve une autre sorte d'opposition en Romains 12, 8 et 9 : « Qui partage agira avec *simplicité* [*haplotèti*] », suivi plus loin par : « rejetez le *mal* [*ponèron*] ».

Ces différentes approches ont chacune leur valeur et éclairent un aspect de la parole, mais elles restent cependant encore périphériques par rapport à l'enseignement principal.

En fait, cette parole donne une indication très précieuse qui comporte de multiples implications. « Si ton œil est simple » ne concerne pas essentiellement des qualités morales mais désigne avec précision *la capacité de voir* pleinement, d'une façon claire, non altérée. Cette clarté est due au fait que la vision est une, non duelle, c'est-à-dire en parfaite adéquation avec ce qui EST. Mentionner l'organe de la vue est donc une manière d'évoquer une fonction, celle de l'intelligence objective qui perçoit la réalité telle qu'elle est, sans la déformer par une quelconque interférence personnelle. Cette capacité de voir peut être d'ailleurs très affinée et correspond à une appréhension directe de la réalité sans aucune déformation. La réalité ou la vérité étant toujours une, seul un « œil simple » est par conséquent en mesure de la percevoir [31]. Dans la terminologie du Vedânta, cet « œil simple » correspond au terme sanscrit *buddhi*, l'intelligence objective. Un œil unique (ou une vision qui n'est pas dédoublée, opacifiée, trouble) donne accès à la réalité pure – et simple.

Un passage de la *Bhagâvad-Gîta* peut être mis en correspondance avec celui de Matthieu : « C'est à ces hommes constamment unifiés, mes adorateurs affectueux, que je communique cette discipline de la *buddhi* qui les fera parvenir jusqu'à moi. » (X, 10) Seule une vision unifiée et intégrée permet la connaissance. On peut même ajouter que plus cette vision s'affine et devient subtile, plus elle permet l'accès à des niveaux supérieurs d'être et de conscience. À la suite d'une purification progressive « de l'organe de perception », la vision devient unique, aiguë, pénétrante, et elle dissipe ainsi les ténèbres ou les voiles qui recouvrent la Lumière de la vie éternelle.

La définition classique de la *buddhi* vient confirmer cet élément : « Intellect supérieur ; la partie la plus subtile et la plus pure de l'organe interne qui, constituant dans l'individualité humaine un plan de réfraction, capte un reflet de la lumière de la pure Conscience [32]. »

Le fait que l'œil soit simple, unique, est donc primordial pour échapper aux ténèbres. Tel est l'enseignement contenu dans la parole de Jésus. Même si les définitions et les traductions précédentes s'appliquent toujours, elles ne doivent pas cependant nous distraire de l'importance que l'on doit accorder à la restauration de l'unicité du regard.

Il ne s'agit pas ici d'une question anodine puisque seule la vision juste permet à l'homme de s'orienter dans la vie. Elle peut le délivrer des ténèbres et l'acheminer jusqu'à la réalisation spirituelle. En araméen ou en syriaque, « la lumière, la lampe » renvoient métaphoriquement au « bonheur », au « salut » [33], ce qui renforce la dimension mystique du propos. L'œil simple, la vision non divisée est le signe de la santé spirituelle par excellence. « Jésus a dit : Quand vous ferez le deux Un... » (Thom 106) Il est la preuve que l'homme est réunifié et qu'il peut adhérer pleinement à la réalité. Cette étape (qui n'est pourtant qu'un point de départ) est indispensable pour progresser ensuite vers des niveaux encore plus subtils. Dans les textes, il est d'ailleurs question « des cieux » au pluriel, et l'Évangile de Jean affirme : « Dans la maison de mon Père, il y a de nombreuses demeures » (Jn 14, 2). Cette parole est une manière d'évoquer une hiérarchie dans les états d'être et les degrés d'accomplissement. De la même façon, la tradition tibétaine parle des différentes « terres de boddhisattva » ainsi que des qualités spirituelles correspondantes.

Il est particulièrement instructif que l'aspect de simplicité soit opposé au Malin. Ainsi, dans la deuxième Épître aux Corinthiens, au chapitre 11, « la simplicité (*haplotès*) envers le Christ » s'oppose « à l'exemple d'Ève, que le serpent a dupée par son astuce » (v. 3). Le serpent, Satan (v. 14), est le *diabolos*, c'est-à-dire le « diviseur », qui engendre la dualité. Dans l'Épître de Jacques, Dieu donne la sagesse généreusement, avec simplicité (*haplôs*), mais l'homme double (*anèr dipsychos*) ne peut pas s'imaginer recevoir quoi que ce soit de lui (Jc 1, 5 et 7-8). Littéralement, *anèr dipsychos* signifie « homme à deux âmes » et est rendu généralement par « homme partagé », mais cette traduction a l'inconvénient de ne pas mentionner explicitement le caractère duel (cf. A. Chouraqui : « Êtres doubles ! » en 4, 8).

Par conséquent, cet aspect duel, cette division en l'homme est particulièrement grave puisqu'il se trouve alors coupé de la réalité ou de « ce que Dieu a uni ». Cela rejoint le sens de la parole énoncée en Matthieu : « Si donc la lumière qui est en toi est ténèbres, quelles ténèbres ! » D'où l'importance d'un véritable travail de purification, d'une discipline guidée d'une façon rigoureuse pour lutter contre le Malin, le mental, et atteindre cet état de simplicité du regard, d'unité de la vision.

Une autre parole qui n'est jamais mise en corrélation avec celle de Mt 6, 22-23 concerne pourtant ce même point essentiel de l'enseignement.

La phrase est bien connue : « Que votre parole soit oui, oui, non, non ; ce qu'on y ajoute vient du malin » ou encore : « Quand vous parlez, dites Oui ou Non : tout le reste vient du Malin » (Mt 5, 37).

La façon dont cette parole est communément comprise relève de la plus grande banalité et on peut se demander s'il est dans ce cas vraiment nécessaire de faire appel à Jésus pour un conseil aussi simple : il ne faut pas tergiverser, il faut être clair dans les relations avec autrui, ne pas être hésitant ni fourbe... Tout cela va de soi et n'a pas d'incidence révolutionnaire sur le plan de l'être et la transformation intérieure (même si ce sont des qualités ou des attitudes très respectables). On peut trouver ici un exemple de la dilution du sens réel d'une parole et constater comment un enseignement spirituel peut facilement être rendu inopérant par déplacements progressifs du point central vers des cercles plus extérieurs.

On peut repérer ainsi plusieurs niveaux ; celui de la vérité : il faut être véridique par rapport à ses choix et les signifier clairement ; celui de la sincérité : il faut que la parole que l'on prononce soit fidèle à ce que l'on ressent (cf. II Co 1, 17) ; celui de la solennité : la répétition (comme celle du *amen* pour inaugurer un enseignement par exemple) renforce la gravité et l'autorité du propos évoqué.

Encore une fois, tous ces aspects ne doivent pas être rejetés et ils peuvent même sûrement être étayés. D'après le Talmud de Babylone, le « oui » et le « non » deviennent des serments s'ils sont répétés deux fois [34]. Un autre texte du Talmud précise : « Que ton "oui" soit juste – authentique – et que ton "non" soit juste [35]. »

L'enseignement général dans lequel la parole s'insère concerne le fait de ne pas jurer, de ne pas faire de serments. Ce point était déjà mentionné dans l'Ancien Testament avec une mise en garde pour ne pas invoquer la divinité comme garant et prendre ainsi le risque de se parjurer (cf. Lv 19, 12 et Dt 23, 21-23). Il est vrai que dans les cultures de l'Orient et du Moyen-Orient, les tractations commerciales font l'objet de nombreux marchandages, et le nom de Dieu est aisément invoqué pour prouver sa bonne foi !

Par définition, le disciple doit être intègre et n'a pas besoin de prêter serment ni d'avoir recours aux noms divins et sacrés pour prouver qu'il dit vrai. Il doit être autant unifié dans son affirmation que dans sa négation. Sa parole contient en elle-même son propre critère de validité et il n'a pas besoin de recourir à quoi que ce soit d'extérieur pour apporter une quelconque certification.

Jusqu'à présent, tout cela ne concerne en rien la nécessité d'avoir un « œil simple » et de revenir à une vision non duelle de la réalité. Il faut préciser que les traductions françaises, quelles que soient les formulations proposées, ne permettent pas d'établir la corrélation, et il est indispensable de passer par le texte latin de la Vulgate. On peut préciser au passage que pour établir sa traduction latine au IVe siècle, saint Jérôme fait souvent une traduction directe à partir du texte araméen en la complétant avec les textes grecs dont il disposait. En effet, Jérôme a été introduit aux textes araméens par Épiphane qui parlait le grec en plus de l'araméen. Ce dernier était le fils d'un paysan de Judée.

Pour aborder le sens subtil de Mt 5, 37, le moine chartreux Augustin Guillerand ainsi qu'Arnaud Desjardins se réfèrent à la Vulgate, mais il faut reconnaître que c'est bien rarement le cas [36]. Dans la version de saint Jérôme, le texte est le suivant : *Est, est, non, non* (sous-entendu *non est*), ce qui donne : « Dis toujours : ce qui est est, ce qui n'est pas n'est pas », ou encore : « Dis c'est, c'est, ce n'est pas, ce n'est pas, car tout le reste vient du Malin. » La perspective s'en trouve complètement changée. Il est question cette fois de ce qui est, de la réalité ainsi que de la façon dont on se situe par rapport à elle, de la façon dont on la voit. Et de même que dans la situation évoquée précédemment où œil n'est pas simple, il apparaît ici qu'une attitude fausse, en porte-à-faux par rapport au réel, relève tout autant du Malin. Le Malin n'est pas une entité extérieure à nous, un être maléfique correspondant à la conception médiévale du diable (il y a un risque d'ambiguïté à partir du moment où il donne lieu à une personnification métaphorique) alors que c'est un dysfonctionnement intérieur, un facteur d'illusion perturbant la vision et déformant par conséquent la réalité. La plupart des exégètes sont d'accord pour considérer que la dernière demande du *Pater* doit être rendue par : « Mais délivre-nous du Malin » (Mt 6, 13), et c'est bien ainsi que l'entendaient les Pères grecs [37].

La restauration d'une vision adéquate, conforme à la vérité au sens le plus simple et le plus immédiat de ce mot, constitue un véritable défi dont il ne faut pas minimiser l'ampleur. La capacité d'appréhender les choses sans l'interférence d'aucun voile perturbateur suppose déjà une grande transparence de l'intelligence et du cœur et correspond à un accomplissement méritoire [38].

À certains égards, l'enseignement de Jésus est d'une extrême précision méthodologique, car l'affranchissement ultime ne peut pas être le résultat d'une attitude floue et approximative. Bien au contraire, et l'énoncé de Mt 5, 37 l'atteste, il est nécessaire de s'en tenir à une rigueur intransigeante. Celle-ci est exigée non pas au nom d'une rigidité ou d'un dogmatisme quelconque mais simplement parce qu'on ne peut transiger avec la vérité. Ce qui est est, ce qui n'est pas n'est pas : voilà qui semble relever de la pure évidence, mais une observation plus approfondie permet de nous montrer que cette reconnaissance est loin d'être naturelle et qu'elle est au contraire le fruit d'une discipline inlassable.

Swâmi Prajnânpad avait ainsi adressé une note à un élève pour l'obliger à voir et à accepter un fait en tant que tel alors que tout en lui y résistait : « Puisque c'est arrivé, vous ne pouvez pas l'annuler. Alors ! C'est là ! Acceptez-le ou rejetez-le ! Pouvez-vous dire "Non, ce n'est pas arrivé " ? Non, vous ne pouvez pas dire "non". Alors dites "oui". Il n'y a rien entre les deux. Ce qui est entre oui et non est une illusion [39]. »

Un œil simple, une vision unifiée, est donc une expérience d'unité permettant la pleine reconnaissance de ce qui est. Grégoire de Nysse aborde ce même point de l'enseignement en une phrase concise et d'une grande pertinence : « La connaissance de ce qui est, dit-il, résulte de la purification de l'opinion qui porte sur ce qui n'est pas. » Cette purification est exactement ce à quoi invite Jésus, car elle est le seul moyen d'échapper aux ténèbres et de découvrir le Royaume des Cieux. À n'en pas douter, c'est l'œuvre de toute une vie !

La vision ajustée est une qualité spirituelle de tout premier ordre et elle peut être repérable dans des domaines les plus ordinaires et quotidiens. Gurdjieff disait par exemple qu'avec une personne qui sait fabriquer une paire de chaussures, on peut parler de spiritualité.

Les juifs portaient en haute estime le travail manuel et le considéraient même comme sacré, à tel point que les rabbins soutenaient que « l'artisan à son ouvrage n'a pas besoin de se lever devant le plus grand docteur [40] ». Jésus, qui était charpentier, maîtrisait l'art de l'ajustement et de l'appréciation juste. Le Talmud rapporte ainsi que dans les situations difficiles, lors d'un procès, il est possible de faire appel à un charpentier parmi l'assistance pour lui demander de se prononcer au sujet d'un cas délicat. D'après Justin, Jésus fabriquait des charrues et des jougs et il s'y référait « pour enseigner les symboles de la justice et de la vie active [41] ».

L'enseignement le plus difficile pouvait être en prise directe avec l'expérience quotidienne et les mécanismes profonds du psychisme étaient illustrés par les situations les plus courantes. C'est encore au thème de l'œil et de la vue que Jésus fait appel lorsqu'il déclare : « Qu'as-tu à regarder la paille qui est dans l'œil de ton frère ? Et la poutre qui est dans ton œil à toi, tu ne la remarques ! Comment peux-tu dire à ton frère : "Frère, laisse-moi ôter la paille qui est dans ton œil", toi qui ne vois pas la poutre qui est dans ton œil ? Hypocrite, ôte d'abord la poutre de ton œil ; et alors tu verras clair pour ôter la paille qui est dans l'œil de ton frère » (Lc 6, 41-42 ; Mt 7, 3-5). Là encore, il faut essayer de pousser jusqu'au bout les implications d'un tel enseignement. L'aspect hyperbolique de la métaphore est évident, et c'est à dessein que Jésus force le trait. Il cherche à provoquer un choc chez l'auditeur en utilisant une image qui peut sembler caricaturale mais qui correspond pourtant à une profonde vérité. Dans la continuité d'autres paroles, cette métaphore illustre l'enseignement selon lequel il ne faut pas juger ni comparer. Il préconise sans cesse l'amour des ennemis, le pardon ; la pratique de la tolérance et l'imitation de la clémence divine. Il est difficile de ne pas faire peser, sur une telle parole, une lourde connotation morale : nos fautes sont pires que celles des autres et nous devrions tenter de les corriger plutôt que d'essayer de corriger celles que nous voyons chez autrui. Une telle remarque peut être légitime mais elle n'épuise pas le sujet. « Ôte d'abord » renvoie chacun à lui-même, mais non pas d'une façon ponctuelle en fonction d'une situation occasionnelle. C'est l'ensemble d'un programme qui est sous-entendu dans cette injonction précise. À nouveau, l'insistance est mise sur la nécessité de voir clair. Et il est important de comprendre de quel ordre de vision il s'agit et de quelle nature sont les obstacles qui l'interdisent. Le texte grec utilise simplement le verbe regarder, *blepeis*, à propos de la paille dans l'œil d'autrui. Cela ne demande aucun effort particulier. En revanche, concernant le fait de ne pas remarquer la poutre dans notre œil, le verbe utilisé ici, *katanœis* (de *noèsis*, pensée, intellect) signifie : « prendre note, détecter, acquérir la connaissance de, prendre en compte, apprendre, observer, comprendre ». Cela suppose alors un effort de conscience, la mise en œuvre d'un travail d'étude de soi-même qui ne peut se faire que par la pratique d'une vigilance aiguë. Une personne qui ne voit pas la poutre dans son œil est une personne qui n'a pas développé la capacité à s'observer. La Fontaine l'exprime sous une forme empreinte d'ironie : « Lynx envers vos pareils, et taupes envers nous [42]. » Cette personne se fuit elle-même en cherchant des prétextes et des excuses à l'extérieur et en rejetant la responsabilité sur l'autre. La poutre évoque l'énormité des distorsions intérieures qui aveuglent, mais, en réalité, les défauts particuliers, les travers reliés à l'égoïsme ne sont que la conséquence de la distorsion majeure que représente l'égocentrisme.

Et il y a encore plus dans cette parole. Le mot que l'on traduit habituellement par « paille » est surtout compris comme illustrant quelque chose de léger, d'insignifiant. Or, plutôt que de la paille, il s'agit d'un éclat de bois, d'une écharde ou d'un copeau (il est difficile pour un menuisier ou un charpentier dont le métier est le travail du bois de ne pas recevoir un jour ou l'autre un éclat dans l'œil). Ce qu'il est important de souligner, ce n'est pas seulement que cet éclat est d'une taille ridicule par rapport à une poutre, mais aussi et surtout qu'il est de même nature – c'est-à-dire en bois [43]. Autrement dit, peu importe que ce que l'on voit chez l'autre soit à l'état de trace puisque le mécanisme à l'œuvre en nous est exactement de même nature. Certes, l'ampleur de la distorsion peut être plus ou moins grande, mais le mécanisme en tant que tel est identique et c'est de cela dont il faut se libérer. Beaucoup plus qu'une leçon de morale, cette parole aborde une vérité psychologique incontournable correspondant dans le langage moderne à la projection ou au transfert.

Le texte affirme qu'il est illusoire de prétendre « voir clair » sans avoir au préalable purifié de tels mécanismes et qu'il est nécessaire, pour commencer, de les étudier d'une manière approfondie. Se charger d'ôter l'écharde dans l'œil du frère signifie que l'on refuse ce qu'il porte en lui – et on refuse ce qu'il porte en lui parce que cela résonne en nous. En réalité, c'est la raison fondamentale pour laquelle nous le refusons. Cette métaphore est là pour rappeler que le psychisme humain a ses lois et qu'il est nécessaire de les connaître afin de pouvoir les dépasser.

Les Pères des premiers siècles, par exemple, avaient des connaissances très approfondies en ce domaine. Ils savaient que « celui qui accomplit la vérité vient à la lumière » (Jn 3, 21), et de cette façon ils étaient enclins à ne négliger aucun aspect de leur être.

VI

LE MAÎTRE EST LÀ
ET IL T'APPELLE *

Dans toutes les traditions vivantes, on retrouve l'importance du maître spirituel, du guide qui instruit, enseigne et oriente les élèves selon leur itinéraire propre. Pour le sage pleinement éveillé, cette fonction d'enseignement n'est pas réductrice et ne diminue en rien la magnificence de son état spirituel. Elle est au contraire l'émanation spontanée de son éveil intérieur et exprime la surabondance de son amour et de sa compassion.

Jésus est sans cesse sur les routes et, selon la terminologie de Luc, il « proclame l'Évangile » (*euangelizesthai*), il « annonce la Bonne Nouvelle du Royaume de Dieu » (Lc 4, 43 et 8, 1). Selon les textes, il est rapporté qu'il enseigne (*didaskein*) ou prêche (*kêrussein*) dans les synagogues de Nazareth, de Capharnaüm ou encore d'autres synagogues en Galilée. Selon Matthieu, il enseigne mais n'évangélise pas dans le Temple de Jérusalem (Mt 21, 23) et Marc évite à la fois les deux termes (Mc 11, 27). Jésus utilise aussi les occasions fortuites, les situations, les questions impromptues qui lui sont posées pour donner des enseignements en plein air et s'adresser à une foule autant qu'accorder en privé des entretiens particuliers. De nombreuses fois, dans les Évangiles, on s'adresse à lui en tant que maître. En hébreu *rabbi* ou en

_____
* Jean 11, 28.

araméen *rabbounî* signifient « mon maître ». Ils sont parfois traduits en grec par *kyrios*, « Seigneur » ; par *epistatès* chez Luc, « celui qui se tient dessus », ou par *didaskolos*, « celui qui enseigne [1] ». Il semble que, du point de vue du disciple, le terme de « maître » soit une façon normale et naturelle de considérer et de nommer son guide spirituel. On le retrouve à huit reprises dans l'Évangile de Jean et de manière récurrente dans les synoptiques. Certains auteurs considèrent cependant qu'il s'agit d'un anachronisme et retiennent de préférence l'aspect qui insiste sur le titre de majesté. Les deux sont néanmoins conciliables, chaque dénomination n'étant pas exclusive de l'autre.

E. L. Sukenick a découvert un ossuaire sur le mont des Oliviers datant de plusieurs générations avant la destruction du Temple et où figure l'inscription *didaskolos*, « maître » [2]. Il apparaît, d'après Matthieu 23, 7, que le terme était courant à l'époque de Jésus puisque ce dernier reproche aux pharisiens d'aimer « s'entendre appeler "Rabbi" par les gens ». Encore plus précisément, Jésus ajoute : « Pour vous, ne vous faites pas appeler "Rabbi" : car vous n'avez qu'un Maître, et tous vous êtes des frères » (Mt 23, 8).

Il est certain qu'une familiarité avec d'autres traditions spirituelles ainsi que la rencontre avec des maîtres vivants (et authentiques) est d'une grande aide pour pressentir plus adéquatement le rôle que Jésus a pu remplir et la nature de sa fonction. À n'en pas douter, l'aspect concret, direct et vivant de sa présence a été essentiel pour ses disciples. À travers les âges, il en a toujours été de même lorsque s'établit une véritable relation entre maître et élève. Le maître est certes l'incarnation de Dieu, mais il renvoie aussi au disciple l'image de son propre accomplissement futur. D'un autre côté, le fait que Jésus ait été baptisé par Jean souligne l'importance de la continuité d'une ligne de transmission conductrice d'une énergie supérieure. Il est très difficile de concevoir un enseignement spirituel sans la présence vivante d'un maître qui l'incarne, non seulement par sa présence mais aussi par sa parole et ses instructions précises. C'est ainsi que Jésus peut affirmer : « Tout homme qui, après avoir entendu ces paroles, les accomplira sera comme moi, qui vous enseigne » (Mt 7, 24). En se fondant sur les textes araméens et les versions syriaques anciennes, Georges Gander précise qu'au sens littéral, le texte dit : « sera comme l'homme sage [3] ».

Jésus parle de lui-même à la troisième personne. Cette façon de se désigner impersonnellement n'est pas une attitude humble voulue délibérément, et encore moins la marque d'une distance hautaine. Elle est plutôt l'expression spontanée d'une absence d'ego ou d'individualité séparée. D'autres sages ont aussi parlé d'eux à la troisième personne, par exemple Swâmi Râmdas, ou encore Mâ Anandamayî qui pour parler d'elle mentionnait parfois « ce corps » ou « cette petite fille ». Ils témoignent de ce fait d'une réelle désidentification de la conscience.

En araméen, la notion de sage, *chakima*, désigne exactement celui « qui est sage, qui sait, qui enseigne ». « Le sage par excellence, celui qui enseigne la "sagesse" des Cieux dans toute sa pureté, c'est le Rabbi venu de Dieu. Ceux qui l'accompliront, ses disciples, seront désormais à son image [4]. » Cela suppose de la part du disciple une profondeur d'ouverture et d'écoute qui, le plus souvent, ne peut venir qu'au fil du temps. C'est pourquoi « les grands maîtres se répètent constamment eux-mêmes », remarque T. W. Manson [5]. L'enseignement ne peut être absorbé que peu à peu, par une imprégnation progressive. Dans le langage biblique, les reins et le cœur représentent l'intimité et la profondeur de l'être et, comme le précise un Psaume, c'est jusqu'à ce niveau que l'enseignement doit pénétrer : « Voici, dans les reins même, tu aimes la vérité, dans le lieu hermétique tu me fais connaître la sagesse [6]. » De la même façon, l'Épître de Jacques mentionne cette Parole qui doit être implantée (Jc 1, 21) et dont on présume par conséquent qu'elle fructifie ensuite au-dedans. Il y a à ce sujet une parole particulièrement importante en forme d'avertissement : « Prenez donc garde à la manière dont vous écoutez ! Car celui qui a, on lui donnera, et celui qui n'a pas, même ce qu'il croit avoir lui sera enlevé » (Lc 8, 18). Une telle phrase n'a de sens que dans une perspective ésotérique car, contrairement aux apparences, il ne s'agit pas de possessions, c'est-à-dire d'un avoir au sens ordinaire, mais plutôt d'être et d'une densification de cette qualité d'être. L'être, par sa croissance, se renforce lui-même ; il se développe – ainsi que le souligne la parole – parce qu'il est nourri par l'enseignement et l'énergie qui passe à travers lui. Mais encore faut-il y être suffisamment réceptif. En revanche, celui qui se méprend sur son état d'être réel se retrouvera sans rien, car une fois cette illusion arrachée, il sera confronté à son niveau véritable. Il s'apercevra alors qu'il n'a rien fait fructifier en lui et que tout ce qu'il a échafaudé reposait sur une base mensongère. *Avant tout, Jésus enseigne à être.* Il proclame d'une façon répétée « Je Suis », ce qui n'est autre que le nom divin.

« Ils lui disent donc : "Qui es-tu ?" Jésus leur dit : "Dès le commencement ce que je vous dis [7]." » (Jn 8, 25) La dimension transcendante et intemporelle est clairement affirmée : « Jésus leur dit : "En vérité, en vérité, je vous le dis, avant qu'Abraham existât, Je Suis." » (Jn 8, 58) Et c'est au disciple, par sa propre transformation, qu'il appartiendra d'atteindre une telle réalisation. Jésus avait prévenu Nicodème : « ... à moins de naître d'en haut, nul ne peut voir le Royaume de Dieu » (Jn 3, 3), ce qui implique une totale révolution intérieure, une métamorphose au cœur même de l'être. L'enseignement en tant que voie d'éveil est le véhicule d'une énergie qui foudroie les limites artificielles et sécurisantes. La Réalité ultime, le Royaume des Cieux, ne peut pas être enfermé dans les catégories de la pensée : tel est le témoignage universel des sages et des mystiques.

L'arrestation de Jésus est un épisode significatif à cet égard. Au jardin des Oliviers, les gardes des grands prêtres et des pharisiens s'approchent pour s'emparer de Jésus. « Jésus donc, sachant tout ce qui vient sur lui, sort et leur dit : "Qui cherchez-vous ?" Ils lui répondent : "Jésus le Nazôréen." Il leur dit : "Je Suis." [...] Quand donc il leur dit : Je suis, ils reculent en arrière et tombent sur le sol » (Jn 18, 4-6). Si la réponse de Jésus était à prendre dans le sens : « C'est moi », comme on la traduit généralement, les soldats n'auraient pas été littéralement balayés de la sorte. En réalité, ils ne peuvent soutenir la présence du pur « Je Suis », du Souffle divin. De la même façon que Moïse et le peuple devant le buisson ardent, les soldats sont démunis devant l'éclat du Nom. Ils tombent à la renverse parce qu'ils ne peuvent supporter une telle puissance.

Dans l'Évangile de Thomas, le logion 82 affirme : « Jésus disait : Celui qui est près de moi est près du feu ; Et celui qui est loin de moi est loin du Royaume ». Il faut être soi-même devenu de la même nature que le feu pour supporter ce feu dont parle Jésus. Bien que ne figurant pas dans les Évangiles synoptiques, ce logion était pourtant déjà connu d'Ignace d'Antioche (35-107) et il montre à quel point le maître spirituel est un passage obligé [8].

L'engagement auprès de Jésus, comme auprès de tout maître d'ailleurs, est d'une gravité particulière. Il expose le disciple à une splendeur dévastatrice qui seule le rendra réellement vivant. Mais le maître enseigne par étapes et il s'adapte aussi au niveau d'être des auditeurs. Ainsi, toutes les paroles de Jésus n'appartiennent pas au même plan de réalité et il se peut même qu'il adopte certains points de vue uniquement par concession à la faible capacité de compréhension de ceux qui l'approchent. Lorsqu'il déclare : « Vous donc, priez ainsi : Notre Père qui es dans les cieux » (Mt 6, 9), il se place dans la perspective d'un Dieu personnel dont la notion est accessible au plus grand nombre. Lorsqu'il affirme : « Je suis la vigne ; vous, les sarments » (Jn 15, 5), il énonce une vérité plus délicate à saisir : l'identité d'un courant de vie qui se propage, d'une énergie spirituelle qui passe du maître à l'élève ; la croissance à partir d'une racine unique ainsi que la production ultérieure du vin, symbole de l'expérience mystique et de la vie régénérée. Lorsque Jésus dit : « [...] afin que tous soient un. Comme toi, Père, tu es en moi et moi en toi »(Jn 17, 21), ou bien : « Quand vous ferez le deux Un, [...] alors vous irez dans le Royaume » (Thom. 22), il se réfère au niveau ultime auxquels n'ont accès que ceux en qui s'est opérée une profonde transformation intérieure.

En y regardant de plus près, on peut découvrir qu'une telle hiérarchisation est inévitable. Elle s'impose pour ainsi dire d'elle-même car elle correspond aux différentes capacités des auditeurs. « La mission de Jésus et de ses disciples, écrit C. H. Dodd, comporte un appel qui s'adresse sans discrimination aux hommes de toutes sortes. *Pourtant*, il y a après tout un processus de sélection ; et ceci peut être parfaitement illustré par une série de péricopes de l'Évangile dans lesquels les éventuels disciples de Jésus sont passés au crible [...]. L'appel s'adresse à tous sans exception ; ceux qui en sont dignes sont distingués des autres par leur réaction aux exigences que l'appel comporte [9]. » La réponse à cet appel n'est pas un point d'aboutissement mais au contraire un point de départ. Il y aura en effet beaucoup d'épreuves à rencontrer, de souffrances à dépasser mais aussi beaucoup de joie, de lumière et d'émerveillement.

Le chemin n'est pas uniquement une *via dolorosa*, même si Jésus a affirmé : « Qui ne prend pas sa croix et ne vient pas à ma suite n'est pas digne de moi » (Mt 10, 38). Marie Balmary, qui s'est attardée sur cette parole d'après le texte grec, a remarqué que la croix, *stauros*, le pieu vertical sur lequel on accroche le bois transversal des suppliciés, évoque aussi le verbe « se tenir debout ». On y retrouve la racine de tous nos verbes : le *sto* latin, le *stand* anglais, *stehen* allemand ainsi que « instaurer » en français [10].

Il ne faut donc pas y voir avant tout l'aspect inévitable de la crucifixion finale mais plutôt la capacité d'assumer le présent, dans la force et la stabilité intérieure [11].

Jésus exige une certaine maturité pour être digne de lui, c'est-à-dire pour être en mesure de recevoir ce qu'il a à donner. En 9, 23, Luc précise : « Si quelqu'un veut venir à ma suite [...], qu'il se charge de sa croix chaque jour. » Une qualification préalable pour être en mesure de suivre Jésus consiste à pouvoir accueillir ce qui se présente et l'accepter non pas passivement dans la résignation mais activement, avec responsabilité et courage.

Cet élément de maturité est aussi souligné par le terme « digne », *axios*, qui concerne « ce qui a de la valeur », mais en relation avec « ce qui a du poids ». Dans les civilisations antiques aussi bien que dans les sociétés traditionnelles, c'est en effet au poids que l'on mesure ce qui a de la valeur. En face de Jésus, il faut donc « faire le poids ». Il est intéressant de noter ici que le terme sanscrit *guru*, qui désigne le maître spirituel en Inde, signifie étymologiquement celui qui fait passer des ténèbres à la lumière, mais aussi celui qui est lourd, qui a du poids.

Le fait de suivre Jésus, de venir à sa suite ne doit pas faire problème dans la mesure où, ainsi que le précise la Traduction œcuménique de la Bible, pour « le judaïsme du Ier siècle, le verbe « suivre » désignait couramment le respect, l'obéissance et les nombreux services que les disciples des rabbis devaient à leurs maîtres [12] ». Marie Balmary y voit une marque de servilité et d'infantilisme, ou encore d'un reniement de soi-même destructeur.

Ce point est délicat dans la mesure où il touche précisément l'incapacité de l'ego à se soumettre et à admettre une « autorité » qui le remet en cause. Dans l'ensemble du Nouveau Testament, on peut trouver cité le mot « obéissance » et ses dérivés à quatre-vingt-sept reprises. Toutefois, Jésus ne l'évoque jamais. La relation entre le maître et l'élève est la relation la plus intime et sacrée qui puisse s'établir entre deux êtres humains, et il est très difficile, vu de l'extérieur, de comprendre comment une telle relation peut conduire l'élève vers une totale liberté et indépendance.

Textuellement, la phrase dit : « Qui ne prend pas sa croix et me suit n'est pas digne de moi », mais il ne faut pas en déduire que la négation ne s'applique qu'au verbe « prendre » et non à celui de « suivre ».

En vertu d'une ellipse propre au grec, la particule négative qui vaut pour *lambanei*, « prendre », vaut aussi pour *akolouthei* « suivre » [13]. Le fait de « marcher à la suite » n'est pas humiliant si l'on comprend bien qu'il ne s'agit pas d'être un « suiveur » qui a perdu toute capacité de discernement. Bien au contraire, l'attitude du véritable disciple se distingue par le fait qu'il s'expose totalement en toute lucidité et ne cherche aucunement à se cacher derrière une quelconque figure protectrice. Il a simplement reconnu qu'il ne sait pas où est le chemin et il a l'intelligence et l'humilité de se fier à plus expérimenté que lui. Le verbe *akolouthei* peut certes se traduire par « accompagner », mais c'est au sens où le serviteur accompagne son maître.

Dans le domaine spirituel et non plus simplement en fonction de l'apparence, c'est en réalité le maître qui accompagne le disciple, car c'est l'état intérieur de l'élève, son niveau d'être qui détermine le pas suivant à accomplir. Un tel accompagnement est une mystérieuse alchimie qui ne ressemble à rien de connu dans le monde ordinaire. La parole prononcée par le maître émane d'une source impersonnelle d'une formidable puissance. Un impact de ce genre se fait sentir tout au long des Évangiles qui, pourtant, ne sont que des écrits. Mais Jésus, Bouddha ou Socrate n'ont jamais écrit quoi que ce soit. Dans une étude sur la tradition orale, Werner Kelber a remarqué que « l'impact de Jésus aussi bien sur ses partisans que sur ses adversaires est dû dans une large mesure à son choix et à sa mise en œuvre du média oral. Les paroles proférées respirent la vie, tirent leur force du son. Elles véhiculent un sentiment de présence, d'intensité, d'instantanéité que l'écrit est incapable de donner [...]. C'est une chose bien connue dans la plupart des civilisations antiques, les paroles vivantes, spécialement celles émises par des locuteurs charismatiques, sont porteuses de pouvoir et d'existence [14] ».

L'essentiel de la transmission ne peut se faire que d'une façon directe et vivante ; cela suppose une relation profonde entre l'élève et le maître. La présence du maître est indispensable pour une raison évidente que Jésus énonce devant les scribes sous la forme d'une question : « Comment Satan peut-il expulser Satan ? » (Mc 3, 23). Seule l'acuité d'un être éveillé sera en mesure de dénoncer les ruses du Malin dont le disciple est le plus souvent la victime. Bien sûr, Jésus a pu être une immense source d'inspiration pour un grand nombre de personnes, sa seule présence dégageait une atmosphère spirituelle d'une telle intensité que ceux qui l'approchaient devaient sans doute pressentir quelque chose de l'Esprit Saint. Malgré tout, cela ne pouvait suffire à transformer radicalement les foules autour de lui ni même ceux qui pouvaient l'approcher de plus près. D'autres éléments étaient nécessaires et, en particulier, suivre Jésus signifiait se laisser accompagner jusqu'au bout de son propre monde intérieur, avec tout ce que cela comportait parfois de déchirant ou d'effrayant. Même si la grâce et les bénédictions étaient présentes, l'élève devait participer activement (« aide-toi, le ciel t'aidera ») au processus de transformation avec une détermination inébranlable et une conscience constamment en alerte.

L'enseignement de Jésus, dans son aspect le plus profond, ne se contente pas d'énoncer des règles de conduite d'ordre général. Il n'aborde pas des règles mais des principes spirituels redoutables pour le mental ordinaire (cf. Thom 71 : « Jésus a dit : Je renverserai cette maison, et personne ne pourra la reconstruire »). Et le réflexe courant des auditeurs occasionnels aussi bien que des élèves non préparés consiste soit à prendre la fuite soit à réagir avec violence pour se protéger.

« Si donc le Fils vous libère, vous serez réellement libres. Je sais, vous êtes la descendance d'Abraham ; mais vous cherchez à me tuer, parce que ma parole ne pénètre pas en vous » (Jn 8, 36-37). La parole ne pénètre pas parce que la capacité de compréhension des auditeurs est limitée. Et lorsque la menace devient trop pressante, ces derniers ont alors recours à l'attaque pour se défendre. Ainsi, « l'accusation de blasphème n'exprime pas tant un jugement rationnel qu'une révulsion passionnée, presque instinctive, contre ce qui semble une violation du sacré, remarque C. H. Dodd. Il a dû y avoir dans la manière dont Jésus parlait et agissait quelque chose qui provoquait cette révulsion dans des esprits conditionnés par leur passé, leur éducation et leurs usages [15] ». Et encore plus profondément qu'une révolte contre ce qui met en danger ces conditionnements, c'est surtout une tentative de l'ego lui-même cherchant à se maintenir à tout prix. D'où la véhémence et l'énergie rageuse jetée dans un tel combat.

Cette situation correspond exactement à celle qu'a connue Socrate cinq siècles plus tôt. L'enjeu est de même nature car il est toujours question – par-delà des contextes différents – d'accéder à la Vérité en détruisant toutes les sources du mensonge [16].

Au travers des siècles, la nature du « danger » que représente un enseignement de vérité est toujours du même ordre et cela reste vrai à moindre échelle chaque fois qu'un élève se trouve en face du maître. Un ancien adage affirme qu'« il y a deux choses dangereuses dans la vie : se tenir debout derrière un cheval ou assis devant un maître ! » Il suffit de se souvenir des réactions des interlocuteurs de Socrate lorsque ce dernier tentait de leur arracher leurs mensonges et leurs erreurs. De même que Jésus, il savait déconcerter, intriguer, laisser dans l'interrogation ou confronter directement les vues fausses de l'élève ; il lui permettait aussi d'entrevoir une dimension radicalement nouvelle.

Grand connaisseur de la Grèce antique et de la spiritualité vivante de l'Inde, Roger Godel décrit, au sujet des interlocuteurs de Socrate, une réalité qui a été éprouvée de la même façon par les interlocuteurs de Jésus : « Des réactions d'hostilité et même des actes de violence naissent fréquemment à l'encontre d'un éveilleur d'hommes. L'action cathartique dont le Sage fait surgir le cours comporte d'intenses remous. Avec l'ouverture, pour l'auditeur, de nouvelles perspectives, les fondations anciennes sur lesquelles il avait établi sa vie s'effondrent. Il demeure pour un temps sans support. En attendant qu'un sol ferme lui soit redonné il souffre d'un étrange désarroi. C'est bien à tort qu'il peut voir en celui qui a jeté de la lumière dans son monde embrumé un destructeur de l'ordre. Peut-être d'ailleurs ce jugement est-il en partie justifié : un brouillard quand on l'éclaire ajoute au voile d'opacité les méfaits de l'éblouissement [17]. »

De telles phases de perturbation ne sont que passagères et l'élève accède ensuite à un autre mode de perception ou à un niveau de conscience plus profond. Ce n'est qu'à ce moment-là qu'il comprend à quel point le maître a été compassionné à son égard et combien il était nécessaire pour lui de passer par cette opération à vif pour trancher les nœuds propres à son univers mental. Malheureusement, tous les disciples ne se prêtent pas aussi docilement à une telle chirurgie et Jésus laisse parfois échapper cette constatation qui en dit long sur leur attitude : « Avez-vous donc l'esprit bouché, *des yeux pour ne point voir et des oreilles pour ne point entendre* ? » (Mc 8, 17-18). La force de résistance est parfois trop grande et elle empêche de prendre les risques qui seraient pourtant nécessaires pour faire un pas de plus. Le mental excelle pour inventer des excuses et justifier une attitude timide quand ce n'est pas de franche lâcheté. Il y a toujours, selon lui, de bonnes raisons pour ne pas laisser une place à l'essentiel comme en témoigne la parabole des invités qui se dérobent : « À ces mots, l'un des convives lui dit : "Heureux celui qui prendra son repas dans le Royaume de Dieu !" Il lui dit : "Un homme faisait un grand dîner, auquel il invita beaucoup de monde. À l'heure du dîner, il envoya son serviteur dire aux invités "Venez ; maintenant tout est prêt." Et tous, comme de concert, se mirent à s'excuser. Le premier lui dit : "J'ai acheté un champ et il me faut aller le voir ; je t'en prie, tiens-moi pour excusé." Un autre dit : "J'ai acheté cinq paires de bœufs et je pars les essayer ; je t'en prie, tiens-moi pour excusé." Un autre dit : "Je viens de me marier, et c'est pourquoi je ne puis venir" » (Lc 14, 15-20).

Il peut arriver aussi pendant longtemps que la nature réelle de cette invitation ne soit pas claire. Le candidat-disciple a souvent beaucoup d'idées préconçues au sujet de ce banquet auquel il est convié. Quel est donc ce royaume qui est du monde sans être de ce monde ? Jésus marque bien la différence de plan : « "Faites-moi voir l'argent de l'impôt." Ils lui présentèrent un denier et il leur dit : "De qui est l'effigie que voici ? Et l'inscription ?" Ils disent : "De César." Alors il leur dit : "Rendez donc à César ce qui est à César, et à Dieu ce qui est à Dieu." À ces mots ils furent tous surpris et, le laissant, ils s'en allèrent » (Mt 22, 19-22 ; Mc 12, 15-17 ; Lc 20, 24-26).

Cette distinction rigoureuse entre deux niveaux totalement différents se trouve atténuée chez saint Paul, laissant de ce fait entrouverte la possibilité d'une confusion : « Car il n'y a point d'autorité qui ne vienne de Dieu, et celles qui existent sont constituées par Dieu. Si bien que celui qui résiste à l'autorité se rebelle contre l'ordre établi par Dieu. [...] Aussi doit-on se soumettre non seulement par crainte du châtiment mais par motif de conscience. N'est-ce pas pour cela même que vous payez les impôts ? Car *il s'agit de fonctionnaires qui s'appliquent de par Dieu* à cet office... » (Rm 13, 1-6). Ces propos désamorcent l'aspect radical de la parole précédente, car Jésus ne dit pas que les magistrats sont les ministres de Dieu et mandatés par lui pour prélever les impôts. Il parle au contraire de tout autre chose et son intention n'est certainement pas de chercher auprès de Dieu une caution pour légitimer certaines pratiques qui relèvent précisément du niveau mondain. L'intransigeance de Jésus ne doit pas être édulcorée (cf. Lc 11, 33). De nombreux passages dans les Évangiles font la distinction entre la religion établie, la morale conventionnelle et les principes spirituels véritablement transformateurs. Ces deux niveaux n'appartiennent pas au même monde et par conséquent ne répondent pas aux mêmes lois. Compte tenu de cette vérité, Jésus pouvait prévoir certaines conséquences inévitables : « Si le monde vous hait, sachez que moi, il m'a pris en haine avant vous. Si vous étiez du monde, le monde aimerait son bien ; mais parce que vous n'êtes pas du monde, puisque mon choix vous a tirés du monde, pour cette raison le monde vous hait » (Jn 15, 18-19).

Les valeurs réelles ne sont pas seulement ignorées, mais confondues avec d'autres voire même inversées : « On vous exclura des synagogues. Bien plus, l'heure vient où quiconque vous tuera pensera rendre un culte à Dieu » (Jn 16, 2). De telles paroles prédisent ce qui allait se passer, à savoir non pas seulement une opposition entre les païens et les chrétiens mais entre les chrétiens eux-mêmes en fonction de leur niveau de compréhension.

De manière indirecte, la question du maintien de la pureté des enseignements est soulevée, c'est-à-dire de la transmission d'une tradition vivante et non altérée. Mais dans ce domaine aussi, la loi de l'entropie semble jouer et c'est en ce sens que l'on peut interpréter la parole suivante adressée à Pierre : « En vérité, en vérité, je te le dis, quand tu étais jeune, tu mettais toi-même ta ceinture, et tu allais où tu voulais ; quand tu auras vieilli, tu étendras les mains, et un autre te ceindra et te mènera où tu ne voudrais pas » (Jn 21, 18). En d'autres termes, les développements successifs que peut prendre un enseignement au cours de l'histoire comportent souvent le risque de le détourner de son intention première, le menant dans une direction bien différente de son sens initial (« ... et te mèneras où tu ne voudrais pas »). Un tel problème se pose en des termes identiques pour toutes les autres traditions spirituelles [18]. Quoi qu'il en soit, c'est le profond degré d'intériorisation de l'enseignement qui est le meilleur garant de sa pérennité et c'est en somme à chaque disciple qu'incombe l'immense responsabilité de l'incarner au mieux. « Avez-vous mangé ce savoir ? Avez-vous digéré et assimilé ces paroles de Jésus ? », questionnait le maître indien Nisargadatta Maharaj en s'adressant à un visiteur qui lui citait cette parole : « Vous reconnaîtrez que je suis en mon Père et vous en moi et moi en vous [19] » (Jn 14, 20). Une intégration de cette sorte ne peut être que le résultat d'une lente assimilation. Elle suppose de la part de l'élève une grande habileté dans la manière d'utiliser les instructions du maître. Il y a à cet égard un terme particulièrement important dans les Évangiles et qui concerne une des qualités nécessaires au disciple ; il s'agit de *phronimos* que la TOB traduit avec justesse par « habilité » en Luc 16, 8. On retrouve ce mot en d'autres endroits [20], mais traduits de différentes manières par « prudent », « sage », ou encore « avisé ». P*hronimos* vient de *phronesis* qui signifie la pensée, l'intelligence, la raison, la sagesse, la réflexion et désigne celui qui possède ces qualités. Cependant, « habile » est le plus approprié dans la mesure où la connotation pratique est soulignée, c'est-à-dire l'intelligence concrète et réaliste. C'est une présence d'esprit et une capacité de discernement qui se manifestent avec pertinence dans l'action. Dans son *Dictionnaire biblique*, Bernard Gillièron écrit qu'« en Israël comme dans les cultures de l'ancien Orient, le *sage* est celui qui excelle dans tout ce qu'il fait et y manifeste une grande habileté ; c'est un homme d'expérience [21] ».

La notion de prudence ne rend pas assez cette notion de perspicacité appliquée d'une façon à la fois concrète, subtile et efficace : « ... montrez-vous habiles comme les serpents et candides comme les colombes » (Mt 10, 16), ou encore : « qui donc est-il, le fidèle serviteur, et *phronimos*, que le maître a établi sur sa maisonnée... » (Mt 24, 45). Dans la parabole des dix vierges (Mt 25, 1-13), les cinq vierges sont *phronimoi* et l'on traduit par « sages » en opposition aux vierges « folles », mais il s'agit bien d'habileté, la même que celle de l'homme habile qui a bâti sa maison sur le roc et non sur le sable (Mt 7, 24). Jésus reconnaît cette qualité comme essentielle pour le disciple qui entend suivre son enseignement. Le fait d'aborder les réalités spirituelles n'autorise donc en rien le flou dans la compréhension ni le manque de perspicacité et d'adresse dans l'application des directives du maître. La meilleure illustration en est donnée par la parabole que l'on nomme le plus souvent celle de « l'intendant infidèle » (la TOB l'intitule à juste titre le « gérant habile »).

« Puis Jésus dit à ses disciples : "Un homme riche avait un gérant qui fut accusé devant lui de dilapider ses biens. Il le fit appeler et lui dit : Qu'est-ce que j'entends dire de toi ? Rends les comptes de ta gestion, car désormais tu ne pourras plus gérer mes affaires. Le gérant se dit alors en lui-même : Que vais-je faire puisque mon maître me retire la gérance ? Bêcher ? Je n'en ai pas la force. Mendier ? J'en ai honte. Je sais ce que je vais faire pour qu'une fois écarté de la gérance, il y ait des gens qui m'accueillent chez eux. Il fit venir alors un par un les débiteurs de son maître et il dit au premier : Combien dois-tu à mon maître ? Celui-ci répondit : Cent jarres d'huile. Le gérant lui dit : Voici ton reçu, vite, assieds-toi et écris cinquante. Il dit ensuite à un autre : Et toi, combien dois-tu ? Celui-ci répondit : Cent sacs de blé. Le gérant lui dit : Voici ton reçu et écris quatre-vingts. Et le maître fit l'éloge du gérant trompeur [« gérant d'injustice »], parce qu'il avait agi avec habileté. En effet, ceux qui appartiennent à ce monde sont plus habiles vis-à-vis de leurs semblables que ceux qui appartiennent à la lumière" » (Lc 16, 1-9).

Cette parabole a embarrassé les exégètes parce que le maître qui fait l'éloge du gérant est Jésus lui-même et c'est le rédacteur qui en rapporte le commentaire. Il ne s'agit donc pas ici de l'homme riche en tant que maître de l'intendant (comment pourrait-il louer celui qui dilapide ses biens ?). Si l'on prend le texte au premier degré, Jésus apparaît en effet comme le défenseur de la malhonnêteté et du mensonge, prônant la malversation et la falsification. Il va falloir alors déployer beaucoup d'ingéniosité pour le sortir de cette mauvaise posture ! D'un autre côté, dire qu'il vante simplement l'habileté et non le vol constitue une explication un peu courte. Une fois encore, considérer la parabole dans un sens littéral conduit à une impasse et aucune érudition – même remarquable – ne parvient véritablement à résoudre l'énigme. Lanza del Vasto a rappelé en ces termes la cause première de tous les dilemmes ultérieurs : « Quand le Seigneur nous parle du grain de sénevé qui est la plus petite de toutes les graines, mais qui, plantée en terre, devient le plus grand des arbres du jardin, nous ne prendrons pas son dire pour un conseil de semer des poivriers, et nous en rechercherons la signification en dehors des limites de l'horticulture. De même quand il nous parle d'un économe infidèle, nous n'avons aucune raison d'en tirer des conclusions d'ordre économique. Il est clair qu'il ne s'agit ici ni de possessions terrestres, ni de fraudes financières ni d'aumônes [22]. » Si la parabole « est prise de ce point de vue, remarque Maurice Nicoll, plus on l'étudie et plus elle devient incompréhensible et confuse [23] ».

Il est important de revenir tout d'abord sur le titre même de la parabole, car on considère habituellement qu'elle concerne un intendant infidèle, ou encore inique, trompeur, malhonnête. En grec, l'expression `oikomonos tes adikias`, au verset 8, doit être rendue par « l'intendant de l'injustice ». Et l'injustice concerne ce qui relève de « ce monde-ci » avec tout ce que cela peut comporter. Au verset 9, il est question dans les différentes traductions françaises du « malhonnête argent » ou encore de « l'argent trompeur », mais le texte dit : *mamona tes adikias*, ce qui signifie « le Mamon de l'injustice ».

Le terme grec *mamônas* est la transcription de l'hébreu *mamôn* et de l'araméen *mamôna* qui dérivent d'une racine voulant dire au sens originel : « Ce dans quoi on met sa confiance [24] ». Cela explique pourquoi la fidélité ou le fait d'être digne de confiance sont mentionnés aux versets 10 et 11. « Et moi je vous dis : faites-vous des amis par le mamon d'injustice, pour que, quand il s'éclipsera, ils vous accueillent dans les tentes éternelles. Le fidèle pour si peu, pour beaucoup aussi est fidèle ! L'injuste pour si peu, pour beaucoup aussi est injuste ! Si donc pour l'injuste mamon, vous n'êtes pas fidèles, le bien véritable, qui vous le confiera ? Si pour ce qui est extérieur, vous n'êtes pas fidèles, ce qui est vôtre, qui vous le donnera [25] ? » (Lc 16, 9-12).

Il faut remarquer qu'il y a une opposition entre « le bien véritable », « ce qui est vôtre », et « ce qui est extérieur »,

« l'injuste mamon ». Cependant, si l'on réduit « le mamon d'injustice » uniquement au niveau monétaire, on risque de passer à côté de l'essentiel de l'enseignement de cette parabole. Le verset 13 est souvent entendu dans ce sens restrictif alors que le monde matériel doit être considéré dans son acception la plus large, incluant tout ce qui est relatif aux phénomènes.

Le bien véritable, la vraie richesse, appartient à une réalité d'un tout autre ordre qui ne peut être soumise à aucune destruction (Mt 6, 20) ; ce sont les trésors qui appartiennent au ciel. La rupture de niveau est précisée dans la parabole suivante de Lazare et de l'homme riche : « Et en tout cela, entre nous et vous, il y a un gouffre, immuable » (Lc 16, 26). Pourtant, le monde matériel n'est pas rejeté en tant que tel et il peut même être utilisé avec bon sens et réalisme.

Sœur Jeanne d'Arc fait d'ailleurs remarquer que l'expression « par le mamon » introduit la nuance intéressante de « à partir de », « en le tirant de ». L'homme habile ne se fait pas des amis *avec* le mamon d'injustice, autrement dit il n'en est pas l'esclave mais il se fait des amis *à partir* du mamon d'injustice, c'est-à-dire du monde, de ce qu'il faut apprendre à partir de lui, des expériences de la vie, des connaissances et des situations multiples qui jalonnent l'existence. L'homme habile n'oublie jamais en même temps que le monde n'est pas la réalité ultime, il sait néanmoins l'utiliser au mieux et en tirer le meilleur parti, mais sans en devenir le serviteur puisqu'« on ne peut servir deux maîtres ».

La parabole énonce aussi cette autre vérité selon laquelle celui qui est digne de confiance dans le monde ordinaire (« le peu » selon le texte), l'est aussi en regard d'une réalité plus haute (« le beaucoup »). Et celui qui ne l'est pas à un niveau ne le sera pas non plus à un autre autrement plus précieux. Celui qui manque de finesse, d'habileté et de capacité d'adaptation par rapport au monde grossier manquera de ces mêmes qualités dans le domaine subtil. Or Jésus nous dit précisément que ces qualités sont indispensables. Il se désole que « les fils de ce monde-ci soient plus habiles envers leurs propres congénères que les fils de la lumière ».

Il est possible qu'il y ait ici une allusion ironique à l'égard des esséniens, mais l'expression « fils de lumière » peut s'appliquer aussi bien à ses disciples qu'à tous ceux qui s'engagent dans une voie de transformation. Jésus aborde un principe spirituel universel et non pas une règle de conduite quelconque – en l'occurrence immorale. Le monde devient un terrain d'entraînement, un champ d'exercice dont il est possible d'extraire une compréhension ; « un homme doit apprendre tout ce qu'il peut de la vie et connaître tout ce qu'il peut connaître des vérités appartenant à la vie avant d'aller sans risque vers une vérité plus haute et une connaissance plus haute [26] ». Le monde n'est donc pas un obstacle à la progression spirituelle, il est même au contraire une source d'opportunités permettant de se qualifier pour une entreprise encore plus délicate et importante. L'homme de la parabole fait preuve d'une présence d'esprit méritoire et d'une grande capacité d'adaptation à une situation nouvelle. Son action est intelligente ; elle témoigne d'une certaine perspicacité.

Toutefois, le verset 9 est obscur et même contradictoire dans la mesure où Jésus dit qu'il faut se faire des amis par le mamon d'injustice pour s'assurer plus tard un logis dans « les tentes éternelles », expression traduite encore par « demeures ou tabernacles éternels ». Ces traductions ne tiennent pas compte de la rupture de niveau qui a bien été soulignée par l'allusion au bien véritable qui est nôtre à la différence de ce qui nous est extérieur et étranger, appartenant à un ordre différent et inférieur. La traduction habituelle introduit une confusion : au lieu de se qualifier en développant certaines qualités qui seront ensuite applicables à un autre niveau, on en vient plus grossièrement à compter sur le plan le plus bas pour atteindre le plus haut. Cette confusion est pourtant explicitement dénoncée au verset 13. « Nul ne peut servir deux maîtres » et les ténèbres ne pourront jamais comprendre la lumière.

Lorsqu'il est question, au verset 8, des « fils de cette ère, de ce monde-ci ou de ce siècle », le mot grec utilisé est *aiôn*, or le mot que l'on traduit par « éternel », au verset suivant, est un adjectif qui a pourtant le même sens en grec que cette « ère » ou ce « monde-ci » : *aiônios* [27]. Ce terme désigne une période de temps sans numérotation précise, correspondant à un état global. On peut aussi le traduire par « âge », « époque » ou « ère », mais avec une signification large et indéterminée. D'où l'idée d'une durée à venir indéfinie, d'un temps très long [28]. L'ambiguïté remonte certainement à la traduction de l'araméen, car le mot pour « éternité », *alma*, signifie aussi « monde » (*alma* est traduit par « monde » en Mc 8, 36). La racine du mot indique une idée de jeunesse et de nouveauté – la perpétuelle nouveauté dans le monde des formes.

En traduisant *ei tas aiônious skenas* par « dans les tentes éternelles », la plupart des exégètes considèrent qu'il y a une pointe d'ironie à l'égard de l'intendant sans scrupules. Jésus condamnerait ainsi la futilité de son comportement en insistant sur le fait que, par l'acquisition frauduleuse de gains, il peut s'assurer dans l'avenir des demeures, mais dont l'éternité n'est comparable qu'à celle des tentes. Les tentes sont le symbole même de ce qui est provisoire, passager, éphémère. Ce sont les habitations des nomades vivant dans le désert. Ainsi, par cette allusion, Jésus ne proposerait pas ici un modèle mais au contraire un avertissement [29].

L'ingéniosité d'une telle interprétation ne se développe néanmoins qu'à partir d'une prise en compte littérale du texte ; celle-ci n'est pas remise en cause et reste implicitement acceptée. Il est pourtant cohérent de mettre le verset 9 en regard du verset 8 et de considérer que « les fils de ce monde-ci » ne peuvent octroyer que des « demeures de ce monde-ci » (voir Lc 9, 33 ; Mc 9, 5 ; II Co 5, 1 et 4) de telle sorte que l'on reste ainsi sur le même plan. Mais cela n'empêche pas une « transposition », possible à condition que la traduction ne brouille pas les pistes quant à la nature véritable de cette transposition. Il ne peut pas en effet y avoir de passage direct entre l'inférieur et le supérieur, entre ce qui relève de l'*avoir* et ce qui relève de l'*être*. Ce qui appartient à l'ordre du temporel ne peut pas accorder quoi que ce soit d'éternel. Mais, en revanche, si l'habileté déployée dans le domaine de l'avoir, c'est-à-dire dans le monde relatif, n'est pas transposée de manière similaire dans le domaine de l'être, alors aucun progrès spirituel réel ne pourra s'ensuivre. En cela réside finalement le paradoxe et le mystère de la croissance de l'être et de cette Réalité qui est du monde sans être de ce monde. Elle n'est pas de ce monde mais elle réclame néanmoins de notre part le développement de qualités spécifiques. Bien sûr, « les Pharisiens, qui sont amis de l'argent, entendaient tout cela et ils se moquaient de lui », précise plus loin le texte (16, 14), et il est fort probable que cette attitude témoigne de leur impuissance à comprendre la nature réelle de l'habileté tant vantée par Jésus.

Un autre aspect de la parabole apporte une précision par rapport à cette habileté. Le comportement de l'intendant consiste à réduire la dette des débiteurs de son maître. Il est difficile de ne pas relier ce thème à d'autres paroles, en particulier à l'une des demandes du *Notre Père*. Matthieu la formule ainsi : « Remets-nous nos dettes comme nous aussi nous avons remis à nos débiteurs » (Mt 6, 12) et Luc : « Remets-nous nos péchés car nous-mêmes remettons à quiconque nous doit » (Lc 11, 4). Il est communément admis que Matthieu reste plus proche de l'original araméen [30] ; *hobha* étant la « dette » et *hayyabha* le « débiteur ». Luc traduit par « péché » tout en maintenant cependant à la fin de la phrase la notion de débiteur, celui qui doit quelque chose.

De nombreux malentendus peuvent être dissipés si l'on aborde la parabole de l'intendant en regard de cette attitude habile qui consiste à remettre les dettes. Cette perspective restaure la possibilité d'une pratique concrète, non seulement à l'égard d'autrui mais aussi par rapport à une transformation de soi en profondeur.

La manière la plus courante d'aborder « le pardon des offenses » est de considérer tout d'abord que l'autre a eu à notre égard une attitude négative qui nous incite à dresser des comptes. Le pardon consistant alors à « effacer » ce qu'il nous doit. Mais, en réalité, cette opération est incomplète tant qu'on reste intérieurement offensé. La véritable reddition des comptes ne consiste pas à sentir que l'autre nous doit quelque chose pour ensuite l'en affranchir, mais plutôt à ne plus se sentir soi-même créancier. Il n'y a plus de débiteur parce que le créancier lui-même a disparu. Cela suppose un total retournement de la perception intérieure ; un changement d'état d'être qui ne dépend d'ailleurs aucunement de la simple bonne volonté ou du désir d'apparaître à nos propres yeux ou à ceux des autres comme une personne généreuse. Ainsi, ce n'est pas l'autre qui est affranchi par un geste de notre part fondé sur une intention morale, mais nous-même qui nous retrouvons libéré de tout sentiment que l'on nous doit encore quelque chose. À un niveau profond et subtil, la relation est alors rétablie et l'équilibre restauré : l'autre est à nouveau accepté tel qu'il est en lui-même, totalement.

Le fait de conserver un contentieux avec autrui peut être la marque d'une immaturité. En grec, « pardonner » (*aphièmi*) a le sens exact de « laisser aller, laisser libre », ce qui définit magnifiquement une capacité propre à l'être, avec la liberté qui lui est inhérente. La parabole du débiteur impitoyable (Mt 18, 23-34) évoque aussi cette idée de façon approchante.

De son côté, l'intendant « réduit » la dette, ce qui, vu sous un autre angle, ouvre la voie à une possibilité de compréhension encore différente. Il faut remarquer que les débiteurs doivent au maître et non à l'intendant. D'ailleurs l'intendant pose la question : « Combien dois-tu à mon maître ? », alors qu'on pourrait supposer qu'il est le premier informé de l'état des comptes. Le fait que l'intendant cherche à réduire les dettes qu'ils ont à l'égard du maître peut être compris comme une invitation à réduire les dettes d'autrui, leurs offenses et leurs péchés, *alors même qu'ils ne se dirigent pas spécifiquement contre nous.* En ce sens, établir de fausses factures revient alors à une sorte de « tricherie sacrée », où l'on va délibérément minimiser ce qui apparaît comme négatif chez les autres. Cette falsification qui consiste à amoindrir les reconnaissances de dettes est un entraînement à la bienveillance. On ne s'appesantit pas sur les dettes qu'ils peuvent contracter ici où là et l'on doit même s'efforcer de les voir meilleurs qu'ils ne le sont en réalité (en mettant par exemple en exergue leurs bons côtés). Voilà le genre d'habileté que prône Jésus, car si l'on y regarde de plus près, cette attitude est non seulement bienfaisante pour les autres, elle rend les relations aisées et harmonieuses, mais elle permet surtout de purifier nos propres tendances négatives. On dit bien en Inde que lorsqu'un voleur rencontre un saint, il ne voit que ses poches ! En d'autres termes, c'est notre propre regard qu'il faut apprendre à transformer et l'habileté consiste ici à réduire consciemment les dettes d'autrui. La parabole dit que l'intendant « fait venir un à un les débiteurs de son maître », et ce dernier donne ensuite deux exemples précis à titre d'illustration, mais ces deux cas particuliers ne représentent nullement une liste exhaustive ! « Faire venir un à un » les débiteurs signifie que cette attitude doit être adoptée vis-à-vis de tout le monde. En vérité, à chaque fois que quelqu'un se met en position d'être un débiteur, cela réclame de notre part cette attitude nouvelle consistant à réduire sa dette. C'est une façon extrêmement pertinente de l'aider à se hisser vers le haut, dans le non-jugement et l'accueil, et aussi, du même coup, de se transformer soi-même. Un texte de Matthieu le formule ainsi : « Oui, si vous remettez aux hommes leurs manquements, votre Père céleste vous remettra aussi ; mais si vous ne remettez pas aux hommes, votre Père non plus ne vous remettra pas vos manquements » (Mt 16, 14-15).

Une attitude fréquente consiste aussi à considérer non pas qu'une personne particulière nous doit quelque chose, mais que c'est la vie en général qui nous doit (que ce soit le bonheur, ce que nous désirons, etc. ; cf. Esaïe 59, 11 : « Nous grondons tous comme des ours ; nous gémissons comme des colombes »). Réduire les dettes consiste alors à considérer peu à peu que la vie ne nous est redevable de rien et que nous n'avons pas à *exiger* d'elle. Nous en venons au contraire peu à peu à considérer que c'est nous qui sommes redevables à la vie. Plus la progression sur la voie s'approfondit et plus le sentiment d'être débiteur à l'égard de la vie grandit car nous ne pourrons jamais rembourser la richesse qui se révèle à nous et nous est donnée en pure gratuité. La dette dont il s'agit est alors une dette de gratitude et de reconnaissance.

Dans la parabole, le premier débiteur doit cent barils d'huile et le second cent mesures de blé. C'est le nombre « cent » qui est important parce qu'il est le symbole de la totalité (ainsi qu'on l'a déjà vu avec le troupeau de cent moutons dans la parabole de la brebis égarée). Les débiteurs sont donc *totalement* débiteurs, ce qui revêt une profonde signification.

La parole : « Remets-nous nos dettes », dans le Notre-Père, montre bien que nous sommes débiteurs et le fait de devoir quelque chose ne concerne pas ce que nous avons fait à autrui, *mais surtout ce que nous n'avons pas fait de notre existence et dont nous sommes redevables.* Nous avons en réalité une obligation de conscience, une responsabilité quant à la transformation de notre être et c'est parce que nous ne l'accomplissons pas que la dette que nous avons contractée est considérable, totale. Dans cette dernière perspective, réduire la dette consiste à réduire la distance qui nous sépare de la Réalité ultime, du Père qui est dans les cieux. Ainsi que le précise la parabole, c'est à l'égard du maître que nous sommes débiteurs, le maître, non pas en tant que figure humaine mais en tant qu'il représente la Vérité la plus haute et par rapport à laquelle chacun a des comptes à rendre...

Pour être mis en pratique, l'enseignement de Jésus réclame une immense habileté. Il ne suffit pas d'être prudent ni même avisé dans le sens de sensé et réfléchi ; il faut beaucoup plus encore. L'habileté intellectuelle – qui suppose déjà l'habilité – n'est pas suffisante non plus. Elle peut même parfois se transformer en obstacle si elle en vient à voiler la simplicité du cœur et à se substituer à l'expérience elle-même. Si l'enjeu n'était pas d'une extrême gravité, on pourrait comparer le cheminement sur la voie à un jeu d'adresse. L'analogie utilisée pour illustrer le « péché », l'« offense » ou la « dette » renvoie au fait de manquer la cible lorsqu'on tire une pierre à la fronde ou encore lorsque le cheval fait un faux pas et heurte le pavé avec son sabot. C'est aussi à cette même habileté que peut curieusement renvoyer la parole célèbre : « Oui, je vous le répète, il est plus facile à un chameau de passer par le trou d'une aiguille qu'à un riche d'entrer dans le Royaume des Cieux » (Mt 19, 24 ; Mc 10, 25 ; Lc 18, 25).

Bien entendu, on peut comprendre cette phrase comme une simple hyperbole, de la même façon que Jésus reprochait aux pharisiens d'arrêter au filtre le moustique et d'engloutir le chameau (Mt 23, 24). Un proverbe arabe dit de la même façon : « Chameau trop chargé ne passe pas la porte étroite », et un écrit rabbinique énonce : « Ouvre-moi une porte du repentir aussi large que l'œil d'une aiguille et je me charge de faire passer au travers les chevaux et les chariots [31]. »

Prise au sens littéral, la parole de Jésus décrit une pure impossibilité. Or il faut tout d'abord entendre l'expression « homme riche » dans une acception très large. L'homme riche désigne celui qui est identifié à toutes les formes d'avoir, de savoir et de pouvoir. En ce sens, la « richesse » consiste en l'accumulation des identifications elles-mêmes beaucoup plus que celle des objets matériels en tant que tels. Le renoncement à toute possession matérielle est le plus souvent considéré comme l'attestation d'une non-identification, d'une liberté intérieure. De toute façon, « le rassasiement du riche ne le laisse pas dormir », précise l'Ecclésiaste (5, 11). Il est vrai que si l'ampleur des identifications est comparable à la taille d'un chameau, il y a alors peu de chances que l'accès à un niveau supérieur de conscience soit possible. Mais il faut savoir que, dans la langue araméenne, un même mot peut avoir différentes significations et que le choix du sens se fait en fonction du contexte. Le mot araméen *gamla* signifiant « corde, cordée, caravane, chameau », cela donne alors : « Il est plus facile à une corde de passer par le trou d'une aiguille qu'à un riche d'entrer dans le Royaume des Cieux [32]. »

Les cordes étaient utilisées pour coudre les sacs, les tapis, les toiles de tentes, et il faisait bien entendu partie de l'expérience quotidienne d'essayer de les faire passer par le trou d'une aiguille (il faut préciser que les aiguilles n'étaient pas aussi fines que celles que nous utilisons de nos jours puisqu'elles étaient taillées dans des morceaux de chêne).

Certains ont aussi pensé que le mot grec *kamelos* (en anglais, *camel* veut dire « chameau ») était un des termes utilisés pour désigner une corde parce que l'un des matériaux traditionnels employés à l'époque pour faire des cordes était des poils de chameau. Même à l'époque moderne, le mot grec qui désigne une sorte particulière de corde épaisse, faite à partir de poils, est *trichia* qui dérive de *tricha*, « cheveux »[33].

Prise en ce sens, la parole de Jésus ne veut pas dire pour autant que l'accès au Royaume est facile, bien au contraire. La difficulté toute relative de faire passer une corde par le trou d'une aiguille est sans comparaison avec la tâche qui attend le riche qui souhaite entrer dans le Royaume. On retrouve ici, pour le candidat-disciple, la nécessité de passer par la « porte étroite », mais cette fois l'image apporte d'autres précisions.

Le fait de passer une corde par le chas de l'aiguille évoque déjà la nécessité d'être habile, adroit et peut-être même persévérant ! Il faut que la vue soit claire, le geste sûr et précis. L'expérience commune montre aussi que la corde peut s'effilocher en son extrémité[34] et rendre ainsi la tâche plus ardue. Par conséquent, la corde a besoin d'être « réunifiée » pour pouvoir passer ; les éléments qui la composent doivent être rassemblés en une pointe unique et effilée. Cela peut être une autre façon de souligner l'importance et la nature des obstacles intérieurs sur la voie, en particulier la multiplicité et la dispersion. Tout en s'appuyant sur l'expérience courante, comme dans la parabole de l'intendant, Jésus renvoie à nouveau à une exigence d'ordre intérieur. Il donne des indications sur les qualités à développer et le genre d'efforts à entreprendre.

Dans certains cas, les instructions semblent sous-entendues, voire presque dissimulées : c'est alors parfois à l'élève de faire lui-même la démarche et d'être actif pour les recueillir. Un auditoire distrait ou dont l'intérêt n'est pas assez vif ne percevra rien et il laissera même passer de précieuses indications sans en être conscient. « Quiconque est encore au lait ne peut goûter la doctrine de justice », est-il affirmé dans l'Épître aux Hébreux (5, 13) ; être capable d'entendre *réellement* les paroles prononcées par le maître relève d'une maturité achevée ou du grand art. Il est au contraire d'autres instructions que le maître dispense d'une façon plus ostensible, quand ce n'est pas sous la forme de franches exhortations ou d'injonctions impératives.

La vigilance est un thème majeur dans toutes les traditions et il est impossible d'envisager un quelconque chemin de délivrance sans l'aborder. Elle constitue l'un des dénominateurs communs à toutes les voies de transformation ; celles-ci, sans exception, ayant pour but d'acheminer l'homme vers une profondeur de conscience qui reste pendant longtemps insoupçonnée. C'est du côté des chercheurs spirituels sérieusement engagés dans la voie, ou encore auprès des moines, des contemplatifs, des ascètes et des mystiques, que l'on retrouve cette insistance portée à la vigilance, car celle-ci concerne une véritable pratique intérieure. Veiller, rester dans un état vigile, un état de conscience lucide, attentif et en même temps ouvert et détendu est un effort de chaque instant universellement reconnu comme fondamental. L'Ancien Testament insiste sans cesse sur la nécessité de se souvenir, de se rappeler. Le souvenir de l'Éternel doit passer nécessairement par le rappel de soi ; c'est ce que l'on appelait dans le christianisme « la présence à soi-même et à Dieu », cette présence qui est la condition indispensable pour une vie pleinement éveillée. Les grands spirituels se distinguaient souvent par cette qualité d'être et de conscience et ceux qui les approchaient de près ne pouvaient manquer de le percevoir et d'en témoigner. Athanase remarquait ainsi, à propos de saint Antoine, qu'après sa conversion il se mit « à faire attention à lui-même [35] ». Porphyre, dans sa *Vie de Plotin*, écrit que « Plotin était en même temps présent à lui-même et aux autres » (8, 19) ; ou encore, saint Grégoire de Nazianze dit de saint Basile qu'il était « présent à son intelligence le plus souvent et convergent à l'intérieur [36] ». La façon dont les paroles de Jésus ont pu être mises en pratique par de véritables disciples est très éclairante [37].

Un passage célèbre et d'une grande simplicité concernant la vigilance se trouve dans la *Vie de saint Benoît* telle que saint Grégoire le Grand la rapporte : « Car chaque fois que par l'agitation excessive de notre pensée nous sommes entraînés hors de nous, nous sommes bien nous-même et pourtant nous ne sommes pas avec nous, du fait que nous nous perdons de vue et que nous errons ailleurs [...]. De cet homme vénérable, je dirai donc qu'il habita avec lui-même parce que, toujours attentif à veiller sur soi, s'apercevant toujours devant les yeux du Créateur, s'examinant toujours, il ne laissa pas le regard de son esprit se répandre hors de lui-même [38]. » Cette belle description est assez proche des propos suivants de Pythagore cités par Porphyre dans sa *Lettre à Marcella* : « Si donc tu ne cesses de te rappeler que partout où ton âme se meut et donne l'activité au corps, Dieu est là qui t'assiste et veille sur toi en tous tes desseins, tous tes actes, tu respecteras ce témoin à qui rien n'échappe, et tu auras Dieu pour hôte [39]. »

Être vigilant revient à respecter ce témoin, ou encore à « s'apercevoir toujours devant les yeux du Créateur ». Cet état de « conscience-témoin » ou de présence permet d'accueillir la Présence divine. Il ne faut pas croire cependant qu'un tel niveau de conscience soit déconnecté de la vie concrète, bien au contraire. C'est ce que voulait rappeler sainte Thérèse d'Avila quand elle déclarait à ses nonnes : « Mes sœurs, c'est dans les chaudrons de la cuisine que vous trouverez Dieu ! » Et saint François de Sales répondit à une religieuse qui lui demandait un conseil de perfection : « Fermez les portes sans bruit. » Et lorsque le trappiste Thomas Merton rencontra pour la première fois le moine bouddhiste vietnamien Thich Nhat Hanh et qu'on lui demanda ses impressions à la suite de cette rencontre, il répondit : « À la manière dont il a refermé la porte, j'ai vu que nous étions frères. »

Les petits gestes de la vie, loin d'être jugés insignifiants, prennent une immense valeur. Ils sont le reflet d'un état intérieur particulier. À l'inverse, par une application mesurée et consciencieuse, ils peuvent aussi aider à maintenir en retour un état de présence et de vigilance. C'est ce que décrit saint Basile en ces termes : « Il est possible de prier et de psalmodier chaque heure, car tandis que nos mains sont occupées avec leurs tâches, nous pouvons prier Dieu, parfois avec la langue et sinon avec le cœur [...] Notre esprit est recueilli quand, dans chaque action, nous demandons à Dieu de bénir notre travail, nous acquittant de notre dette de gratitude envers Lui [40]. » Dans un langage qui n'est pas religieux, Swâmi Prajnânpad recommandait de la même façon une attitude recueillie, à la fois souple et alerte : « Dans toutes vos actions, il faut vous exercer à être lucide [41]... » Il enjoignait aussi : « Soyez vif, éveillé, attentif, vigilant à chaque instant dans tout ce que vous faites [42] », ou encore : « Avant d'être accomplie, chaque action doit payer un tribut à Sa Majesté la lucidité [43]. » C'est dans cette perspective que l'on peut entendre la parole de Jésus rapportée dans l'Évangile de Thomas : « Fendez du bois, je suis là ; levez la pierre, vous me trouverez là » (log 77). Il ne s'agit pas alors d'une conception panchristique où le Seigneur est *dans* le bois ou *sous* la pierre [44], mais c'est au cœur même de l'action accomplie avec vigilance que sa présence peut être ressentie. La présence à soi-même et à ce que l'on est en train de faire garantit la conscience de cette présence de Dieu au fond de nous-même. Saint Basile ne dit pas autre chose lorsqu'il déclare que « l'attention à soi-même conduit à la connaissance de Dieu ».

Si le but de la vie transformée est l'accès à la Conscience absolue, à l'Esprit, il est difficile d'envisager que l'on puisse faire l'impasse de l'exercice visant à être soi-même de plus en plus vigilant et conscient, car « quand la lucidité est constante, précise Swâmi Prajnânpad, sans aucune fluctuation, c'est la Supranormalité, c'est l'Illumination, la Réalisation [...] vous pouvez lui donner le nom que vous voulez : Perfection, Absolu, etc. [45] ».

On comprend ainsi pourquoi toutes les traditions ascétiques et mystiques ont tant insisté sur la nécessité d'entreprendre une démarche précise permettant d'aboutir à une vigilance vaste et profonde. En s'inspirant tout autant de l'Écriture sainte, du témoignage des pères tels qu'Antoine, Jean Cassien, Jean Climaque, Isaac le Syrien que de sa propre expérience vécue, l'évêque russe Ignace Briantchaninov écrivait au siècle dernier : « La vigilance s'acquiert progressivement ; on y parvient par un effort de longue haleine. Elle naît principalement de la lecture et de la prière attentives, de l'habitude de veiller sur soi-même, d'être éveillé, de peser chaque parole que l'on prononce et de réfléchir à chaque action que l'on entreprend, d'être attentif à toutes ses *pensées* et à tous ses sentiments en veillant sur soi-même afin de ne pas devenir de quelque manière la proie du péché. *Soyez sobres, veillez,* dit le saint apôtre Pierre *votre adversaire, le diable, comme un lion rugissant, rôde, cherchant qui dévorer. Résistez-lui, fermes dans la foi.* (I Pierre 5, 8-9). [...] Saint Barsanuphe le Grand et Jean le Prophète ont donné un conseil souverain à ceux qui désiraient mener une vie sobre qui plaise à Dieu : celui d'unir la vigilance à l'action. Ils conseillaient d'élever notre pensée vers Dieu en lui demandant éclaircissement et aide avant de commencer quoi que ce soit, c'est-à-dire avant d'engager une conversation ou d'entreprendre une affaire. Pour demeurer dans un état de vigilance, il faut garder avec grand soin la fraîcheur et la lucidité de son esprit [46]. »

Les témoignages provenant de l'ascèse monastique sont très convaincants quant à la primauté accordée à la vigilance et à l'exigence qu'elle suppose. On peut en trouver encore un exemple dans les propos de l'Archimandrite Sophrony au sujet de son maître, un grand moine du mont Athos, le staretz Silouane : « Ces continuels changements de son état intérieur, quand les visites de la grâce alternent avec des périodes d'abandon et avec des attaques démoniaques, ne laissèrent pas de porter des fruits : grâce à ces alternances, l'âme du moine Silouane demeurait dans l'état d'une attention intérieure et d'une vigilance constante, ardemment à la recherche d'une issue. La *sobriété de l'esprit*, qu'il apprenait à pratiquer avec la patience et le courage qui lui étaient propres, unie au don de la prière incessante, lui ouvrirent de nouveaux horizons dans la connaissance spirituelle et le dotèrent de nouvelles armes dans la lutte contre les passions. Son intellect retrouvait de plus en plus souvent ce "lieu de l'attention" dans le cœur qui lui permettait d'observer ce qui s'opérait dans le monde intérieur de son âme. En comparant entre eux les divers états spirituels qui se succédaient en lui, il en vint à prendre plus nettement conscience de ce qui lui arrivait. Il acquit ainsi graduellement un véritable discernement spirituel. Il apprit à déceler la manière dont surgissent les *pensées* suggérées par les diverses passions, tout comme il apprit à reconnaître comment agit la grâce. Armé de cette authentique connaissance, Silouane progresse sur la voie de l'ascèse lucide [47]... »

Au cours des siècles, les grands spirituels se sont inspirés de l'enseignement de Jésus au point de l'incarner de tout leur être. Peut-il y avoir d'autres raisons à la vigilance que la nécessité impérative de progresser sur le chemin de la délivrance et d'accomplir ainsi sa dignité d'être humain ? C'est dans cette ligne qu'il faut inscrire les paroles de Jésus relatives à la vigilance, sous peine de les dévaluer ou même de les vider complètement de leur contenu par le recours à des considérations théologiques. Face à ce danger, les contemplatifs qui se sont succédés génération après génération constituent en quelque sorte une garantie dans la mesure où leur propre expérience vécue, constamment nourrie et reconfirmée, atteste de la validité de leur compréhension des enseignements originaux. Ils peuvent ainsi servir de guides ou tout au moins de rappel, parfois simplement par la profondeur de leur silence ou la lumière de leur regard. Leurs témoignages orientent sans équivoque possible vers l'intériorité et une réalisation concrète des promesses formulées par Jésus lui-même. Ils peuvent renforcer la conviction et encourager ceux qui sont en recherche vers une exploration véritable qui ne s'enlise pas dans la sphère psychique. Ce que Thomas Merton remarquait à propos de certaines formes de méditation s'applique tout aussi bien aux différentes voies contemplatives et mystiques, orientales ou occidentales, dans lesquelles on cherche principalement « non pas à *expliquer* mais à *faire attention*, à *devenir conscient*, à *être attentif*, en d'autres mots à faire grandir une certaine *forme de conscience qui se situe au-dessus et au-delà de la tromperie* des formules verbales ou de l'excitation émotionnelle [48] ».

Dans les Évangiles, les appels à la vigilance sont constants, car si le grand but est l'accès au Royaume, il est nécessaire, avant même d'atteindre l'Éveil, de se réveiller.

Toutes les traditions ont parlé des forces du sommeil qui maintiennent dans la torpeur et l'oubli. Ces forces ont pu être comparées à une véritable hypnose, alors même qu'on a l'impression d'être conscient et vivant. Il peut être justifié de rappeler encore une fois le statut de l'homme ordinaire, tel que le fait par exemple le prophète Esaïe d'une manière très évocatrice : « Nous tâtonnons comme des aveugles le long d'un mur, nous tâtonnons comme ceux qui n'ont point d'yeux :

nous chancelons à midi comme de nuit, au milieu de l'abondance nous ressemblons à des morts. [...] Et la délivrance s'est retirée, et le salut se tient éloigné ; car la vérité trébuche sur la place publique, et la droiture ne peut approcher. La vérité a disparu... » (Is 10 et 14-15).

Jésus s'adresse donc en ces termes aux disciples pour les aider à ne pas céder devant les tendances habituelles : « Tenez-vous sur vos gardes, de peur que vos cœurs ne s'alourdissent dans l'ivresse, les beuveries et les soucis de la vie » (Lc 21, 34), et l'injonction devient encore plus pressante : « Restez éveillés et priez en tout temps » (v. 36). Le verbe *agr-hypneô* (de même que *grègoreô*) signifie « avoir le sommeil ôté », par conséquent : « ne pas dormir, être éveillé », avec la nuance de « se tenir prêt ». On sait qu'au jardin de Gethsémani, les disciples n'avaient pu s'empêcher de sombrer dans le sommeil. Ce thème de l'endormissement, du sommeil et du réveil est un véritable leitmotiv que l'on retrouve dans toutes les voies spirituelles : l'Ancien Testament (« Réveille-toi, mon âme », Psaume LVII, 9 ; « Réveille-toi ! Réveille-toi ! », Ésaïe 52, 1) fait écho à la *Katha Upanishad* (« Levez-vous, éveillez-vous ! Soyez vigilants... », 3, 14) [49].

Plusieurs paraboles rapportées dans les Évangiles rappellent l'importance capitale de la vigilance et que Jésus a dû utiliser en maintes occasions : la parabole des serviteurs vigilants, du maître de maison vigilant, du serviteur fidèle et du serviteur infidèle ainsi que celle des dix vierges.

« Soyez sur vos gardes, veillez, car vous ne savez pas quand ce sera le moment. Il en sera comme d'un homme parti en voyage : il a quitté sa maison, donné pouvoir à ses serviteurs, à chacun sa tâche, et au portier il a recommandé de veiller. Veillez donc, car vous ne savez pas quand le maître de la maison va venir, le soir, à minuit, au chant du coq ou le matin, de peur que, venant à l'improviste, il ne vous trouve endormis. Et ce que je vous dis à vous, je le dis à tous : veillez ! » (Mc 13, 33-37 ; Lc 12, 35-38).

Dans la parabole suivante, ce ne sont pas les serviteurs mais le maître de maison qui doit être vigilant. L'enseignement est cependant le même. L'Évangile de Thomas nous le rapporte ainsi après avoir évoqué l'immaturité des disciples : « C'est pourquoi je vous dis : Si le maître de maison sait que le voleur vient, il veillera avant qu'il n'arrive et il ne le laissera pas percer un trou dans la maison de son royaume pour emporter les affaires. Quant à vous, veillez en face du monde, prenez appui sur vos reins de toutes vos forces de peur que les pillards ne trouvent un chemin pour venir vers vous... Qu'il y ait au centre de vous-mêmes un homme averti ! » (log 21, 13-23 ; Mt 24, 43-44 ; Lc 12, 39-40). Si l'on se souvient du témoignage de ceux qui ont entrepris une ascèse et du genre d'épreuves qu'ils ont rencontrées au cours de l'exploration de leur monde intérieur, on pourra reconnaître sans peine la nature de la mise en garde que constitue cette parabole. Les assauts des pensées, des émotions, des passions et des tendances instinctives sont autant de voleurs qui arrivent subrepticement, sans prévenir, pour dérober la clarté de l'esprit et la tranquillité du cœur.

Dans sa présentation de la parabole, Luc introduit le fait de se tenir prêt pour la venue du « Fils de l'homme » et donne par conséquent un sens particulier à la raison d'être de la vigilance. Même si cet ajout ne relève pas d'une dimension eschatologique, puisque le « Fils de l'homme » est venu voler quelque chose, on va alors considérer que ce « quelque chose » est l'âme ou la vie. Il faudrait donc se tenir prêt avant que la mort ne nous surprenne. Cette interprétation a bien évidemment du sens en elle-même, mais reste cependant trop vague. Elle dilue en quelque sorte l'exigence de la vigilance dans un champ général qui évite de la porter d'une façon suffisamment aiguë et incisive sur l'instant présent. Ce n'est pas par rapport à quoi que ce soit de futur qu'il faut être vigilant : c'est maintenant que les voleurs pénètrent dans la demeure ! Ils sont même déjà à l'intérieur !

Les paraboles concernant la vigilance ont très tôt, à un stade primitif de la tradition, fait l'objet d'une interprétation eschatologique. Dans cette perspective, « la raison d'être de "la vigilance" est l'approche certaine, et la date incertaine, du second avènement du Christ, constate C. H. Dodd. Que ce genre d'enseignement fût ou non directement issu de l'enseignement de Jésus, il était courant dans l'Église. Il est donné par Paul en son nom propre et mis par Luc dans la bouche de Jésus. Cela étant, on doit s'attendre à ce que les paraboles qui semblaient s'y prêter aient été appliquées dans ce sens [...]. Une telle application n'est pas *nécessairement* celle qui avait été prévue à l'origine [50]. » Si l'on donne la primauté à ce qui est nécessaire sur un chemin de transformation intérieure, il apparaît que les interprétations théologiques ne peuvent aucunement constituer une aide – quand ce n'est pas qu'elles détournent franchement de la pertinence des directives initiales. Il est fort possible que l'intérêt croissant porté à l'attente du second avènement dès les premières années après la Résurrection [51] ait été un facteur de distraction plus qu'une motivation réelle pour s'occuper d'un état intérieur immédiat. Et comme ce couronnement attendu ne venait pas et qu'il fallait quand même garder un sens aux paraboles, la raison de la vigilance a pu être déplacée sur une autre cible : d'une crise attendue par rapport à un avenir plus ou moins proche, on est passé à la crise immédiate sous la forme du danger imminent de l'arrestation de Jésus lui-même et de ses disciples. Cela revient toujours à chercher un « prétexte » extérieur, un « événement » futur qui constituerait en lui-même le véritable mobile de la vigilance. Si tel était le cas, aucun autre sage ou maître spirituel appartenant à une autre tradition n'aurait pu prôner avec une insistance identique la nécessité de cette pratique. On peut tout au plus supposer que le maître utilise les circonstances pour accroître l'acuité des disciples, mais si l'on y voyait ici la raison essentielle, une fois la crise passée, la nécessité de pratiquer la vigilance disparaîtrait du même coup.

La raison profonde pour laquelle Jésus interpelle les disciples de cette façon appartient à un plan qui relève de la méta-histoire. Cette interpellation s'adresse à *tout* disciple et reste d'une permanente actualité. La parabole du serviteur fidèle et du serviteur infidèle vante les mérites de la vigilance non plus seulement par rapport à l'invasion en soi d'éléments destructeurs et perturbateurs, mais par rapport à la venue du maître, et elle recoupe à cet égard la première parabole : « Quel est donc le serviteur fidèle et avisé que le maître a établi sur les gens de sa maison pour leur donner la nourriture en temps voulu ? Heureux ce serviteur que son maître en arrivant trouvera occupé de la sorte ! En vérité je vous le dis, il l'établira sur tous ses biens. Mais si ce mauvais serviteur dit en son cœur : "Mon maître tarde", et qu'il se mette à frapper ses compagnons, à manger et à boire en compagnie des ivrognes, le maître de ce serviteur arrivera un jour qu'il n'attend pas et à l'heure qu'il ne connaît pas ; il le retranchera et lui assignera sa part parmi les hypocrites : là seront les pleurs et les grincements de dents » (Mt 24, 45-51 ; Lc 12, 42-46).

La formulation de Luc diffère de celle de Matthieu. Chez ce dernier, Jésus s'adresse à tous les disciples alors que pour Luc la parabole concerne plutôt les chefs de l'Église. C'est encore une fois une adaptation des paroles de Jésus à la situation de la communauté naissante, et par conséquent une certaine altération du message originel. Luc prépare la parabole par une insertion au verset 41 sous la forme d'une question posée par Pierre et qui permet de situer la réponse dans le cadre des préoccupations du moment : « Seigneur, est-ce pour nous que tu dis cette parabole ou pour tout le monde ? » La parabole n'est plus, dans ce cas, un enseignement universel tiré à partir d'une situation concrète, mais l'interprétation qui en est faite revient plutôt à ramener un enseignement universel à une dimension contingente pour les besoins d'une utilisation ponctuelle. Et il n'est pas sûr du tout qu'une telle opération soit fructueuse du point de vue spirituel. Il est très facile de se méprendre sur la nature réelle des avertissements prononcés par Jésus et de leur attribuer un sens qui détourne de l'interpellation fondamentale. L'élève est alors comparable à un caillou qui fait des ricochets à la surface de l'eau et ne se laisse pas descendre dans la profondeur.

L'opposition établie entre le fait de « donner de la nourriture en temps voulu aux gens de la maison » et celui de se perdre dans un comportement dissolu ne relève évidemment pas du domaine de la simple morale, le maître n'étant pas un censeur qui juge et condamne. Transposé dans l'univers de la conscience, le fait de « donner de la nourriture en temps voulu » peut avoir de nombreuses significations liées au thème de la vigilance.

Les nourritures ne sont pas à prendre au sens littéral d'aliments, elles désignent tout ce que l'homme peut absorber à travers son organisme, ses organes sensoriels, son psychisme ainsi qu'une capacité de « perception » encore plus fine et qui ne relève pas des modalités habituelles. À chaque étape de son évolution, l'homme doit pouvoir recevoir ce qui lui est nécessaire pour poursuivre sa progression. La gestion de son énergie dépend fondamentalement de sa capacité à être vigilant et l'on peut comprendre alors pourquoi une vie dissolue, c'est-à-dire emportée, non délibérée, aura pour conséquence d'être « retranchée ». Le terme grec *dichotomèsei* (litt. « coupé en deux ») a posé problème et certains exégètes en ont cherché l'explication du côté des différentes tortures possibles pratiquées à l'époque ! Comme l'a mentionné J. Jeremias, il s'agit plutôt d'une mauvaise traduction de l'original araméen [52]. Ce n'est pas le serviteur qui va être coupé en morceaux – tout au moins au sens propre. Ce qu'il a en partage va lui être retranché, sa portion va être divisée [53]. En d'autres mots, une vie menée dans la dispersion faute de vigilance a pour conséquence un gaspillage d'énergie qui peut aboutir à la perdition. Tout cela, bien entendu, est signifié dans le langage propre à Matthieu (« hypocrites », « pleurs et grincements de dents »). Les conséquences fâcheuses d'une vie sans vigilance, sans contrôle et vécue dans la négligence sont soulignées de la même façon par tous les maîtres spirituels. On retrouve par exemple la même rigueur dans les propos et le même accent de gravité chez Swâmi Prajnânpad : « Ne pas traiter une chose avec soin et se montrer négligent est la plus grande insulte à la dignité d'un être humain », et encore : « Ne pas traiter les choses avec soin, c'est se tuer soi-même ! Pourquoi ? Parce que vous n'avez pas été attentif pendant ce moment-là ; c'est-à-dire que vous n'avez pas été présent, ici et maintenant, présent à la réalité. En d'autres termes, vous vous êtes tué vous-même. Vous avez tué le Soi (*âtma-hatya* : se tuer soi-même) [54]. » Karlfried Graf Dürckheim a pu dire ainsi que « la vigilance est la vertu principale sur le chemin intérieur [55] ».

Il y a de nombreux passages dans les Évangiles où Jésus demande de garder le silence. Ce peut être après avoir opéré une guérison, après certaines remarques que lui font les disciples ou encore à la suite de prises de conscience particulières de leur part. À dix-sept reprises dans les Synoptiques, il leur recommande de se taire : « Garde-toi d'en parler à personne » (Mt 8, 4) ; « Prenez garde ! dit-il. Que personne ne le sache ! » (Mt 9, 30) ; « Comme ils descendaient de la montagne », Jésus leur donna cet ordre ; « Ne parlez à personne de cette vision » (Mt 17, 9 ; Mc 9, 9) ; « Et Jésus le menaça en disant : "Tais-toi..." » (Mc 1, 25 ; Lc 4, 35) ; « Et il leur enjoignait avec force de ne pas le faire connaître » (Mc 3, 12) ; « Et il leur recommanda vivement que personne ne le sût... » (Mc 5, 43) ; etc.

On comprend habituellement ces injonctions comme une protection nécessaire, par crainte en particulier des représailles et de la persécution. Cela est admis comme une évidence. Mais en même temps, plus profondément, il est question d'une véritable instruction d'ordre spirituel. Elle concerne autant la nécessité de la vigilance en développant par le contrôle la capacité à rester silencieux que la préservation d'une énergie plus subtile. La demande de garder le secret peut être en soi un exercice mais ses bénéfices sont très précieux. Ils le sont encore plus lorsqu'il s'agit de la relation la plus sacrée entre toutes, celle qui s'établit entre le maître et le disciple. Ce qu'elle implique dans la profondeur du disciple doit rester intime et secret. Tout ce qui est expérimenté en la compagnie du maître ne doit pas être divulgué inconsidérément au dehors, mais au contraire préservé comme un bien d'une valeur inestimable qui pourra encore continuer à croître. La nourriture spirituelle absorbée auprès du maître pourra peut-être un jour être partagée avec autrui puisqu'il ne s'agit pas d'une rétention par possessivité, égoïsme ou pour entretenir un quelconque sentiment de supériorité. Elle ne pourra pas cependant être dilapidée par manque de vigilance ou gaspillée par inconscience. « Se mettre à battre ses compagnons, à manger et à boire en compagnie des ivrognes » est une manière allusive de décrire une vie dominée par l'aveuglement et la mécanicité dans laquelle les valeurs spirituelles ou la dimension du sacré sont oubliées.

Dans les différentes paraboles, l'arrivée inopinée du maître n'est pas l'irruption impromptue d'un personnage en chair et en os ni même la venue d'un événement futur, collectif, historique ou cosmique. Sur le plan de la conscience, au niveau de l'intériorité, l'émergence soudaine et fulgurante de l'Être est toujours possible, à tout moment. D'une façon plus discrète et fugace, des expériences d'une autre dimension peuvent surgir par surprise et il faut être prêt pour être en mesure de les accueillir et ne pas les laisser se dissiper dans la confusion ordinaire. K.G. Dürckheim a beaucoup insisté sur l'importance de ce qu'il a appelé ces « percées de l'Être ». La vigilance elle-même est le terrain propice favorisant l'irruption imprévue d'une réalité d'un tout autre ordre. Même si des éclairs traversent l'épaisseur du mental habituel, une longue préparation est cependant encore nécessaire pour que le serviteur soit capable d'accueillir le maître lorsqu'il surgira véritablement. « Heureux ces serviteurs que le maître en arrivant trouvera en train de veiller ! » (Lc 12, 37).

Dans la parabole des dix vierges, le surgissement du maître est remplacé par la venue de l'époux au banquet de noces. Il n'est pas nécessaire d'en rechercher l'interprétation du côté des coutumes matrimoniales juives en Palestine. La métaphore matrimoniale est à l'évidence d'ordre mystique et le festin nuptial symbolise la rencontre de l'Époux et de l'Épouse (les deux sont parfois mentionnés dans un certain nombre de manuscrits). On y retrouve l'importance de la préparation patiente pour se qualifier afin d'être digne d'une connaissance supérieure ainsi que la nécessité impérative de la sagesse et de la vigilance. « Alors le Royaume des Cieux sera semblable à dix vierges qui, ayant pris leurs lampes, allèrent à la rencontre de l'époux. Cinq d'entre elles étaient folles, et cinq sages. Les folles, en prenant leurs lampes, ne prirent point d'huile avec elles ; mais les sages prirent, avec leurs lampes, de l'huile dans des vases. Comme l'époux tardait, toutes s'assoupirent et s'endormirent. Au milieu de la nuit, on cria : Voici l'époux, allez à sa rencontre ! Alors toutes ces vierges se réveillèrent, et préparèrent leurs lampes. Les folles dirent aux sages : Donnez-nous de votre huile, car nos lampes s'éteignent. Les sages répondirent : Non ; il n'y en aurait pas assez pour nous et pour vous ; allez plutôt chez ceux qui en vendent, et achetez-en pour vous. Pendant qu'elles allaient en acheter, l'époux arriva ; celles qui étaient prêtes entrèrent avec lui dans la salle des noces, et la porte fut fermée. Plus tard, les autres vierges vinrent et dirent : Seigneur, Seigneur, ouvre-nous. Mais il répondit : Je vous le dis en vérité, je ne vous connais pas.

Veillez donc, puisque vous ne savez ni le jour, ni l'heure » (Mt 25, 1-13).

Lorsque le texte dit que le Royaume est « semblable à dix vierges », il faut entendre qu'en ce qui concerne la réalité spirituelle, il en est de même que de la situation de ces vierges ; certaines procèdent adéquatement et d'autres non.

Le mot grec *parthénoï*, traduit par « vierge », est la transcription de l'araméen *bethoulè*. On pense communément qu'il ne désigne que des jeunes filles mais il s'agit en fait d'un adjectif pris substantivement, de genre masculin ou féminin et par conséquent pouvant aussi bien s'appliquer aux hommes qu'aux femmes. Un passage de l'Apocalypse (14, 4) atteste de son utilisation pour des hommes [56]. Ce terme évoque donc la situation que peut rencontrer tout être humain en tant que chercheur spirituel.

Une fois encore, l'avertissement est souligné par l'opposition « sage/folle » que l'on trouvait déjà en 7, 24-26 à propos des maisons construites sur le roc ou sur le sable.

La lampe remplie d'huile ou la maison bâtie sur le roc correspondent à une réalité intérieure, à un état relevant déjà d'une certaine maturité et que le disciple a pu gagner par une pratique intelligente et persévérante. Certains exégètes estiment que cette parabole ne peut pas concerner en priorité la vigilance puisque les vierges « sages » se sont assoupies, puis endormies aussi, et qu'elles ont pourtant été invitées dans la salle des noces. En réalité, il ne faut pas nécessairement superposer le cadre d'une parabole sur une autre. Ici, le fait de dormir ne signifie pas une totale inaptitude spirituelle. Comme le dit le Cantique des Cantiques (5, 2) : « Je dors mais mon cœur veille. » Les vierges sages ont parfaitement été capables de faire face à la situation. Elles étaient prêtes à assumer l'imprévu et leur endormissement ne les a pas empêchées de donner la réponse appropriée au moment nécessaire. Le fait de prendre le temps de se reposer est même légitime ; il ne restreint en rien la capacité de sentir ce qu'il est juste de faire au moment opportun ou encore de prendre ses dispositions avant même de s'accorder ce repos. Les vierges « sages » n'ont pas été sanctionnées par l'interdiction de pénétrer dans la salle du festin justement parce qu'elles n'ont pas failli à la vigilance. Est-il d'ailleurs possible d'envisager autrement la signification des lampes qui continuent à éclairer (ne parle-t-on pas de « veilleuses ») parce qu'elles sont suffisamment approvisionnées ? Ce n'est pas le fait de dormir qui est incriminé mais celui d'être négligent et imprévoyant, manifestations certaines d'une absence de vigilance. Jésus insiste sur l'impérative nécessité de la vigilance, cet œil qui est la lampe du corps dont il a déjà été question, c'est-à-dire un état intérieur caractérisé par la présence en nous d'une conscience lucide [57].

Non seulement on ne peut envisager un sage sans la présence en lui de cet état mais on peut dire que c'est cet état d'être lui-même, lorsqu'il est constant et achevé, qui fait le sage. Le verbe araméen 'or [58] ne signifie pas uniquement « être éveillé » mais aussi « être, devenir sage » [59].

De là découlent un certain nombre de qualités qui en sont l'émanation spontanée et naturelle : le fait de prendre soin, la capacité d'observer, de percevoir pleinement, de se rappeler ou se souvenir. Le dictionnaire Robert précise qu'« un être conscient est lucide » – du latin *lucidus*, clair, lumineux. Le propre d'une lampe est bien entendu d'éclairer pour chasser les ténèbres – mais la pointe de la parabole insiste surtout sur *le fait d'être capable de maintenir cet état lumineux*. À l'égard de quoi, en effet, les vierges considérées comme « folles » ont-elles été négligentes et imprévoyantes ? Par quoi leur manque de préparation se solde-t-il ?

Le terme araméen pour « fou », *saklâ*, signifie : « qui ne comprend pas – en particulier ce qu'il doit faire, qui se comporte autrement qu'il ne convient, à qui l'on ne saurait se fier ». Et sur le chemin ou la voie spirituelle, le manque de fiabilité, la négligence, l'inconscience ne « pardonnent » pas. Autant de travers qui ne sont possibles que si la vigilance est absente. Les disciples authentiques ont été qualifiés en un autre passage de Matthieu (5, 14) d'une expression significative ; Jésus leur dit : « Vous êtes la lumière du monde » et cette même phrase est utilisée par Jésus en Jean 9, 5 pour se qualifier lui-même. Le fait de garder la lampe allumée est donc symboliquement d'une portée immense. En parlant de la quantité d'huile qu'il est nécessaire d'avoir en suffisance, la parabole se réfère à la ferveur, la foi, mais encore plus spécifiquement à une présence rayonnante, une conscience lucide qui seule peut garantir de ne pas manquer la rencontre de l'Époux et la participation au festin.

L'image de la lampe apporte d'autres nuances. Il y a en effet une progression entre la lampe, la lampe avec de l'huile, la lampe qui est éclairée et la lampe qui est éclairée et le reste. Les vierges folles sont parties avec des lampes n'ayant pas assez d'huile, ce qui tendrait à signifier que leur compréhension de l'enseignement est incomplète ; elles ont oublié de prendre de l'huile, c'est-à-dire qu'elles ne savent pas utiliser et faire fructifier ce dont elles disposent. La compréhension intellectuelle seule est insuffisante et l'on doit faire appel à d'autres « réserves ». Et lorsqu'elles quémandent de l'huile, elles essuient un refus catégorique : « Non ; il n'y en aurait pas assez pour nous et pour vous. » Cette réponse souligne l'aspect spécifiquement personnel de la démarche intérieure. La progression vers la lumière ne peut pas être faite d'emprunts, elle doit correspondre à une expérience intime, à la fois individuelle et unique. Ce qui n'est pas fait reste à faire, ce qui n'est pas accompli reste à accomplir. La suite de la réponse du verset 9 : « Allez plutôt chez ceux qui en vendent ; et achetez-en pour vous », n'est pas nécessairement ironique. Elle peut souligner le manque de préparation et ses conséquences lorsque le moment est venu de faire face à une exigence plus grande. C'est parce que les vierges folles sont obligées de retourner chercher de l'huile qu'elles manquent la rencontre et ne sont pas conviées au banquet.

La maturation prend du temps et il faut accorder le plus grand soin à la préparation de l'être. D'autres paraboles qui concernent cette fois le thème de la croissance montrent que là non plus il n'y a pas de place pour la négligence ou l'improvisation. La transformation intérieure obéit à des lois très strictes qui ne peuvent pas être prises à la légère, avec approximation ou désinvolture.

La sentence peut ainsi tomber d'une manière abrupte, mais il ne s'agit pas ici d'un manque de compassion ou d'une dureté excessive. Les lois s'appliquent simplement avec une implacable rigueur et elles sont incontournables. L'apparente sévérité du Seigneur dans la parabole ne fait que traduire cet état de chose. Lorsque les vierges trouvent la porte fermée, elles implorent « Seigneur, Seigneur, ouvre-nous. Mais il répondit : Je vous le dis en vérité, je ne vous connais pas. » Voilà une réponse qui semble apparemment contredire le fameux : « Frappez et l'on vous ouvrira » (Mt 7, 7). Il ne faut simplement pas confondre les domaines et s'il a été promis : « À qui frappe, on ouvrira », il ne s'agit pas de n'importe quelle demande et de n'importe quelle porte. Il n'a jamais en effet été spécifié que c'est au moi limité qu'il appartient d'établir les règles du jeu. Lorsque la mise en pratique elle-même est imprécise ou erronée, le rappel à l'ordre ne tarde pas et les paroles tombent alors comme un couperet : « Alors je leur dirai en face : "Jamais je ne vous ai connus" » (Mt 7, 23). On a souvent tendance à oublier que la vraie compassion n'est pas synonyme de mollesse et que la fermeté n'est pas un manque d'amour.

Cette parabole illustre une réalité qu'il faut regarder en face et qui contredit catégoriquement une vision idéaliste de la quête spirituelle : la délivrance, le Royaume, est difficile à atteindre et il ne s'agit pas d'un salut collectif. Certaines paroles passent inaperçues parce qu'elles ne sont pas conformes à la conception habituelle que l'on se fait de la religion. Or, chez Jésus, il n'y a aucune mièvrerie, ni aucun sentimentalisme religieux, mais une pureté de diamant qui tranche dans le vif. Tel est le propre de tout maître spirituel authentique ; une grande largesse d'esprit, mais une intransigeance lorsqu'il s'agit de l'essentiel. On peut lire dans cet esprit les paroles suivantes : « Tout arbre qui ne donne pas un bon fruit, on le coupe et on le jette au feu » (Mt 7, 19) ; « Déjà la cognée se trouve à la racine des arbres ; tout arbre donc qui ne produit pas de bon fruit va être coupé et jeté au feu » (Mt 3, 10) ; « Laissez l'un et l'autre croître ensemble jusqu'à la moisson ; et au moment de la moisson je dirai aux moissonneurs : Ramassez d'abord l'ivraie et liez-la en bottes que l'on fera brûler ; quant au blé, recueillez-le dans mon grenier » (Lc 13, 30 ; Mt 3, 12 ; Jn 15, 6). Ici, Jésus ne profère pas des menaces pour effrayer et chercher à insuffler une quelconque motivation fondée sur la peur. Il énonce simplement un principe supérieur dont on peut – ou non – tenir compte. L'histoire du figuier stérile est évocatrice à cet égard : « Il disait encore la parabole que voici : "Un homme avait un figuier planté dans sa vigne. Il vint y chercher des fruits et n'en trouva pas. Il dit alors au vigneron : "Voilà trois ans que je viens chercher des fruits sur ce figuier, et je n'en trouve pas. Coupe-le ; pourquoi donc use-t-il la terre pour rien ?" L'autre répondit : "Maître, laisse-le cette année encore, le temps que je creuse tout autour et que je mette du fumier. Peut-être donnera-t-il des fruits à l'avenir... Sinon tu le couperas" » (Lc 13, 6-9). La version lucanienne est nettement plus adoucie que celle de Matthieu (21, 18-20) ou de Marc (11, 12-14), mais l'enseignement est le même.

Cultiver la vigilance implique aussi d'éliminer les obstacles qui empêchent l'approfondissement de cette conscience lucide. On a vu comment Jésus reprend les différents commandements en les situant à un haut niveau d'exigence sous la forme d'une interpellation personnelle qui ne délaisse aucun aspect du psychisme. Il montre jusqu'où il faut pousser l'exigence intérieure pour qu'un réel travail de purification soit entrepris, permettant d'éroder ou de transformer les passions et de libérer ainsi le cœur de toute entrave.

Il est certain qu'il est d'une grande naïveté d'espérer « naître de nouveau » ou plus exactement « naître d'En Haut » sans avoir entrepris un sérieux nettoyage des émotions mentionnées ici ou là dans les Évangiles comme l'orgueil, la vanité, l'avarice, la concupiscence, la colère, la haine, l'attachement... La « pureté du cœur » dont parlent les Pères du désert à la suite de Jésus n'est donc pas une figure de style. L'image de la vigne qui doit être émondée renvoie à la même racine du mot grec qui désigne à la fois l'émondage et la pureté (Jn 15, 2-3).

L'enseignement que donne Jésus concernant le pur et l'impur est d'une grande clarté. Il souligne qu'il ne faut pas se duper soi-même avec un quelconque formalisme extérieur, mais bien plutôt s'occuper de ce qui nous habite dans la profondeur. Il rejoint en cela toutes les démarches spirituelles qui mettent l'accent sur les obstructions à une conscience pleinement lumineuse et éveillée.

L'enseignement en Marc (7, 21-23) est incontournable : « Car c'est du dedans, du cœur des hommes, que sortent les desseins pervers : débauches, vols, meurtres, adultères, cupidités, méchancetés, ruse, impudicité, envie, diffamation, orgueil, déraison. Toutes ces mauvaises choses sortent du dedans et souillent l'homme. »

Aucun moralisme n'est sous-entendu dans de tels propos ; simplement une lucidité sans concession ni détours qui dénonce la racine fondamentale de l'ignorance et désigne du même coup l'origine de toutes les souffrances. Lorsque Jean-Baptiste déclare : « Déjà la cognée se trouve à la racine des arbres » (Mt 3, 10), il annonce l'imminence d'un travail purificateur symbolisé par la venue de Jésus. La cognée va couper l'arbre à la base et ses racines seront tranchées. Elles seront déterrées et l'arbre brûlé. Les émotions et les tendances négatives enracinées en l'homme doivent être traitées de la même façon parce qu'elles ne peuvent pas porter de bons fruits. L'arbre va être déraciné par un labeur qui réclame courage et détermination. Cette tâche préparatoire permettra alors un baptême non plus dans l'eau mais « dans l'Esprit Saint et le feu » (Mt 3, 11). Tout ce qui est souterrain en l'homme et caché au fond de sa conscience doit être ramené à la surface pour être soumis à l'intensité de ce feu, moins matériel que l'eau, mais néanmoins d'une redoutable efficacité.

L'idée selon laquelle l'entourage proche d'un maître doit baigner dans une constante béatitude est courante, car la présence lumineuse et apaisante du sage est ce qui frappe au premier abord. Dans leur naïveté, les candidats-disciples en tirent souvent la fausse conclusion que leur ascèse va simplement consister à bénéficier sans interruption de ce rayonnement et des vagues de sérénité qu'il propage. La réalité est tout autre et Jésus ne manque pas de détromper ceux qui ont encore une approche idéaliste de la démarche spirituelle [60].

L'aventure du Royaume est avant tout une purification par le feu – le mot « ascèse » en sanscrit, *tapas*, introduit aussi la notion d'échauffement. Il va y avoir des conflits, des frictions, car les résistances du mental ne lâchent pas si docilement. Jésus l'évoque lorsqu'il affirme que le Royaume se conquiert par la violence (Mt 11, 12 ; Lc 16, 16) et il faut l'entendre, bien entendu, dans un sens intérieur afin d'éviter un malentendu tragique. Le logion 10 de l'Évangile de Thomas : « Jésus a dit : J'ai jeté le feu sur le monde, et voici que je le préserve jusqu'à ce qu'il embrase », est rendu chez Luc avec une note d'amertume : « Je suis venu jeter un feu sur la terre, et comme je voudrais que déjà il fût allumé ! » (Lc 12, 49). Et encore, au logion 16, 1-6 : « Jésus a dit : Sans doute les hommes pensent-ils que je suis venu jeter la paix sur le monde, et ils ne savent pas que je suis venu jeter les divisions sur la terre, le feu, l'épée, la guerre. » Matthieu formule la même idée de la manière suivante : « N'allez pas croire que je sois venu apporter la paix sur la terre ; je ne suis pas venu apporter la paix, mais le glaive » (Mt 10, 34 ; cf. Lc 12, 51).

Il se peut que l'adhésion à la voie spirituelle soit en effet cause d'éventuelles discordes avec l'entourage immédiat mais, fondamentalement, Jésus annonce qu'à l'intérieur même du disciple, une véritable bataille va être engagée. La grâce du maître (ou son comportement délibéré) vont contribuer à faire lever chez le disciple des émotions fortes qui étaient jusque-là cachées. Tout ce qu'il portait en lui dans le tréfonds de son être va être ainsi ramené peu à peu à la conscience et occasionner provisoirement des troubles supplémentaires. La présence du maître, qui a tout d'abord joué le rôle d'un catalyseur, est ensuite une aide précieuse pour favoriser l'intégration et le dépassement de ces énergies conflictuelles et déchirantes[61].

Jésus va d'autre part souligner l'obstacle que constituent les pensées en tant qu'elles émanent de l'émotion et contribuent en retour à les entretenir. Elles sont alors une entrave à la compréhension en étant un facteur de distraction et de dispersion. Les pensées sont en effet changeantes, instables. Elles sont symbolisées par les oiseaux, notamment dans la parabole du semeur : « Et comme il semait, des grains sont tombés au bord du chemin, et les oiseaux sont venus tout manger[62] » (Mt 13, 4). La graine de l'enseignement est dévorée car les pensées s'en emparent et la détruisent. Il y a de nombreuses façons de pervertir ou de dévier les instructions spirituelles. Parfois, les pensées sont trop dévorantes pour permettre à une autre dimension d'émerger[63].

La parabole mentionne d'autres dangers : le manque de structure intérieure représenté par le peu de profondeur de la terre et l'absence de racine (la graine est cette fois brûlée par le soleil parce qu'elle est exposée à ce qui ne lui convient pas au lieu d'être préservée dans un milieu intérieur propice) ; ou encore l'envahissement par des épines – les difficultés, les problèmes qui étouffent la graine trop fragile pour subsister devant de telles forces antagonistes.

La nécessité d'une restructuration de l'être et d'une cohésion intérieure apparaît dans la parabole du grain de sénevé : « C'est bien la plus petite de toutes les graines, mais, quand elle a poussé, c'est la plus grande des plantes potagères, qui devient même un arbre, au point que les oiseaux du ciel viennent s'abriter dans ses branches » (Mt 13, 32). Cela signifie que les pensées ne sont plus éparpillées mais au contraire rassemblées autour d'un axe essentiel. L'image évoque aussi un abri, c'est-à-dire l'idée d'un réconfort et d'un apaisement. La ronde incessante des pensées est maîtrisée, laissant alors apparaître un état de calme émotionnel et de quiétude.

L'*apatheia*, un terme fréquent dans la patristique qui signifie littéralement « insensibilité », doit être comprise comme « le fait d'être dépourvu d'émotion », ou plus précisément « le fait d'être libre des émotions [64] ». En s'arrêtant sur les traités pratiques d'Évagre le Pontique, en particulier le *Praktikos*, Jacob Needleman relève que ce dernier « décrit en détail la guerre intérieure qui doit être livrée pour atteindre l'état *d'apatheia*. Comme chez tous les Pères du christianisme primitif, le lecteur retire l'impression que cette lutte est le travail de toute une vie, nécessitant la grâce surnaturelle du Christ et de Son enseignement, les conseils de direction précis d'un maître saint, et une détermination et un désir spirituel extraordinaires de la part du moine [65] ». L'*apatheia* ne désigne pas une apathie, mais au contraire un état d'être extrêmement vivant et léger sur lequel les passions n'ont plus prise. Antoine, un Père du désert du IIIe siècle, recommandait de s'orienter vers cette « bienheureuse *apatheia*, prémice de la Résurrection ». La libération des passions est un facteur essentiel pour atteindre la perfection. Cette libération n'est pas le résultat immédiat d'une prise de décision de la part de la conscience morale qui condamne, mais bien plutôt le fruit d'une longue ascèse et de l'application patiente et méticuleuse d'instructions spécifiques.

Les paroles rapportées dans le texte des Psaumes : « Tiens-toi tranquille, et sache que je suis Dieu » (XLVI, 10), ou dans Job : « Tais-toi, et je t'enseignerai la sagesse » (Jb 33, 33), présentent de la façon la plus concise qui soit l'intégralité de la démarche spirituelle. Si l'on comprend la capacité de « se tenir tranquille » ou de « se taire » dans son sens plénier – à savoir l'éradication des associations d'idées mécaniques qui sont le lot de tout homme non transformé – on pourra alors supposer la nécessité d'un certain laps de temps pour son parachèvement. Le véritable silence intérieur est un préalable et il est déjà aussi un résultat ! Bien que les

enseignements de Jésus sous-entendent cette réelle transformation des fonctionnements ordinaires, il y a néanmoins
un grand risque à ce que ses paroles ne soient uniquement
reçues que comme un ordre impératif demandant à être tout
de suite accompli. Pourtant, si l'image de la germination est
parfois utilisée, elle implique l'idée d'une croissance progressive et qui comporte également son propre rythme. La
dénonciation abrupte des passions et des mensonges ne
contredit donc pas pour autant la perspective d'un processus
de transformation qui ne peut s'inscrire que dans la durée. En
fait, la nécessité d'une démarche de purification transparaît
en filigrane d'un bout à l'autre des Évangiles et la guérison
miraculeuse de certains affligés ne doit pas être interprétée
dans le sens d'une solution de facilité !

La tradition biblique et patristique considère que la
promesse de réaliser le divin est fondamentalement liée à la
pureté du cœur. Grégoire de Nysse écrit à ce sujet que cette
« promesse de voir Dieu dépasse toute béatitude. Dans l'Écriture, voir c'est posséder. Celui qui voit Dieu a obtenu tous les
biens qu'on peut concevoir [...]. Mais pour voir Dieu, comment purifier ton cœur ? Tu peux l'apprendre dans toute la
doctrine de l'Évangile. Si tu parcours tous ses enseignements
les uns après les autres, tu y trouveras le remède certain qui
purifie le cœur [66]... »

Dans la tradition indienne et la spiritualité des *Upanishads*,
il est question des « nœuds du cœur » qui désignent en
l'homme tout ce qui se surimpose au Soi, à l'Absolu. On peut
y inclure l'ensemble des émotions en tant que voile perturbateur et source de conflits. La parole suivante de Jésus peut
déjà être comprise à ce niveau : « En vérité je vous le dis :
tout ce que vous lierez sur la terre sera tenu au ciel pour lié, et
tout ce que vous délierez sur la terre sera tenu au ciel
pour délié » (Mt 18, 18). Parmi d'autres explications possibles
mais qui correspondent plutôt à des formulations différentes,

Georges Gander reconnaît que « par-dessus tout, il s'agit d'ouvrir ou de rouvrir, d'une façon ou d'une autre, les Cieux fermés aux hommes à cause de leurs péchés, de la maladie, de l'ignorance [67]... ».

Ce qui est « lié » traduit métaphoriquement et d'une façon bien significative toute entrave intérieure, en particulier l'emprisonnement par les « démons » (pour reprendre un terme qu'utilise Évagre le Pontique à propos des émotions et des pensées qui leur servent de support). Dans les Évangiles, la possession démoniaque n'est pas nécessairement à prendre au sens strict d'un délire psychotique ; la perturbation émotionnelle n'est-elle pas aussi une forme de folie, ce que Swâmi Prajnânpad désignait comme étant « l'ivresse de l'intoxication émotionnelle ». Dans ce cas, les guérisons accomplies par Jésus peuvent être comprises dans un sens plus intériorisé et métaphorique : « Et cette fille d'Abraham, que Satan a liée voici dix-huit ans, il n'eût pas fallu la délier de ce lien le jour du sabbat ! » (Lc 13, 16). De manière tout aussi claire, la guérison du sourd-bègue est le résultat d'une ouverture et du fait de délier : « Puis, levant les yeux au ciel, il poussa un gémissement et lui dit : *"Ephphatha"*, c'est-à-dire : *"Ouvre-toi !"* Et ses oreilles s'ouvrirent et aussitôt le lien de sa langue se dénoua et il parla correctement » (Mc 7, 34-35). Cette formule est chargée d'un pouvoir particulier de guérison et remonte aux mystères égyptiens (le dieu Ptah). Le mot araméen *ethphatah* a par ailleurs été retranscrit avec une faute dans les versions grecques.

En araméen, le sens des termes « lier » et « délier » confirme une interprétation qui peut déjà s'appliquer au niveau psychologique. « Lier », *d' têsrûn... asîr* (de la racine *asr*), signifie attacher, nouer, s'enfermer soi-même dans quelque chose, entraver ses énergies et, symboliquement, se boucler dans un cercle fermé. « Délier », *d' tishrôn... shri* (de la racine *shr*), signifie au contraire, symboliquement, l'ouverture du cercle. Il implique l'idée d'une dissolution, d'une libération et la racine suggère aussi l'image de trancher le cordon ombilical après la naissance [68].

La résurrection de Lazare comporte ce même aspect : « Cela dit, il s'écria d'une voix forte : "Lazare, viens dehors !" Le mort sortit, les pieds et les mains liés de bandelettes, et son visage était enveloppé d'un suaire. Jésus leur dit : "Déliez-le et laissez-le aller." » (Jn 11, 43-44) Il est difficile de ne pas y voir un sens hautement symbolique et initiatique. De même l'endroit où est enfermé Lazare : « C'était une grotte, avec une pierre placée par-dessus. Jésus dit : « Enlevez la pierre ! » (Jn 11, 38-39). La pierre et les bandelettes sont des entraves qui l'empêchent d'être libre et peuvent être considérées comme représentant d'une part les idées figées, dogmatiques, ce qui pèse en nous, qui est inerte et source d'inertie, et d'autre part ce qui nous recouvre et nous enserre, tous les empêchements qui s'interposent, les revêtements qui étouffent notre nature réelle. La dimension spirituelle de l'être est à la fois ensevelie et sanglée.

L'épisode de Lazare n'est pas rapporté dans les Synoptiques et il ne faut pas le considérer comme historique. Sa valeur est ailleurs parce qu'il appartient au domaine de l'intériorité, et ce qui est proclamé à ce niveau, c'est la possibilité d'une résurrection spirituelle aussi spectaculaire que le retour d'un mort à la vie. Il faut remarquer que Jésus lui lance d'une voix forte : « Lazare, sors ! » Il l'appelle par son prénom. Cette marque d'intimité n'est pas seulement due au fait que Lazare était son ami ; il y a une autre raison, à la fois touchante et essentielle : chacun est appelé par son prénom parce que c'est l'intimité et la profondeur de chacun qui est appelée à l'éveil spirituel, à la résurrection. C'est avec une immense compassion et une immense tendresse que Dieu – ou le maître – appelle à la métamorphose. Le prénom Lazare, en hébreu *èl 'âzâr*, signifie d'ailleurs « Dieu aide ».

Son appel est déjà en soi une aide et il affirme avant toute chose une profonde reconnaissance. Ce chant du Psaume II, 7 n'est-il pas aussi le rappel de cette vérité : « J'annoncerai la loi d'Adonaï, il m'a dit : "Tu es mon fils, je t'engendre aujourd'hui" » ? « Tu es mon fils » ou, transposé dans le sanscrit des Upanishads, *Tat tvam asi*, « Tu es Cela ».

C'est encore dans une perspective psychologique et spirituelle qu'il faut situer la guérison du paralytique à la piscine de Bethesda : « Or il existe à Jérusalem, près de la Probatique, une piscine qui s'appelle en hébreu Bethesda et qui a cinq portiques. Sous ces portiques gisaient une multitude d'infirmes, aveugles, boiteux, impotents, qui attendaient le bouillonnement de l'eau. Car l'ange du Seigneur descendait par moments dans la piscine et agitait l'eau : le premier alors à y entrer, après que l'eau avait été agitée, se trouvait guéri, quel que fût son mal. Il y avait là un homme qui était infirme depuis trente-huit ans. Jésus, le voyant étendu et apprenant qu'il était dans cet état depuis longtemps déjà, lui dit : "Veux-tu guérir ?" L'infirme lui répondit : "Seigneur, je n'ai personne pour me jeter dans la piscine, quand l'eau vient à être agitée ; et le temps que j'y aille, un autre descend devant moi." Jésus lui dit : "Lève-toi, prends ton grabat et marche." Et aussitôt l'homme fut guéri ; il prit son grabat et il marchait » (Jn 5, 2-9).

Cette parabole apporte d'autres précisions concernant le moyen de se libérer des obstacles intérieurs. Tout d'abord, le terme hébreu Bethesda peut avoir plusieurs orthographes possibles mais il signifie « Maison de la Grâce » ou « Maison de la Miséricorde ». C'est en effet sur fond d'énergie divine et de compassion qu'un véritable processus de guérison peut être amorcé. Il est illusoire de penser que par nos seules forces il est possible de nous libérer.

Même si l'insistance est parfois portée sur la discipline personnelle et les efforts, il est certain que la purification intérieure demande l'intervention d'une autre puissance, d'une énergie supérieure, d'une grâce. D'un autre côté, il est tout aussi illusoire de penser que la transformation se fera toute seule, comme par magie, sous prétexte que l'homme est un être démuni et que Dieu seul peut faire le travail. Si tel était le cas, Jésus n'aurait jamais demandé au paralytique : « Veux-tu guérir ? » Il serait intervenu sans lui demander son avis, simplement par pitié. Mais la guérison réclame une participation active, ne serait-ce que sous la forme d'une forte détermination à vouloir guérir. Il en est donc exactement de même dans le domaine spirituel et dans le domaine médical. Hippocrate avait bien souligné ce principe de base en écrivant : « Quand quelqu'un désire la santé, il faut d'abord lui demander s'il est prêt à supprimer les causes de la maladie. Alors seulement est-il possible de l'aider. » Et la suppression des causes de la maladie est une tâche immense dont la responsabilité incombe en grande partie au malade. Il lui faudra coopérer de tout son être avec le maître (et l'enseignement) à travers lequel Dieu lui-même agit. À cet égard, une habileté et une vigilance aiguës seront nécessaires de la part du disciple pour émerger peu à peu de son univers étouffant et paralysant.

Près de la « porte des Brebis » (Probatique vient de *probaton*, « petit bétail »), il y a une piscine à cinq portiques. Dans le langage des paraboles, les cinq portiques – de même que les cinq maris de la Samaritaine, les cinq pains dans le miracle de la multiplication des pains ou les cinq dans la maison (Thom 16, 7) – signifient les cinq sens. Le monde des cinq sens correspond au monde matériel et à la manière de le percevoir par les organes sensoriels. Il comprend par exemple tout ce qui relève des émotions ainsi que des pensées en tant qu'elles sont à l'origine d'un cortège de souffrances dont l'homme reste le plus souvent captif. « Sous ces portiques gisaient une multitude d'infirmes, aveugles, boiteux, impotents », précise le texte qui ne fait que décrire métaphoriquement l'état général de la condition humaine. Les maux physiques ne sont que la face visible de maux encore plus profonds, cachés au fond des âmes. Les infirmités mentionnées correspondent en réalité à des distorsions du point de vue spirituel : l'ignorance, l'aveuglement, la paralysie de l'être profond qui, selon certains manuscrits, rendent l'homme « raidi » ou « desséché ».

Comme tout enseignement authentique, les Évangiles offrent une cohérence d'ensemble qui rend possible, à partir d'un aspect particulier, d'aborder tous les autres dans la mesure où tout est fondamentalement relié. En même temps, pour chaque passage, différents niveaux de compréhension sont possibles simultanément, sans pour autant se contredire sur le fond. Une parabole peut donc donner lieu à de multiples interprétations, mais si l'on peut maintenir une vision à la fois intériorisée et panoramique, il est possible de sentir le sens le plus pertinent et le plus efficace de la parabole. Dans le cas de la guérison du paralytique, supposer qu'il s'agit là de la restauration – même miraculeuse – des facultés motrices d'un homme ne présente pas le moindre intérêt.

Jésus, par son intervention immédiate, tranche directement dans la dimension linéaire (et horizontale) de cet homme et lui offre la possibilité d'un accès à la dimension verticale : « Lève-toi, prends ton grabat et marche. » André Chouraqui traduit par : « Réveille-toi », et il faut se rappeler ici que les verbes « se lever », « se réveiller » ou « ressusciter » ont un sens identique qui confirme encore, si besoin en était, la manière dont il faut comprendre la parabole. L'homme atteint un autre état ; il change pour ainsi dire complètement d'univers. Il prend son grabat, c'est-à-dire qu'il n'a plus besoin de support extérieur car il a retrouvé son autonomie et le soutien véritable en lui-même. Il comptait sur le bouillonnement de l'eau pour être guéri en oubliant de faire appel à ses ressources intérieures.

Tertullien et Jean Chrysostome voient dans cette parabole un motif baptismal : cet homme qui n'a pu être soigné par les eaux du judaïsme a été guéri par le Christ. Mais cette version, qui dénote une conception prosélyte de son message, est un affadissement de la parabole. L'homme ne touche même pas l'eau de la piscine et on ne peut sous-entendre qu'il se soit converti au sens habituel du terme. En revanche, il est guéri, et c'est ce qui compte. Jésus enseigne la nécessité de se libérer et il montre que l'émancipation est possible bien que les chemins de traverse et les écueils soient innombrables. La parabole parle d'un grabataire depuis trente-huit ans et qui fonde son espoir de guérison dans l'ange du Seigneur. Et quand les juifs abordent avec lui la question du sabbat « il leur répondit : "Celui qui m'a guéri m'a dit : Prends ton grabat et marche." Ils lui demandèrent : "Quel est l'homme qui t'a dit : Prends ton grabat et marche ?" Mais celui qui avait été guéri ne savait pas qui c'était ; Jésus en effet avait disparu, car il y avait une foule en ce lieu » (Jn 11, 11-13). Cette précision montre que l'homme n'est pas guéri parce qu'il avait foi en Jésus. Jésus s'éclipse sans se faire connaître et il ne focalise pas ainsi la raison foncière de la guérison sur sa personne. Ce n'est pas pour se prémunir de quoi que ce soit ou encore par humilité. En fait, le processus de guérison, s'il est nourri par des énergies divines, est en essence aussi impersonnel que mystérieux. L'attribution d'un miracle à Jésus serait encore une forme de réduction qui consisterait à considérer ce dynamisme impersonnel comme ayant une cause extérieure à l'être lui-même. Dieu, au cœur de l'être, peut faire son œuvre si l'homme fait de son côté la part qui lui revient.

L'enseignement de la parabole montre en particulier qu'il ne faut pas attendre des autres hommes – d'autres infirmes – quoi que ce soit par rapport à notre libération ni même

escompter l'intervention d'un ange tout en restant foncièrement passif. Les excuses à notre aveuglement sont vaines,
elles ne font que contribuer à l'entretenir pendant de longues
années. Ainsi, la demande de se lever, de se mettre debout et
de prendre sa paillasse, c'est-à-dire de surmonter sa léthargie,
apparaît-elle comme la demande essentielle propre à tout
cheminement spirituel. Le miracle peut s'accomplir lorsque
cet appel est réellement entendu et que toutes les ressources
de l'être sont rassemblées pour y répondre. Et ce miracle
s'accomplit le jour du sabbat qui est le jour où toutes les préoccupations habituelles sont délaissées. Ici, ce n'est pas sur le
repos qu'il faut insister, mais sur le fait que ce jour est consacré à l'Éternel. Les énergies intérieures ne sont plus investies
dans les activités ordinaires et les soucis, mais orientées vers
la grande Réalité.

À maintes reprises, les évangélistes ont rapporté d'une
manière ou d'une autre les propos de Jésus selon lesquels la
purification des émotions est nécessaire. Le retournement
intérieur, l'introduction d'une nouvelle façon de voir et de
percevoir, l'inversion par rapport aux tendances habituelles
de penser et de sentir, tout cela évoque une refonte totale de
l'être. D'un point de vue très superficiel, on peut bien
entendu comprendre ce message comme une invitation à
rectifier de l'extérieur ce qui peut paraître répréhensible.
L'Ecclésiaste dit par exemple (7, 9) : « Ne te hâte pas en ton
esprit de t'irriter, car l'irritation repose dans le sein des insensés », et tout le monde sera sans doute d'accord. Mais la véritable transformation ne peut pas reposer sur la bonne
volonté et de bonnes résolutions. Il faut plus car la puissance
du mental – que Jésus n'hésite pas à appeler le Malin ou
Satan – est telle qu'il va sans cesse revenir à la charge. De
précieuses indications nous sont cependant données dans les
Évangiles pour mieux comprendre la nature de ce travail de

purification en fonction des différents niveaux de fonctionnement possibles au cœur de l'être. Quels sont ces niveaux ? Dans le langage courant les termes d'émotion et de sentiment sont interchangeables, mais il faut insister sur le fait qu'il y a dans ce domaine une immense source de confusion. Cette distinction de vocabulaire, qui peut paraître au premier abord très arbitraire, est en réalité extrêmement utile. Évagre le Pontique, par exemple, établissait nettement une distinction entre l'émotion et le sentiment, et l'on peut retrouver cette différence aussi bien chez un Lao-tseu que dans la formulation anglaise de Swâmi Prajnânpad avec les mots *emotion* et *feeling*. Elle est très précisément établie dans les Évangiles mais son importance, le plus souvent, n'est pas relevée, ce qui occasionne de graves distorsions. Une des raisons principales de cette incompréhension est que la conception tripartite de l'homme : corps-âme-esprit (*soma-psyché-pneuma*) a été perdue de vue et ramenée à la dualité « corps-âme » au détriment de la dimension proprement spirituelle et surnaturelle de l'homme. Dans une remarquable étude, Michel Fromaget examine en détail cette « anthropologie ternaire » qui était en vigueur dans les premiers siècles du christianisme [69]. Seul « l'homme tridimensionnel » peut représenter l'intégralité de la personne. Marie, qui est par excellence l'image du disciple accompli et le modèle de la réalisation spirituelle, distingue nettement entre l'âme et l'esprit lorsqu'elle déclare dans le Magnificat : « Mon âme exalte le Seigneur, et mon esprit tressaille de joie en Dieu mon sauveur » (Lc 1, 46-47). Michel Fromaget en fait le commentaire suivant : « Une différence essentielle est exprimée par ces deux versets. La relation de l'âme à Dieu est d'*altérité*, d'extériorité, le verbe exalter suppose un sujet et un objet qui soient différents. Par contre la relation de l'esprit à Dieu est une relation d'*intériorité*, d'*unité* de communion : « exulte mon esprit en Dieu.[70] »

Il est vrai que dans tout le Nouveau Testament cette conception ternaire n'est explicitement mentionnée qu'une seule fois par saint Paul en I Th 5, 23 : « Que votre être entier, l'esprit, l'âme et le corps... » Bien que cette conception soit systématisée plus tard par saint Irénée, il est difficile de ne pas la voir déjà contenue en germe dans les Évangiles eux-mêmes [71]. Il est évident que tout l'enseignement de Jésus repose sur la réalité de cette dimension spirituelle de l'être humain, c'est-à-dire l'esprit (*pneuma*) et non pas l'âme (*psychè*). Telle est la source majeure de nombreuses confusions ultérieures, en particulier par rapport au travail de purification lui-même.

Pour pouvoir franchir les étapes progressives de l'évolution intérieure, il faut reconnaître le point de départ, c'est-à-dire l'existence de l'état maladif sous la forme, en l'occurrence, de la sphère émotionnelle. On a déjà vu comment Jésus considérait l'émotion ainsi que le fait d'être emporté, de ne pas être capable de contrôler (Mt 5, 21-22 : « Vous avez appris qu'il a été dit aux anciens : "Tu ne tueras point, et celui qui tuera mérite d'être puni par le tribunal". Et moi je vous dis : Quiconque se met en colère contre son frère mérite d'être puni par le tribunal ; et celui qui dira à son frère : Raca, mérite d'être puni par le Conseil ; et celui qui dira : Fou, mérite d'être jeté dans la géhenne du feu. »). Mais ce qui concerne la colère ou la haine s'applique de la même façon aux autres émotions. Les émotions, par nature, relèvent de la dimension psychique en l'homme dont il doit progressivement se libérer. Il peut arriver que le maître utilise une situation occasionnelle pour tester le disciple et lui permettre de voir où il en est par rapport à ce qu'on appellerait en termes modernes la « désidentification » à l'égard des états intérieurs. En tant que catalyseur, il peut donc être admis que la fonction du maître soit par moments de choquer

273

délibérément, de provoquer, de confronter l'élève pour le mettre à l'épreuve vis-à-vis de ses propres réactions.

L'épisode de la rencontre de Jésus avec une femme syrophénicienne est significatif : « Étant entré dans une maison, il voulait que personne ne le sût, mais il ne put rester ignoré. Car aussitôt une femme, dont la petite fille avait un esprit impur, entendit parler de lui et vint se jeter à ses pieds. Cette femme était grecque d'origine, syrophénicienne de naissance, et elle le priait d'expulser le démon hors de sa fille. Et il lui disait : "Laisse d'abord les enfants se rassasier, car il ne sied pas de prendre le pain des enfants et de le jeter aux chiens." Mais elle de répliquer et de lui dire : "Oui, Seigneur ! et les petits chiens sous la table mangent les miettes des enfants !" Alors il lui dit : "À cause de cette parole, va, le démon est sorti de ta fille" » (Mc 7, 24-29). En clair, Jésus refuse tout d'abord non seulement d'accéder à sa demande, de répondre à l'angoisse d'une mère torturée au sujet de sa fille (il ne faut pas oublier encore une fois de prendre cette situation dans son sens symbolique), mais il l'insulte de la pire façon en l'assimilant aux chiens. L'histoire ne dit pas si cette femme s'est sentie offensée tout en maîtrisant sa réaction, ou si elle était déjà libre d'un tel fonctionnement. Quoi qu'il en soit, sa réponse est la preuve manifeste d'une très grande maturité intérieure. Elle est aussi touchante par le fait qu'en dépit de la gravité de la situation, cette femme reprend habilement les propos de Jésus pour les retourner avec humour dans le sens de sa demande. La réponse positive de Jésus est alors une confirmation de la justesse de son attitude. Elle a bravé avec courage le défi qui lui a été lancé et passé victorieusement le test que le maître lui a proposé.

Le fait de ne pas être dominé par les affects est le signe qu'un certain travail au-dedans a déjà été effectué. Cela réclame une *démarche*, comme le traduit le sens originel du mot hébreu pour « béatitude » ou « heureux », *ashrei*. Ce terme, qui est une exclamation au pluriel, implique une dynamique, une avancée, des « démarches renouvelées à chaque instant [72] ». A. Chouraqui traduit par : « En marche ! », ce mot que l'on retrouve aussi dès le début des Psaumes (I, 1). Le grec *makarioï*, « bienheureux », suppose un état déjà établi alors que l'hébreu *ashrei*, de la racine *ashar*, implique l'idée d'une « rectitude » (*iashar*), celle de l'homme en marche sur la route qui va droit vers IHVH [73].

La voie de la purification – première étape de l'itinéraire intérieur, la *via purgativa* – s'adresse aux commençants, à ceux qui s'engagent sur le chemin de la guérison véritable et qui aspirent au salut, ceux-là mêmes qui sont blessés, qui ont le cœur meurtri et qui souffrent. D'après Luc (4, 18-19), lorsque Jésus inaugure son ministère en Galilée, il cite un passage révélateur du livre d'Esaïe (61, 1-2) :

L'Esprit du Seigneur, l'Éternel est sur moi,
Car l'Éternel m'a oint pour porter de bonnes nouvelles aux malheureux ;
Il m'a envoyé pour guérir ceux qui ont le cœur brisé,
Pour proclamer aux captifs la liberté,
Et aux prisonniers la délivrance ;
Pour publier une année de grâce de l'Éternel.

L'état de l'homme est celui d'un être souffrant et, en même temps, il existe une possibilité de se libérer de cette souffrance. Ainsi les Béatitudes apparaissent-elles à la fois comme une promesse et un programme concret. Lorsqu'il est dit dans la première Béatitude : « Heureux les pauvres en esprit car le Royaume des Cieux est à eux » (Mt 5, 3), il est fait allusion à l'humilité dans le sens d'un amoindrissement des prérogatives de l'ego, à une réduction du caractère impérieux des désirs, une pauvreté qui est l'absence de toute une profusion de tendances intérieures aussi inutiles que nuisibles. G. Gander traduit ainsi la seconde Béatitude : « Heureux ceux qui savent s'humilier ; car c'est eux qui hériteront la (nouvelle) terre (des Cieux) » (Mt 5, 4). On peut trouver aussi : « Heureux les doux » parce qu'il y a un unique terme araméen, `anwânâ, désignant à la fois « doux et humble » et qui renvoie aussi à « pauvres ». En Matthieu 11, 29, Jésus déclare : « Je suis humble et doux de cœur » ; il représente un but vers lequel il faut s'orienter. Cette « humilité-douceur » ne signifie pas une apparence extérieure en conformité avec une image idéale particulière. Elle relève d'une attitude intérieure authentique qui peut se gagner peu à peu et qui donne la capacité de ne pas se laisser envahir par le ressentiment ou une négativité hautaine et agressive. En ce sens, « savoir s'humilier » revient en effet à une certaine douceur puisque non seulement il n'est plus question d'être emporté par une réaction émotionnelle, mais celle-ci est « traitée » par un geste intérieur de reddition, d'abandon qui désamorce son intensité. Il s'agit donc d'un travail intérieur effectif qui justifie le sens profond du mot hébreu *ashrei*, ou araméen *tûbê*, exprimant l'idée d'un effort renouvelé d'instant en instant et qui fait avancer : il achemine vers un état heureux. Si le pratiquant se dirige dans la bonne direction, il héritera de la terre promise, il sera consolé, il sera rassasié, il verra Dieu. L'état de béatitude n'est pas donné d'emblée comme s'il s'agissait d'un dû. Ou, pour être plus exact, c'est l'accès à la béatitude qui n'est pas donné immédiatement – puisque la paix et la joie attendent déjà au fond de nous-même que nous les rejoignions. Dans la mesure où il s'agit ici d'une ascèse au sens strict, il faut se garder de tout glissement vers un point de vue spécifiquement éthique dans lequel les béatitudes deviennent des « vertus ». Les commentateurs de la Synopse ont souligné cette déviation vers un aspect moralisateur – autant chez Matthieu que chez Luc [74]. Les instructions ont été données à une foule ainsi qu'aux disciples mais « l'enseignement du Sermon sur la montagne est fortement marqué par les thèmes de la littérature sapientielle ; c'est dans cette ligne qu'il faut chercher la signification fondamentale des béatitudes [75] ». Même si l'on peut trouver différents niveaux aux béatitudes, il faut insister sur le fait qu'il s'agit d'instructions pratiques concernant la purification intérieure. Une fois de plus, le recours à l'araméen apporte des nuances significatives. À propos des Béatitudes, André Chouraqui rappelle d'ailleurs que « ces paroles ont été prononcées non pas en grec, mais en hébreu ou en araméen [76] ». Si on étudie la parole célèbre « Heureux les pauvres en esprit, car le Royaume des Cieux est à eux ! » (Mt 5, 3) en revenant à l'araméen, on découvre que l'expression « pauvre en esprit », en elle-même difficilement compréhensible, doit s'entendre en réalité par « qui ne possède que le Souffle ». Ainsi selon Neil Douglas-Klotz, cette parole signifie : « Mûrs ou matures sont ceux qui réalisent qu'ils n'ont rien d'autre que le Souffle [77]. » De même, la troisième Béatitude : « Heureux les humbles car ils hériteront de la terre » (v. 4), ne doit pas être interprétée dans un sens moral. Le terme araméen pour « humble », *makîkâ*, dans la Peshitta, comporte dans ses racines sémitiques les notions de « liquéfaction, faire fondre, se prosterner ou amollir quelque chose qui est excessivement rigide [78] ». « Hériter de la terre » signifie recevoir la force, la nourriture de *ar 'ah* : la nature aussi bien que le pouvoir naturel qui traverse les êtres. Ce n'est donc pas une simple vertu morale qui est préconisée ici mais bien plutôt une attitude intérieure subtile de non-résistance, de lâcher-prise et d'ouverture à une énergie beaucoup plus fine [79]. On trouve dans la Bible de Jérusalem le commentaire suivant en note aux Béatitudes : « Démunis et opprimés, les "pauvres" ou les "humbles" sont disponibles pour le Royaume des Cieux, tel est le thème des Béatitudes » (note *f*) ! Il faudrait plutôt regarder du côté d'une pratique spirituelle fondée sur une capacité d'ouverture et d'abandon ainsi qu'une sincérité et une pureté d'intention. La prière renvoie par exemple, selon le terme araméen correspondant : *shela*, au fait de s'incliner, de se pencher vers, d'écouter. Cette attitude intérieure intense de « passivité active » qui appelle une réponse d'un ordre supérieur est énoncée en Mt 7, 7 par la formule : « Demandez et l'on vous donnera ; cherchez et vous trouverez ; frappez et l'on vous ouvrira. » Il n'est pas dit : « Frappez et *ouvrez* la porte », ce qui introduit une nuance importante.

Le fait que Jésus s'adresse, dans les Béatitudes, à la troisième personne du pluriel donne trop souvent l'impression qu'il dispense un message général, en même temps moral et diffus. En réalité, la progression sur la voie n'est pas d'ordre collectif et il ne faut pas confondre ce qui appartient au domaine éthique avec le domaine proprement ascétique et mystique. On peut retrouver ici encore ce même changement de registre qui dévalue considérablement la portée de l'enseignement et se fait le plus souvent au nom d'un « altruisme » ou d'un « moralisme social » ayant pour eux la force de la bonne conscience.

Les paroles de Jésus ont souvent été interprétées et réintégrées dans des contextes n'appartenant plus aux situations initiales. Elles ont parfois été adaptées en fonction de deux tendances, l'une relevant de la morale et l'autre de l'eschatologie. Ces deux tendances, a noté C. H. Dodd, « ont été à l'œuvre pendant la période où les Évangiles ont été écrits, et l'on peut raisonnablement supposer qu'elles ont joué pendant les premiers temps de la tradition orale [80] ». Chaque fois qu'il est possible de serrer au plus près le langage qu'a pu utiliser Jésus, on s'aperçoit qu'il renvoie toujours à une dimension éminemment mystique et spirituelle qui tranche radicalement par rapport à ces deux tendances.

Lorsque Jésus dit : « Heureux ceux qui pleurent car ils seront consolés » (v. 5), il ne faut pas y voir un apitoiement de sa part à l'égard des masses affligées par des conditions sociales et politiques difficiles. En définitive, peut-on supposer que Jésus ait d'autres préoccupations que le réel progrès spirituel de chacun ? Et la compassion la plus profonde ne consiste-t-elle pas justement à donner aux hommes ce dont ils ont besoin pour évoluer ? Les pleurs dont parle Jésus ne sont pas n'importe quels pleurs. Il ne se réfère pas ici à l'affliction habituelle, à la manière ordinaire de souffrir. Il y a cette phrase mystérieuse dans les Actes de Jean : « Si tu sais comment souffrir, tu seras capable de ne pas souffrir. » L'affliction dont il est question renvoie à une manière nouvelle d'aborder la souffrance ; non pas en la subissant passivement tout en lui résistant intérieurement, ni en s'y complaisant d'une manière morbide (en savourant par exemple le fait d'être une victime), mais en décidant de la vivre consciemment, pleinement, avec le courage de ceux qui veulent percer à jour les illusions et les mensonges. Tout enseignement spirituel atteste qu'il est possible de dépasser la souffrance et de s'en libérer. Les Évangiles affirment la même chose mais il est difficile d'emprunter concrètement le chemin menant à cet affranchissement. La troisième Béatitude proclame : « Heureux ceux qui savent pleurer », et il est nécessaire de trouver par l'expérience même le sens véritable de tels propos. Les possibilités d'incompréhensions sont nombreuses et la perspective de souffrir consciemment pourra même paraître à certains stupide. Il a pourtant été précisé maintes fois dans les Évangiles que l'état ordinaire de l'homme est celui d'un mort-vivant et cela se retrouve jusque dans l'Apocalypse : « ... tu passes pour vivant, mais tu es mort. Réveille-toi, ranime ce qui te reste de vie défaillante ! Non, je n'ai pas trouvé ta vie bien pleine aux yeux de Dieu » (Ap 3, 1-2). L'Évangile de Jean fait allusion à

« tous ceux qui sont dans les tombeaux » (Jn 5, 28) et l'on peut considérer précisément que la manière ordinaire de souffrir fait partie de cette vie défaillante et tronquée, proche de l'état de cadavre. Il est aussi fait mention de la nécessité d'un retournement complet de la perspective. Ce revirement n'est pas une pure abstraction mais s'inscrit très concrètement dans ce qui peut au contraire bouleverser au plus intime de lui-même celui qui l'expérimente. Voilà pourquoi des résistances peuvent se lever à l'égard de l'enseignement, dans la mesure où il est une invitation constante à s'exposer et à laisser tomber les protections. Mais à la mesure du risque pris et du courage d'affronter la souffrance pour la connaître de l'intérieur, dans l'humilité et la confiance, il y aura alors une transformation réelle, c'est-à-dire le passage à un autre niveau d'être. Car la consolation annoncée n'est pas non plus n'importe quelle consolation. Elle ne provient même pas fondamentalement d'une personne extérieure, aussi sublime soit-elle. Elle se révèle en fonction de lois inhérentes à l'être, de lois spirituelles inaccessibles à l'entendement ordinaire. Cette consolation n'est donc pas un réconfort venant du dehors pour amoindrir la souffrance, mais la découverte, au cœur de la souffrance totalement acceptée, d'un état de paix qui transcende la condition souffrante elle-même. Ultimement, ce Consolateur n'est autre que l'Esprit Saint (Jn 14, 16).

La dimension psychique en l'homme n'est pas délaissée au nom de la dimension spirituelle, bien au contraire. Elle est considérée avec une grande attention dans la mesure où son dépassement ne peut être assuré que par un traitement adéquat. La réelle prise en compte des passions ou des émotions n'empêche pas leur remise en cause. Jésus les dénonce impitoyablement parce qu'elles participent du mensonge, mais il ne dit pas non plus qu'il suffit de les réprouver pour les faire disparaître. Il fustige ceux qui s'y complaisent et donne d'un autre côté les directives nécessaires pour parvenir à s'en libérer. Il demande d'une manière énergique leur transformation, mais cela ne doit pas être mal interprété : la transfiguration de l'âme réclame son prix, et ce sont les émotions qui doivent être brûlées dans le feu sacrificiel. Il ne faut toutefois pas avoir une vue trop idéale et considérer que celui qui en est affranchi est un être totalement désincarné. En différentes occasions, la vie même de Jésus est une belle attestation du contraire. Dans ses *Homélies sur les Béatitudes*, Grégoire de Nysse écrit : « Comme la vie humaine comprend un élément physique, où s'enracinent les passions [...]. Le Christ [...] n'exige pas l'impassibilité totale : seul un législateur inique pourrait demander à la nature humaine ce dont elle n'est pas capable. Ce serait comme si l'on demandait aux poissons de vivre dans les airs ou, inversement, aux oiseaux de vivre dans l'eau. La loi doit s'adapter aux dispositions de la nature. Il est naturel à notre faiblesse de voir surgir en elle des impulsions contre son gré. Mais la passion ne doit pas nous entraîner comme un torrent : nous savons courageusement lui résister [81]... »

Sans que cela soit aucunement une justification ou une manière de cautionner les émotions, il convient donc, plutôt que de chercher à les éradiquer, de les juguler, les accepter pour finalement les dépasser. La liberté est de l'ordre de ce dépassement ou encore de la transcendance. Mais cette transcendance n'est pas, ainsi que le rappelle Thomas Merton, un retrait de tout ce qui est profondément humain et vivant, mais une plongée au cœur même de la vie : « Si nous voulons être "parfaits" comme le Christ, nous devons tendre à être aussi totalement humains que Lui, afin qu'Il puisse nous unir à son Être divin et nous faire partager le titre de fils du Père. Par conséquent, la sainteté ne consiste pas à être *moins* humain que les autres hommes, mais à l'être plus, et cela implique de plus grandes aptitudes à s'intéresser à tout, à souffrir, à comprendre, à sympathiser, à avoir de l'humour, à éprouver des joies, à apprécier les belles et bonnes choses de la vie. Il s'ensuit qu'un "chemin de perfection" qui détruit ou neutralise les valeurs humaines précisément parce qu'elles sont telles et pour se singulariser est voué à n'être qu'une caricature de la sainteté qui pèche contre la foi en l'Incarnation [82]. »

Les Évangiles donnent des indications au sujet d'une démarche difficile à réaliser. Il s'agit de passer par le divin pour réaliser l'humain, c'est-à-dire de passer par cet incontournable enracinement dans la nature humaine avec tout ce que cela implique pour accéder en même temps à une liberté absolue, à une paix totale qui dépasse justement la capacité de compréhension de l'entendement lui-même. Jésus se réfère à ce passage d'un état à un autre (ou plus exactement à cette simultanéité) lorsqu'il déclare : « Vous aussi, maintenant vous voilà tristes ; mais je vous verrai de nouveau et votre cœur sera dans la joie, et votre joie, nul ne vous l'enlèvera » (Jn 16, 22). Cette joie que personne ne peut plus enlever n'est pas une joie qui s'oppose à la tristesse, elle est d'un autre ordre parce qu'elle n'est pas conditionnée. Le propos de Jésus ne doit donc pas être pris au sens ordinaire d'une joie causée par son retour ni même de la succession habituelle d'une émotion négative par une positive. La parole suivante est aussi très significative : « Je vous ai dit ces choses, pour que vous ayez la paix en moi. Dans le monde vous aurez à souffrir. Mais gardez courage ! J'ai vaincu le monde » (Jn 16, 33). La souffrance est donc inévitable ; telle est aussi la constatation du Bouddha et le point de départ de sa recherche. Ce n'est pas cette disparition-là qui est promise au sens où le monde ne serait plus une occasion de souffrance. Jésus lui-même, pleinement homme, a donc incarné tout ce qu'il est possible à un homme de vivre, y compris la colère en chassant les marchands du temple (Mt 21, 12 ; Mc 11, 15 ; Jn 2, 15), mais aussi la peur et l'angoisse (Mc 14, 33), la tristesse (Mc 14, 34), la détresse (Mt 27, 46 ; Mc 15, 34) et même la déréliction (Mt 27, 46). Ainsi, il ne se soustrait pas à la condition humaine mais fait la démonstration qu'il est possible de la transcender par une libre acceptation ou encore par un complet abandon de sa volonté propre.

Il est très bien admis que son enseignement passe nécessairement par cette capacité de reddition totale, de soumission à la volonté divine. Ce qui est plus difficile à comprendre cependant, c'est que cette capacité doit se développer par rapport aux émotions elles-mêmes et qu'elle réclame une intense mobilisation intérieure. Sans faire de longs discours à ce sujet, la vie même de Jésus en constitue le meilleur enseignement. Mais il risque de passer inaperçu si de nombreuses autres préoccupations prennent le pas en éloignant ainsi d'une pratique véritable, concrète et intime. Jésus s'est parfois désolé à haute voix du manque de zèle et de diligence de ses disciples par rapport à leur pratique et il déclare de la sorte : « Ma mère et mes frères, ce sont ceux qui écoutent la parole de Dieu et la mettent en pratique » (Lc 8, 21 ; cf. Mt 7, 24).

L'insistance sur la vigilance prend alors tout son sens et on comprend mieux le risque auquel s'expose celui chez qui elle est absente. Non seulement il peut être aveuglé par l'émotion et victime de l'emportement, mais il oublie aussi ce qu'il convient de mettre en pratique en son for intérieur.

Le fait que Jésus ait pu éprouver tout ce que l'homme peut ressentir d'intense et de douloureux ne veut pas dire qu'il le vivait exactement de la même façon. Au contraire, il est essentiel de souligner qu'une grande force de son enseignement consiste à *montrer par l'exemple* ce qu'il est possible d'accomplir et dans quelle direction il faut concrètement s'orienter. Lorsque Jésus dit : « Mon âme est triste à en mourir », il reconnaît ce qui se manifeste dans la part psychique de son être, mais la difficulté réside ici dans le fait de ne pas interpréter ce vécu en fonction de l'expérience courante d'une personne qui ne se serait jamais exercée à la pratique de la vigilance et de l'acceptation. *Or c'est précisément cette autre manière de vivre la souffrance que Jésus enseigne, une façon entièrement nouvelle qui transfigure la réalité* – bien que celle-ci reste en apparence inchangée de l'extérieur. Il est certain par exemple que lorsque les martyrs chrétiens sont allés droit à la mort avec un visage lumineux et rayonnant, un tel spectacle a été déterminant pour la propagation du christianisme. Ignace d'Antioche (vers 110) s'est écrié en marchant vers le martyre : « Maintenant, je commence à être un disciple. »

Il convient par conséquent de ne pas confondre les plans de conscience et d'insister sur le fait que la liberté par rapport aux phénomènes (en particulier psychiques) ne signifie pas nécessairement qu'ils ne vont plus jamais apparaître. L'équanimité ne veut pas dire que tous les états d'âme ont définitivement disparu mais qu'il y a en permanence un regard serein, libre, non affecté. Cet « état » lucide et heureux n'est pas soumis au changement et il embrasse, sans en être troublé, tous les autres mouvements qui apparaissent dans la conscience.

C'est auprès d'un mystique tel que Maître Eckhart que l'on peut en trouver une explication claire. Il aborde la question dans son *Traité* sur le détachement et le passage mérite d'être cité en intégralité. Eckhart résume en ces termes le problème posé : « Or quelqu'un pourrait dire : Le Christ était-il dans un détachement immuable lorsqu'il dit : "Mon âme est triste jusqu'à la mort" ? et Marie, lorsqu'elle était au pied de la croix – et on parle pourtant beaucoup de sa lamentation –, comment tout cela peut-il s'accorder avec le détachement immuable [83] ? » En transposant dans d'autres langages, ce détachement peut être considéré comme correspondant à une conscience-témoin ou à une totale désidentification. Et la réponse de Maître Eckhart évoque précisément la présence d'un plan de conscience différent : « Or tu dois savoir que l'homme extérieur peut avoir une activité, alors que l'homme intérieur demeure totalement libre et insensible. Or dans le Christ aussi étaient un homme extérieur et un homme intérieur, de même en Notre-Dame. Et quand le Christ et Notre-Dame parlaient de choses extérieures, ils le faisaient selon l'homme extérieur, tandis que l'homme intérieur demeurait dans un détachement immuable. Ainsi lorsque le Christ dit : "Mon âme est triste jusqu'à la mort", et lorsque Notre-Dame se lamentait et quoi qu'elle pût dire ou faire, son intériorité demeurait dans un détachement immuable. Voici une comparaison : une porte s'ouvre et se ferme sur un gond. Or je compare la planche extérieure de la porte à l'homme extérieur et je compare le gond à l'homme intérieur. Or selon que la porte s'ouvre et se ferme, la planche extérieure se tourne ici ou là ; cependant le gond demeure immobile à sa place et ne change jamais pour autant. Il en est de même ici, si tu comprends bien [84]. » Une autre image était connue chez les anciens Pères et a été reprise par saint Alphonse dans son commentaire sur l'Ecclésiaste, celle où la stabilité intérieure était représentée par le soleil qui reste toujours égal à lui-même, alors que la lune a des phases changeantes qui suggèrent des états psychiques successifs.

Jésus enseigne à s'établir dans l'esprit et il enjoint par conséquent de ne pas confondre les plans. Il convient de méditer en ce sens la parole suivante : « Je vous laisse la paix ; c'est ma paix que je vous donne ; je ne vous la donne pas comme le monde la donne » (Jn 14, 27). Les émotions ne relèvent donc pas du même niveau que les sentiments et lorsqu'on parle de « joie » ou de « paix », il faut savoir à quel domaine elles appartiennent. Lorsque les émotions se manifestent intérieurement, elles peuvent être d'une part vécues dans un état de totale liberté et, d'autre part, elles ne doivent pas être confondues avec une autre possibilité d'expérience totalement différente. Le sentiment est en effet un ressenti d'une qualité qui n'appartient pas au monde émotionnel ordinaire. Il ne peut être éprouvé que par la partie la plus subtile du cœur et il se caractérise non seulement par sa finesse et sa profondeur mais aussi par sa permanence. Il est l'expression d'une véritable ouverture ; après le passage par de nombreuses mutations, l'être émane ce parfum caractéristique.

Il est évident que lorsque Jésus invite à l'amour, il parle de cette qualité éprouvée par un cœur métamorphosé : « Eh bien ! moi je vous dis : Aimez vos ennemis, et priez pour vos persécuteurs, afin de devenir fils de votre Père qui est aux cieux, car il fait se lever son soleil sur les méchants et sur les bons, et tomber la pluie sur les justes et les injustes. Car si vous aimez ceux qui vous aiment, quelle récompense aurez-vous ? » (Mt 6, 44-46). Aimer ceux qui nous aiment ne demande aucune qualification particulière et n'exige aucun dépassement du fonctionnement ordinaire. En revanche, aimer les ennemis veut dire que l'on ne ressent plus l'autre en fonction de son individualité propre. Le revirement est total et le sentiment qui est éprouvé alors n'appartient plus au monde de l'ego, à l'univers étroit de la psyché. Le Dalaï-Lama témoigne de ce même niveau lorsqu'il dit que « le vrai amour, la vraie compassion ne s'appuient pas sur le comportement d'une personne mais sur sa souffrance, sur sa nature souffrante. Quand on reconnaît sa nature souffrante, alors, quel que soit son comportement, la compassion ne changera pas [85] ». En d'autres mots, la stabilité du sentiment ne peut plus être remise en cause par quoi que ce soit. On le sait, ce n'est évidemment pas le cas des émotions.

Du point de vue ordinaire, l'injonction célèbre : « Eh bien ! moi je vous dis de ne pas tenir tête au méchant : au contraire, quelqu'un te donne-t-il un soufflet sur la joue droite, tends-lui encore l'autre » (Mt 6, 39), ne paraît pas seulement irréalisable mais même franchement stupide. Cette apparente absurdité provient de la transposition illégitime d'une loi intérieure, spirituelle et relevant de l'être, au domaine du comportement extérieur. Ce passage du subtil au grossier peut parfois prendre un tour naïf ou même puéril. Il est comparable à une forme de « syllogisme » qu'Alan Watts rend avec une pointe d'ironie : « Aimez vos concurrents et priez pour ceux qui pratiquent des tarifs moins élevés que les vôtres [86] ». Mais si l'on ne se situe plus au niveau classique du mécanisme émotionnel et de l'enchaînement infini des réactions, alors la parole de Jésus peut au contraire révéler des richesses insoupçonnées. Elle enseigne une attitude intérieure de non-résistance par rapport à tout ce que nous considérons (toujours intérieurement) comme des ennemis. Le lâcher-prise, l'acceptation et la non-résistance sont différentes façons de mentionner un secret majeur sur la voie spirituelle (et l'on sait, à cet égard, quelles prouesses il est possible d'accomplir lorsque ces qualités sont par exemple appliquées dans les arts « martiaux »). Du point de vue spirituel, il s'agit de lois supérieures proches de celles qu'évoque le sage chinois Lao-tseu lorsqu'il dit que par le « non-agir », il n'est rien qui ne puisse être accompli. À ce niveau, « tendre l'autre joue » ne veut certainement pas dire être servile devant autrui ni même pratiquer un vague moralisme mièvre et sentimental. La puissance de la non-résistance intérieure est formidable ; à condition qu'elle ne soit pas feinte et qu'elle corresponde par conséquent à un réel degré d'accomplissement.

La compréhension de cette invitation à un dépassement des émotions courantes est parfois rendue difficile par le fait même de la traduction des termes qui appartiennent à des univers culturels différents. Il est par exemple fondamental de noter que dans la formulation lucanienne : « Si quelqu'un vient à moi sans *haïr* son père, sa mère, sa femme, ses enfants, ses frères, ses sœurs, et jusqu'à sa propre vie, il ne peut être

287

mon disciple » (Lc 14, 26), il n'est fort heureusement aucunement question de « haïr ». Il s'agit plutôt de « mettre de côté » et, même dans cette acception, cela ne veut pas dire un quelconque rejet de l'autre, une mise à distance, un dénigrement. Il faut l'entendre dans le sens intérieur d'une désidentification, d'un détachement et d'une liberté qui permettent de se consacrer pleinement à une dimension verticale, par-delà les êtres et les choses.

Tout homme qui se lance à cœur perdu dans la recherche du Royaume est fondamentalement seul, car c'est avant tout une affaire entre Dieu et lui ; il ne doit y avoir aucune interférence. Et il doit en quelque sorte parvenir aussi à se détacher de lui-même comme l'évoque le logion rapporté en Jean 12, 25 : « Qui aime sa vie la perd... »

« Haïr » (en hébreu *sâné*, en grec *miséô*) peut sembler un terme extrême dans certains cas, mais dans la perspective sémitique et la langue hébraïque il n'y a pas de nuances intermédiaires entre les deux pôles d'une opposition. Matthieu a rendu ce passage en insinuant une préférence : « Qui aime son père ou sa mère plus que moi n'est pas digne de moi » (Mt 10, 37., cf. Dt 21, 15). En deux logia, l'Évangile de Thomas précise : « Jésus a dit : Celui que ne récuse son père et sa mère ne pourra se faire mon disciple » (55, 1-3 ; cf. 101, 1-3), mais bien évidemment, il ne peut y avoir ici aucune invitation à l'agressivité. Jésus ne demande pas à ce que le candidat sur la voie se dresse affectivement contre ses parents et qu'il entretienne envers eux des émotions négatives (cela serait d'ailleurs en contradiction avec le commandement d'honorer son père et sa mère). Il mentionne plutôt un dégagement de la conscience qui peut alors, sur fond de liberté, s'élargir au-delà des relations filiales ou familiales. Être libre, c'est aussi être libre du père et de la mère [87].

Très paradoxalement, l'injonction de « haïr » son père et sa mère signifie exactement le contraire de ce que ce terme semble vouloir dire. Et plutôt que de se référer à une émotion grossière qui est une prison et un esclavage, Jésus parle d'une transcendance des relations, même les plus intimes. Celui qui reste au niveau émotionnel ordinaire avec ses proches ne peut devenir disciple de Jésus ; il ne peut en effet rester lié à de tels fonctionnements d'un côté et de l'autre prétendre au Royaume. Mais la nature de ce dépassement – qui correspond au *sentiment* – est difficilement compréhensible car ce dernier fait appel à un autre plan de conscience et une autre faculté du cœur.

Certaines paroles de Jésus peuvent, dans cette perspective, prendre un relief nouveau et particulièrement instructif : « Heureux êtes-vous quand on vous insultera, qu'on vous persécutera, et qu'on dira faussement contre vous toutes sortes d'infamies à cause de moi. Soyez dans la joie et l'allégresse, car votre récompense sera grande dans les cieux » (Mt 5, 11-12 ; Lc 6, 22-23). Une telle proposition, si elle est mal comprise, ne peut être que révoltante. Or Jésus ne cherche pas à rendre les hommes fanatiques, à les assujettir à une idéologie religieuse, mais à leur indiquer le chemin du salut ; il ne cherche pas à dominer leur psychisme mais à leur permettre l'accès à l'Esprit. Et il ne cherche pas non plus à attiser la violence chez autrui afin de l'amener à placer quiconque dans le rôle du persécuté. Toutes ces stratégies malsaines du mental n'ont rien à voir avec un enseignement authentique invitant exclusivement à la transcendance. L'Évangile de Thomas évoque également cette transcendance du moi dans un passage correspondant (log 68) : « Jésus a dit : Soyez heureux quand on vous hait, qu'on vous persécute *et on ne trouvera nul lieu à l'endroit même où l'on vous a persécutés !* »

En fonction de ce qui précède et en particulier de la distinction entre les émotions et les sentiments, il est possible maintenant d'aborder un passage de l'Évangile de Jean dont le sens a été, au cours des siècles, âprement discuté : « Quand ils eurent déjeuné, Jésus dit à Simon-Pierre : "Simon, fils de Jean, m'aimes-tu [*agapan*] plus que ceux-ci ?" Il lui répondit : "Oui, Seigneur, tu sais que je te chéris [*philein*]." Jésus lui dit : "Pais mes agneaux." Il lui dit à nouveau, une deuxième fois : "Simon, fils de Jean, m'aimes-tu [*agapan*] ?" – "Oui, Seigneur, lui dit-il, tu sais que je te chéris [*philein*]." Jésus lui dit : "Pais mes brebis." Il lui dit pour la troisième fois : "Simon, fils de Jean, me chéris-tu [*philein*] ?" Pierre fut peiné de ce qu'il lui eût dit pour la troisième fois : "Me chéris-tu [*philein*] ?" et il lui dit : "Seigneur, tu sais tout, tu sais bien que je te chéris [*philein*]." » (Jn 21, 15-17)

Ce texte comporte deux mots différents pour le verbe « aimer », ce qui montre d'emblée qu'il y a différentes sortes d'amour. Tout dépend en réalité à partir de quel niveau d'être cet amour est éprouvé, car c'est le degré de conscience qui fait la qualité de l'amour, le haut de l'échelle étant un amour-sentiment dénué de tout égocentrisme et qui est ultimement l'amour inconditionnel du sage pleinement éveillé. « Tel est l'amour du Christ qui est aussi, n'en doutons pas, celui de Socrate, de Bouddha ou de Ramana Maharshi, remarque Michel Fromaget. Cet amour ne peut être donné que par qui l'a reçu. Mais n'en recevoir même que les prémices est déjà une expérience extraordinaire. La littérature spirituelle apprend que même sa seule intuition console déjà au-delà de tout [88]. » Le terme grec qui correspond à un tel amour est *agapân* et il peut désigner aussi le fait d'aimer avec « une bienveillance accueillante, faite de confiance et d'espoir, celle qui lie une famille, des frères, des amis dans une sorte de convivialité chaleureuse, à la fois intense et respectueuse. Ce mot est étymologiquement relié à *agamaï*, qui implique la fraîcheur d'un émerveillement [89] ». Tout différent est *philein*, qui correspond à un attachement électif à une personne ou une chose. Cet aspect de possessivité suffit à déterminer que cette forme d'amour est fonction du moi, du niveau psychique ordinaire, et que c'est la manière d'aimer la plus banale. Il ne s'agit plus d'un amour inconditionnel qui ne dépend pas des circonstances extérieures ; autrement dit d'un état d'être pur et lumineux en lui-même, mais plutôt d'un penchant subjectif, d'une attraction, d'une attirance très limitée et dépendante. On change alors de niveau pour retomber dans la sphère émotionnelle – même si elle se manifeste d'une façon particulièrement positive et enthousiaste. En fait, cette manifestation peut à tout moment s'inverser en son contraire et la psychologie moderne a bien repéré sa nature ambivalente (les deux tendances antagonistes peuvent cohabiter simultanément).

Les Latins avaient également deux termes pour bien marquer la distinction entre ces deux niveaux différents. Quintillien (35-96) tout autant que saint Jérôme traduisaient respectivement *agape* et *phileo* par *caritas* et *amor* [90]. Une troisième sorte d'amour, mais qui ne concerne pas le texte de Jean, est exprimée par le verbe *erân*, c'est-à-dire l'amour charnel (*eros*) qui est surtout fait de désir.

S'il faut faire une grande différence entre l'amour sentimental, psychique et l'amour proprement d'ordre spirituel, peut-on dire pour autant que le texte de Jean tienne compte de cette différence de niveau, ou au contraire les verbes *agapan* et *philein* sont-ils synonymes ? Origène optait pour la première version et d'autres commentateurs grecs tels que Jean Chrysostome ou Cyrille d'Alexandrie pour la seconde. La question reste ouverte parmi les exégètes contemporains et le commentaire de la Bible de Jérusalem penche pour la seconde alternative : « "Aimer" est exprimé dans le texte par deux verbes différents qui correspondent respectivement à aimer, et à avoir de l'amitié ou chérir. Il n'est pas certain cependant que cette alternance soit autre chose ici qu'un effet de style, de même que l'alternance "agneau-brebis" [91]. » Il peut sembler étonnant qu'après avoir souligné la nuance entre les deux verbes, on puisse affirmer que cette nuance n'a aucune valeur. En effet, considérer que ce changement de verbe est simplement dû à un « effet de style » revient à tenter de désamorcer le sens de la nuance elle-même. Elle est là malgré tout, mais ce serait pour une raison très secondaire, pour ne pas dire sans intérêt. De nos jours et à la suite d'Érasme ou de Grotius, de nombreux commentateurs considèrent encore qu'il s'agit d'une variation stylistique sans aucune signification.

Ce point de vue ne semble pas tenir compte du fait que les rédacteurs avaient pleinement conscience d'écrire un texte devant témoigner des vérités les plus profondes et qu'ils étaient tenus de choisir les termes avec le plus grand soin possible. Le jeu sur la différence de signification des deux verbes utilisés ne peut pas être fortuit et leur emplacement même ne peut s'expliquer par les seules exigences d'ordre littéraire. Si l'on y regarde de près, cette alternance n'apporte rien du point de vue du style et la question reste en suspens de savoir pourquoi c'est cette disposition précise qui a été choisie et non une autre. Il y aurait tout aussi bien une alternance si Jésus posait les deux premières questions avec *philein* et si Pierre répondait avec *agapan*.

Puisqu'il y a deux verbes différents et une alternance dans leur emploi, les exégètes se sont demandés pourquoi cela ne se retrouvait pas de la même manière en d'autres passages, en particulier dans Jean 13, 34-35 et 14, 21. « Le fait que la variation ne soit pas en toute logique introduite autre part est une énigme », remarque le grand spécialiste Raymond E. Brown [92]. Or dans ces deux derniers passages, l'utilisation du verbe *agapan* est délibérée et sa répétition *intentionnelle* car il est uniquement question de l'amour-sentiment, de l'amour spirituel, le plus noble et le plus haut. Intercaler ici le verbe *philein* serait inconséquent. On peut même constater que leur utilisation alternée rendrait dans les deux cas le texte incompréhensible. En 13, 34-35 : « Je vous donne un commandement nouveau : vous aimer les uns les autres ; comme je vous ai aimés, aimez-vous les uns les autres. À ceci tous reconnaîtront que vous êtes mes disciples : si vous avez de l'amour les uns pour les autres. » Et plus loin, en 14, 21 : « Celui qui a mes commandements et qui les garde, c'est celui-là qui m'aime ; or celui qui m'aime sera aimé de mon Père ; et je l'aimerai et je me manifesterai à lui. »

Ces deux textes ont une grande cohérence interne et la raison de l'emploi univoque d'*agapan* est limpide. L'argument stylistique tombe de lui-même dans la mesure où, là encore, c'est le sens qui commande et qui cette fois ne justifie pas d'alternance. Ces deux péricopes font du même coup ressortir toute la pertinence de l'utilisation conjuguée d'*agapan* et de *philein* en 21, 15-17.

Il arrive cependant qu'en d'autres endroits les termes soient interchangeables et c'est le verbe *philein* qui est retenu en 5, 20 : « car le Père aime le Fils ». C'est la seule fois chez Jean que ce verbe est utilisé pour nommer l'amour entre le Père et le Fils (autrement, c'est *agapan* à six reprises). Et en 16, 27 : « Car le Père lui-même vous aime, parce que vous m'aimez ».

En hébreu, il n'y a pour « aimer » que le verbe *âhab* qui se trouve donc traduit de plusieurs façons en grec. Néanmoins, la Septante utilise *agapan* vingt fois plus souvent que *philein* [93]. Dans l'ensemble du Nouveau Testament, *agapan* revient en cent quarante occurrences et *philein* en vingt-cinq. Il est facile de déduire pourquoi l'emphase est mise sur le premier verbe plutôt que le second : c'est parce que *la teneur essentielle de l'enseignement de Jésus concerne les qualités supérieures du cœur.*

Il est possible que l'utilisation indifférenciée d'un verbe pour un autre soit due au fait que L'Évangile de Jean contient quatre couches rédactionnelles successives. M.-E. Boismard et A. Lamouille ont distingué différents auteurs qu'ils ont appelés « Jean I », « Jean II A », « Jean II B » et « Jean III »[94]. L'Évangile est ainsi composé de matériaux appartenant à plusieurs courants johanniques et les critères rédactionnels ne sont pas nécessairement les mêmes. Il peut y avoir alors une lacune du point de vue de l'harmonisation des textes comme en témoignent certaines incohérences : par exemple en 3, 22-26, il est dit que Jésus baptisait, ce qui est nié en 4, 2 ; ou encore, en 13, 36, Pierre demande à Jésus : « Seigneur, où vas-tu ? » et en 16, 5, Jésus s'étonne : « [...] aucun de vous ne me demande : "Où vas-tu ?" » Par conséquent, ce qui se produit par rapport au simple développement logique du récit peut tout à fait se reproduire concernant un point plus épineux de vocabulaire.

D'un autre côté, l'utilisation de *philein* est aussi significative en elle-même comme en 11, 3 : « Les deux sœurs envoyèrent donc dire à Jésus : "Seigneur, celui que tu aimes est malade" » ; en 11, 36 : « Les Juifs dirent alors : "Voyez comme il l'aimait" » ; en 20, 2 : « Elle [Marie de Magdala] court alors et vint trouver Simon-Pierre, ainsi que l'autre disciple, celui que Jésus aimait. » À chaque fois, l'amour est mentionné ici en fonction de la perspective ordinaire parce que c'est la façon dont il est le plus souvent perçu de l'extérieur étant donné que chacun prend sa propre expérience comme critère. En effet, chacun projette en fonction des limites qu'il porte en lui et mesure toute chose d'après sa propre faculté de compréhension. Cela signifie que l'amour-sentiment peut ne pas être perçu dans toute sa subtilité et être très facilement ramené au niveau de l'expérience commune, à savoir celle de l'inclination personnelle ou de l'amour-attachement. C'est exactement ce qui se passe dans l'entretien entre Jésus et Pierre. On peut comprendre les réticences à l'égard d'une telle interprétation car cet épisode ne montre pas Pierre sous un jour favorable : il apparaît au contraire – une fois de plus – comme un disciple qui ne comprend rien. Jésus parle un langage qui lui est inaccessible. Cette situation, loin d'être anodine et fortuite, est au contraire hautement révélatrice. On retrouve une collision du même ordre dans la rencontre entre Nicodème et Jésus lorsque Nicodème lui déclare : « Comment un homme peut-il naître, étant vieux ? Peut-il une seconde fois entrer dans le sein de sa mère et naître ? » (Jn 3, 4).

Le dialogue entre un maître et un élève est ponctué de ce genre de malentendus car le maître parle à partir d'un niveau d'être (et au sujet de ce niveau) alors que le disciple ne l'a pas encore réalisé ; cette réalité lui est étrangère. Il ne voit pas de quoi il s'agit, ne le soupçonne même pas. Du point de vue de l'élève, cette situation est très inconfortable. L'élève est mal à l'aise parce qu'il se rend compte qu'il y a un décalage mais il n'en saisit pas la nature. Il a le sentiment d'être victime d'une incompréhension de la part du maître, quand ce n'est pas d'une injustice ou d'une mauvaise volonté de sa part. Comme si c'était du côté du maître que résidait le malentendu ! L'échange entre Jésus et Pierre ne rapporte pas nécessairement un entretien particulier. Il peut être pris au sens large puisque c'est ainsi que se produit le contact avec un être éveillé : il confronte les catégories limitées du mental tout en appelant à une autre dimension. La répétition de la question de la part de Jésus symbolise cette incitation permanente du maître. Ce dernier propose sans cesse, dès le premier instant, à venir le rejoindre, c'est-à-dire à accéder au même état d'être et à partager le même plan de conscience. Henri Le Saux apporte une importante précision en confiant dans son *Journal* : « Trouver le Christ, c'est trouver soi. Tant que je contemplerai en moi un visage du Christ autre que mon visage, je n'aurai pas trouvé le Christ. Le Christ en réalité, pour moi, c'est moi – mais moi naturellement "ressuscité", en pleine possession de l'Esprit et en pleine possession par l'Esprit [95]. » En d'autres termes, c'est lorsqu'il n'y a plus de moi qu'a lieu la vraie rencontre. Quoi qu'il en soit, le maître est toujours au plus profond de l'élève, dans son être même, et il n'en est jamais séparé, indépendamment du degré de compréhension de ce dernier.

Pierre répond de la même façon aux deux premières questions en restant toujours situé au niveau du moi. Il parle à partir du niveau de conscience qui est le sien et l'amour qu'il éprouve est sans doute sincère, mais il reste banal, ordinaire.

Lorsque Jésus réitère sa question pour la deuxième fois, ce n'est pas qu'il veut lui donner une seconde chance au sens littéral. Cela signifie que le maître ne se lasse pas de renouveler son invitation parce que cela fait partie de sa fonction d'éveilleur. Quant à Pierre, il fait de son mieux mais ne peut pas aller au-delà de ce que lui permet son degré de maturité du moment. Il est attristé parce qu'il ne comprend pas pourquoi Jésus répète plusieurs fois la question. L'enjeu véritable lui échappe et il interprète cette répétition comme un doute de Jésus à son égard quant à la sincérité de son amour. Pour la troisième fois, Jésus s'adresse à lui et le verbe utilisé est différent, c'est *philein*. Il n'est plus question de l'amour spirituel, d'un état d'amour libre et lumineux. Jésus redescend à son niveau car Pierre n'a pas répondu à l'invitation, il n'était pas encore prêt. Cet épisode est à la fois touchant et d'une grande profondeur.

On pourra peut-être trouver des arguments philologiques, exégétiques ou théologiques pour contester une telle interprétation, mais en réalité c'est « l'argument mystique » qui est décisif. Cet échange entre Jésus et Pierre est une situation caractéristique de la démarche spirituelle. Il insiste sur une difficulté inhérente au cheminement lui-même et sur ce qu'éprouvera, à un moment ou un autre, tout élève.

S'il est bien un risque de confusion entre le plan psychique et le plan spirituel, c'est en particulier à la charnière entre les émotions et les sentiments qu'il s'applique. L'entretien entre Jésus et Pierre constitue justement une sérieuse mise en garde à cet égard : il ne faut pas confondre l'âme avec la partie spirituelle et ce n'est pas à partir d'une âme non transformée que la part spirituelle pourra se révéler. Les mystiques ont parlé de « la fine pointe de l'âme », c'est-à-dire son ultime extrémité, et l'on retrouve clairement la nuance dans l'Épître aux Hébreux à propos de la parole vivante qui « pénètre jusqu'au point de division de l'âme et de l'Esprit » (4, 12).

Dans la terminologie hébraïque, la chair et le sang désignent la nature humaine dans sa composante corps-âme, or c'est encore à ce niveau qu'appartiennent les émotions ou ce que les Pères et les contemplatifs appellent les passions. On ne peut envisager de seconde naissance, d'éveil à l'Esprit, sans une réelle transformation en ce domaine. Les Évangiles abordent les différentes étapes de cette transformation, mais sans les décrire d'une manière linéaire et systématisée. Tout d'abord, les différentes émotions sont énumérées et présentées comme des obstacles majeurs qui interdisent la découverte du Royaume des Cieux en nous. Ensuite, apparaît la nécessité d'un travail de purification et de contrôle. L'emportement est considéré comme une attitude extrêmement négative et nuisible alors qu'il faut faire preuve d'une maîtrise intérieure – y compris à l'égard des pensées. L'étape suivante, confirmée par l'exemple donné par Jésus lui-même, concerne la capacité d'acceptation totale de ce que l'âme peut éprouver. L'âme n'est pas à l'abri de quelques perturbations et remous, mais ces phénomènes peuvent être vécus sur une tout autre base que l'expérience courante. L'être qui a transcendé ce niveau psychique n'est plus lié par ses lois et sa conscience demeure inaffectée. Le fait que Jésus puisse dire à l'annonce de sa mort : « Mon âme est troublée »

(Jn 12, 27), constitue un grand enseignement parce que, en réalité, il retrace par l'exemple l'itinéraire que doit suivre le disciple ; c'est-à-dire apprendre à dépasser lui-même son propre psychisme et tout ce qui lui est affilié.

Dans son *Traité* sur le détachement, l'intention de Maître Eckhart n'est pas de magnifier la personne de Jésus ou de Marie mais de montrer quelle expérience intérieure doit réaliser tout chercheur spirituel.

Une autre difficulté consiste à banaliser l'enseignement et à le ramener à ce qui appartient au connu. Lorsqu'il est dit que « Jésus pleura » (Jn 11, 35), qu'il versa des larmes (*edakrusen*), cela montre qu'il n'est pas impassible comme pourrait l'être une statue de pierre, mais cela ne veut pas dire pour autant qu'il s'agisse d'un état commun, identique à ce que chacun peut éprouver sans avoir entrepris aucune ascèse. Cette manifestation extérieure pourtant très ordinaire n'est pas à interpréter en fonction des émotions courantes. Le mot araméen *etzi* indique une perturbation et se réfère à un changement d'expression du visage [96], mais si l'on dit qu'il est « ému », on se réfère uniquement au niveau émotionnel ce qui est inadéquat. En Jean 11, 33 : « Jésus frémit en son esprit et se troubla », mais selon une expression araméenne intraduisible et toujours en usage dans les communautés araméennes du nord de l'Irak, cela signifie « prendre sur lui » (mot à mot : donner de la force à son esprit).

Il est reconnu que les plus grands sages contemporains ont pleuré à une occasion ou une autre. Mâ Anandamayî pleura un jour tellement en écoutant les malheurs d'une mère de famille que cette mère en vint à se trouver elle-même consolée ! Ramana Maharshi racontait des histoires d'une façon très démonstrative pour la plus grande joie des auditeurs. Lorsqu'elles étaient particulièrement touchantes, des larmes coulaient librement de ses yeux.

À une manifestation apparente d'émotion comme les pleurs peut correspondre en réalité un sentiment de compassion ou de tendresse d'une immense profondeur, un sentiment tel que Jésus en témoigne ou même le Dalaï-Lama lors d'un enseignement public en commentant un texte de Shantideva (un maître indien du VIIe siècle qui insiste sur la compassion envers tous les êtres sensibles).

En araméen ou en hébreu, le terme « compassion » (*rahamim*) est le pluriel du mot signifiant « la matrice, l'utérus, les entrailles ». La compassion évoque ainsi les qualités maternelles les plus fondamentales, mais chez le maître accompli ces qualités sont dépouillées de tout attachement. À ce sujet, l'épisode de la mort de Lazare est révélateur. Tout d'abord, Jésus essaye de rassurer et d'encourager Marthe. Pendant tout le début du récit, Jésus ne manifeste pas la moindre perturbation et il est évident qu'il est complètement libre par rapport à la situation. Il dit même qu'il faut être confiant et il précise : « Notre ami Lazare repose, mais je vais aller le réveiller » (Jn 11, 11). Marthe ne croit toujours pas Jésus lorsqu'il lui dit encore plus tard : « Ton frère ressuscitera » (v. 23). Elle est tout autant bouleversée que sa sœur Marie et l'atmosphère émotionnelle est à son comble lorsque les juifs qui l'avaient accompagnée se mettent à pleurer également. En voyant tous ces gens pleurer et gémir, Jésus est alors touché, mais il ne pleure pas parce qu'il est affecté par la mort de son ami Lazare ! Il a tenté comme il a pu de leur faire comprendre qu'il y a une possibilité d'éveil. Il leur a répété qu'il est possible de ne pas rester lié ou encore enlisé dans le monde des phénomènes, mais personne ne l'a vraiment écouté. Et ils ont tous continué à souffrir et à se lamenter. C'est ce spectacle qui touche Jésus du plus profond de sa compassion : voir les êtres ainsi emprisonnés dans les tourments de l'illusion tout en étant incapables d'entendre véritablement ce qui pourrait les aider à en sortir ;

« Quiconque vit et croit en moi ne mourra jamais. Le crois-tu ? » (v. 26).

Il y a un autre endroit dans les Évangiles où il est claire-ment dit que Jésus pleura lorsqu'il approcha de Jérusalem. Il est à nouveau évident qu'il ne s'agit pas d'une émotion ordi-naire. « Quand il fut proche, à la vue de la ville, il pleura sur elle, en disant : "Ah ! si en ce jour tu avais compris, toi aussi, le message de paix ! Mais non, il est demeuré caché à tes yeux » (Lc 19, 41-42). Et c'est encore de compassion dont il s'agit lorsqu'un lépreux vient à sa rencontre et le supplie à genoux de le guérir (Mc 1, 41). Selon les traductions, il est « pris de pitié » ; « ému de compassion » ; « touché de compassion » ; « pris aux entrailles » ; « remué jusqu'aux entrailles ».

La difficulté d'établir une distinction nette entre ce qui relève de l'émotion et ce qui appartient au sentiment est cer-tainement accentuée par l'imprécision du vocabulaire, en particulier lorsqu'il s'agit de passer à travers les filtres successifs des traductions. La traduction peut même laisser entendre qu'il y a une émotion là où il n'y en a évidemment pas. En Marc 1, 43, après avoir accueilli et guéri le lépreux, certains textes donnent : « S'irritant contre lui, Jésus le ren-voya aussitôt » (TOB) ; « Et le rudoyant, il le chassa aussitôt » (BJ). Un tel mouvement d'humeur, déjà suspect en lui-même, n'a de plus aucun sens dans le contexte. En fait, la traduction du verbe *embrimaomai* doit être rendue par « prescrire avec force » [97]. Jésus ordonne fermement au lépreux de n'en rien dire à personne, mais cette attitude ne doit pas être confon-due avec de l'irritation ou de la rudesse.

Plus difficile est l'épisode de la guérison d'un homme à la main sèche, c'est-à-dire paralysée (Mc 3, 1-6). Dans une syna-gogue, Jésus guérit l'homme un jour de sabbat devant les juifs silencieux. Et le texte poursuit ainsi : « Promenant alors sur eux un regard de colère, navré de l'endurcissement de leur cœur » (v. 5). On ne comprend pas pourquoi Jésus est en colère ; il serait en effet étonnant que Jésus ait une réaction parce qu'il est épié et qu'il risque d'être accusé. On a vu que l'endurcissement du cœur le navrait et qu'il en éprouvait de la compassion. Derrière l'aveuglement, c'est toujours la souffrance qu'il voit. La supposition selon laquelle Jésus devine leurs pensées et réagit par rapport à elles est improbable, car même dans les prétendues « malédictions » adressées aux scribes et aux pharisiens, ce n'est pas de la colère que Jésus exprime mais de l'apitoiement : « Malheureux êtes-vous ! » ou encore : « Hélas ! ». A. Chouraqui traduit ainsi le verset 5 : « Il les regarde à la ronde et il brûle, blessé par la dureté de leur cœur. » Cette « brûlure » ne doit pas être mal interprétée sous peine de confondre encore une fois deux niveaux de conscience radicalement différents. Aussi bien en hébreu qu'en araméen, la racine *rgz* renvoie à une certaine agitation, mais qui est plutôt de l'ordre de l'affliction. De plus en plus fréquemment dans les manuscrits grecs, c'est le mot « colère » qui a été utilisé alors que le mot *ragaz* signifie « détresse, douleur, profonde tristesse » [98]. On le trouve dans le Psaume VI, 8 : « J'ai le visage usé par le chagrin », ou en Job 17, 7 : « Mon œil est obscurci par la douleur. » C. C. Torrey en distingue la plus ancienne attestation en II Samuel 19, 1 : « Voici, le roi pleure et se lamente ». Lorsque le roi David pleure la perte de son fils Absalon (18, 33), il pleure de chagrin et non de colère. Le spécialiste de l'araméen G. Dalman a noté que certains manuscrits grecs ont rendu « remué de compassion » par « il était en colère » en Marc 1, 41 [99].

D'autres manifestations de Jésus sont encore plus mystérieuses et il n'est pas étonnant que les traductions révèlent certains flottements pour tenter d'en rendre compte. Il est en effet impossible de comprendre véritablement de quoi il retourne lorsque Jésus est saisi par une énergie supérieure qui lui donne la faculté de guérir. Quand il s'apprête à guérir Lazare (Jn 11, 33 et 38), « Jésus frémit en son esprit et se trouble », et plus loin : « Alors, frémissant à nouveau en lui-même... » La tentation peut être grande de n'y voir qu'une simple perturbation d'ordre émotionnel... À propos de la guérison du lépreux, sœur Jeanne d'Arc traduit par « frémissant à cause de lui » (Mc 1, 43) là où d'autres voient de l'irritation ou du rudoiement. « Le verbe, précise-t-elle, dit une vibration comme d'une lame, un grondement d'animal, un bouillonnement profond de l'être, ce frémissement qui saisit Jésus au moment d'un miracle » (cf. Mt 9, 30). Le grec ici est insuffisant pour en rendre compte et il oriente dans une autre direction. Pour compliquer le tout, certains spécialistes dans le domaine des langues sémitiques ont relevé des erreurs de traduction au niveau des manuscrits anciens. Ces erreurs expliquent comment la confusion s'est perpétuée et retransmise jusqu'à nos versions actuelles, rendant la compréhension des textes encore plus difficile. Ainsi par exemple, dans l'Ancien Testament, au sujet des manifestations de la venue de Yahweh et de la terreur des nations : « Les peuples l'apprennent, et ils tremblent » (Ex 15, 14). Selon la Septante dans la traduction du *Vaticanus*, il y a : « et ils sont en colère », de même en latin : « *irati sunt* ». La traduction est en revanche différente dans *l'Alexandrinus*, les Versions syriaques et les Targums. En d'autres endroits encore, le tremblement ou frémissement est assimilé à la colère. Ainsi en Job 37, 2, au sujet de l'attitude face à Dieu : « Écoutez, écoutez le frémissement de sa voix », alors que les manuscrits grecs exhortent les hommes à écouter « la colère » de Dieu. Ou encore en Esaïe 23, 11 : « L'Éternel [...] a fait trembler les royaumes », que la Septante rend par : « Il a enragé les royaumes[100]. » En s'appuyant sur le Syriaque, Matthew Black considère que la formule « frémissant en son esprit » est une formule idiomatique voulant dire « prendre à cœur » [101]. Ce qui est certain, c'est que ce frémissement ne correspond ni à la colère ni à la peur et qu'il s'agit plutôt de l'émergence d'une tout autre réalité. Le frémissement en Jésus évoque étrangement le trouble de l'eau de la piscine de Béthesda au moment de la guérison du paralytique.

L'éventail est donc très large, depuis le trouble le plus grossier correspondant aux émotions ordinaires jusqu'à la manifestation la plus subtile et mystérieuse de l'Esprit dans l'âme et le corps. Les Évangiles recouvrent ainsi l'ensemble du spectre des états de conscience. Ils invitent à les parcourir et à les dépasser, étape après étape, en un chemin évolutif qui mène à l'Esprit, à l'Éveil. « Jésus a dit : Que celui qui cherche ne cesse de chercher jusqu'à ce qu'il trouve ; et quand il aura trouvé, il sera bouleversé, et, étant bouleversé, il sera émerveillé » (Thom 2, 1-7).

VII

VENEZ ET VOYEZ *

Dans les Évangiles, la connaissance de Dieu passe par la transformation de soi-même. Une lecture ouverte et attentive nous montre que Jésus cherche à transmettre, à travers son enseignement et sa vie, une véritable science intérieure permettant la métamorphose, le passage d'un état d'être à un autre. De nombreux auditeurs – pour ne pas dire la majorité – étaient fermés à cette dimension nouvelle à laquelle Jésus ne cessait d'appeler. Pourtant, les foules elles-mêmes se montraient bienveillantes à son égard, elles étaient prêtes à s'émerveiller de ses miracles ou à être bouleversées par l'atmosphère spirituelle qui émanait de sa personne. Mais tout cela était loin d'être suffisant pour renaître à une vie nouvelle ou encore vivre ce que Maître Eckhart a appelé « la naissance éternelle ».

Pour de multiples raisons, la perspective de l'intériorité fait lever des résistances et il est très surprenant de voir que celles-ci peuvent aussi s'exercer dans la manière d'aborder les textes évangéliques. La complexité de leur rédaction, de leur traduction et de leur interprétation laisse la place à de nombreuses possibilités d'affadissement du sens et, même si différentes approches peuvent être légitimes sans s'exclure l'une l'autre, celles qui évacuent la dimension intérieure

* Jean 1, 39.

305

peuvent difficilement être considérées comme étant fidèles à ce que Jésus a voulu transmettre.

Il serait aisé de rédiger une anthologie de textes spirituels appartenant à toutes les traditions pour montrer à l'évidence qu'il s'agit toujours du même itinéraire essentiel, avec des chemins ayant chacun leurs caractéristiques propres et leur manière particulière de nommer le but ultime. La rencontre avec des sages vivants et des maîtres authentiques représentant ces traditions ne fait que renforcer cette constatation et Thich Nhat Hanh rappelle avec justesse que « nous ne devrions jamais perdre de vue notre but originel, ni les enseignements et l'intention originels du Bouddha, de Jésus et des autres grands sages et grands saints [1] ».

Ainsi, il n'est pas fructueux de vouloir accorder à Jésus et à son enseignement une spécificité telle qu'il finit par s'inscrire en faux par rapport à la spiritualité universelle. Et n'y voir que la seule démarche authentique possible procède d'une attitude infantile qui consiste à se considérer comme supérieur. La signification réelle de l'enseignement rapporté dans les Évangiles ne peut pas contrecarrer le message fondamental de la sagesse traditionnelle et s'il s'en démarquait quant au fond, il ne présenterait plus alors le moindre intérêt parce qu'il ne proposerait plus une voie de libération. La caractéristique même d'un enseignement spirituel est d'orienter vers soi-même, c'est une quête intérieure, une voie de transformation personnelle qui touche au plus profond en abordant une réalité intime. « La beauté est au-dedans », dit le Psaume XLV, 14, et les textes de l'Inde ancienne ne cessent de répéter : « Oui, cette lumière d'au-delà du firmament, qui brille par-delà tout, par-delà les mondes les plus hauts, oui, cette lumière, c'est celle-là même qui brille dans le cœur de l'homme » (*Chândogya Upanishad*, 3, 13, 7).

Toute la vie mystique, ascétique, contemplative, religieuse ou monastique est fondée sur cette vérité et la Bonne Nouvelle consiste à affirmer que cette réalité supérieure est accessible à chacun, en chacun. Saint Augustin écrit dans ses *Confessions* (chap.10) : « Je Te cherchais dehors et Tu étais dedans », et saint Bernard note dans son *Sermon sur le Cantique* 74 : « Je suis descendu en explorateur au plus profond de mon être. »

L'Évangile de Luc rapporte cette parole de Jésus : « Le Royaume de Dieu est au-dedans de vous » (17, 21), mais la plupart des versions proposent : « le Royaume de Dieu est au milieu de vous » ou « parmi vous ». Or il s'agit ici d'une phrase clé qui se trouve à l'intersection de deux possibilités de compréhension très lourdes de conséquences, où l'enjeu de la traduction est donc particulièrement important.

Soit le Royaume de Dieu est une réalité intérieure, une dimension verticale qui renvoie chacun à lui-même, soit c'est une réalité centrée sur la personne de Jésus, son ministère, et qui privilégie plutôt une dimension horizontale. Les commentateurs de la Synopse posent l'alternative en ces termes : « Ou bien : "à l'intérieur de vous", en ce sens que le règne de Dieu serait purement spirituel ou alors, avec "parmi vous" ; Jésus veut dire que le règne de Dieu est déjà inauguré parmi les hommes, par sa prédication et ses miracles [2]. » Ces deux lignes d'interprétation sont radicalement différentes et l'ambiguïté proviennent de l'araméen lui-même, *legau men*, qui veut dire à la fois « intérieur, intime, ventre ou entrailles » et « au-dedans, parmi, à partir de, par, à » [3]. Il faut savoir que la langue maternelle de Jésus est d'une grande souplesse et qu'un seul mot peut recouvrir une large palette de significations. D'autre part, la culture moyen-orientale n'instaure pas de séparation radicale entre le corps et l'esprit, le dedans et le dehors (voir le correspondant de Lc 17, 21 en Thom 3, 7-8 : « Mais le Royaume, il est le dedans et il est le dehors de vous » et par extension, en 22, 9-11, un développement spirituel et métaphysique : « Quand vous ferez le deux Un, et le dedans comme le dehors, et le dehors comme le dedans. »).

Dans l'expression traduite en grec *entos hymôn estin*, tout va donc dépendre du sens que l'on attribue au mot *entos*. *Entos* peut sans doute signifier « parmi », « entre », « au milieu », mais il signifie principalement « à l'intérieur », « au-dedans » ; or c'est bien ce sens premier qu'il convient de retenir ici sous peine « d'attenter à la grammaire et recourir à un faux sens délibéré [4]. » Il est important de relever *qu'à chaque fois que Luc a voulu signifier « au milieu », il a eu recours à* en mesô *et non pas à* entos : en 2, 46 : « assis au milieu des docteurs » ; 8, 7 : « une autre est tombée au milieu des épines » ; 10, 3 : « comme des agneaux au milieu des loups » ; 22, 27 : « je suis au milieu de vous comme celui qui sert ! » ; 22, 55 : « ils avaient allumé un feu au milieu de la cour » ; 24, 36 : « lui se tient au milieu d'eux ». De même dans les Actes : en 1, 15 ; 2, 22 et 27, 21. Il apparaît clairement que l'expression « au milieu » ne désigne pas une dimension verticale mais une dimension horizontale, voire même sociale, qui se réfère avant tout à une certaine extériorité ou spatialité. À l'inverse, *la préposition* entos, *« au-dedans », ne se trouve ailleurs qu'en Matthieu 23, 26 à propos de « l'intérieur de la coupe » qu'il faut justement purifier*. Dans les anciennes versions, que ce soit la Peshitta, les anciennes versions latines, la Vulgate, « le Royaume des Cieux est au-dedans », et c'est bien ainsi que l'entendirent Origène et Grégoire de Nysse. L'intériorité n'est pas un lieu, un endroit, mais un état. Ce n'est pas une chose visible qui puisse être située par rapport à quoi que ce soit et il ne faut pas oublier que le nom divin YHWH est le concentré de toutes les formes du verbe HYH, « être » [5]. L'Évangile selon Jean affirme que « l'Esprit de Vérité [...] est en vous » (Jn 14, 17) et aussi : « Vous reconnaîtrez que je suis en mon Père et vous en moi et moi en vous » (Jn 14, 20). Ce que Jésus affirme est sans ambiguïté : il parle d'une réalité purement spirituelle de toutes les manières possibles. Jean-Louis Maisonneuve précise que le sens de la préposition grecque *entos* désigne non seulement l'intérieur mais l'intimité la plus profonde de l'être : « Pour désigner l'intérieur, le Nouveau Testament emploie toujours la préposition grecque *en* et une seule fois, à cette occasion, son dérivé *entos*, qui insiste davantage sur le degré d'intériorité, ou d'intimité. »

Pourquoi ces réticences, de la part de nombreux traducteurs chrétiens, à restituer le sens original d'*entos* ? Dans ce passage de Luc, Jésus s'adresse à des pharisiens, supposés ses ennemis. Or, c'est à eux qu'il déclare que le royaume de Dieu est « à l'intérieur de vous ». Scandale ! Comment peut-il dire cela à des pharisiens ? Le rédacteur de Luc, qui a reçu cette version manifestement ancienne, ne s'est pas aperçu du problème qu'il soulevait, sinon il aurait de lui-même rectifié toutes les conséquences induites par l'emploi de cette préposition.

En revanche, son traducteur dans la Bible de Jérusalem en langue française a tenté ce que l'évangéliste n'a pas osé : diminuer, occulter, faire disparaître le scandale induit par la traduction correcte de la préposition *entos*. Il explique en note : « On traduit aussi par "au-dedans de vous", ce qui ne semble pas directement indiqué par le contexte. » Il aurait plutôt dû préciser que cette traduction possible gênait sa propre interprétation du contexte. Car, lorsque les pharisiens, enfermés dans une conception messianique temporelle et matérielle du royaume de Dieu, interrogent Jésus sur les signes de son avènement, celui-ci leur répond qu'ils se trompent sur le royaume de Dieu : quand ils l'imaginent observable et localisé en un endroit précis, Jésus leur apprend qu'il est invisible, parce que situé au cœur de l'homme. Y a-t-il meilleure liaison avec le contexte que cette réponse, qui invite ses interlocuteurs à abandonner leur conception sensible et matérielle du royaume de Dieu, au profit de sa seule dimension intérieure, et donc spirituelle ?

Car Jésus, s'il faut en croire le rédacteur de Luc, révélait en cet instant quelque chose d'essentiel : l'intérieur de l'homme, son cœur, son intimité secrète, est l'endroit où « règne Dieu [6]. »

On peut ainsi relire le péricope en son entier : « Les Pharisiens, lui ayant demandé quand viendrait le Royaume de Dieu, il leur répondit : "La venue du Royaume de Dieu ne se laisse pas observer, et l'on ne dira pas : Voici, il est ici ! ou bien : il est là ! *Car voici* que le Royaume de Dieu est au-dedans de vous" » (Lc 17, 20-21). Jésus répond à une question en tentant de rectifier une erreur, une perception fausse et il serait dommage de réintroduire la même erreur dans la traduction de sa propre réponse ! En affirmant la dimension verticale de l'intériorité, Jésus fait exploser toute notion de spatialité : le Royaume n'est ni ici, ni là, ni au milieu, ni entre, ni parmi.

L'Évangile de Thomas rapporte une parole de Jésus : « Jésus a dit : Pourquoi battez-vous la campagne ? » (log 78, 1-2). Le propre du mental ordinaire est de toujours manquer la cible. Dans la mesure où, dans sa réponse, Jésus se place du point de vue ultime, les catégories habituelles ne peuvent que le récuser et s'en protéger. Les arguments proposés pour justifier une traduction qui désamorce la force de l'affirmation *entos hymôn estin* ne sont guère soutenables. Ainsi, il est dit que les écrits lucaniens ne présentent pas le Royaume comme une réalité intime ou intérieure [7]. On peut se demander, à partir d'une telle prise de position, comment les paraboles du semeur (Lc 8, 4-8), du grain de sénevé (Lc 13, 18-19) ou du levain (Lc 13, 20-21) peuvent être compréhensibles. La seule intuition permet déjà de présager qu'il s'agit de paraboles cherchant à évoquer un mystère intérieur, autant réel qu'invisible aux sens. L'Épître de saint Jacques fait mention de « la Parole qui a été implantée en vous » (Jc 1, 21) et l'explication de la parabole du semeur commence ainsi : « Voici donc ce que signifie la parabole : La semence, c'est la parole de Dieu » (Lc 8, 11). La semence suggère l'idée d'une germination, d'une croissance cachée, d'un processus évolutif qui ne peut être que d'ordre intérieur. Quand il est aussi question d'un homme qui a pris et jeté dans son jardin un grain de sénevé, il faut souhaiter que le jardin ne soit pas considéré au sens littéral et compris comme une quelconque réalité extérieure. À l'évidence, dans toutes les paraboles de croissance, il est question de l'évolution intérieure à l'homme. La graine pousse en secret et la germination est un processus discret ; deux images qui témoignent de l'existence d'un dynamisme subtil et, par transposition, de l'existence d'une influence spirituelle à la fois réelle et silencieuse. Ses résultats apparaîtront au terme d'un certain développement, d'une maturation. La graine est plantée en l'homme dans le sens où il y a en chacun une « semence divine » qu'il faut soigner et faire fructifier. La graine est la Parole, l'Enseignement ; « Le semeur, c'est la Parole qu'il sème », lit-on chez Marc (4, 14). Mais la graine semée peut aussi être l'homme lui-même et, dans ce cas, certaines paroles de Jésus prennent un tout autre relief.

L'idée selon laquelle l'homme est une graine permet de comprendre d'après les lois organiques ce qu'il en est en transposant celles-ci dans le domaine spirituel. On sait que certaines graines mourront, non pas parce qu'elles évoluent et passent à un autre stade, mais tout simplement parce qu'elles se dessèchent. Il ne s'agit plus alors de la même mort.

Un autre argument évoqué pour rejeter la traduction de *entos* par « au-dedans » consiste à dire que Jésus, s'adressant ici aux pharisiens, ne peut pas leur dire que le royaume est au-dedans puisqu'ils refusent précisément de croire en lui. C'est oublier que si Jésus parle aux pharisiens dans cette situation précise, il s'adresse en réalité à tous ses auditeurs. Il est même très fréquent qu'un maître délivre un message important à des personnes spécifiques (ou à une en particulier) en s'adressant délibérément à quelqu'un d'autre. Cette médiation est au contraire une stratégie habile qui renforce l'efficacité de la transmission elle-même. Une parole forte, affirmée directement en face à face peut susciter une réaction de défense et de fermeture de la part de l'auditeur, alors que si elle lui parvient indirectement il sera plus en mesure de l'écouter, de la recevoir et de l'intégrer. Il sentira en même temps dans la profondeur, et sans aucun doute possible, que cette parole lui est spécifiquement destinée et qu'elle le concerne au plus haut point. Jésus sait bien que les pharisiens ne saisissent pas ce qu'il dit, mais cela ne l'empêche pas d'utiliser avec habileté la situation pour continuer à enseigner. Pourquoi leur refus de comprendre devrait-il d'ailleurs priver les autres d'un message aussi essentiel ?

Pour Jésus, une situation n'est jamais statique ou définitivement fermée. Il peut s'adresser aux pharisiens tout en leur laissant ouverte la possibilité d'une compréhension ultérieure. Il sait que, pour le moment, ils en sont pour la plupart incapables. Cependant, à un niveau relatif, le travail du maître s'inscrit dans le plus long terme. En effet, l'enseignement peut faire son chemin d'une manière souterraine et il faut laisser à chacun la chance d'une percée ou d'un accès à une compréhension d'un ordre supérieur. Et il est toujours possible de supposer que, de la même façon que Nicodème ou Joseph d'Arimathie, d'autres membres du Sanhédrin soient prêts comme eux à tendre un jour une oreille favorable.

Lorsque Jésus parle d'une manière radicale ou au niveau ultime, il ne s'attend pas à ce que tout le monde le comprenne tout de suite : il part du principe que tout le monde peut, virtuellement, le comprendre. De ce point de vue, il n'exclut personne mais il ne fait pas non plus de concessions par rapport à la vérité et postule que c'est à chacun d'accéder à cette vérité. En leur faisant une réponse aussi abrupte, il leur laisse en même temps la possibilité d'être véritablement interpellés. Jésus récuse la conception ordinaire et simpliste que l'on peut se faire du Royaume et il introduit sa rectification avec « car voici » ; l'explication qui suit tombe alors comme un couperet qui tranche dans le vif des conceptions erronées. *Malkuth shamayin* (en hébreu), *malkuthâ dishmayâ* (en araméen), le Royaume des Cieux ou le Royaume de Dieu (en grec *basileia tôn ouranôn* ou *basileia tou theou*) ne se laisse pas appréhender par les catégories ordinaires de la pensée conceptuelle. Le mot araméen pour « Cieux », *shemaya*, de même que sa racine sémitique ShM ou *shem*, peut signifier « lumière, son, nom ou atmosphère ». La fin en *aya*, indique ce qui est sans limite [8]. La racine commune à ces différents mots indique l'idée de vibration : l'un des mots pour « univers » en hébreu ou en araméen consiste en la racine *shem* suivi de *aya* qui montre que le divin « nom-lumière-vibration » est dans chaque particule d'existence [9]. Toute tentative de définition visant à situer le Royaume dans le temps et l'espace : « Quand viendra-t-il ? », « Où est-il ? », se révèle donc inadéquate. Il n'en reste pas moins que cette Réalité est accessible, ainsi qu'en ont porté témoignage non seulement les grands êtres spirituels mais aussi de simples moines ou contemplatifs qui sont allés jusqu'au bout de leur cheminement en suivant la voie proposée par Jésus. Il est intéressant de noter que cette vibration sacrée, *shem*, est au cœur de la transformation intérieure et que le mot « alchimie » (*al-shem-y*) a la même racine.

Dans un essai sur la prière intitulé *Éveil à soi, éveil à Dieu*, Henri Le Saux insiste sur la nécessité de ce retour à notre identité foncière et considère que l'essentiel de la démarche spirituelle « est donc silence et immobilité, le *wou-wei*, le non-faire de Lao-tseu, l'*hesychia*, la tranquillité des vieux moines grecs, le recueillement sur soi-même, le retour à la source, à la matrice originelle – alors que, de plus en plus, l'homme contemporain vit tendu vers le futur, tendu vers le dehors. Et pourtant les paradoxes de l'Évangile n'ont rien perdu de leur valeur. Sans retour au sein maternel, il n'est point d'entrée possible au Royaume (Jn 3, 3) et le Royaume, c'est d'abord ce monde au plus profond de soi où l'homme est libre totalement, où il a tous les droits de l'héritier dans la maison et le Royaume [10] ».

Entos hymôn estin traduit par « au-dedans de vous » permet de rendre compte de cette Présence dont le centre est partout, comme dirait Pascal, et la circonférence nulle part. La Traduction œcuménique de la Bible donne en commentaire : « On traduit parfois : *en vous*, mais cette traduction a l'inconvénient de faire du Règne de Dieu une réalité intime [11]. » Il serait fructueux de se demander de quelle sorte d'inconvénient il s'agit. Dans *Jésus et l'Histoire*, Ch. Perrot considère dans la même ligne que cette traduction « risque d'égarer le lecteur dans quelque religion de type intimiste ou mystique [12] ». Ainsi donc, il n'est plus question de s'adapter à un prétendu contexte lucanien mais bien d'affirmer l'évacuation d'une perspective qui met l'accent sur l'intériorité. Il est vrai que cette perspective est dérangeante, qu'elle soulève de sérieuses remises en cause et que ces remises en cause, précisément, sont personnelles et intimes.

Il est également important de se souvenir que lorsque Jésus priait, il se mettait toujours à l'écart afin de se recueillir et de rester dans l'intimité de sa relation à Dieu. Il le faisait souvent dans la solitude ou pendant la nuit. Il allait ainsi dans le désert (Mc 1, 35 ; Lc 5, 15) ; sur une montagne (Mt 14, 23 ; Mc 6, 46 ; Lc 6, 12) ; éloigné de ses disciples au jardin de Gethsémani (Mt 26, 36-44 ; Mc 14, 32-41 ; Lc 22, 41-45). Lorsqu'il demande de ne pas prier avec ostentation, ce n'est pas seulement qu'il dénonce l'orgueil et la vanité. Il souligne surtout que l'essentiel ne peut se rencontrer que dans l'intimité et le secret de son propre cœur : « Pour toi, quand tu pries, retire-toi dans ta chambre, ferme sur toi la porte, et prie ton Père qui est là, dans le secret ; et ton Père, qui voit dans le secret, te le rendra » (Mt 6, 5-6).

Est-il erroné de considérer le Royaume de Dieu comme une réalité intime alors que Jésus n'a de cesse de nous convier à cette intimité ? On sait que lorsqu'il s'adresse à Dieu dans ses prières, Jésus utilise le mot *abba*. Ce mot araméen a été étudié de près et toutes les recherches convergent pour constater que cette appellation évoque fondamentalement l'intimité, la tendresse, en même temps que la confiance, le total abandon. Jésus appelle son Père céleste comme le fait le tout petit enfant qui balbutie en s'adressant à son père ou en s'élançant vers lui dans un élan d'amour spontané et innocent. Il s'agit même de l'expression d'un degré d'intimité inhabituel parce que la plupart des contemporains de Jésus n'osaient pas utiliser un terme aussi familier pour s'adresser à Dieu. Le Talmud confirme que « lorsqu'un enfant goûte au froment (lorsqu'il est sevré), il apprend à dire "abba" et "imma" (papa, maman) [13] ». Ces premier mots que l'enfant babille sont chargés d'une signification, d'une qualité qu'il n'est pas nécessaire de commenter plus avant [14]. Il suffit de retenir que l'appel de Jésus : *abba*, est le langage de l'expérience directe plutôt que celui d'une adresse formelle [15] et il n'est certainement pas exagéré de le traduire par « papa ».

Il semble difficile de détourner de sa signification originelle la parole rapportée en Luc 17, 21. Celle-ci est l'affirmation centrale de toute démarche spirituelle et l'expérience même des mystiques en fournit une illustration éclatante. Dans l'un de ses *Sermons*, Maître Eckhart rappelle qu'« on ne doit pas saisir ni considérer Dieu comme en dehors de soi, mais comme son bien propre et comme ce qui est en soi-même ; on ne doit pas non plus servir ni agir en vue d'un "pourquoi" : ni pour Dieu, ni pour son propre honneur, ni pour quoi que ce soit en dehors de soi, mais uniquement en considération de ce qui est en soi son être propre et sa propre vie. Bien des personnes simples s'imaginent qu'elles doivent considérer Dieu comme étant là-bas et elles ici. Il n'en est pas ainsi. Dieu et moi sommes un. Par la connaissance j'accueille Dieu en moi ; par l'amour, je pénètre en Dieu [16]. »

Grégoire de Nysse avait déjà soulevé la question : « Quel est ce Royaume au-dedans de nous ? Et que pourrait-il être d'autre que ce bonheur qui, « d'en haut », naît dans l'âme par l'Esprit [17] ? » Ce bonheur « d'en haut » ne peut être qu'un état inhérent à l'être lui-même et que l'on nomme en Inde *sat-chit-ananda*, « être-conscience-béatitude ». C'est là une autre définition du Royaume des Cieux. Comment Jésus pourrait-il guider ceux qui le suivent dans une autre dimension que la dimension verticale, celle de l'intériorité ?

Le chemin vers la réalisation spirituelle est semé d'embûches et le paradoxe suprême est que le maître peut devenir à son tour un obstacle ! Si l'on considère que le Royaume est avant tout présent dans l'action de salut de Jésus, on court le risque de finir par être absorbé par la grandeur de sa personne et l'aspect exceptionnel de son action au détriment de la Réalité sous-jacente ! L'extériorité prend alors le pas sur la pure conscience d'être et, imperceptiblement, au nom même de la religion ou de la spiritualité, les valeurs s'inversent. La seule évocation de la perspective de l'intériorité frôle alors le sacrilège parce qu'elle semble reléguer au second plan des conceptions qui, très tôt, se sont mises en place autour du message évangélique ou de la personne de Jésus. Jésus a pourtant essayé de trancher l'attachement qui pouvait se développer à son égard. Il savait qu'il y avait là une possibilité de fascination propre à détourner les disciples d'eux-mêmes et à entretenir des conceptions fausses. Paradoxalement, c'est une focalisation excessive sur sa personne, ses miracles ou encore les caractéristiques de sa prédication qui finissent par occulter le sens véritable de la délivrance qu'il propose. L'invitation au silence après avoir accompli un miracle est aussi, de la part de Jésus, une invitation à faire taire le mental vis-à-vis du monde des phénomènes – aussi extraordinaires puissent-ils paraître. Et il y a un enseignement dans le fait qu'il s'efface et ne se fait pas connaître du paralysé qu'il a guéri à la piscine de Béthesda. Jésus ne cherchait pas à attirer l'attention sur lui et il ne souhaitait pas non plus que ses auditeurs restent enfermés dans des catégories de pensées, quelles soient juives ou grecques. L'attachement aux formes – toute forme – est une limitation qui interdit l'ouverture à l'Esprit et au bonheur « d'en haut ». Dans le même sens, « Jésus, semble-t-il, ne s'est jamais explicitement présenté sous un titre quelconque, il s'est contenté de susciter une question sur sa personne », remarque le père Xavier Léon-Dufour [18]. Mais il y a sans doute là une intention délibérée de ne rien fixer, de ne pas s'arrêter à un titre ou à un nom qui deviendrait , du point de vue de la perception ordinaire, une occasion de limiter la vie surabondante. Une telle décrispation n'est pas aisée car elle demande un abandon de l'attitude mentale courante qui, loin de s'ouvrir sur l'infini, cherche au contraire à se protéger en s'appuyant sur des notions déjà connues et des désignations sécurisantes.

Jésus n'a jamais écrit et n'a tracé que quelques signes du doigt sur le sable. Autre manière de ne pas laisser de traces là où, de toute façon, les choses finissent par s'effacer.

Il est très difficile de ne pas s'attacher aux manifestations extérieures d'un maître et à son apparence physique. Marie de Magdala en témoigne par un geste touchant et significatif à l'égard de Jésus lorsqu'elle étreint ses pieds (Mt 28, 9). La célèbre parole que l'on attribue à Jésus : « Ne me touche pas » (Jn 20, 17) ne rend pas compte du sens véritable, car il s'agit en fait d'un impératif présent mais qui implique une continuité. Il faudrait donc le rendre littéralement par : « Cesse de me toucher » ou « Ne me touche pas plus long-temps », ce qui veut dire au sens propre : « Ne me retiens pas », « Ne t'attache pas à moi ainsi ». Marie de Magdala est invitée à ne pas s'accrocher au niveau d'une relation *sensible* avec le Maître, mais « elle doit apprendre plutôt à vivre de la Présence *intériorisée* [19] » annoncée par Jésus après la Cène : « Vous reconnaîtrez que je suis en mon Père et vous en moi et moi en vous » (Jn 14, 20). Parvenir à vivre cette Présence intériorisée est la preuve de la maturité du disciple parce qu'il a réussi à intégrer en lui le maître et l'enseignement. C'est pourquoi le texte de Luc précise au verset 20 que le Royaume « ne se laisse pas observer », *meta paratèrèseôs*, parce qu'il ne dépend pas des conditions et circonstances obser-vables. Ce n'est pas là qu'il faut le chercher et ce n'est pas là qu'il peut être trouvé.

La dépendance à l'égard du maître, quelle que soit la forme qu'elle prenne, est encore une limitation – peut-être la dernière – qui doit être dépassée. L'épisode de la marche sur les eaux montre à quel point le fait de compter sur un appui extérieur est encore une marque d'immaturité. Les disciples sont effrayés et Jésus tente de les rassurer : « Sur quoi, Pierre lui répondit : "Seigneur, si c'est bien toi, donne-moi l'ordre de venir à toi sur les eaux." – "Viens", dit Jésus. Et Pierre, descendant de la barque, se mit à marcher sur les eaux et vint vers Jésus. Mais, voyant le vent, il prit peur et, commençant à couler, il s'écria : "Seigneur, sauve-moi !" Aussitôt Jésus ten-dit la main et le saisit, en lui disant : "Homme de peu de foi, pourquoi as-tu douté ?" » (Mt 14, 28-31). Ici, la dépendance à l'égard de Jésus est évidente. Elle montre que Pierre n'est pas encore autonome parce qu'il ne peut pas s'appuyer sur sa propre certitude intérieure. Dire que Pierre a une foi plus solide que les autres parce qu'il est le premier à sortir de la barque revient à ne pas tenir compte de ce que Jésus affirme immédiatement à son sujet : « Homme de peu de foi ! » Pierre s'élance, certes, mais à condition que Jésus lui en donne l'ordre. Cela signifie qu'il n'est pas encore établi en lui-même. Qui plus est, il est ensuite obligé de réclamer de l'aide. Jésus considère que sa foi n'est pas suffisante, non seulement parce qu'il s'est enfoncé dans l'eau mais parce qu'il avait déjà besoin de lui pour s'y engager. Cette scène, profondément symbolique, correspond à un certain niveau d'être de la part du disciple Elle montre qu'une adhésion sincère, mais qui ne repose pas sur une base intérieure solide, est encore incomplète. Au moindre souffle de vent, le disciple se trouve démuni et il coule.

Le disciple doit grandir de telle sorte qu'il parvienne à s'affranchir de toutes les formes extérieures. Il ne doit plus dépendre de qui que ce soit, pas même du maître lui-même. La culmination de cette vérité apparaît clairement lorsque Jésus annonce son départ : « Cependant je vous dis la vérité : c'est votre intérêt que je parte ; car si je ne pars pas, le Paraclet ne viendra pas vers vous ; mais si je pars, je vous l'enverrai » (Jn 16, 7). Le fait que les disciples puissent recevoir l'Esprit de Vérité après que le maître extérieur s'est effacé indique que la réalisation spirituelle ne peut s'appuyer sur une quelconque modalité appartenant encore à l'ordre de la manifestation. Cependant, lorsqu'il est affirmé que le Royaume est au-dedans de nous, cela ne veut pas dire pour autant qu'il soit *localisé* non pas à l'extérieur mais à l'intérieur. En effet, il ne s'agit pas d'un endroit mais d'une possibilité d'expérience et de découverte qui dépasse l'opposition entre le dedans et le dehors. L'Évangile de Thomas le précise en ces termes : « Jésus a dit : Si ceux qui vous guident vous disent : voici, le Royaume est dans le ciel, alors les oiseaux du ciel vous devanceront ; s'ils vous disent qu'il est dans la mer, alors les poissons vous devanceront. Mais le Royaume, il est le dedans et il est le dehors de vous » (log 3, 1-8 ; cf. Dt 30, 11-14 ; Mt 24, 26-27 ; Mc 13, 21 ; Lc 17, 21). Le logion 113 pulvérise les notions spatiales et temporelles tout en posant l'omniprésence de Dieu : « Ses disciples lui dirent : Le Royaume, quel jour viendra-t-il ? – Ce n'est pas en le guettant qu'on le verra arriver. On ne dira pas : voici, il est ici ! ou voici : c'est le moment ! Mais le Royaume du Père s'étend sur la terre et les hommes ne le voient pas. » On peut se rendre compte à quel point cela revient à trahir les textes que de considérer « le royaume du Père qui s'étend sur la terre » comme correspondant principalement à la prédication de Jésus ainsi qu'à ses miracles. À l'inverse et parmi de nombreux Psaumes, le Psaume CXXXIX (v. 7-10) présente une vision non restrictive du Royaume qui rejoint une parole célèbre que Luc attribue à Paul dans les Actes : « En lui nous avons la vie, le mouvement et l'être » (Ac 17, 28) et qui est en réalité empruntée à un poète-philosophe du VIe siècle avant Jésus-Christ, Épiménide de Cnossos [20].

La primauté accordée à l'intériorité n'est évidemment pas exclusive ; elle permet aussi de voir l'immanence de Dieu, c'est-à-dire son omniprésence dans le monde. C'est ainsi que l'envisageait d'ailleurs la tradition biblique lorsqu'elle dit que « toute la terre est pleine de sa gloire ! » (Esaïe, 6, 3) ; « Mais quoi ! Dieu habiterait-il véritablement sur la terre ? » (I Rois 8, 27). Le livre de Job (38-41) évoque la magnificence du pouvoir divin dans le monde et l'Évangile selon saint Jean dit à propos du Logos que « Tout fut par lui, et sans lui rien ne fut » (Prologue 1, 3).

En déclarant *Je Suis*, Jésus proclame un message identique à l'affirmation fondamentale de l'Ancien Testament ou des Upanishads et il témoigne d'un accomplissement qui est promis à chacun même si, comme le remarque Arnaud Desjardins, « cette métamorphose à laquelle tous

sont appelés n'a jamais concerné qu'une infime minorité [21]. »
Le mystère que Jésus est venu annoncer est celui de l'Esprit,
de la conscience ; une conscience d'être qui n'est réalisable
qu'au plus intime de soi et qui reconnaît simultanément la
transcendance et l'immanence de Dieu. Cependant, la fixation excessive sur la mission de Jésus en tant que telle se
transforme paradoxalement en une distraction qui interdit le
retour véritable à soi-même. Jésus devient en quelque sorte
un écran – objet de toutes les fascinations (« et heureux celui
qui ne trébuchera pas à cause de moi ! », avait-il pourtant pris
soin de préciser – Mt 11, 6 ; Lc 7, 23). Le Royaume n'est plus
conçu que dans la perspective de sa mission spécifique, perdant ainsi son caractère d'universalité ; le pur *Je Suis* cède le
pas au fonctionnement ordinaire et mécanique du psychisme
et au monde des apparences sensibles.

Lorsque Jésus affirme : « Je suis la porte » (Jn 10, 9), cette
porte elle-même peut être en effet un obstacle tout autant
qu'un moyen d'accès à une réalité d'un autre ordre. Il ne
convient pas de s'arrêter sur le seuil mais bien de le franchir,
car le maître vivant appelle à un dépassement de toutes les
limitations. Il est une porte ouverte sur l'Infini, mais à condition de savoir passer « à travers le voile » (Hb 10, 20). Un
simple entrebâillement suffit cependant pour laisser entrevoir
ce que Nicolas de Cues appelait une « beauté suprême et terrible ». Suprême parce que cette Réalité impose la vénération
et suscite l'émerveillement ; terrible parce qu'elle déclenche
la peur de perdre ses limites et l'effroi de basculer dans une
immensité abyssale. C'est en ce sens que l'on peut comprendre le logion 82 de l'Évangile de Thomas [22] : « Jésus a dit
Celui qui est près de moi est près de la flamme, et celui qui est
loin de moi est loin du Royaume. » Le Royaume est donc un
« feu dévorant » et c'est le maître qui en permet la découverte,
à l'intérieur même du disciple. Mais pour cela, le disciple doit
s'arracher de ce que Henri Le Saux considère comme étant le

« Jésus connu et aimé » pour s'ouvrir et communier avec le « Jésus éternel » au-dedans. Jésus est une porte pour entrer dans le Royaume ou dans la Vie – car les deux sont interchangeables (cf. Mt 19, 16 et 19, 23 ; Mc 9, 43-45 et 9, 47), mais le Royaume ou la Vie éternelle ne peuvent pas pour autant être circonscrits et ramenés à des catégories limitées.

Les Évangiles laissent entendre clairement que l'irruption de l'Esprit n'est pas une expérience qui relève des organes sensoriels courants et des fonctionnements non purifiés, non transformés. La *metanoïa* est une expérience préalable indispensable correspondant à une remise en cause radicale de la manière d'appréhender la réalité. Et lorsque Jésus pose la question : « Qui suis-je ? », il interroge essentiellement au sujet de l'Être et n'attend pas en réponse une définition verbale et conventionnelle – encore moins un système ou une christologie. Il appelle à une expérience directe, à une reconnaissance intime et non pas à l'attribution d'un titre quelconque. Le fait que Jésus ne se soit jamais attribué aucun titre est déjà en soi un grand enseignement. Il a ainsi résisté sa vie durant au titre de *Mâchiah* (en grec *Khristos*) ; ce titre et ce rôle lui ont été attribué après sa mort (cf. Actes 2, 31-32, 36 ; 5, 42) [23].

En parlant de lui-même, Jésus a utilisé l'expression araméenne *bar enasha*, c'est-à-dire *fils de l'homme*, qui est une expression générique pour se définir en tant qu'homme. Le prophète Ézéchiel l'utilise en ce sens près de quatre-vingt-dix fois. Comme la plupart des grands êtres réalisés, Jésus peut éventuellement parler de lui-même à la troisième personne plutôt qu'à la première. Son être n'est plus fixé par un « je » individualisé et sa conscience est impersonnelle. De plus, cet usage se retrouve dans les textes juifs écrits en araméen dans le dialecte que G. Dalman appelle « galiléen ». La personne qui parle se désigne elle-même à la troisième personne : « cet homme », « cette femme » au lieu de dire « je » ou « moi » [24]. On peut noter au passage comment cette manière de penser et de parler favorise une attitude de désengagement de la conscience au lieu de renforcer la crispation sur les limites étroites de l'individualité. En se désignant en tant qu'être humain, Jésus a recours à une façon de parler neutre qui dénote une grande humilité tout autant qu'une grande noblesse.

Par rapport à la cohérence interne à son enseignement, Jésus n'a pu envisager de considérer l'expression *bar enasha* comme un titre du Messie ou même comme un nom. Bien entendu, la référence à Daniel 7, 13 s'impose (« Je regardais dans les visions de la nuit, et voici que sur les nuées vint comme un Fils d'homme... ») et, comme le dit Geza Vermès, « beaucoup d'efforts, d'érudition et d'encre » ont été dépensés pour essayer de clarifier le sujet. Mais rien en définitive ne permet d'affirmer que les références directes ou indirectes à Daniel 7, 13 puissent être attribuées à Jésus [25]. Une telle assimilation appartient à une phase plus tardive lors du processus de traduction des paroles en grec ou encore lorsque Daniel 7 a été intégré dans le domaine de la christologie [26]. Dans la partie araméenne de Daniel, l'expression « fils de l'homme » en 7, 13, bien qu'employée dans un texte messianique, n'est pas, en soi, un nom ou un titre du Messie. Qui plus est, la locution est utilisée comme un terme de comparaison : « Quelqu'un qui est semblable ou ressemble à un fils d'homme [27] ».

Bar enasha a donc été compris plus tard par la tradition primitive comme un titre qui a été attribué à Jésus ou qu'on lui a mis sur les lèvres. Les ajouts de Luc apparaissent nettement quand on fait la comparaison avec les passages parallèles dans les autres Évangiles [28].

Cette projection d'un titre sur Jésus (que ce soit l'expression de « fils de l'homme » ou d'autres), à partir d'éléments tardifs remontant à une période post-pascale, ne facilite pas la prise en compte existentielle et directe d'une dimension verticale qui dépasse toute qualification ou dénomination. Ainsi, par exemple, l'absence de titres christologiques dans le logion 13 atteste plutôt en faveur de son ancienneté puisque ces derniers ne datent pas du vivant de Jésus. Ce logion renvoie à une expérience d'intériorité inaccessible au mental et aux sens et il peut être mis en parallèle avec les paroles de Jésus à la Samaritaine au puits de Jacob : « Quiconque boit de cette eau aura soif à nouveau ; mais qui boira de l'eau que je lui donnerai n'aura plus jamais soif ; l'eau que je lui donnerai deviendra en lui source d'eau jaillissant en vie éternelle » (Jn 4, 13-14). Et dans l'Évangile de Thomas : « Jésus a dit à ses disciples : Comparez-moi, dites à qui je ressemble. Simon Pierre lui dit : Tu ressembles à un ange juste. Matthieu lui dit : Tu ressembles à un philosophe sage. Thomas lui dit : Maître, ma bouche n'acceptera absolument pas que je dise à qui tu ressembles. Jésus dit : Je ne suis pas ton Maître, car tu as bu, tu t'es enivré à la source bouillonnante que moi, j'ai mesurée » (log 13, 1-15). Le fait de se désaltérer – et même de s'enivrer – est un symbole mystique par excellence qui est utilisé d'une façon privilégiée chez les mystiques et les poètes musulmans. Dans le logion 108 : « Jésus a dit : Celui qui boit à ma bouche sera comme moi ; moi aussi, je serai lui, et ce qui est caché lui sera révélé. » Ce texte est à rapprocher de Jean 6, 53-56 où le langage est particulièrement fort : « En vérité, en vérité, je vous le dis, si vous ne mangez la chair du Fils de l'homme et ne buvez son sang, vous n'aurez pas la vie en vous. [...] Car ma chair est vraiment une nourriture et mon sang vraiment une boisson. Qui mange ma chair et boit mon sang demeure en moi et moi en lui. »

Peut-il y avoir une image plus explicite du processus d'intériorisation que celle de l'ingestion et de l'assimilation ? Jésus n'a pas utilisé le mot « corps » (qui a été retenu dans les traductions grecques et qui reste encore trop vague) mais le mot « chair », beaucoup plus direct et expressif car il souligne d'un côté l'aspect intime et de l'autre l'aspect nutritif. L'absorption de la nourriture et du breuvage devient alors le symbole le plus profond de la transmission spirituelle ainsi que d'un accomplissement qui rend les hommes « participants de la divine nature », selon les termes de saint Pierre dans sa deuxième Épître (1, 4).

En même temps, le fait que l'élève se nourrisse véritablement du maître n'est pas seulement un symbole mais une réalité très profonde car, à tous les niveaux de son être et de sa personne, le maître se laisse consciemment dévorer. Il donne sa vie non pas dans le simple sens d'y consacrer sa vie, mais surtout dans le fait d'offrir en pâture sa propre substance. Les juifs contemporains de Jésus ont d'ailleurs été extrêmement choqués par la métaphore qu'il utilisait parce qu'elle heurtait de front les principes en vigueur (cf. Gn 9, 4 ; Dt 12, 20-24). Pourtant, il en est toujours ainsi auprès des êtres spirituels et des maîtres authentiques dont la fonction est de transmettre. La part qui revient à l'élève est de recevoir la vérité essentielle que lui accorde le maître, d'être en mesure de l'accueillir mais aussi de l'assimiler pleinement. De manière significative, le premier patriarche du ch'an, Bodhidharma, qui vint de l'Inde en Chine au VIᵉ siècle, interrogea un jour ses élèves pour vérifier leur compréhension et la profondeur de cette assimilation. Il dit ainsi au premier disciple : « Tu as ma peau », au second : « Tu as ma chair », au troisième : « Tu as mes os », et enfin au quatrième : « Tu as ma moelle ».

Un pape du Vᵉ siècle ne dit pas autre chose lorsqu'il affirme que « rien d'autre n'est recherché dans le partage du Corps et du Sang du Christ que d'être changé en ce que nous consommons ». Mais le mystère est encore plus profond que le fait de simplement absorber et devenir spirituellement ce qui est donné. Le mystère vient de ce que le maître spirituel est à la charnière de deux aspects d'une même vérité fondamentale : le Royaume est au-dedans de nous et nous sommes au-dedans du Royaume. Seul le maître peut acheminer l'élève à ce point charnière dont la pleine réalisation s'apparente à une véritable révolution.

Si le pain et le vin sont des symboles de la chair et du sang du Christ, ils sont aussi chargés de multiples significations qui renvoient à différents niveaux de la réalité et orientent toujours vers une compréhension plus intime de vérités inhérentes à la voie. Ainsi, le mot « pain » est en lui-même très riche. En araméen, le mot *lachmâ* signifie à la fois « pain » et « compréhension ». Il renvoie à la nourriture requise pour toutes les formes de croissance, y compris bien sûr la vie élémentaire, et il est dérivé d'une racine reliée à la divinité féminine HMA qui représente le pouvoir régénérateur, la chaleur, la passion, le fait de verdoyer ou le développement d'une vigueur. Cette racine devient le mot *hokhmah* qui dans les Proverbes est traduit par « Sainte Sagesse ». On y retrouve aussi *ma*, la mère, et de cet aspect féminin découlera plus tard le mot grec *sophia* [29].

Il est rapporté en Matthieu 26, 26 : « Or, tandis qu'ils mangeaient, Jésus prit du pain, le bénit, le rompit et le donna aux disciples... », et en Luc 22, 19 : « Puis, prenant du pain, il rendit grâces, le rompit et le leur donna [30]... » Le pain devient le support et le vecteur de la bénédiction du maître, de la même façon qu'en Inde la nourriture bénie par le maître (en sanscrit *prasâd*) est considérée comme sacrée parce que chargée par la grâce (*prasâda*). En araméen, le terme pour « bénir » est *barekh*, qui signifie insuffler de l'énergie et du pouvoir. Il en est de même chez les musulmans où le maître soufi transmet la *baraka*, c'est-à-dire l'influence, l'énergie spirituelle. Il s'agit du « pain qui vient du ciel » (Jn 6, 35). C'est une nourriture au-delà de toutes les formes qui réclame de ne pas s'arrêter à l'apparence physique du maître (car celui-ci n'agit pas en son propre nom), mais de s'ouvrir à ce qui passe à travers lui.

La quatrième demande du Notre-Père est aussi une demande d'ouverture à l'égard de la dimension essentielle. « Donne-nous aujourd'hui notre pain quotidien » (Mt 6, 11), ou : « Donne-nous chaque jour notre pain quotidien » (Lc 11, 3). C'est une prière pour exprimer la requête d'être capable de participer, dès maintenant, à notre part de divinité, et non pas pour réclamer notre ration ! La traduction de cette prière a fait l'objet de nombreuses discussions, et en particulier le terme *epiousios*, qui est sans doute l'un des plus débattus de tous les Évangiles. Les Pères de l'Église ne sont pas d'accord entre eux quant à la nature de ce pain, même si la plupart lui accordent une valeur spirituelle. Pour certains représentants de l'École d'Antioche, il ne s'agit que du pain matériel [31]. Cependant, vouloir s'assurer une garantie concernant la subsistance matérielle en adressant une prière au Père n'est pas compatible avec l'abandon à la divine Providence et la nécessité de ne pas se faire de soucis pour le lendemain : « Ne vous inquiétez donc pas du lendemain : demain s'inquiétera de lui-même » (Mt 6, 34).

On peut remarquer au passage que l'échange émouvant entre Jésus et la femme cananéenne au sujet des miettes de pain sous la table est inséré, en Matthieu 15, entre la première et la seconde multiplication des pains. Il y a ici une équivalence entre le fait d'être en mesure d'absorber un certain type d'aliment et le degré de maturité comme en témoigne encore ce texte du Talmud de Babylone : « Quand un petit enfant commence à manger du pain, il sait dire papa [32] ! »

Dans la Vulgate, saint Jérôme traduit *epiousios* en Matthieu 6, 11 par *supersubtantialis*, « super-substantiel [33] » ! Origène affirme que le mot *epiousios* n'est employé par aucun auteur grec [34] et il suggère que le mot a été forgé par les

327

évangélistes eux-mêmes pour traduire l'hébreu. Les tenants d'une interprétation eschatologique traduisent par « pain de demain [futur] », ce qui rend : « Donne-nous aujourd'hui notre pain de demain » ! Or s'il s'agissait de « demain », il n'aurait pas été nécessaire de forger ce mot particulier *epiousios* [35]. Certains commentateurs considèrent « qu'il est possible que nous ayons ici une méprise de l'original araméen qui a été très tôt perdu dans le moule grec [36] ». On pressent bien que ce terme soit le pivot de malentendus qui ne peuvent pas être dissipés au seul niveau du grec. G. Gander estime que ce sont les manuscrits araméens palestiniens qui ont le « moins dévié du texte de conception, de formulation et de rédaction araméennes originelles [37] ». Il traduit par « le pain de notre nécessité » et, de même, P. Jouön par « le pain de notre subsistance », c'est-à-dire « le pain nécessaire à notre subsistance [38] ».

Jésus ne peut insister que sur la nourriture essentielle qui est par conséquent celle qui appartient au domaine de l'Esprit. « En vérité, en vérité, je vous le dis, vous me cherchez, non pas parce que vous avez vu des signes, mais parce que vous avez mangé du pain et avez été rassasiés » (Jn 6, 26). Et « qui mange ce pain vivra à jamais » (Jn 6, 58), est-il encore précisé. Il appartient à un ordre supérieur et ne peut être comparé à rien d'autre. C'est le pain de Vérité, non seulement une parole extérieure porteuse d'un message de vie mais l'essence même de l'enseignement, une réalité vivante et subtile, surnaturelle et divine.

La nourriture substantielle concerne la nourriture spirituelle, et c'est pourquoi la demande est une requête adressée au Père qui est dans les cieux. On peut en trouver le parallèle biblique dans le récit de la manne en Exode 16, 4 : « L'Éternel dit à Moïse : Voici, je ferai pleuvoir pour vous du pain, du haut des cieux. Le peuple sortira, et en ramassera, jour par jour, la quantité nécessaire... »

Dans son étude des Évangiles en fonction du substrat araméen, Matthew Black considère que la demande se fait « de jour en jour » ou « jour après jour » [39]. L'attitude d'ouverture doit être constante, d'instant en instant, de façon à être en mesure de recevoir ce pain céleste qui est constamment disponible et qui ne peut être « consommé » que dans le présent. Considérer ainsi que la prière est une demande pour le « pain futur » ou « le pain de demain » est sans doute une méprise. On peut tout au plus l'entendre comme une demande de pain (pour aller) jusqu'à demain, en ce sens que l'on ne peut subsister longtemps lorsqu'on est privé de l'essentiel. Karlfried Graf Dürckheim voyait à juste titre dans cette coupure de la dimension de transcendance la raison principale du malaise profond de l'homme. Il est certain que prier pour ne pas en être coupé apparaît alors comme une demande hautement légitime.

Le pain est par excellence le symbole de ce qui est indispensable. Dans les cultures méditerranéennes, il était l'aliment de base, constitué le plus souvent de farine d'orge car le froment de blé était rare en Palestine. Mais, qu'il soit fabriqué à partir d'orge ou de blé, il trouve sa source dans la terre elle-même qui a permis la croissance des grains. En ce sens, le pain est le produit de l'univers, de même que le vin. Le vin était à l'époque beaucoup plus épais que celui que nous connaissons et il jouait, avec le pain, un rôle alimentaire essentiel. En les consommant, l'homme se relie à l'univers tout entier, il confirme son appartenance à une réalité plus vaste et exprime sa communion avec elle. Il se relie aussi au mystère et à la dimension sacrée qui imprègne toutes choses. En hébreu, *i aïn*, « vin », et *sod*, « mystère », ont la même valeur numérique : 70.

L'eucharistie signifie « action de grâces » et c'est un acte de reconnaissance, un geste qui témoigne d'une profonde gratitude, non seulement, bien entendu, à l'égard des produits de la terre qui sustentent la vie, mais aussi à l'égard des hommes eux-mêmes, ceux qui ont peiné à la tâche pour semer, cultiver et moissonner. Ce sentiment est un remerciement silencieux, respectueux et fraternel envers leurs efforts et il reconnaît comme sacré le fruit de leur travail. Jésus enseigne qu'en mangeant le pain et en buvant le vin il faut se rappeler, se souvenir. Un tel acte en effet ne peut être accompli avec négligence. Il réclame une conscience élargie, une pleine vigilance, une lucidité alerte.

La nourriture est sacrée ainsi que le fait même de l'absorber, de la manger. En dehors de la charge symbolique du pain et du vin, l'atmosphère dans laquelle le repas est pris est donc de la plus grande importance. C'est encore une fois la qualité de la conscience qui est déterminante, l'esprit dans lequel le geste est accompli qui peut inciter ou non à s'ouvrir à des influences supérieures. Il ne s'agit donc pas de se souvenir d'un événement passé particulier, mais plutôt d'actualiser une présence et d'incarner dans les gestes ordinaires les valeurs spirituelles les plus précieuses. Le pain, par exemple, n'est jamais coupé au couteau mais rompu à la main. Il y a partage, non pas séparation. Le pain n'est pas coupé en morceaux, il est distribué ; c'est un signe de communion et non de division. Ainsi, l'unité sous-tend la multiplicité sans pour autant disparaître en elle.

La présence du maître donne au repas fraternel sa pleine dimension spirituelle, et même si la Cène n'était pas un repas pascal, elle exprimerait néanmoins l'essentiel, à savoir la communion dans l'amour.

Dans leur simplicité, le pain et le vin évoquent des réalités spirituelles qui réveillent intuitivement en chacun de profonds échos. À l'image de l'homme et de son itinéraire intérieur, ils sont le fruit d'une réelle transformation. En effet, il faut tout d'abord que les grains d'orge ou de blé soient broyés pour obtenir de la farine. De même, les grains de raisin devront être pressés pour donner le jus. La farine et le jus de raisin constituent une première étape indispensable qui revêt déjà un sens sacrificiel marquant. La matière doit être préparée pour être ensuite en mesure de passer par le feu. Cette énergie de transformation est ici la fermentation ; le pain avec le levain et le vin par la macération. Il en est de même pour la maturation de l'être : le terrain intérieur doit être préparé avant d'être soumis au feu transformateur.

Le fait de manger consciemment le pain ou de boire le vin équivaut à donner son assentiment pour suivre le même processus intérieur. L'évolution, la métamorphose, est le résultat d'un sacrifice permanent dans la mesure où chaque forme, chaque étape doit être dépassée pour permettre l'émergence de la phase suivante. En ce sens, manger le pain ou boire le vin ont une signification identique et il est possible qu'il en soit de même lorsque Jésus les assimile à sa chair et à son sang. Selon une tournure araméenne, la redondance est une manière d'insister sur l'essentiel et de certifier avec force la validité de ce qui est affirmé. Une entente entre deux personnes est par exemple scellée en répétant deux fois la même formule d'adhésion et Jésus lui-même répète deux fois « amen, amen », « en vérité, en vérité », pour introduire ses propos. La faim et la soif – et surtout le manger et le boire – indiquent aussi une totalité, la complétude d'une communion étant illustrée par ces deux formes d'assimilation.

Une autre perspective par rapport au sacrifice doit être soulignée. La tradition indienne a insisté sur le fait que « tout est nourriture », *sarvam annam*. La vie se perpétue en effet en se mangeant elle-même ; elle est, comme l'écrit Alan Watts, un véritable « holocauste par lequel elle continue seulement au prix de la mort [40] ».

Au niveau de l'existence biologique, la vie semble consister à manger et à être mangé de telle sorte que, si l'on est attaché aux formes, l'existence apparaît sous un jour d'une cruauté incompréhensible et insoutenable. Pour l'entendement ordinaire, le fait qu'un être soit sacrifié est tout aussi incompréhensible (« c'est Dieu bon faisant périr Dieu innocent pour satisfaire Dieu juste » – Victor Hugo) qu'insoutenable (« Dieu est-il un père aimant ou le grand maître de la vivisection ? » – C. S. Lewis). Mais il y a une grande différence entre le sacrifice subi et le sacrifice librement consenti. La différence essentielle réside dans la pleine conscience et la liberté intérieure, de telle sorte que le monde n'est pas vu de la même manière. La vision change selon le degré de maturation de l'être [41].

La loi est que le fait de manger implique celui d'être mangé, car l'un ne peut se concevoir sans l'autre. Le vin et le sang ne sont pas simplement associés par analogie ; le passage du vin au sang symbolise la nouvelle alliance mais renvoie aussi à ce double aspect d'une même réalité : manger – être mangé. Lorsque Jésus fut proche d'illustrer par son propre exemple l'aspect abrupt de cette vérité, « alors les disciples l'abandonnèrent tous et prirent la fuite » (Mt 26, 56). Boire le vin, et symboliquement le sang, signifie s'abreuver à la source même de notre être, l'essence par laquelle nous pouvons subsister et nous régénérer spirituellement. En araméen, le mot *damî* désigne autant le sang que le vin rouge, le jus, la sève. Sa racine est directement reliée à *adamah*, l'homme de la Genèse. Mais le sang bu est inséparable du sang versé, c'est-à-dire qu'il ne peut y avoir de régénération sans une certaine destruction. Cette loi se trouve vérifiée à partir des niveaux les plus grossiers de la manifestation jusqu'aux plus subtils. Ainsi, biologiquement, la vie se dévore elle-même pour se maintenir et, spirituellement, le vieil homme doit mourir pour laisser émerger l'homme nouveau.

Le mot « pain » en hébreu, *lè Hèm*, signifie « festin », « nourriture », mais aussi « lutte », « massacre » [42]. Jésus est né à Bethléem, littéralement la « maison du pain » et donc aussi la « maison du massacre » ! Le Massacre des Innocents, des enfants de moins de deux ans ordonné par Hérode (Mt 2, 13) n'est nulle part attesté et il est fort probable que ce soit une mise en parallèle avec l'enfance de Moïse telle qu'elle a été rapportée par la tradition rabbinique. Cela ne retire cependant rien de sa valeur symbolique qui peut être comprise à différents plans. Tout d'abord ce massacre illustre une loi difficile à admettre et dont la nature nous fournit pourtant l'exemple constant. Pour qu'un être d'une rare spiritualité puisse apparaître, une grande quantité d'être humains est nécessaire, de la même façon que tous les glands produits par un chêne ne deviendront pas eux-mêmes des chênes. Ils serviront même de ferment en pourrissant ! À plusieurs reprises, les Évangiles évoquent cette loi avec des paroles frappantes et dénuées de toute ambiguïté : « Étroite est la porte et resserré le chemin qui mène à la Vie, et il en est peu qui le trouvent » (Mt 7, 14) ; « La moisson est abondante mais les ouvriers peu nombreux » (Mt 9, 37) ; « Celui qui n'a pas, même ce qu'il a lui sera enlevé » (Mt 13, 12) ; « Car beaucoup sont appelés, mais peu sont élus » (Mt 22, 14).

Il est fait mention aussi de la « paille » qui sera brûlée. Elle correspond à l'homme non régénéré spirituellement. Celui-ci sera consumé, c'est-à-dire qu'il restera dans l'état du vieil homme, sans avoir développé tout ce qu'il portait en lui. Les conséquences sont sévères, comme en témoigne le début de la parabole du festin nuptial : « Et Jésus se mit à leur parler en paraboles : "Il en va du Royaume des Cieux comme d'un roi qui fit un festin de noces pour son fils. Il envoya ses serviteurs convier les invités aux noces, mais eux ne voulaient pas venir. De nouveau il envoya d'autres serviteurs avec ces mots : Dites aux invités : "Voici, j'ai apprêté mon banquet, mes taureaux et mes bêtes grasses ont été égorgés, tout est prêt, venez aux noces." Mais eux, n'en ayant cure, s'en allèrent, qui à son champ, qui à son commerce ; et les autres, s'emparant des serviteurs, les maltraitèrent et les tuèrent. Le roi fut pris de colère et envoya ses troupes qui firent périr ces meurtriers et incendièrent leur ville » (Mt 22, 2-7).

Le Massacre des Innocents peut sembler d'une injustice criante, mais il obéit à une loi supérieure qui ne répond pas aux catégories de l'entendement. À l'échelle individuelle il représente, selon les termes de Jean Biès, « les "agrégats" du moi qui doivent subir l'immolation pour laisser place à la nativité du Soi [43] ». La destruction du mental, *manonasha* », dont parle l'approche védantique suppose l'éradication de nombreux obstacles intérieurs qui font barrage à l'émergence d'une autre dimension en nous. La mise en place progressive d'une fausse structure avec ses ramifications multiples doit être impitoyablement détruite pour permettre l'éradication des préjugés et de toutes les conceptions erronées qui voilent la Réalité. D'un autre point de vue encore, cette immense réaction du roi Hérode qui se sent menacé par un rival et qui tente de le détruire peut être considéré comme le déchaînement de forces négatives qui, à l'intérieur d'un être humain, s'opposent à toute manifestation de l'homme nouveau. La naissance de Jésus, c'est-à-dire l'éveil à la dimension réellement spirituelle et transcendante, fait lever des forces contraires qui cherchent à annihiler toute progression vers la lumière et la vérité. Plus l'enjeu est grave et important, plus ces forces destructrices sont à l'œuvre. Elles s'opposent à tout ce qui pourrait contribuer à la disparition des ténèbres. Et lorsqu'elles échouent dans un domaine, elles reviennent sans relâche à la charge dans un autre. Les tentations du Bouddha ou du Christ évoquent encore de tels assauts.

La seule intention d'entreprendre un chemin de transformation, si elle est réelle et profonde, peut suffire pour déclencher des forces d'opposition qu'il faudra vaincre une à une, avec une détermination que rien ne peut ébranler. Lorsque Jésus dit : « Mais gardez courage ! J'ai vaincu le monde » (Jn 16, 33), il affirme qu'en définitive, aucune puissance naturelle ne sera victorieuse car toutes les contre-forces négatives seront maîtrisées, puis dépassées. Mais elles seront dépassées par l'éveil intérieur, au niveau d'une conscience d'être vis-à-vis de laquelle aucun pouvoir ne pourra plus être exercé. « Si mon royaume était de ce monde, mes gens auraient combattu pour que je ne sois pas livré aux Juifs. Mais mon royaume n'est pas de ce monde », répond Jésus à Pilate (Jn 18, 36). Et lorsque Pilate s'attribue le pouvoir de le relâcher et le pouvoir de le crucifier, Jésus lui signifie clairement qu'il n'est qu'une marionnette aux mains d'un pouvoir supérieur dont il ignore tout.

Le jeu des forces antagonistes extérieures ou intérieures est symbolisé par le Massacre des Innocents et il peut l'être aussi par la mise en scène de la « trahison » de Judas Iscariote dont l'authenticité n'est pas plus attestée. Le verbe grec *paradidômi* (litt. transmettre, de *didômi*, donner, et du préf. *para* = auprès), toujours traduit par « trahir » ou « livrer » en ce qui concerne Judas, prête à confusion car il s'agit – au sens littéral de « transmettre » et par conséquent de « confier » – de « remettre à quelqu'un » (en l'occurrence ici aux autorités) sans qu'il soit question de trahison. Les exégètes ont de plus remarqué que « dans la tradition matthéenne primitive, et probablement déjà dans le Document A, le baiser donné par Judas à Jésus n'était pas considéré comme un "signe" destiné à faire reconnaître Jésus par ceux qui viennent s'emparer de lui ; d'après les coutumes juives, en effet, il était courant qu'un disciple salue son maître, le « rabbi », en lui donnant un baiser ; ce dut être le cas ici [44]... »

Les récits relatifs à Judas comportent des inconséquences et sa trahison a été sérieusement mise en doute, y compris au sein de l'École biblique de Jérusalem [45]. Il est précisé par exemple en Marc 14, 20 que celui qui livrera Jésus « est l'un des douze » ; or, selon Paul, le groupe des douze apôtres était encore au complet après la résurrection de Jésus. Dans la première Épître aux Corinthiens, Paul rapporte que le Christ « est apparu à Céphas, puis aux Douze » (I Co 15, 5). Certains manuscrits ultérieurs ont corrigé Paul et changé « douze » en « onze ». De même, la Vulgate a traduit le « douze » grec de Paul en « onze » latin.

Il y a encore une fois une collision entre la volonté d'une historicité rigoureuse et le sens symbolique. L'attitude de Judas ne correspond pas à une traîtrise pure et simple : elle a sa place dans une dramaturgie sacrée qui ne peut être compréhensible que du point de vue de l'intériorité. On peut méditer sur le fait que tout s'est passé avec l'assentiment de Jésus lui-même. L'Évangile de Jean rapporte en effet que Jésus envoie Judas en mission. « Jésus lui dit donc : "Ce que tu fais, fais-le vite." Mais cela, aucun parmi les convives ne comprit pourquoi il le lui disait » (Jn 13, 27). Si Jésus l'envoie délibérément faire ce qu'il a à faire, le mot « trahison » n'est plus adéquat car rien n'est fait à son insu. Au contraire, tout cela a été effectué sous ses ordres et le cours des événements n'est en rien fortuit. Il répond à la volonté même de Jésus qui s'en est remis à un pouvoir supérieur et dont l'attitude est en parfaite conformité avec une ordonnance divine. D'ailleurs, Jésus aurait amplement eu la possibilité de fuir, en Égypte par exemple, si cela s'était avéré nécessaire.

En dehors même de l'Eucharistie, le pain et le vin ne sont pas une simple comparaison avec la chair et le sang ; on a vu qu'ils représentent aussi l'essence de la nourriture spirituelle. Le rôle symbolique que joue le vin dans la Cène se retrouve de la même façon, selon l'Évangile de Jean, à l'inauguration du ministère de Jésus, aux noces de Cana (Jn 2, 1-2). Dans ce récit, ce ne sont pas les mariés qui représentent l'intérêt principal, mais bien plutôt le fait qu'il décrive le premier des signes accomplis par Jésus. La transformation de l'eau en vin n'est certainement pas un miracle à prendre au premier degré. « En effet, écrit Arnaud Desjardins, on est en droit de se demander en quoi le Rédempteur, deuxième personne de la Trinité, prenant forme humaine, avait besoin à la fin d'une noce, quand les gens sont déjà passablement soûls, de transformer l'eau en vin. Était-ce un miracle si nécessaire ? Si on le prend au pied de la lettre, sûrement pas [46]. » Le récit des noces de Cana aborde avec précision une hiérarchie que l'on trouve dans le domaine spirituel. Ici, trois différents niveaux sont évoqués [47]. Le texte nous précise « qu'il y avait six jarres de pierre ». Pourquoi ne sont-elles pas en terre cuite ? La pierre, dans les Évangiles, symbolise un certain niveau de la vérité correspondant à la compréhension intellectuelle seule. Elle désigne par conséquent ce qui est figé et, par extension, arbitraire, dogmatique. Ce niveau ne peut pas être nourrissant ou transformateur sur le plan de l'être. Il peut même au contraire être source d'erreurs et de limitations qui empêchent l'émergence d'une réalité vivante. Dans cette perspective, le fait que Jésus ait surnommé Simon *Képhâ*, « rocher » en araméen, est lourd de signification. Le prénom Pierre n'existant pas en grec ou en latin, on ne peut jouer sur le mot pour en faire un prénom qu'en français et en araméen !

Tout, dans les Évangiles, montre Pierre non pas sous un aspect de solidité et de certitude intérieure, mais au contraire comme étant un personnage instable et emporté, ayant une adhésion intellectuelle et un attachement affectif à l'égard de Jésus, mais sans véritable intégration de son enseignement. Les nombreux textes de l'Ancien Testament où le roc est signe de stabilité et de solidité ne semblent pas pouvoir s'appliquer ici. Le seul passage où Jésus le gratifie et lui reconnaît une compréhension juste est contesté quant à son authenticité. Jésus dit à Pierre : « Tu es heureux, Simon fils de Jonas, car cette révélation t'est venue, non de la chair et du sang, mais de mon Père qui est dans les cieux » (Mt 16, 17). Dans leur étude exégétique qui a reçu l'*imprimatur*, les professeurs de l'École biblique de Jérusalem, P. Benoit et M.-E. Boismard, considèrent que ce logion est un ajout de l'ultime rédacteur matthéen. De même d'ailleurs que les deux suivants (v. 18 et 19), dont on connaît la valeur stratégique capitale : « Eh bien ! moi je vous dis : Tu es Pierre, et sur cette pierre je bâtirai mon Église » et « Je te donnerai les clés du Royaume des Cieux [48]. » En Matthieu 16, 23, Pierre est clairement désigné par Jésus comme une « pierre d'achoppement » ! Et il précise : « Tes pensées ne sont pas celles de Dieu, mais celles des hommes ! » La Bible de Jérusalem commente en note *b* : Pierre « devient le suppôt, inconscient certes, de Satan lui-même » ; or, précisément, l'inconscience n'est certainement pas une circonstance atténuante quand on sait que Jésus fonde tout son enseignement sur un surplus de vigilance et de conscience. L'inconscience est le propre d'un homme non transformé dont le statut est celui d'une pierre. Ce niveau pierre appelle bien entendu un dépassement ; il doit déboucher sur autre chose de la même façon que Moïse a fait jaillir l'eau d'un rocher [49] ou que la pierre a été roulée de devant le tombeau de Jésus.

Aux noces de Cana, « Jésus leur dit : "Remplissez d'eau ces jarres". Ils les remplirent jusqu'au bord ». Il y a donc là le passage de la pierre à l'eau : d'une vérité intellectuelle, statique et morte, on passe à l'eau qui symbolise l'enseignement dans sa dimension vivante et régénérante. L'eau étanche la soif, purifie, et il en est de même pour l'enseignement spirituel. On pense au puits de Jacob et à l'enseignement que Jésus donne à l'occasion de sa rencontre avec la Samaritaine.

De la même façon, l'Ancien Testament est riche d'allusions symboliques dans lesquelles l'eau représente la vérité vivante et la transmission de cette vérité. Il peut y avoir un filet d'eau qui jaillit de dessous le seuil de la maison et qui va devenir un torrent, puis un fleuve redonnant vie partout où il passe (Ézéchiel 47, 1-12). De même, la source ou la fontaine est un symbole de vie, d'autant plus lorsqu'il s'agit de contrées désertiques (Nombres 21, 17-18 ; Psaume LXVIII, 26). Si les bergers connaissaient la valeur de l'eau, les prophètes et les hommes de Dieu connaissaient aussi l'importance de l'eau salvatrice : « Il fendit le roc, les eaux ruisselèrent, un fleuve coula dans le désert » (Ps CV, 41). En s'inscrivant dans la tradition prophétique, Jésus promet également une eau vive : « Si quelqu'un a soif, qu'il vienne à moi, et qu'il boive, celui qui croit en moi ! » (Jn 7, 37).

Dans le langage propre au miracle de Cana, l'eau en tant que vérité spirituelle qui désaltère n'est pas encore suffisante. Il faut que celle-ci soit totalement intégrée, c'est-à-dire transformée en nous-même, en notre propre substance. L'eau est ainsi transformée en vin, tel est le vrai miracle. La pierre, l'eau et le vin représentent trois niveaux différents d'intégration de la vérité, trois manières d'être qui correspondent à une hiérarchie dans la compréhension. La pierre est l'aspect le plus extérieur et inerte, le vin (le sang) l'aspect le plus intérieur et vivant ; l'eau est une étape intermédiaire car on ne peut en effet passer directement du niveau le plus grossier au niveau le plus subtil. Dans ce récit de noces, ces différents degrés échelonnés se retrouvent aussi sous la forme des servants, de la mère de Jésus et de Jésus lui-même. Il s'agit par conséquent de la description d'un chemin d'évolution intérieure où le vrai miracle est celui d'une transformation de l'être tout entier. Les six jarres représentent l'immaturité spirituelle, l'incomplétude (le chiffre sept est symbole de totalité). Quand la mère de Jésus dit : « Ils n'ont pas de vin », il faut l'entendre comme un constat qui ne relève pas du plan matériel mais d'une situation intérieure dans laquelle l'homme est privé de l'essentiel. C'est pourquoi il est convié à un mariage mystique au cours duquel s'opère une profonde métamorphose.

Le processus évolutif à l'intérieur même du disciple n'est possible que par un affranchissement progressif à l'égard des formes extérieures. Le maître lui-même n'est pas une forme extérieure mais l'essence du disciple, de telle sorte que la véritable communion n'est pas le rapprochement de deux éléments séparés mais le vécu intime d'une unité essentielle. Constamment, Jésus a invité ses disciples ainsi que ceux qui le rencontraient à porter le regard au-delà de lui-même, mais par une intégration de sa nature véritable. Il les renvoyait à leur propre intériorité et ne voulait pas qu'ils soient piégés ne serait-ce que par l'aspect merveilleux et charismatique de sa personne. On peut en trouver une illustration lorsque Jésus s'efface après avoir guéri le paralytique à la piscine de Béthesda. Ou encore dans cet échange significatif : « Il se mettait en route quand un homme accourut et, s'agenouillant devant lui, il l'interrogeait : "Bon maître, que dois-je faire pour avoir en héritage la vie éternelle ?" Jésus lui dit : "Pourquoi m'appelles-tu bon ? Nul n'est bon que Dieu seul" » (Mc 10, 17 ; Lc 18, 18). Jésus n'encourage pas les qualifications élogieuses à son égard, non par modestie et humilité mais parce qu'il ne veut pas que l'on s'égare dans une polarisation limitative. Il est important de noter que la version de Matthieu modifie la teneur de cet échange et la majorité des commentateurs reconnaissent que c'est Matthieu qui transpose les données de la discussion et en modifie ainsi la perspective : « "Maître, que dois-je faire de bon pour obtenir la vie éternelle ? Il lui dit : "Qu'as-tu à m'interroger sur ce qui est bon ? Un seul est le Bon" » (Mt 19, 16). Il y a ici un net glissement quant au sens initial de la discussion qui portait sur la manière dont Jésus est vu ainsi qu'une rectification de sa part. Jésus montre qu'il est centré sur Dieu et en aucun cas Christo-centré. Matthieu évite cette correction importante et il déplace le centre d'intérêt par une question légèrement différente qui fait diversion. Il a pourtant gardé la réponse finale de Jésus au sujet de Dieu, mais cette réponse est alors en porte-à-faux par rapport à la question précédente étant donné le changement de contexte. Si l'on revient sur l'enjeu véritable d'un tel échange, il est possible d'en dégager un enseignement qu'il serait imprudent d'évacuer. Henri Le Saux le résume en quelque sorte dans son *Journal* lorsqu'il écrit que « le Père, constamment dans l'Évangile, cela veut dire d'abord ne t'arrête pas à moi le Fils, ni au Christ selon la chair, ni au Christ selon la gloire, ni même au Fils selon sa préexistence, mais *a Patre, ad Patrem* [du Père, vers le Père] [50] ». Ce cheminement exige un dépassement progressif de toutes les formes et de tout système conceptuel au profit d'une expérimentation personnelle directe, d'une expérience vécue qui remet radicalement en cause l'imposture du moi. Si Jésus, en tant que Sauveur, révèle la Présence salvatrice de Dieu, il apporte aussi aux homme les moyens concrets permettant de les délivrer de leur individualité, de leur ego. Au passage, le mot « sauveur » (Jn 4, 42) est ambigu pour un Occidental par rapport au « donneur de Vie » sémite.

Il est d'autant plus étonnant que cette perspective de transformation pragmatique et existentielle soit l'objet de suspicion alors qu'elle est *au centre même des Évangiles*. L'être humain doit pourtant être abordé dans son intégralité, car tous ses différents aspects sont concernés lorsqu'il s'agit d'une démarche authentique visant à la totale transformation de l'être, à l'éveil ou encore la résurrection. La parabole du levain en Matthieu 13, 3 est interprétée en ce sens par saint

Jérôme comme désignant la venue de l'Esprit qui régénère et transforme à la fois toutes les parties physiques, psychiques et spirituelles de l'homme : « Le Royaume des Cieux est semblable à du levain qu'une femme a pris et enfoui dans trois mesures de farine, jusqu'à ce que le tout ait levé. »

En réalité, il est difficile d'esquiver le fait que la transformation prônée par Jésus est essentiellement personnelle et intérieure et que c'est au plus intime de soi que Dieu peut être trouvé. Et il est fort probable qu'une réticence – et parfois une répulsion – à cet égard soit due en partie à une incompréhension de ce que veut réellement signifier le mot « ésotérisme ». Certains commentateurs révèlent la nature du malentendu en montrant aussi à quel point ce terme est entaché de préjugés. Ainsi, au sujet de la phrase : « Il en est du Royaume comme... » à propos de la parabole du grain qui pousse tout seul (Mc 4, 26-29), on peut trouver le commentaire suivant : « Une formule similaire introduit ces paraboles : l'ivraie, le grain de sénevé, le levain, le trésor, la perle, le filet. Elle donne en clair, et à tous les auditeurs, la clé de l'interprétation. Cela confirme que les paraboles n'ont rien à voir avec un enseignement ésotérique. [51] » En définitive, cela confirme plutôt autre chose : puisqu'il s'agit d'une réalité intérieure, une réalité d'être et de conscience, les paraboles sont nécessaires pour l'évoquer. Et à partir de là, toute l'exploration reste encore à entreprendre car les paraboles ne sont que des indications invitant l'homme à s'éveiller à l'esprit et à renaître à lui-même. Dans la mesure où le Royaume n'est ni observable, ni localisable (puisqu'il n'est seulement accessible qu'à un tout autre niveau), il faut bien utiliser des paraboles pour indiquer le chemin tout en partant du plan le plus extérieur, à savoir les données sensibles, les réalités tangibles. Les paraboles sont par conséquent un moyen pour orienter vers une expérience de la profondeur qui se situe bien en deçà du domaine psychique proprement dit.

Ainsi que l'a signalé avec grand réalisme Maître Eckhart, « l'homme ne doit pas se contenter d'un Dieu qu'il pense, car lorsque la pensée s'évanouit, Dieu s'évanouit aussi [52] ».

Quand on traduit Matthieu 3, 2 par « le Royaume des Cieux est tout proche », il est difficile de ne pas le concevoir comme une proximité dans le temps ou dans l'espace. Jésus répète que le Royaume n'est ni ici ni là en ce sens qu'il ne correspond à aucune désignation ou localisation particulière... et il est pourtant « à notre portée [53] ». Mais si l'on tient à dire qu'il est « tout proche », on peut aller jusqu'à soutenir, comme le fait le Coran, qu'il est même plus proche que notre propre veine jugulaire !

VIII

LA VÉRITÉ VOUS LIBÉRERA *

L'enseignement que Jésus a donné de son vivant propose non pas d'améliorer le vieil homme ou l'état ordinaire de l'homme, mais de le régénérer entièrement, d'en faire un homme né de nouveau. La tradition occidentale a parlé de sanctification, de déification, de rédemption et de résurrection. La tradition orientale utilise les termes de délivrance et de libération. À cet égard, les Évangiles synoptiques autant que celui de Jean ou encore de Thomas révèlent une cohérence remarquable : la voie enseignée consiste avant tout en une pratique précise permettant de réaliser la promesse concrète d'un affranchissement.

La démarche que Jésus propose est une science ; la science de l'intériorité. Une science qui d'une part comporte l'étude de lois et d'autre part peut être retransmissible. Ce que l'on appelle par exemple en Occident le « bouddhisme » correspond pour les Tibétains à ce qu'ils nomment la « science de l'esprit », et il en est de même pour toute spiritualité authentique. La transformation spirituelle est une science de l'esprit qui donne accès à l'Esprit. La figure exceptionnelle de Jésus (qui démontre admirablement l'ultime possibilité de l'homme) ainsi que son rôle privilégié dans l'histoire de l'humanité ne doivent pas faire oublier la possibilité

* Jean 8, 33.

345

concrète d'accomplissement qui revient à chacun. Jésus répète sans cesse que sans une véritable métamorphose aucun accès au Royaume des Cieux ne sera possible, et il est clair qu'un tel changement ne pourra se faire par procuration. Son message est à la fois explicite et incontournable. « En vérité, en vérité, je te le dis, à moins de naître d'en haut, nul ne peut *voir* le Royaume de Dieu » (Jn 3, 3), et comme cette parole n'est pas nécessairement admissible tout de suite, Jésus réitère immédiatement : « En vérité, en vérité, je te le dis, à moins de naître d'eau et d'Esprit, nul ne peut *entrer* dans le Royaume de Dieu » (Jn 3, 5). Cela suppose une telle révolution intérieure par rapport à l'ancien monde qu'elle ne peut être comparée qu'à une deuxième naissance. De façon similaire, c'est le passage d'un univers à un autre, d'une réalité à une autre. La grande difficulté réside dans la compréhension véritable de ce processus ; de quelle manière doit-il être vécu ? On peut deviner ici le rôle primordial que joue la relation étroite entre le maître et l'élève. Cependant, de très précieuses indications sont données dans les textes eux-mêmes.

Le mot araméen *hamanotha* [1], que l'on pourrait traduire par « foi », est certainement un élément clé. Jésus s'est prononcé avec fermeté au sujet de l'absence de foi des disciples en leur disant que sans la foi rien n'est possible. Si elle est indispensable dans la démarche, il est par conséquent nécessaire de voir en quoi elle consiste et aussi ce qu'elle n'est pas.

L'utilisation du mot « foi » dans les Évangiles – *pistis* en grec – passe par la traduction de la Septante qui rend compte de notions exprimées en hébreu. Dans son sens originel, le mot *pistis* signifie très précisément une connaissance intérieure certaine, une expérience qui ne passe pas par les sens mais qui s'appuie sur une réalité indubitable. La foi est ainsi l'exact opposé de la croyance, c'est-à-dire de l'adhésion affective ou sentimentale à une idée, une opinion, un système de pensée, une doctrine. L'auteur anonyme de l'Épître aux Hébreux considère qu'elle est « la preuve des réalités qu'on ne voit pas » (11, 1), autrement dit qu'il s'agit de la certitude expérimentale d'une réalité invisible aux yeux ordinaires. Selon le commentaire de la Bible de Jérusalem, la foi est confirmée comme étant une « connaissance assurée des réalités célestes [2] ». Elle ne dépend donc pas de références extérieures. Elle est à elle-même son propre critère, sa propre certification par la réalisation d'une vérité intrinsèque ; elle est fondée sur une réalité spirituelle inhérente à l'être même. Lorsque Paul énonce la proposition devenue célèbre : « Et si le Christ n'est pas ressuscité, vaine est votre foi » (I Co 15, 17), il fait dépendre la foi d'un événement particulier, fût-ce d'un événement prodigieux. Or la foi en tant que connaissance du réel ne peut pas être vaine, ou alors cela laisse supposer qu'il s'agit de la foi en tant que croyance : on aurait eu tort de croire si... Jésus a parlé de foi à ses disciples indépendamment de sa résurrection et son enseignement prépascal est entièrement valide en lui-même sans le recours à une éventuelle certification ultérieure. Lorsque Jésus énonce : « Tout est possible à celui qui croit » (Mc 9, 23), il ne parle pas d'une croyance quelconque mais d'*une expérience présente qui accorde un pouvoir immédiat.*

Le substrat sémitique apporte des précisions sur la nature de la foi car, contrairement à l'acception habituelle, le fait d'avoir confiance, de croire, ne relève pas de la pure subjectivité. Le mot araméen *hamanotha*, « foi, confiance », ainsi que les mots hébreux *emûnâ*, « fidélité », et *émèt*, « vérité », viennent de *âmân*, « porter solidement », dont la racine *'mn* signifie : « être solide, stable ». Ainsi, le fait de croire ou d'avoir confiance est une stabilité éprouvée, une assurance et une constance qui reposent sur une base ferme. On est dans le domaine de la preuve – ou de l'évidence – et non pas de la croyance ou même de la simple adhésion intellectuelle. *Amen* vient également de là ; la vérité attestée, la connaissance et la reconnaissance de ce qui est. L'affirmation de cette conformité à la réalité s'impose d'elle-même de par sa propre autorité, « car ce n'est pas de moi-même que j'ai parlé, affirme Jésus, mais le Père qui m'a envoyé *m'a lui-même commandé* ce que j'avais à dire et à faire *connaître* ; et je *sais* que son commandement est vie éternelle » (Jn 12, 49). Le terme grec *pistis*, ainsi que ses dérivés, doit donc être relié à ce qui précède ; *episteme* signifie d'ailleurs « science » et le verbe *pisteuein* : « persuader, convaincre, faire obéir ». La foi est de l'ordre de la vérité, de la certitude, de la fidélité et aussi du pouvoir [3]. Le fait qu'elle s'applique au monde spirituel, c'est-à-dire à une réalité qui échappe aux sens ordinaires et donc aux phénomènes sensibles, ne veut pas dire qu'elle est hors du champ de l'expérience intimement éprouvée, bien au contraire. Ainsi, la démarche ne consiste pas en une profession de foi mais en une vérification vécue. Mais l'Esprit de Vérité qui « nous introduira dans la vérité tout entière » (Jn 16, 13) n'est pas aisé à percevoir et Jésus souligne bien le changement de niveau nécessaire à propos de cet « Esprit de Vérité, que le monde ne peut recevoir, parce qu'il ne le *voit* pas ni ne le *reconnaît* » (Jn 14, 17). Pour reprendre une expression courante et explicite, il n'est « ni vu ni connu ».

Il est très difficile d'admettre que la foi procède d'une démarche scientifique quand on est imprégné de l'opposition irréductible entre la foi et la raison. La foi, il est vrai, n'est pas de l'ordre du raisonnement mais de la vision, de la connaissance directe. Cela explique pourquoi elle ne peut pas être l'objet d'une démonstration rationnelle. Elle ne se laisse pas non plus définir par de simples catégories intellectuelles, y compris celles qui relèvent de la logique. La *metanoïa* est un changement radical de mentalité, un dépassement du *nous* et la foi est donc au-delà du monde des phénomènes puisqu'elle est la « perception » du monde supra-sensible. C'est de la foi dont il s'agit lorsque Jésus dit : « Mais l'heure vient – et c'est maintenant – où les véritables adorateurs adoreront le Père en esprit et en vérité » (Jn 4, 23). Cette adoration, ici et maintenant, est avant tout une attitude d'ouverture à l'esprit et d'obéissance à la vérité. L'expérience inébranlable de la vérité, de ce qui est, apporte une certitude que plus rien ne peut remettre en cause, mais cette réalisation pleine et entière demande une longue préparation, une maturation qui va un jour cristalliser. En même temps, l'opportunité est toujours présente : « ... l'heure vient – et c'est maintenant. » En plusieurs occasions, les disciples de Jésus montrent leur faiblesse à cet égard. Ainsi, par exemple, lors de la tempête en mer : « Et voici qu'une grande agitation se fit dans la mer, au point que la barque était couverte de vagues » (Mt 8, 24). Cette situation correspond à un état intérieur troublé, l'homme est presque noyé dans son propre psychisme et ses perturbations. Et cet état engendre à son tour une réaction de refus et de peur. Alors Jésus intervient : « Il leur dit : "Pourquoi avez-vous peur, gens de peu de foi ?" » (Mt 8, 26). En Marc : « Pourquoi avez-vous peur ainsi ? Comment n'avez-vous pas de foi ? » (Mc 4, 40) et en Luc : « Puis il leur dit : "Où est votre foi ?" » (Lc 8, 25). Et, de même, lorsque Pierre tente de marcher sur l'eau et que, prenant peur, il commence à couler. Jésus lui dit : « Homme de peu de foi, pourquoi as-tu douté ? » (Mt 14, 31).

On peut noter que c'est le manque de foi qui les rend vulnérables et impuissants. Le fait que leur foi soit défaillante engendre comme conséquence immédiate qu'ils sont le jouet des éléments (sous-entendu, de leurs tendances perturbatrices et émotions intérieures). Ils n'ont aucun pouvoir sur eux. À l'inverse, par sa foi inébranlable, Jésus montre qu'il peut commander et faire obéir. « Alors, s'étant levé, il menaça les vents et la mer, et il se fit un grand calme. Saisis d'étonnement, les hommes se dirent alors : "Quel est celui-ci que même les vents et la mer lui obéissent ?" » (Mt 8, 26-27) ; « Ils furent saisis de crainte et d'étonnement, et ils se disaient les uns aux autres : "Qui est donc celui-là, qu'il commande même aux vents et aux flots, et ils lui obéissent ?" » (Lc 8, 25 ; Mc 4, 41). Bien entendu, de tels miracles ne sont pas à prendre au premier degré. Les grands pouvoirs dont fait preuve Jésus ne s'appliquent pas strictement au domaine matériel, même si ces miracles ont pu effectivement avoir eu lieu à ce niveau. Certains érudits ont été jusqu'à considérer Jésus avant tout comme un magicien !

C'est dans le monde de l'intériorité que les vrais miracles peuvent s'opérer et ils n'en sont que plus surprenants et dignes d'intérêt. Cassien a rapporté à ce sujet une anecdote concernant un saint vieillard des premiers temps du christianisme : « Se trouvant un jour à Alexandrie, environné de nombreux infidèles qui le couvraient d'injures, le poursuivaient, le frappaient, en un mot l'accablaient d'outrages, le saint homme se tenait au milieu d'eux comme un agneau, endurant tout sans murmurer ni se plaindre. Quelques-uns lui ayant, par mépris, demandé quels miracles avait fait Jésus-Christ : "Il vient d'en faire un, répondit-il, c'est que tous vos outrages n'ont pas réussi à m'irriter contre vous et que même je n'en ai pas été ému le moins du monde [4]. »

D'après les propres termes de Jésus en Jean 12, 49, il ne parle ni n'agit de lui-même mais selon ce que le Père lui a commandé. Ce point est très important car il permet de comprendre la signification profonde de la foi, qui est aussi obéissance et soumission. La véritable source de l'autorité provient du fait que l'on ne parle pas en son nom propre. Le pouvoir et la puissance peuvent alors émaner de cette source impersonnelle. Jésus ordonne : « Il menaça le vent et dit à la mer : "Silence ! Tais-toi !" », et celle-ci lui obéit. Il est dit que ce pouvoir engendre non seulement l'étonnement mais aussi la crainte parmi les disciples, parce qu'il est l'émanation d'un autre plan de la réalité. Il impose le respect par sa puissance même.

La foi est véritablement l'accession à un autre niveau de compréhension et le pouvoir qui en résulte est donc très mystérieux pour l'intelligence ordinaire. Elle permet de libérer des énergies et des puissances qui ont une incidence effective sur les plans inférieurs de la réalité – y compris, éventuellement, sur le plan matériel le plus grossier, mais là n'est pas l'essentiel. Il ne s'agit donc pas d'un pouvoir commun puisqu'il trouve sa source par-delà les pensées et les émotions, dans une sphère qui n'appartient plus au mental et qui relève d'un niveau supérieur. Paradoxalement, l'autorité et le pouvoir découlent ainsi de cette capacité d'obéissance et de soumission totale. Il est significatif de voir Jésus considérer que ses disciples n'ont pas la foi parce qu'ils ont été dans l'incapacité de guérir, c'est-à-dire qu'ils sont dénués de tout pouvoir.

L'épisode de l'enfant démoniaque le confirme tout en apportant d'autres précisions. « Comme ils rejoignaient la foule, un homme s'approcha de lui et, s'agenouillant, lui dit : "Seigneur, aie pitié de mon fils, qui est lunatique et qui va très mal : souvent il tombe dans le feu, et souvent dans l'eau. Je l'ai présenté à tes disciples, et ils n'ont pas pu le guérir." – "Engance incrédule et pervertie, répondit Jésus, jusques à quand serai-je avec vous ? Jusques à quand ai-je à vous supporter ? Apportez-le-moi ici." Et Jésus le menaça, et le démon sortit de l'enfant qui, de ce moment, fut guéri. Alors les disciples, s'approchant de Jésus, dans le privé, lui demandèrent : "Pourquoi nous autres, n'avons-nous pu l'expulser ?" – "Parce que vous avez peu [pas] de foi, leur dit-il. Car, je vous le dis en vérité, si vous avez de la foi gros comme un grain de sénevé, vous direz à cette montagne : "Déplace-toi d'ici à là", et elle se déplacera, et rien ne vous sera impossible." » (Mt 17, 14-20 ; Mc 9, 14-29 ; Lc 9, 37-42)

Tout d'abord, l'histoire de l'homme qui présente son enfant malade doit être comprise dans une perspective intérieure. Elle désigne l'état de « maladie ordinaire » dont souffre l'humanité dans son ensemble. Le texte nous dit que ce fils, c'est-à-dire un aspect de nous-même, « va très mal ». Sa possession démoniaque, son épilepsie, doit être interprétée symboliquement. L'enfant est « lunatique » ; en grec *selèniakos* vient de *selèniazomai* qui signifie « être sous l'emprise de la lune ». Il s'agit donc d'un état d'instabilité, changeant comme les phases de la lune et qui est la caractéristique principale d'un être mené par son propre mental et ses fluctuations. Il est ballotté dans les extrêmes, au gré de ses humeurs, et influencé par les moindres circonstances. Le texte le précise d'ailleurs en disant : « ... souvent il tombe dans le feu, et souvent dans l'eau. » L'eau et le feu représentent les opposés et il tombe dedans parce qu'il est emporté, victime de ses émotions ; en un mot, l'enfant est « démoniaque ». Dans les anciens manuscrits syriaques ou araméens, sa maladie est diagnostiquée de cette manière : « Un esprit de division le prend », mais cela ne décrit pas un constat clinique de schizophrénie. Cet état intérieur de division est l'œuvre même du mental qui instaure la division, la dualité.

Le fait que les disciples se soient avérés incapables de guérir l'enfant est aux yeux de Jésus le signe certain de leur immaturité spirituelle. On comprend la fermeté de sa réponse lorsqu'on voit la nature réelle du mal en cause. Jésus ne mâche pas ses mots et il se demande même combien de temps encore il va lui falloir supporter de tels disciples ! Il les interpelle sans ménagement : « Ô génération sans foi et perverse. » Ici, « pervers » ne doit pas être entendu dans un sens moral tel par exemple que « débauché », « dépravé », mais plutôt dans le sens de « désorienté ». En effet, le mot grec contient l'idée de « tortueux » dans la mesure où l'on se tourne dans de nombreuses directions [5]. Il est intéressant que ce terme soit associé à l'absence de foi. Certains textes ont d'ailleurs atténué la radicalité de l'interpellation en remplaçant le « pas de foi » des anciens manuscrits par « peu de foi ». C'est précisément là que se situe le point sensible. Dans le texte évangélique, l'absence de foi est donc assimilée à de la « perversité ». En Deutéronome 32, 5, elle est associée à la « fausseté ». Dans les deux cas, il y a l'idée d'un égarement, d'une erreur, c'est-à-dire d'une non-conformité à la réalité ou à la vérité, à ce qui est.

Le texte se poursuit par une interrogation de la part des disciples ; devant le pouvoir que manifeste Jésus, ils se demandent pourquoi ils en sont privés. Autrement dit, ils ne s'expliquent pas la cause de leur incapacité à commander et à se faire obéir. Ils sont démunis et impuissants. Or la foi donne la capacité à faire, à intervenir efficacement. L'aveugle de naissance, une fois guéri par Jésus, fait cette réflexion : « Si cet homme ne venait pas de Dieu, il ne pourrait rien faire » (Jn 9, 33). La foi est donc très concrète dans ses implications et les résultats sont immédiatement tangibles. Le texte de Marc est explicite lorsque le père de l'enfant dit à Jésus : « "Mais *si tu peux* quelque chose, viens à notre aide, par pitié pour nous" – "*Si tu peux* !... reprit Jésus ; tout est *possible* à celui qui *croit*" » (Mc 9, 22-23). Le pouvoir est corrélatif de la foi. De même en Marc 16, 17 : « Et voici les signes qui accompagnent ceux qui auront cru : *en mon nom* ils chasseront les démons [...] ». Encore une fois, rien ne peut être fait en son nom propre. Il faut rappeler ici que l'expression traduite habituellement par « en mon nom » ne renvoie pas du tout à quoi que ce soit de personnel, car *shem* signifie aussi lumière, mot, son, atmosphère et évoque une dimension vibratoire sacrée. Qui plus est, les miracles énumérés sont une manière de signaler qu'il y a rupture de niveau dans l'échelle de la réalité. L'inférieur est dominé, dompté par une instance qui lui est supérieure. L'ouverture et l'obéissance à cet ordre hiérarchiquement supérieur est la foi. Celle-ci se trouve alors investie d'un réel pouvoir, un pouvoir que rien ne peut contrecarrer. Cette dimension si importante de la foi est encore mise en évidence dans l'épisode de la guérison du serviteur d'un centurion. Le centurion envoie des amis auprès de Jésus pour lui demander de guérir son cher serviteur et le message qu'il lui transmet est le suivant : « "Seigneur, ne te dérange pas davantage, car je ne mérite pas que tu entres sous mon toit ; aussi bien ne me suis-je pas jugé digne de venir te trouver. Mais dis un mot et que mon enfant soit guéri. Car moi, qui n'ai rang que de subalterne, j'ai sous moi des soldats, et je dis à l'un : Va ! et il va, et à un autre : Viens ! et il vient, et à mon esclave : Fais ceci ! et il le fait." En entendant ces paroles, Jésus l'admira et, se retournant, il dit à la foule qui le suivait : "Je vous le dis : pas même en Israël je n'ai trouvé une telle foi" » (Lc 7, 6-9).

Le centurion s'insère dans une hiérarchie : il est capable de donner des ordres et de se faire obéir parce que lui-même est en état d'obéissance par rapport à des ordres supérieurs. Il est un intermédiaire. De la même manière, celui qui a la foi est nécessairement quelqu'un qui se situe dans une hiérarchie de plans. « Cette hiérarchie de niveaux – depuis le niveau le plus grossier jusqu'au plus subtil – est un des thèmes centraux de toute spiritualité », note Arnaud Desjardins au sujet de ce passage des Évangiles [6]. Et le fait que ce soit un soldat romain qui reçoive une telle confirmation de la part de Jésus vaut bien la peine que son exemple soit médité. On peut se rendre compte à quel point toute situation décrite est en fait un prétexte pour évoquer une réalité intérieure difficile à faire saisir mais qui peut néanmoins être approchée par une fine observation de l'expérience quotidienne. Comme il est évident que Jésus ne fait pas ici l'apologie des envahisseurs romains, c'est dans une tout autre direction que ses paroles peuvent avoir un sens. Et ce sens est conforme à une cohérence d'ensemble, de telle sorte qu'on ne peut pas dire qu'il s'agit d'une interprétation habile mais très ponctuelle. Au contraire, elle éclaire et confirme tous les autres passages où il est question de foi et de guérison miraculeuse.

Jésus insiste sur le fait que la foi n'est pas une croyance passive mais un processus actif extrêmement puissant. La foi est comparée à un grain de sénevé. Elle peut être très discrète, comme le grain de moutarde qui est minuscule (autrement dit peu apparent) mais dont le potentiel est grand. « Car je vous le dis, en vérité, si vous avez de la foi gros comme un grain de sénevé, vous direz à cette montagne : "Déplace-toi d'ici à là", et elle se déplacera et rien ne vous sera impossible » (Mt 17, 20). En d'autres passages des Évangiles, il est aussi clairement fait mention de ce pouvoir relié à la foi et auquel rien ne peut résister. L'ordre donné est ainsi exécuté immédiatement, démontrant une grande maîtrise sur les éléments qui représentent avant tout nos propres fonctionnements intérieurs. Ces derniers sont symbolisés de différentes manières en insistant toujours sur le fait qu'ils sont dominés et rendus inoffensifs : par la guérison de malades ou d'infirmes, par la capacité de boire un poison habituellement mortel ou encore de saisir des serpents venimeux sans encourir aucun danger. Lorsque, dans une hiérarchie, l'ordre juste des choses est respecté, le supérieur commande l'inférieur, le haut dirige le bas. Il doit en être de même à l'intérieur de l'homme et cela permet de comprendre pourquoi la foi ne peut pas être une simple croyance, un élan affectif ou une adhésion irrationnelle non vérifiée. Elle ne peut naître et s'approfondir qu'à partir d'une structure intérieure unifiée, parfaitement ordonnée et hiérarchisée. Celle-ci permet alors une ouverture sur une autre dimension qui donnera la capacité véritable d'obéir autant que de commander.

Jésus dit à ses disciples : « En vérité je vous le dis, si vous avez *une foi qui n'hésite point*, non seulement vous ferez ce que je viens de faire au figuier, mais même si vous dites à cette montagne : "Soulève-toi et jette-toi dans la mer", cela se fera » (Mt 21, 21) ; « Ayez foi en Dieu. En vérité je vous le dis, si quelqu'un dit à cette montagne : "Soulève-toi et jette-toi dans la mer", *et s'il n'hésite point dans son cœur...* » (Mc 12, 22-23), ou encore : « Si vous aviez de la foi comme un grain de sénevé, vous auriez dit au mûrier que voilà : "Déracine-toi et va te planter dans la mer", et il vous aurait obéi ! » (Lc 17, 6). On est loin ici d'une vague sentimentalité religieuse, diffuse et sans efficacité. La foi s'avère être au contraire une force dynamique très précise et dont on peut voir concrètement les résultats. Jésus donne l'illustration spectaculaire de la montagne qui se soulève ou de l'arbre qui se déracine pour aller respectivement se jeter ou se replanter dans la mer. Ces deux images hyperboliques sont propres à la méthode pédagogique de Jésus. L'exagération permet de mettre l'emphase sur la puissance de la foi et son incidence particulière. Celle-ci peut accomplir des miracles. Il s'agit, dans le domaine intérieur bien entendu, d'un changement qualitatif dont l'ampleur est considérable. Le verbe araméen *schenâ* « implique l'idée d'une action insensée, d'un grand déplacement, notamment d'un saut dans le vide ou du haut d'un promontoire [7] ». Ce qui se produit en nous peut donc être aussi prodigieux que le déplacement d'une montagne répondant à un simple commandement de notre part. Naturellement, le passage d'un niveau à un autre demeure, pour le regard ordinaire, quelque chose d'incompréhensible. C'est pourquoi les grands prêtres et les anciens parmi le peuple demandent à Jésus : « Par quelle autorité fais-tu cela ? Et qui t'a donné ce pouvoir ? » (Mt 21, 23). Avec une grande habileté, Jésus esquive la réponse. En effet, quelle peut bien être l'utilité de donner une réponse verbale si elle ne concerne pas l'expérience réelle de l'auditeur ? Comme il ne s'agit nullement de chercher à convaincre de l'extérieur ni même à expliquer, Jésus laisse par conséquent les questionneurs sur leur faim. D'autant plus que, dans leur cas, la question n'émane pas nécessairement d'une intention sincère et bienveillante.

Jésus fait directement dépendre l'efficacité de la foi de la capacité à être unifié car celle-ci doit être une adhésion totale de l'être entier à la vérité. Seule « une foi qui n'hésite point » se révèle capable d'une véritable autorité. La condition indispensable est donc la réunification intérieure, c'est-à-dire le fait de « ne pas hésiter en son cœur ». On se souvient que la maladie de l'enfant lunatique pouvait se caractériser par « un esprit de division qui le prend » et Jésus lui-même a rappelé abruptement à ses disciples que l'absence de foi équivalait à s'éparpiller dans toutes les directions (Mt 17, 17). L'Évangile de Thomas insiste particulièrement sur ce point et met ainsi l'accent sur la pertinence de cette réunification : « Jésus a dit : Si deux font la paix entre eux dans cette maison, ils diront à la montagne : Éloigne-toi, et elle s'éloignera » (log 48), et encore : « Jésus a dit : Quand vous ferez le deux Un, vous serez Fils de l'homme, et si vous dites : Montagne, éloigne-toi, elle s'éloignera » (log 106). Cette réunification a lieu dans la demeure intérieure. Elle va permettre à l'homme de répondre adéquatement à la volonté divine et de trouver sa juste place au sein d'une hiérarchie subtile [8].

La foi est simultanément un acte de connaissance et de confiance, elle est la force du Vrai qui libère du moi et laisse Dieu opérer à travers nous.

Il est inhabituel de considérer que la foi appartient au domaine de la vérité, de la connaissance et de la certitude. Elle est pourtant une certitude des réalités spirituelles que l'homme peut découvrir et éprouver au centre de son être. Tout, dans les Évangiles, renvoie à une telle connaissance et encourage à une transformation radicale de la conscience. Si Jésus est une incarnation de la sagesse divine, il est aussi un maître. Ses contemporains s'étonnaient de « cette sagesse qui lui a été donnée » (Mc 6, 2 ; Mt 13, 54) et, de nos jours, un fort consensus de savants le considèrent comme un maître de sagesse [9]. Un maître de sagesse est un *sage*, c'est-à-dire un être éveillé et aussi un éveilleur. Il permet l'accession à un autre ordre de réalité, à un Royaume qui n'est pas de ce monde.

La formule : « Je suis le Chemin, la Vérité et la Vie » (Jn 14, 6), résume l'ensemble de l'itinéraire proposé par Jésus. Le chemin est la trace que va emprunter le disciple pour progresser ; c'est aussi une méthode systématique et orientée vers un but précis. Marc inaugure son Évangile avec une citation d'Ésaïe au sujet du messager qui est envoyé au devant pour préparer le chemin. Il utilise le mot *hodos* qui veut dire « chemin, route, voie ». Le sentier spirituel dans lequel l'élève s'engage doit avoir été parcouru par le maître. Il en connaît les détours, les écueils dans les moindres détails et il peut indiquer la direction à suivre au néophyte. Jean le Baptiste symbolise cette préparation nécessaire. Avant d'entreprendre le voyage, il faut s'assurer que le parcours est bien balisé. Matthieu cite également Ésaïe : « Préparez le chemin du Seigneur, rendez droits ses sentiers » (Mt 3, 3). C'est en nous-même qu'il est nécessaire de dissiper les obstacles, d'aplanir ce qui s'interpose afin de pouvoir avancer tout en suivant les traces du guide qui nous précède. Le but est clair et limpide : la vérité. *La vérité est ce qui est*, autant du point de vue immédiat ou relatif que du point de vue ultime, absolu. La vérité libère, certes, mais à condition d'être connue : « ... et vous *connaîtrez* la vérité et la vérité vous libérera » (Jn 8, 32). C'est en cela que réside le fait d'être sur la voie, fidèle à la parole de Jésus et « vraiment disciple » (v. 31). Dans les Évangiles, « vraiment » signifie toujours une attestation de ce qui est authentique, véridique. La pleine découverte et connaissance de la Vérité donne donc accès au Royaume, à la Vie éternelle (non seulement Jean utilise le terme de « Vie », mais aussi Matthieu en 18, 8 : « entrer dans la Vie »). La Vie ou le Royaume sont deux termes équivalents.

Il s'agit d'une expérience vécue, d'une réalisation bouleversante et non pas de l'adoption d'une croyance ni de l'intention d'épouser une doctrine. La différence est importante, capitale même, car il n'y a plus alors d'enfermement dans les conceptions ordinaires du mental. La connaissance de la vérité fait exploser les limites du vieil homme et c'est un homme nouveau, totalement régénéré, qui accède à la grande Vie, dès ici-bas.

Il ne faut pas confondre ici les plans et considérer qu'un changement aussi radical peut avoir lieu à l'intérieur même de la dimension horizontale. Jésus déclare « qu'à moins de naître d'en haut, nul ne peut voir le Royaume de Dieu » (Jn 3, 3). Aucun terme hébreu ou araméen ne peut rendre l'ambiguïté délibérée du mot *anôthen* qui veut dire à la fois « à nouveau » et « d'en haut ». La réflexion de Nicodème : « Comment un homme peut-il naître, étant vieux ? Peut-il une seconde fois entrer dans le sein de sa mère et naître ? » (Jn 3, 4), ne veut pas dire qu'il entend la parole de Jésus comme s'il fallait repasser par la matrice – ce qui serait d'une franche stupidité. Or Nicodème n'est pas stupide, il est docteur et versé dans les sciences religieuses. Sa remarque témoigne d'une incompréhension, certes, mais celle-ci consiste essentiellement en une confusion de plans. Lorsqu'il entend la parole de Jésus comme voulant dire « à nouveau », il montre surtout qu'il raisonne en fonction du passé, de ce qu'il connaît déjà, et qu'il ne soupçonne pas la possibilité d'un dépassement de la dimension ordinaire. Jésus dit en fait « naître d'en haut » ce qui ne signifie pas, comme le conçoit Nicodème, un réaménagement de l'ancien ou un retour à ce qui appartient à l'ordre du connu – ne serait-ce que pour le modifier en restant dans les mêmes limitations. La naissance dont parle Jésus n'a pas lieu à l'intérieur des conditionnements tout en tentant d'améliorer les choses ; elle ne relève pas du mental mais de l'Esprit. C'est ce que Jésus rétorque à Nicodème dans une deuxième tentative pour lui faire saisir la dimension toute spirituelle de cette compréhension : « À moins de naître d'eau et d'Esprit, nul ne peut entrer dans le Royaume de Dieu » (Jn 3, 5). Cet enseignement se confirme en d'autres passages : « Celui qui vient d'en haut est au-dessus de tous ; celui qui est de la terre est terrestre et parle en terrestre » (Jn 3, 31). Ou encore, lorsqu'il est question du pouvoir « donné d'en haut » (Jn 19, 11) au sujet de Pilate ou de la tunique de Jésus « qui était sans couture, tissée d'une pièce à partir du haut » (Jn 19, 23).

La notion de vérité se trouve, dans les Évangiles, au confluent des deux courants sémitique et hellénistique. Ces deux traditions apportent des nuances très instructives. Pour l'une, la vérité est surtout ce qui est solide et fiable. On peut s'appuyer dessus mais à la condition de garder le contact avec elle et de ne pas en dévier. En ce sens, « adorer le Père en esprit et en vérité » (Jn 4, 23) ne peut se faire qu'ici et maintenant, car le point d'appui du réel n'est nulle part ailleurs (« mais l'heure vient – et c'est maintenant », est-il précisé au sujet des « *véritables* adorateurs »). Pour l'autre tradition, l'accent est mis sur un autre aspect tout aussi important et complémentaire. Dans le mot grec *aleitheia*, le *a* est privatif : la vérité est non-sommeil (léthargie), non-oubli. Dans la mythologie grecque, les morts qui ont franchi la rivière Léthé ont oublié tout ce qu'ils avaient vécu. Cet oubli est comparable au sommeil ou à l'ignorance. Il est par conséquent important de souligner ici la connexion entre la vérité et l'état de plein éveil. La connaissance est le dé-voilement d'une réalité qui était jusque-là cachée. C'est un processus de dépouillement, de découvrement plutôt que d'acquisition de quoi que ce soit.

Le thème du vêtement, de l'habit, prend un relief particulier d'un point de vue symbolique. Il est bien entendu signe extérieur de richesse ; il représente l'avoir et le pouvoir, comme la parure de Salomon (Mt 6, 29). Au sens psychologique et spirituel, ce sont les conditionnements qui se surajoutent à la nudité foncière et qui voilent la réalité : les vêtements sont plutôt des revêtements et les habits des habitudes. Alan Watts rappelle qu'à l'origine le rite du baptême consistait en une immersion totale (incluant donc tous les organes de perception, les yeux, les oreilles, le nez, la bouche, les mains) et que le candidat était entièrement nu [10]. Le logion 37 de Thomas s'inscrit dans cette ligne : « Ses disciples dirent : Quel jour te manifesteras-tu à nous et quel jour te verrons-nous ? Jésus dit : Lorsque vous vous dépouillerez de votre honte et prendrez vos vêtements, les déposerez à vos pieds comme les tout petits enfants, les piétinerez, alors vous verrez le Fils de Celui qui est vivant et vous n'aurez pas peur. » Le retour à l'état premier libre de tous les conditionnements et de toutes les identifications correspond à une véritable renaissance. Cette liberté intérieure qui caractérise celui qui a dépassé les voiles ressemble à celle du tout petit enfant qui vit dans un état d'innocence et d'ouverture. Il n'est pas encore enfermé dans les idées préconçues ou les jugements de valeur ; il ne sait même pas distinguer entre le bien et le mal (Esaïe 7, 16). Ce sont ces tout-petits présentés à Jésus (Mt 19, 13-15 ; Mc 10, 13-16 ; Lc 18, 15) qui lui inspirent cette remarque : « En vérité je vous le dis : si vous ne retournez à l'état des enfants, vous n'entrerez pas dans le Royaume des Cieux » (Mt 18, 3). Il faut toutefois noter que cette parole ne vise pas exclusivement l'innocence de l'enfant, cette innocence sur laquelle les maîtres taoïstes insistent tant. Dans le contexte culturel juif, il faut surtout retenir l'aspect de grande dépendance du tout jeune enfant à l'égard des parents comme étant le modèle de la situation du disciple à l'égard de Dieu. L'enfant se soumet aux adultes, il accueille leur autorité et s'abandonne à eux avec confiance. Telle doit être fondamentalement l'attitude du candidat sur la voie s'il veut entrer dans le Royaume.

De nombreuses paroles de Jésus ainsi que le sens symbolique de ses miracles permettent de souligner l'importance qu'il accorde à la connaissance. Lorsque Jésus interpelle les légistes et les pharisiens, la nature de son intervention donne une indication claire sur la valeur qu'il attribue à cette dernière puisqu'il leur reproche d'avoir « enlevé la clé de la science » (BJ) ou « la clé de la connaissance » (TOB) (Lc 11, 52). Et il les accuse d'en interdire l'accès aux autres. Ce point lui apparaît donc particulièrement significatif.

Ce n'est pas que les légistes détiennent un savoir qu'ils gardent pour eux car Jésus précise : « Vous-mêmes n'êtes pas entrés et ceux qui voulaient entrer, vous les en avez empêchés ! » Ils sont par conséquent victimes d'un double aveuglement : d'une part ils prétendent avoir accès à la connaissance alors qu'ils s'illusionnent eux-mêmes à cet égard, et d'autre part ils sont un obstacle pour les autres parce qu'ils les induisent en erreur. Or le but essentiel du cheminement spirituel est bien précisé par Luc dès le début de son Évangile : il s'agit de parvenir à « la *connaissance* du salut » (Lc 1, 77). La nécessité impérative d'une réelle intelligence des choses n'est pas une spécificité de l'Évangile selon Thomas, mais elle est constamment rappelée dans les Synoptiques et se trouve au cœur même de l'interprétation des logia de Jésus, ainsi que de ses miracles et de ses paraboles.

L'Évangile selon saint Jean aborde la question d'une manière encore plus directe qui peut être résumée par la formule suivante : « Si vous me connaissiez, vous connaîtriez aussi mon Père » (Jn 14, 7).

La sagesse enseignée par Jésus comporte essentiellement une dimension expérimentale. Le terme hébreu *da'ath*, qui a été traduit dans le grec biblique par *gnosis*, correspond à une connaissance spirituelle très intime impliquant l'être tout entier et pas seulement ses facultés intellectuelles. De la même façon, le mot « sagesse » vient de la racine « goûter », aussi bien en hébreu, *hokmah*, qu'en latin, *sapientia*. Une parole célèbre des Psaumes le rappelle en ces termes : « Goûtez et voyez que Yahweh est bon » (Ps 34, 9). Les Évangiles proposent la même expérience tout en indiquant de quelle façon il est possible de se libérer de l'ignorance, c'est-à-dire de l'état de non-gnose. Cet état est principalement celui de l'homme non transformé.

Il est certain que, le plus souvent, ce thème de la connaissance n'est pas neutre parce qu'il tranche dans la manière dont la religion est communément comprise. Il ne s'agit pas en effet de se laisser enfermer dans de simples catégories morales comme en témoigne, par exemple, cette proposition selon laquelle « le mal n'est pas causé par une ignorance, mais par le péché [11] ». Si l'on y regarde de plus près, cet énoncé est tautologique et mène tout droit à une impasse. En réalité, le schéma est simple : l'ignorance ou l'aveuglement (contre lequel Jésus s'acharne) engendre l'erreur – c'est-à-dire au sens propre le péché – et de là découle tous les maux. Le remède contre le mal consiste donc en une rectification de l'erreur par la connaissance. De quoi, en effet, la connaissance de la vérité peut-elle libérer si ce n'est du péché lui-même et, par conséquent, du mal ? Pourquoi Jésus chercherait-il tant à guérir l'homme de sa cécité spirituelle s'il n'y voyait pas la source de tous ses maux et en particulier de sa souffrance ?

Il est fort possible que cette réticence à l'égard de la gnose, c'est-à-dire de la connaissance spirituelle, soit due à l'histoire mouvementée des premiers temps du christianisme primitif. Lorsque Paul écrit que « la connaissance enfle, mais l'amour édifie » (I Co 8, 2), il met en opposition la connaissance et l'amour au détriment de cette dernière, mais tout dépend bien entendu de quelle « connaissance » il est question. L'accumulation du savoir, l'érudition peuvent être certainement une source privilégiée pour alimenter l'orgueil, mais si la connaissance consiste précisément en *l'effacement du moi*, en *la disparition du vieil homme*, qui pourrait encore enfler ? Si la connaissance du Royaume n'est possible que si l'on perd sa vie au lieu de la sauver, comment les tendances négatives pourraient-elles encore continuer à se développer ? En réalité, la connaissance et l'amour, la sagesse et la compassion sont comme les deux ailes du même oiseau. L'expérience elle-même peut confirmer cette parole du moine vietnamien Thich Nhat Hanh selon laquelle « le vrai amour n'est possible qu'avec une vraie compréhension [12] ». En effet, peut-on réellement soutenir qu'il est possible d'aimer au sens véritable, c'est-à-dire d'un amour-sentiment (*agapé*) et non pas émotionnel (*philéo*), tout en restant en proie à l'aveuglement, l'ignorance, l'inconscience ? Il est au contraire aisé de constater que la haine, la violence, l'incompréhension entre les hommes (la tour de Babel) sont toujours le résultat de l'aveuglement et de la confusion. Au Golgotha, Jésus a dit : « Père, pardonne-leur : *ils ne savent* ce qu'ils font » (Lc 23, 34). Cette parole mérite réflexion. Elle montre tout d'abord que les gens sont inconscients, aveugles, et que, emportés par leur ignorance, ils sont amenés à des comportements aberrants.

Cette ignorance qui a condamné Jésus dans le monde juif est la même que celle qui a condamné Socrate dans le monde grec, Justin dans le monde latin et Al-Hallaj dans le monde arabe. « Ils ne savent pas ce qu'ils font » parce qu'ils ne connaissent pas la Vérité, la Réalité divine, et qu'ils sont par conséquent la proie impuissante de leurs illusions. Platon disait que « nul n'est méchant volontairement » et c'est ainsi que Jésus le perçoit. Bien qu'il soit l'archétype de l'Homme véritable (« *ecce homo* » n'est pas une parole de dérision mais la reconnaissance tardive de sa pleine dimension), il est rejeté, insulté, bafoué, torturé, tué. Une telle chose peut seulement survenir lorsque « le mental » est à l'œuvre avec son cortège de mensonges et d'erreurs. Jésus connaît mieux que quiconque cet état de fait, et c'est parce qu'il comprend de quoi les hommes sont victimes qu'il peut réellement les aimer. Sa compassion n'est pas une pitié condescendante mais une véritable miséricorde, c'est-à-dire une attitude foncièrement favorable à l'égard de ceux qui sont dans la misère. Et s'il demande au Père d'intercéder en leur faveur, c'est parce qu'il mesure la profondeur de leur égarement et de leur détresse. Sans la connaissance, la tentative d'aimer autrui reste en fait superficielle et inopérante parce qu'elle n'émane pas d'un cœur purifié. Or c'est la compréhension qui est la composante essentielle de cette purification et, en conséquence, de la transformation de l'être. La gnose véritable, au centre de toute spiritualité authentique, est fondamentalement amour. Elle est avant tout une « connaissance des réalités spirituelles et des choses divines » et il faut rappeler que même au début du christianisme « gnose et amour, gnose et foi sont intimement liés [13] ». L'amour est connaissance et la connaissance est amour, de telle sorte qu'il est très artificiel non seulement de les dissocier mais même de considérer l'un comme supérieur à l'autre. Maître Eckhart disait : « Ce que nous recevons en contemplation, nous le donnons en amour. »

La réticence fréquente à l'égard de la gnose provient en partie de l'histoire troublée du christianisme primitif où se sont multipliées diverses doctrines. Épiphane rapporte qu'on dénombrait au moins soixante groupes différents de gnostiques – ce qui explique pourquoi on peut y trouver aussi les théories les plus farfelues. Il est certain que ce n'est pas du côté de la prétention et de l'extravagance qu'il est possible d'entrevoir la subtilité de la connaissance et la profondeur de l'amour véritable. Le célèbre ouvrage de saint Irénée en cinq épais volumes, *Contre les hérésies* (*Adversus Haereses*) n'est d'ailleurs pas dirigé contre la gnose, comme on le croit bien volontiers, et cet ouvrage comporte un sous-titre qui mérite d'être rappelé : *Critique et réfutation de la prétendue gnose* [14]. On peut ainsi considérer qu'il y a une différence essentielle entre la gnose en tant que connaissance des réalités spirituelles et le gnosticisme en tant que différents courants de pensée ou systèmes. Le père Sylvain, un moine d'Égypte, évoque cette distinction lorsqu'il écrit : « Le "gnosticisme" n'est pas une hérésie de l'Église, mais une "hérésie" de la gnose [15]. »

La connaissance et l'amour sont indissociables parce qu'ils renvoient tous les deux à une unité, une union qui est éprouvée dans le tréfonds de l'être. Cette unité correspond à l'image de la vigne et des sarments (Jn 15, 5). Jésus a déclaré aussi : « Le Père et moi sommes un » (Jn 10, 30), et il invite à une expérience identique, une expérience de communion, mais pour cela il faut passer par lui parce qu'il est la Porte [16].

« Celui qui demeure en moi et moi en lui, celui-là porte beaucoup de fruits », est-il précisé au verset 5 du chapitre 15 sur la vigne véritable. Cette connaissance nécessaire est tout autant évoquée dans l'Évangile de Thomas : « Celui qui boit à ma bouche sera comme moi, moi aussi, je serai lui » (log 108), que dans celui de Luc : « Je dispose pour vous du Royaume comme mon Père en a disposé pour moi » (Lc 22, 29). Il ne tient qu'au disciple de s'engager plus avant dans la voie de transformation proposée et d'embrasser pleinement la possibilité d'une expérience progressive mais néanmoins bouleversante. Le maître joue un rôle prépondérant dans ce processus car il est pour l'élève à la fois un catalyseur et un soutien. Au fur et à mesure de la progression sur la voie, la relation entre le maître et le disciple change de

nature. Ce changement dans le sens d'un raffinement qualitatif est essentiellement lié à une connaissance transformante
qui purifie le cœur et le regard.

La tendance dualiste ordinaire qui oppose la connaissance
et l'amour comme étant des catégories distinctes finit par
s'amoindrir pour laisser apparaître une unité foncière. Peu à
peu, le disciple qui avance dans son propre cheminement se
rend compte que connaître, c'est être et qu'être, c'est aimer.
Cette expérience unitive de connaissance et d'amour le rapproche de l'essence même du maître qui est Connaissance et
Amour. Cela transparaît dans ce beau passage de l'Évangile
de Jean : « Je ne vous appelle plus serviteurs, car le serviteur
ne sait pas ce que fait son maître ; mais je vous appelle *amis*,
parce que tout ce que j'ai entendu de mon Père, je vous l'ai
fait *connaître* » (Jn 15, 15).

Les Évangiles enseignent un chemin de connaissance et
d'amour et, même s'ils peuvent être compris à différents
niveaux, ils mettent surtout l'accent sur la possibilité d'un
changement radical en battant en brèche les croyances illusoires et les faux espoirs. « Plus rien n'est à croire ; tout est à
connaître. Plus rien n'est à espérer ; tout est à aimer, écrit
André Comte-Sponville. Cela rejoint la leçon des mystiques
en tous pays. Par exemple Nâgârjuna : "Tant que tu fais une
différence entre le nirvâna et le samsâra, tu es dans le samsâra." Mon Christ intérieur dirait volontiers de même : "Tant
que tu fais une différence entre le Royaume et ce monde de
misère, tu es dans ce monde de misère" [17]. » La promesse que
fait Jésus est que l'affranchissement est possible pour qui le
veut *vraiment*, mais le chemin est subtil et doit être entrepris au
cœur même de ce monde qui peut être misérable ou sublime
selon le point de vue ou plutôt le degré de maturité spirituelle.

Il est frappant de constater à quel point Jésus revient sans
cesse sur la nécessité de la compréhension. Cet aspect est

pourtant relégué au second plan parce que le centre d'intérêt des Évangiles est le plus souvent centré sur l'amour, la charité. Il est néanmoins essentiel de faire une distinction entre le but que propose un enseignement spirituel et les moyens concrets qui vont permettre de le réaliser. Si le but est de parvenir à se soumettre totalement à la volonté de Dieu, à aimer Dieu et autrui de tout son être, cela ne postule pas pour autant que cette capacité d'amour soit immédiatement présente. Le croire serait d'une grande naïveté et Jésus a une approche trop réaliste pour conforter les auditeurs dans une telle illusion. En revanche, il insiste sur la méthode, la mise en pratique de son enseignement et le cheminement concret permettant d'aboutir à la réalisation effective d'un tel « programme ». C'est alors que la connaissance joue un rôle majeur, ainsi que la compréhension approfondie de l'enseignement lui-même. Il ne suffit pas en effet d'être touché émotionnellement, attiré affectivement, enthousiaste, fasciné ou idéaliste pour être engagé dans un véritable processus de métamorphose intérieure.

Jésus met en garde ses auditeurs à cet égard : « Ce n'est pas en me disant : "Seigneur, Seigneur", qu'on entrera dans le Royaume des Cieux » (Mt 7, 21). L'adulation est encore un piège parce qu'elle oriente vers l'extérieur et non vers l'intérieur. Elle se situe au niveau émotionnel, psychique, et ne relève pas de l'intelligence profonde et stable. En réalité, un cheminement authentique ne peut pas se fonder sur de tels élans. Il va réclamer beaucoup plus. Et aucune phrase n'est plus souvent répétée dans le Nouveau Testament que celleci : « Entende, qui a des oreilles pour entendre ! » (dix-sept fois dans les Évangiles et l'Apocalypse). Comment peut-on appliquer un enseignement si l'on n'en comprend même pas le mode d'emploi ?

La progression ne peut s'effectuer sur la base de ce qu'on appelle de nos jours « les bons sentiments » – ou les bonnes résolutions qui n'engagent pas l'être de fond en comble. De même, une approche utopique ou tronquée de la voie ne résiste pas à l'épreuve de la vérité qui exige clarification sur clarification. En un sens, Jésus entend montrer que son enseignement ne peut pas s'adresser à des « hommes qui ne savent pas distinguer leur droite de leur gauche » (Jonas 4, 11). Quelle que soit la catégorie d'auditeurs à laquelle Jésus s'adresse, il leur demande de bien écouter ce qu'il dit, d'être attentifs et de pénétrer le sens véritable de ses paroles. « En ayant appelé la foule près de lui, il leur dit : "Écoutez et comprenez !" » (Mt 15, 10), ou encore : « Écoutez-moi tous et comprenez ! » (Mc 7, 14). L'accès à l'enseignement est le fruit d'un travail particulier, d'un effort sur soi, et le fait qu'il soit nécessaire de développer une réelle capacité de compréhension ne diminue en rien la valeur de l'enseignement. Il s'agit plutôt là d'une loi inhérente aux réalités spirituelles. Étant donné que l'enjeu abordé ne concerne plus les normes habituelles, il est nécessaire de développer une nouvelle faculté de compréhension, une vision pénétrante qui permette de saisir ce qui est au-delà de l'entendement ordinaire. Il faut préciser que cette compréhension nouvelle n'est pas l'apanage des grands docteurs de la Loi, des érudits ou des savants les plus brillants. L'intelligence elle-même peut d'ailleurs devenir un obstacle si elle se cantonne dans les seules catégories de la logique, parce que la voie est truffée de paradoxes et de contradictions apparentes qui restent insolubles au niveau de la raison raisonnante. Jésus a choisi ses disciples parmi des gens simples, en prise directe avec la vie concrète, la réalité quotidienne. Les êtres les plus spirituels ne sont pas toujours ceux qui sont le plus cultivés, loin de là. C'est pourquoi ceux qui peuvent s'imposer aux autres par leur savoir et leur agilité intellectuelle ne sont pas nécessairement ceux qui ont réellement pénétré l'essence de l'enseignement. La compréhension véritable est discrète, sobre, silencieuse et elle ne cherche pas à s'imposer aux autres. Comprendre signifie inclure en soi, rassembler des éléments épars pour les intérioriser et leur laisser la possibilité d'œuvrer pour la transformation. Une telle compréhension intime n'est possible que dans la simplicité, le dépouillement, la nudité du cœur et de l'esprit.

Il est difficile d'esquiver le fait que Jésus se désole de nombreuses fois du manque de compréhension de ses auditeurs. Après avoir enseigné une parabole (celle du filet), il vérifie ainsi auprès de ses disciples en leur posant la question : « Avez-vous compris tout cela ? » (Mt 13, 51). La lecture attentive des Évangiles montre de façon saisissante à quel point Jésus reste incompris non seulement de la foule, des religieux (les saduccéens, les pharisiens, les scribes), mais aussi de ses propres disciples. L'importance de la compréhension et de la connaissance n'est donc pas une particularité de l'Évangile de Jean ou de Thomas (le mot « connaître » revient vingt-cinq fois dans ce dernier).

En se tournant vers les saduccéens, « Jésus leur dit : "N'êtes-vous pas dans l'erreur, en ne connaissant ni les Écritures ni la puissance de Dieu ?" » (Mc 12, 24), et il fait cette désolante constatation : « Vous êtes grandement dans l'erreur ! » (v. 27). Jésus dit aussi aux juifs : « Pourquoi ne reconnaissez-vous pas mon langage ? C'est que vous ne pouvez pas entendre ma parole. Vous êtes du diable, votre père, et ce sont les désirs de votre père que vous voulez accomplir » (Jn 8, 43-44). Ces propos sont évidemment très sévères bien qu'ils relèvent d'un diagnostic d'ordre médical. Ils peuvent s'adresser à tout homme, en particulier dans la mesure où le diable (*diabolos*) est ce qui divise. Ce dernier correspond au mental de chacun, à Satan qui est à l'intérieur de la citadelle et non pas au-dehors.

Encore plus importantes, évidemment, sont les remarques de Jésus lorsqu'elles s'adressent à ses propres disciples. Il ne suffit donc pas de s'engager sur la voie, de suivre un maître spirituel de grande stature, pour arriver du même coup à la pleine compréhension de son enseignement. Du fond de sa compassion, Jésus ne manque pas de laisser transparaître son désappointement à ce sujet. Il suffit d'en relever quelques exemples pour entrevoir que le chemin spirituel réclame de la part du chercheur une maturité d'être qui se reflétera dans sa compréhension de l'enseignement, son intégration puis sa réalisation intime. Lorsque Jésus considère ses disciples comme des « gens de peu de foi », il dénonce leurs carences et souligne leur immaturité, c'est-à-dire leur incompréhension spirituelle. Philippe pose ainsi la question à Jésus : « Seigneur, montre-nous le Père et cela nous suffit. » Jésus lui répond avec tendresse mais aussi, sans doute, une certaine tristesse : « Voilà si longtemps que je suis avec vous, et tu ne me connais pas, Philippe ? » (Jn 14, 8-9). Après avoir donné quelques enseignements spécifiques, Jésus constate que ses disciples n'ont pas saisi ce qu'il voulait dire. Ils ont interprété ses paroles au sens littéral et Jésus est obligé de les reprendre. « Vous ne comprenez pas encore ? » leur dit-il. Et il revient à la charge : « Comment ne comprenez-vous pas que ma parole ne visait pas des pains ? » (Mt 16, 9 et 11 ; cf. Mc 8, 21).

Après avoir énoncé une parole lapidaire devant la foule, Jésus s'aperçoit de la même façon que ses disciples n'en ont pas saisi le sens : « Quand il fut entré dans la maison, à l'écart de la foule, ses disciples l'interrogeaient sur la parabole. Et il leur dit : "Vous aussi, vous êtes à ce point sans intelligence ? Ne comprenez-vous pas que [...] » (Mc 7, 17-18). On sent cette fois un ton de reproche, car il se peut que le sujet de la pureté ait déjà été abordé en d'autres occasions. Le même genre de reproche se retrouve au sujet d'un enseignement sur le levain des pharisiens : « Vous ne comprenez pas encore et vous ne saisissez pas ? Avez-vous donc l'esprit bouché, des yeux pour ne point voir et des oreilles pour ne point entendre ? Et ne vous rappelez-vous pas que [...] » (Mc 8, 17-18). Le levain des pharisiens et des saducéens représente des éléments en l'homme qui constituent une entrave sur la voie. En particulier le fait de laisser le moi accaparer la démarche (en tant que faire-valoir par exemple) ou encore de laisser la recherche être dominée par un aspect rationnel et réducteur. Le levain est évidemment dans ce cas un facteur de pourrissement, c'est-à-dire d'illusions.

Si les disciples eux-mêmes ne comprennent pas l'enseignement alors qu'ils sont en contact permanent avec le maître et consacrent leur vie à la recherche de Dieu ou du Soi, il faut en conclure que la transformation intérieure est plus difficile qu'on ne le suppose et qu'elle ne s'opère pas d'elle-même en fonction d'une quelconque superstition ou pensée magique. Jésus insiste pour que ses disciples proches, ceux qui sont le plus près de la source, puissent être les véritables témoins de cette autre réalité qu'il incarne. Il souhaite qu'ils puissent inspirer à leur tour les autres hommes dans leur propre recherche et il les met en garde en leur disant : « Vous êtes le sel de la terre. Mais si le sel vient à s'affadir, avec quoi le salera-t-on ? Il n'est plus bon à rien qu'à être jeté dehors et foulé aux pieds par les gens » (Mt 5, 13).

Cette parole a valeur d'avertissement et elle confirme d'autres paroles qui peuvent être ressenties comme très dures du point de vue ordinaire, à savoir : celui qui ne se transforme pas sera détruit et il n'en restera rien. Les Synoptiques mentionnent à plusieurs reprises cette loi propre aux réalités spirituelles et on la retrouve aussi dans l'Évangile de Jean formulée en ces termes : « Si quelqu'un ne demeure pas en moi, il est jeté dehors comme le sarment et il se dessèche ; on les ramasse et on les jette au feu et ils brûlent » (Jn 15, 6).

En conformité avec la tradition rabbinique, il est attesté que le sel symbolise la « sagesse » transmise par Jésus à ses disciples [18]. Le verbe grec *môranthê*, traduit par « s'affadir »

(Mt 5, 13 ; Lc 14, 34) ou « devenir insipide » (Mc 9, 50), signifie littéralement « devenir fou, stupide ». Dans son étude sur
l'origine araméenne des quatre Évangiles, Frank Zimmermann considère qu'il y a ici une erreur de la part des traducteurs grecs et que le texte devrait être rendu par « si le sel
devient altéré, putride [19] ».

Jésus fait sans doute une allusion à une pratique agricole
courante au premier siècle en Palestine qui consistait à ajouter du sel au fumier pour accentuer ses propriétés et contribuer ainsi à enrichir la terre afin de la rendre plus propice à
l'ensemencement. On retrouve indirectement le thème du
semeur, de la graine, de la fertilisation et de la moisson.

Les apôtres ont sans aucun doute un rôle de transmetteur
et ils doivent être un modèle autant qu'une source d'inspiration. Dans un sens plus intériorisé, le disciple est la part en
l'homme qui peut recevoir le sel de la sagesse. Le sel doit fer-
tiliser le terrain intérieur en utilisant le fumier d'une manière
habile et adéquate pour activer une œuvre de croissance.
Cela signifie que tout peut être utilisé pour participer à cette
maturation, mais l'important est cependant que cette sagesse
demeure intacte, qu'elle ne dégénère pas. Si les disciples ne
parviennent pas à comprendre l'enseignement que Jésus leur
dispense, ils n'accéderont pas à une connaissance transformante et ne pourront que dégrader ce qui leur a été transmis.

On peut ainsi entrevoir toute la gravité de l'enjeu et comprendre pourquoi Jésus insiste tant sur la nécessité d'avoir
des oreilles pour entendre, des oreilles ouvertes à la dimension mystique et spirituelle par opposition à des oreilles bou-
chées par l'ignorance et l'incompréhension. À cet égard, les
dialogues entre Jésus et la Samaritaine, Nicodème ou le fonctionnaire royal (Jn 4, 48) sont significatifs parce qu'ils rendent bien compte du décalage qu'il y a entre les vérités ensei-
gnées et la capacité de les entendre, de les recevoir. La teneur
de ces entretiens indique une fois de plus que la conception

ordinaire du mental ne peut absolument pas envisager le changement de niveau dont parle Jésus. L'incompréhension des auditeurs et des disciples ne peut être dissipée que par une approche radicalement nouvelle, qui ne correspond à rien de ce qui est ancien et déjà connu. On ne peut verser du vin nouveau dans de vieilles outres (Mt 9, 17 ; Mc 2, 22 ; Lc 5, 37), le réceptacle doit être totalement remplacé. Tenter de comprendre l'enseignement à partir du mental, c'est-à-dire des anciens repères et des vieux schémas de pensée, ne peut qu'aboutir à des impasses et à un perpétuel malentendu. Le mental est heurté de front par l'enseignement et se trouve immédiatement remis en cause. « Après l'avoir entendu, beaucoup de ses disciples dirent : "Elle est dure cette parole ! Qui peut l'écouter ?" Mais, sachant en lui-même que ses disciples murmuraient à ce propos, Jésus leur dit : "Cela vous scandalise ? [...]" » (Jn 6, 60-61). Jésus, qui incarne l'enseignement à la perfection, représente un défi pour l'homme qui veut rester dans son individualité. L'opinion courante, rendue par l'attitude des parents de Jésus, considère tout simplement qu'« il a perdu le sens » (Mc 3, 21). Cette remarque est absente de Matthieu et de Luc.

Poussée jusqu'au bout, la remise en question est en effet l'épreuve du feu et les évangélistes n'ont pas manqué de signaler le genre de réactions qu'elle engendre : « Alors les disciples l'abandonnèrent et prirent la fuite » (Mt 26, 56). Il faut être prêt et qualifié pour un tel saut. Les reniements de Pierre sont ceux de l'homme ordinaire qui ne peut pas encore assumer la totale destruction de ses illusions. Pierre a des idées précises concernant la réalité. Il a une vision personnelle et ne supporte pas que Jésus le contredise. Il est intéressant de remarquer l'aspect émotionnel de sa résistance et de sa protestation. Celle-ci traduit avant tout une immaturité, un manque de compréhension. En retour, Jésus l'admoneste en des termes cinglants et d'une sévérité implacable : « Passe derrière moi, Satan ! car tes pensées ne sont pas celles de Dieu, mais celles des hommes » (Mc 8, 33). La version de Matthieu ajoute : « Tu me fais obstacle » (Mt 16, 23), ce qui est, évidemment, la pire désapprobation que l'on puisse imaginer.

Nous l'avons mentionné, les différents portraits de Pierre dans les Évangiles renvoient toujours à l'image d'un homme qui n'a pas compris l'enseignement de son maître et reste toujours à la surface de lui-même. Il représente plutôt celui qui adhère intellectuellement à la vérité, sans pour autant être parvenu à une véritable connaissance vécue. À l'inverse du terrain qui peut être ensemencé, Pierre symbolise le sol rocailleux à partir duquel les graines ne peuvent pousser. En d'autres termes, cela signifie que l'enseignement ne peut pas être intégré puis fructifier sur la seule base de l'intellect et de la logique. La vérité risque en effet d'être détournée au service d'une logique partisane et dogmatique si elle n'est pas reçue et enracinée à un niveau plus profond. Il est très symbolique que Pierre soit montré emporté et engagé dans un acte de violence : « Alors Simon-Pierre, qui portait un glaive, le tira, frappa le serviteur du grand prêtre et lui trancha l'oreille droite » (Jn 18, 10). Il ne s'agit plus du tout de l'épée de la discrimination dont il a déjà été fait mention, mais de l'appropriation par l'intellect de la vérité qui devient alors rigide et dogmatique, et par conséquent tranchante, dangereuse. L'oreille coupée symbolise la suppression, au nom de la vérité accaparée par le mental, de la possibilité d'accéder à une écoute et à une compréhension réelles [20].

L'enseignement proposé par Jésus doit être intimement intégré pour devenir vivant. Les Évangiles donnent de nombreuses images pour montrer qu'il s'agit d'une énergie de vie subtile et mystérieuse, qui doit prendre racine en l'homme et se développer. En conformité avec eux, l'Évangile de Thomas compare l'état ordinaire de l'homme à un cadavre (log 60, 12 et 18) et de même dans L'Apocalypse : « Tu passes pour vivant, mais tu es mort. Réveille-toi, ranime ce qui te reste de vie défaillante ! » (3, 12). Certes, la Vie éternelle est donnée gratuitement mais l'homme en est coupé et nombreux sont « ceux qui sont dans les tombeaux » (Jn 5, 28). Les efforts pour en sortir doivent être bien menés et demandent une grande détermination. De la même façon que tous les enseignements spirituels traditionnels, Jésus promet la libération dès cette vie-ci. Il convie l'homme à découvrir un trésor particulier parce qu'il n'est pas de ce monde, ou encore une perle précieuse dont le prix est très élevé. L'immortalité ne se marchande pas et avant d'être en mesure d'en payer le prix, il va falloir réunir toutes les conditions et s'être suffisamment qualifié. Jésus ne prend pas ses auditeurs au dépourvu car il n'a jamais laissé entendre que le chemin était facile. Sachant que les candidats sur la voie sont souvent naïfs et idéalistes, il a plutôt pris soin de les avertir. Même si l'enseignement s'adresse à tous les niveaux et à toutes les natures, aussi différentes soient-elles, il ne renonce pas pour autant à l'enseignement ultime, celui qui concerne directement l'Indestructible. On ne doit pas bâtir sur un pont et il est même inutile de chercher une pierre en guise d'oreiller. À ceux qui ont encore une approche utopique de la spiritualité, il oppose un réalisme impressionnant. Le passage obligé par la compréhension fait justement partie de cette indispensable mise au point. « Et il leur dit : "Vous ne saisissez pas cette parabole ? Et comment comprendrez-vous toutes les paraboles ?" » (Mc 4, 13).

Ses nombreuses interventions montrent d'ailleurs qu'il est impossible d'en faire l'économie [21]. La remarque suivante aux pharisiens concerne tous les auditeurs et elle ne peut être esquivée : « Vous ne me connaissez ni moi ni mon Père ; si vous me connaissiez, vous connaîtriez aussi mon Père » (Jn 8, 19).

IX

ÉCOUTEZ ET COMPRENEZ ! *

Les paroles vivifiantes de Jésus orientent vers une expérience intime qui n'appartient plus au domaine des sens ou du mental. Il s'agit d'un itinéraire de libération intérieure qui constitue la grande affaire de l'existence. Les Évangiles insistent pour dire que cette aventure mérite d'être vécue parce que c'est véritablement une question de vie ou de mort intérieures. Les sentences de Jésus ne sont donc pas des paroles à rabâcher mais des paroles à intégrer et à réaliser.

Dans sa *Vie de Moïse*, Grégoire de Nysse rappelle que « tout concept formé par l'entendement pour tenter d'atteindre et de cerner la Nature Divine ne parvient qu'à façonner une idole de Dieu, non à Le faire connaître [1] ». Le point délicat est par conséquent de quitter la sphère de l'entendement, d'écouter les paroles avec l'oreille spirituelle, de les assimiler pour les faire siennes et enfin de les accomplir pleinement. Tel est le fondement de toute vie mystique ou contemplative et c'est ce que Jésus préconise sans ambiguïté. En elle-même, la belle formule de Paul est justifiée si elle traduit une expérience authentique : « Ce n'est plus moi qui vis, mais le Christ qui vit en moi » (Ga 2, 20). Cependant, le passage nécessaire par la compréhension soulève de graves questions. Celles-ci remettent en cause la vision par trop

---

* Matthieu 15, 10.

377

romantique ou idéaliste de la spiritualité, selon laquelle le message de Jésus s'adresse à tous. Certes, plusieurs passages des Évangiles peuvent être interprétés en ce sens. « Et l'on n'allume pas une lampe pour la mettre sous le boisseau, mais bien sur le lampadaire, où elle brille pour tous ceux qui sont dans la maison » (Mt 5, 15). « Car rien n'est caché qui ne deviendra manifeste, rien non plus n'est secret qui ne doive être connu et venir au grand jour » (Lc 8, 17).

La parabole du filet confirme le fait que le message évangélique concerne chacun d'entre nous. « Le Royaume des Cieux est encore semblable à un filet qu'on jette en mer et qui ramène toutes sortes de choses » (Mt 13, 47). Dans cette métaphore empruntée à la pêche, le pêcheur tente de recueillir le plus de poissons possible. De même dans la parabole du festin : « Allez donc aux départs des chemins, et conviez aux noces tous ceux que vous pourrez trouver » (Mt 22, 9), ainsi que dans un autre contexte : « Eh bien ! je vous dis que beaucoup viendront du levant et du couchant prendre place au festin... » (Mt 8, 11).

Toutes ces paroles semblent réconfortantes et il est possible de s'arrêter là. Elles confirment l'universalité du message ainsi que la grandeur de Jésus qui accepte tous les êtres sans en exclure aucun. Sa vie elle-même a démontré qu'il ne faisait pas de discrimination entre les individus parce qu'il voyait en chacun une « semence divine ». Et il n'y a qu'un pas à faire pour en conclure que cette prédication générale ne peut aboutir qu'à un salut généralisé, un affranchissement à l'échelle collective. Or une lecture attentive des textes montre le contraire. Les réalités spirituelles imposent des vérités qui peuvent paraître inadmissibles et révoltantes pour la mentalité ordinaire. Comment peut-on admettre que tous ne puissent pas participer au Royaume ? La réponse est que chacun peut y accéder, *en principe*. Cette réserve est à elle seule très troublante si l'on considère que tous les individus sont fondamentalement égaux. *En principe*, chacun peut se libérer, s'éveiller à cette autre dimension dont parle Jésus. *En réalité*, de nombreuses conditions doivent être remplies. Jean rapporte cette parole : « Si quelqu'un garde ma parole, il ne goûtera jamais de la mort » (Jn 8, 52). Le « si » est d'une importance capitale : il sous-entend et condense un grand nombre de conditions à réunir et de difficultés à dépasser. De même en Thomas : « Et il a dit : "*Celui qui trouvera* l'interprétation de ces paroles ne goûtera pas de la mort" » (log 1), ou encore dans l'Apocalypse : « Celui qui a des oreilles, qu'il entende [...] : au vainqueur je ferai manger *de l'arbre de vie placé dans le Paradis* de Dieu. [...] : le vainqueur n'a rien à craindre de la seconde mort » (Ap 2, 7 et 11).

L'accès au Royaume n'est pas garanti simplement parce que nous nous en déclarons dignes d'après nos propres critères d'estimation. Tous les enseignements traditionnels s'accordent à dire que mourir à un niveau pour renaître à un autre – ainsi que le préconise également les Évangiles (Mt 16, 25 ; Mc 8, 35 ; Jn 12, 24) – est la chose au monde la plus difficile à réaliser.

Aux yeux d'un être éveillé tel que Jésus, l'état de l'humanité est pitoyable. L'homme ordinaire est intoxiqué par les illusions de son mental et le logion 28 en donne un résumé significatif : « Jésus a dit : Je me suis tenu au milieu du monde et je me suis manifesté à eux dans la chair. Je les ai trouvés tous ivres ; je n'ai trouvé parmi eux personne qui eût soif, et mon âme a souffert pour les fils des hommes parce qu'ils sont aveugles dans leur cœur et ne voient pas qu'ils sont venus au monde vides et sont même tentés d'en repartir vides. Mais voilà, maintenant ils sont ivres. Quand ils auront rejeté leur vin, alors ils changeront de mentalité. »

Toutes les sagesses anciennes confirment la puissance de cette torpeur spirituelle ainsi que l'extrême difficulté d'en sortir (minimiser cette difficulté risque de démobiliser toutes les ressources qui seraient au contraire nécessaires pour l'affronter). Le Royaume des Cieux dont les violents s'emparent (Mt 11, 12) peut être interprété en ce sens car « Dieu vomit les tièdes » – Ap 3, 16). La réussite de l'entreprise est par conséquent assez rare et Nietzsche n'a pas manqué d'ironiser au passage sur ce nombre limité de « rédemptés » [2].

Une fois que l'on a admis que l'appel s'adresse à tous – ou plutôt à chacun –, il faut se rendre à l'évidence que tout le monde ne répond pas à cet appel et que parmi ceux qui y répondent, rares sont ceux qui parcourent le chemin jusqu'au bout. On ne peut qu'être d'accord avec C. H. Dodd lorsqu'il écrit que « la mission de Jésus et de ses disciples comporte un appel qui s'adresse sans discrimination aux hommes de toutes sortes. *Pourtant*, il y a tout un processus de sélection, et ceci peut être parfaitement illustré par une série de péricopes de l'Évangile dans lesquelles les éventuels disciples de Jésus sont passés au crible [...]. L'appel s'adresse à tous sans exception ; ceux qui en sont dignes sont distingués des autres par leur réaction aux exigences que l'appel comporte [3] ». De différentes façons, Jésus fait passer un test aux candidats qui viennent le trouver et ce fait, à lui seul, est hautement significatif. Il montre que le salut ne peut pas être d'ordre général et collectif, mais qu'il est essentiellement particulier et personnel. C'est à chacun qu'il appartient de se situer, de s'engager, d'affronter les obstacles, de maintenir la direction juste et de pousser le plus loin possible son cheminement.

Deux termes hébreux peuvent désigner les grandes étapes de ce cheminement : *teshuvah*, le retour à soi-même, et *emunah*, la foi en tant que connaissance objective de la vérité. Lorsque Jésus pose abruptement une exigence devant le novice, il veut apprécier quelle est l'intensité de sa motivation et son degré de qualification. Mais sur la voie, il n'y a pas une épreuve unique à passer une fois pour toutes et l'itinéraire réserve des surprises, comme toute exploration. Pour s'engager dans la bonne direction, l'élève doit déjà pressentir intuitivement la nature réelle du but qu'il veut atteindre. Ainsi, l'épisode de Marthe et Marie renvoie à une instruction spirituelle selon laquelle l'activité extérieure ne doit pas prendre le pas sur un état intériorisé toujours orienté vers l'essentiel : « Marthe, Marthe, tu te soucies et t'agites pour beaucoup de choses ; pourtant il en faut peu, une seule même. C'est Marie qui a choisi la meilleure part ; elle ne lui sera pas enlevée » (Lc 10, 41-42).

Les occasions de dispersion sont nombreuses, de même que les justifications pour se détourner de la voie. Ce passage ne doit cependant pas être compris comme une stricte opposition entre l'action et la contemplation. Il désigne plutôt l'état intérieur de celui qui s'est réellement mis en chemin, et cette disposition n'est pas en contradiction – loin de là – avec les responsabilités et une activité menée avec vigilance.

Jésus pose des conditions pour le nouveau venu en lui demandant par exemple de se départir de tous ses biens, de ne pas rester attaché à sa famille ou à ses amis, de laisser son passé en arrière sans se retourner ou encore d'abandonner toutes les imitations et pratiques sociales fondées sur la morale, l'hypocrisie ou la vanité. Il se peut que quelques-uns soient qualifiés pour remplir tout de suite de telles conditions, mais il faut reconnaître qu'ils sont rares. Le plus souvent, une longue ascèse est nécessaire avant d'arriver à un tel résultat. Et encore faut-il que cette ascèse soit bien menée et que les étapes soient franchies les unes après les autres. D'une manière évidente, les Évangiles insistent pour dire que seul un petit nombre est qualifié pour accéder au Royaume. Même si cette vérité est embarrassante, elle est incontournable.

La mission de Jésus a pu être abordée et étudiée sous de nombreux angles. Il y a toutefois une parole importante dans l'Évangile de Jean qui doit être mentionnée ici : « Jésus dit alors : "C'est pour un discernement que je suis venu en ce monde" » (Jn 9, 39). Sous d'autres latitudes, on a pu définir l'itinéraire spirituel lui-même comme reposant avant tout sur la discrimination entre le Réel et l'Irréel, la vérité et le mensonge. En accord avec d'autres textes sacrés, les Évangiles disent nettement que cette capacité de discernement qui permet de trancher l'illusion échappe à la plupart des hommes : « Entrez par la porte étroite. Large, en effet, et spacieux est le chemin qui mène à la perdition, et il en est beaucoup qui s'y engagent ; mais étroite est la porte et resserré le chemin qui mène à la Vie, et il en est peu qui le trouvent » (Mt 7, 13). « Alors il dit à ses disciples : "La moisson est abondante, mais les ouvriers peu nombreux" » (Mt 3, 37 ; Th 73). « Car beaucoup sont appelés, mais peu sont élus » (Mt 22, 14).

D'autres paroles paraissent même d'une grande dureté à l'égard de ceux qui n'empruntent pas la bonne direction, mais en réalité Jésus ne fait qu'énoncer des principes spirituels sans aucunement porter de jugement personnel. Ceux qui s'égarent s'exposent à de grands tourments parce que les lois que nous ne respectons pas se retournent contre nous ; elles peuvent soutenir et sauver ou au contraire détruire selon l'attitude de l'homme lui-même. C'est ainsi que l'on peut entendre les paroles suivantes : « Déjà la cognée se trouve à la racine des arbres ; tout arbre qui ne produit pas de bon fruit va être coupé et jeté au feu » (Mt 3, 10). « Il tient en sa main la pelle à vanner et va nettoyer son aire ; il recueillera son blé dans le grenier ; quant aux balles, il les consumera au feu qui ne s'éteint pas » (Mt 3, 12). « Beaucoup me diront [...] Alors je leur dirai en face : "Jamais je ne vous ai connus ; écartez-vous de moi, vous qui commettez l'iniquité" » (Mt 7, 21), ou encore cette phrase qui semble injuste et impitoyable à un regard superficiel . « Celui qui a, on lui donnera et il aura du surplus, mais celui qui n'a pas, même ce qu'il a lui sera enlevé » (Mt 13, 12). L'apparente dureté de ce propos est certes atténuée si on l'interprète en considérant que « pour les âmes bien disposées, on ajoutera à l'acquis de l'ancienne Alliance le perfectionnement de la nouvelle ; aux âmes mal disposées, on ôtera même ce qu'elles ont, c'est-à-dire cette Loi juive qui, laissée à elle-même, va devenir caduque [4] ». Mais ce commentaire peu convaincant semble être une tentative pour rendre plus acceptable une proposition qui heurte de front la conscience commune. Si l'on considère cette phrase insérée dans le contexte du chapitre treize concernant le sens des paraboles, sa teneur est tout autre. Le sens intérieur de la parole est éclairé par le fait qu'on la retrouve encore dans la conclusion de la parabole des talents en Matthieu 25, 14-30 et Luc 19, 12-27. Le serviteur qui n'a pas fait fructifier, contrairement aux deux autres, le talent qui lui a été remis, se voit sanctionné sans pitié. Le gage confié à chacun des serviteurs est différent, mais ce qui importe est la manière dont chacun l'utilise. La désapprobation du maître souligne en quelque sorte la gravité d'une inaptitude : « Eh bien ! tu aurais dû placer mon argent chez les banquiers, et à mon retour j'aurais recouvré mon bien avec un intérêt. Enlevez-lui donc son talent et donnez-le à celui qui a les dix talents. » Le serviteur est qualifié de « propre à rien » : « jetez-le dehors, dans les ténèbres... »

L'enjeu réel est celui de la compréhension de l'enseignement et de la mise en œuvre d'un processus de croissance. Dans le cas contraire, l'homme est voué aux ténèbres de l'ignorance et à la mort spirituelle. La conclusion de la parabole du festin nuptial est à rapprocher de ce qui précède : « Le roi entra alors pour examiner les convives, et il aperçut là un homme qui ne portait pas la tenue de noces. "Mon ami, lui dit-il, comment es-tu entré ici sans avoir une tenue de noces ?" L'autre resta muet. Alors le roi dit aux valets : "Jetez-

le, pieds et poings liés, dehors, dans les ténèbres [...]" »
(Mt 22, 12-13). Et l'évangéliste ajoute que cette situation est
très courante, car ceux qui savent faire fructifier l'enseignement sont peu nombreux. Les Évangiles admettent donc la
grande différence d'aptitudes spirituelles entre les êtres et
reconnaissent que tous ne sont pas également qualifiés pour
entrer dans le Royaume. Quelqu'un demande à Jésus :
« Seigneur, est-ce le petit nombre qui sera sauvé ? » Il leur
dit : « Luttez pour entrer par la porte étroite, car beaucoup,
je vous le dis, chercheront à entrer et ne pourront pas »
(Lc 13, 22-23).

La validité, la profondeur et l'universalité de l'Enseignement ne sont pas en cause, mais plutôt la capacité de
l'homme à être réceptif, à s'ouvrir à une autre dimension, et à
véritablement se transformer. À cet égard, la parabole du
semeur (Mt 13, 1-9 ; Mc 4, 1-9 ; Lc, 8, 5-8) apporte, si besoin
en était, la confirmation de cette vérité. Jésus et la foule sont
au bord du lac de Tibériade, mais Jésus enseigne cette parabole après être monté dans une barque. La foule reste en
revanche sur la terre ferme. Elle représente ici les données
sensibles ou encore le niveau ordinaire de l'homme resté
attaché aux réalités terrestres. Dans la parabole, l'important
n'est pas le semeur ou la semence mais la nature même du
terrain sur lequel elle tombe. Toute la question concerne
donc « la bonne terre » qui seule peut permettre un développement ultérieur, une croissance, une fructification. Origène
a justement remarqué à ce sujet que « chacun est son propre
laboureur, avec sa terre à lui, son âme, qu'il doit défricher
avec sa charrue spirituelle [5] ».

D'après la plupart des commentateurs modernes, il est
probable que l'explication de la parabole (Mt 13, 36-43) soit
un ajout qui ne peut pas être attribué à Jésus lui-même. La
parabole, qui correspond à l'hébreu *mâchâl* et à l'araméen
mathla, n'est pas seulement une comparaison fondée sur les

données de la réalité quotidienne pour fournir une illustration. Dans une perspective plus large, elle correspond aussi à une énigme (*hidah*) qui suppose la recherche d'une signification plus profonde. La parabole du semeur est d'autant plus importante qu'elle est considérée comme le modèle de la parabole. On peut dire que c'est une parabole clé qui ouvre la compréhension des autres paraboles (cf. Mc 4, 13). D'autre part, elle donne l'occasion d'introduire une distinction parmi les différentes catégories d'auditeurs, car on a vu que tous les êtres n'ont pas le même degré de réceptivité et qu'ils se distinguent par la variété de leurs prédispositions spirituelles. L'Évangile de Marc expose schématiquement deux classes principales : « C'est par un grand nombre de paraboles de ce genre qu'il leur annonçait la Parole *selon qu'ils pouvaient l'entendre* ; et il ne leur parlait pas sans parabole, mais, en particulier, il expliquait tout à ses disciples » (Mc 4, 33-34). Il y a par conséquent la foule, le peuple d'un côté et de l'autre l'entourage proche de Jésus, non seulement les Douze, c'est-à-dire ceux qu'il a appelés, mais aussi un groupe restreint qui le suit. Cette distinction peut paraître choquante et arbitraire, mais en réalité elle n'est pas instaurée délibérément par Jésus. Elle répond à des lois précises et incontournables, à des forces particulières d'attraction qui font que des cercles concentriques se forment autour d'un être éveillé. Il est évident qu'il n'y a là aucun orgueil, aucun jugement de valeur dépréciatif de la part du cercle le plus intérieur à l'égard des cercles extérieurs. *Il n'y a pas d'élite initiatique qui exclut volontairement le simple fidèle puisque l'Enseignement est disponible pour tous. Et, en même temps, il est évident que l'essence de l'Enseignement ne sera pas accessible à tous.* C'est ce dernier point surtout qui est déterminant. Il engendre une conséquence précise : Jésus annonce la Parole « selon qu'ils pouvaient l'entendre ». Autrement dit, il adapte le niveau de ce qu'il enseigne à celui de son interlocuteur. Il est inévitable que la nourriture spirituelle ne soit pas la même pour tous compte tenu des différences de maturité des élèves. Parmi le groupe des disciples, tous n'avaient pas le même degré de compréhension. Certains étaient plus avancés que d'autres dans leur évolution intérieure et plus mûrs pour aborder une étape supérieure. Il est cependant arrivé parfois que les paroles de Jésus soient proprement inécoutables pour quelques-uns. Elles dépassaient les limites de ce que les auditeurs – pourtant des fidèles sincères et dévoués – pouvaient supporter. « Dès lors, beaucoup de ses disciples se retirèrent, et ils n'allaient plus avec lui » (Jn 6, 66).

On retrouve ainsi dans le domaine spirituel et mystique les lois qui régissent d'autres domaines comme, par exemple, l'art ou l'artisanat. Les élèves ou les apprentis n'ont pas les mêmes capacités, la même habileté, les mêmes dons. De manière identique, le temps permet aussi de faire la sélection pour ne retenir que les plus déterminés, car dans toute forme d'apprentissage les qualités de patience, de persévérance et d'humilité sont essentielles.

Une parole forte de Jésus peut même sembler dure et exclusive : « Ne donnez pas aux chiens ce qui est sacré, ne jetez pas vos perles devant les porcs, de crainte qu'ils ne les piétinent, puis se retournent contre vous pour vous déchirer » (Mt 7, 6). Il se peut qu'une telle parole ait été utilisée très vite à des fins partisanes et, dans ce cas, les chiens ou les porcs désignent bien entendu ceux que l'on rejette (ou méprise). Mais le sens intérieur de cette parole concerne la nécessité de préserver ce qui est saint et sacré, de le protéger contre les forces antagonistes de dissolution et de destruction. Éventuellement, cela peut se traduire par une réserve à divulguer ou à donner ce qui est précieux à ceux qui le dégraderaient immédiatement par inconscience ou malveillance. Plus profondément encore, pour que l'enseignement soit donné, il faut qu'il soit reçu. Si l'enseignement est délivré sans qu'il soit reçu, il est donné en pure perte et par conséquent dégradé. Ainsi, lors du miracle de la multiplication des pains, lorsque les convives sont repus, Jésus dit à ses disciples : « Rassemblez les morceaux en surplus, afin que rien ne soit perdu » (Jn 6, 12). Ici, la foule reçoit bien entendu sa part, c'est-à-dire tout ce qu'elle est en mesure d'absorber. Le texte précise d'ailleurs que les pains sont distribués aux convives « autant qu'ils en voulaient ». En même temps, cela veut dire aussi que chacun reçoit à son niveau. C'est ce qu'a souligné Jean Scot dans son *Commentaire* : « La foule des simples fidèles est rassasiée et satisfaite avec la lettre seule, la création visible et les symboles visibles. Quant aux sens spirituels de la lettre, de la création et des symboles, ce sont les morceaux qui restent et que les hommes encore charnels ne peuvent prendre : les maîtres de l'Église reçoivent l'ordre de les recueillir, afin qu'aucun de ces sens spirituels ne soit perdu [6]... »

La foule, dénombrée à cinq mille personnes, représente la multitude qui est encore soumise aux sens charnels, précise encore Jean Scot. Le nombre mille est un nombre cubique ($10 \times 10 \times 10 = 1000$) ; multiplié par cinq il symbolise le fait que la plupart des gens vivent complètement dominés par le monde des sens et de la matière. Les pains d'orge accentuent encore cet aspect car l'orge est aussi un aliment pour les bêtes. La balle qui adhère étroitement au grain est difficile à détacher ; elle symbolise ce qui recouvre l'intelligence et l'empêche de saisir le subtil [7].

Lorsque Jésus estime que la demande n'est pas sincère, il préserve l'enseignement en s'interdisant de le dispenser. Il apprécie donc la réceptivité de l'interlocuteur et adapte sa réponse en fonction d'elle. L'attitude de Jésus est exemplaire à cet égard lorsqu'il est en face d'Hérode Antipas. Elle illustre fondamentalement le fait que l'Enseignement se mérite et qu'il faut avant tout savoir s'en rendre digne : « Hérode, en voyant Jésus, fut tout joyeux ; car depuis assez longtemps il désirait le voir, pour ce qu'il entendait dire de lui ; et il espérait lui voir faire quelque miracle. Il l'interrogea donc avec force paroles, *mais lui ne répondit rien* » (Lc 22, 8-9). Ce silence reflète à la fois le discernement et la prudence. C'est sans doute ce que Jésus a voulu souligner en enjoignant de ne pas jeter de perles aux pourceaux. Certains religieux, dans leur commentaire de cette parole, remarquent, après avoir pris les précautions d'usage, que la perle correspond au Royaume lui-même, à ce qu'il y a de plus précieux, et les pourceaux aux hommes vulgaires (ignorants) qui risquent de profaner ce qui est élevé : « Pas question d'une "gnose" ou d'un "ésotérisme" réservés à une petite élite triée sur le volet : l'Évangile est à "crier sur les toits", et il s'adresse à tout le monde. Mais il n'en reste pas moins que, par suite de la corrélation indispensable entre ce qui est à connaître, ou à pratiquer, et la faculté de recevoir l'enseignement ou le sacrement, accéder à une Révélation supérieure comme à l'union avec un Dieu qui nous transcende absolument exige une *initiation* : cette Vérité, cette Réalité totale ne peut être dispensée que par degrés, correspondant aux capacités du catéchumène [...] [8]. »

Lorsque saint Grégoire le Grand dit que « la divine Parole grandit avec celui qui la lit », il fait allusion à cette loi de la connaissance selon laquelle « la véritable "lecture" de la Bible avance comme une "initiation" : l'adepte ne peut franchir les degrés qu'à mesure de son accession *spirituelle* au degré correspondant (toujours la loi de la corrélation entre le sujet et l'objet de la connaissance) [9]. » Ce qui est vrai pour les religieux et les contemplatifs à l'égard du texte évangélique l'est tout autant pour les auditeurs directs de Jésus. Et il en est de même avec l'enseignement transmis par tout sage ou maître spirituel authentique. Le logion 75 de l'Évangile de Thomas rappelle implicitement l'existence de ces différents degrés de maturité et énonce la condition principale qui doit être remplie pour accéder au Royaume : « Jésus a dit : Il y en a beaucoup qui se tiennent près de la porte, mais ce sont les *monakhos* qui entreront dans le lieu du mariage » (cf. Mt 12, 46 ; Lc 13, 22-23). Les *monakhos* ne sont pas seulement les solitaires, les moines, mais avant tout ceux qui sont réunifiés et qui par conséquent ne sont plus comme un royaume divisé contre lui-même. Par définition, le processus de réunification ou de maturation est progressif, de telle sorte que chacun n'en est pas à une étape identique d'évolution intérieure. À un moment donné, chacun se situe à un point précis de son itinéraire, un point unique et qui ne peut être comparé à aucun autre. En conséquence, l'enseignement approprié est celui qui va correspondre à ce que l'élève est en mesure de recevoir. Jésus donnait à chacun ce qui lui convenait, et toujours dans la perspective de son salut. Selon l'Évangile de Jean, les disciples ne sont cependant pas encore entièrement prêts pour assimiler la totalité de ce que Jésus a lui-même réalisé en sagesse : « J'ai encore beaucoup à vous dire, mais vous ne pouvez pas le porter à présent », leur dit-il (Jn 16, 12). Jésus n'est donc pas allé au-delà de ce que les disciples étaient en mesure d'intégrer, mais il faut aussi tenir compte du fait que la compréhension est toujours possible ultérieurement car, en ce domaine comme ailleurs, rien n'est statique. À juste titre, cette parole est mise par la plupart des exégètes en corrélation avec le texte parallèle de 14, 26 sur l'Esprit Saint. En même temps – et cela peut paraître contradictoire – Jésus ne leur a pas caché quoi que ce soit par rapport à l'essence même de l'Enseignement. Si la pédagogie du maître, sa méthodologie, demande une adaptation au cas particulier de chaque élève, il n'en reste pas moins que l'enseignement, dans sa dimension ultime, est toujours disponible pour qui peut le saisir (cf. Jn 15, 15). « Jésus a dit tout ce qu'il avait à dire, note François Dreyfus, mais les disciples n'ont pas compris. Jésus aurait pu insister, développer, détailler, approfondir, mais il ne l'a pas fait parce qu'ils n'étaient même pas capables d'assimiler ce qu'il leur avait déjà dit. Il donne à l'Esprit Saint la mission d'agir intérieurement sur les disciples afin qu'ils comprennent en profondeur les paroles qu'ils avaient entendues sans les comprendre. Nous avons là une idée familière au quatrième évangile (voir 2, 22 ; 12, 16 ; 13, 7) [10]. » Le maître spirituel postule par principe que le disciple a la possibilité de comprendre et, en même temps, lorsqu'il prononce une parole, il sait que celle-ci n'est pas tout de suite nécessairement entendue. Mais, s'il la prononce, c'est parce qu'il veut la laisser pour ainsi dire en dépôt chez le disciple jusqu'à ce que le terrain soit prêt pour la faire éclore. On peut appliquer ici les paroles suivantes adressées aux disciples : « Faites attention à ce que vous entendez. La mesure dont vous vous servez servira de mesure pour vous et il vous sera donné plus encore » (Mc 4, 24).

Le disciple que Jésus aimait, considéré le plus souvent comme étant l'apôtre Jean, est sans doute celui qui est parvenu à la compréhension la plus profonde de son enseignement (dans un livre très documenté intitulé *The Beloved Disciple*, James H. Charlesworth fait l'hypothèse qu'il s'agit de l'apôtre Thomas) [11]. Son statut privilégié ne correspond évidemment pas à une préférence subjective de la part de Jésus, mais à la reconnaissance implicite d'une maturité d'être à laquelle les autres disciples ne sont pas encore parvenus. L'Évangile de Thomas souligne la différence entre les disciples de la manière suivante : Jésus dit à Thomas : « Je ne suis pas ton maître, car tu as bu, tu t'es enivré à la source bouillonnante que moi, j'ai mesurée. Et il le prit, il se retira, il lui dit trois mots. Or, quand Thomas revint vers ses compagnons, ceux-ci l'interrogèrent : Que t'a dit Jésus ? Thomas leur dit : Si je vous disais une des paroles qu'il m'a dites, vous prendriez des pierres, vous les jetteriez contre moi... » (log 13, 12-24).

Il est toutefois possible de relever dans les Synoptiques une parole de Jésus qui semble confirmer que certains disciples accéderont à la connaissance : « Je vous le dis vraiment, il en est de présents ici même qui ne goûteront pas la mort, avant d'avoir vu le Royaume de Dieu » (Lc 9, 27 ; Mc 9, 1). À n'en pas douter, ces propos sont encourageants. Et il ne peut y avoir de plus belle promesse de la part du maître puisque *voir* le Royaume est bien le but de toute discipline spirituelle.

Du fait de la nature même de l'enseignement qui concerne le mystère du Royaume des Cieux, il est évident que sa signification réelle ne peut pas être compréhensible au niveau des sens ordinaires et de la pensée littérale, celle qui caractérise généralement les auditeurs de Jésus. Le passage concernant la vraie parenté de Jésus éclaire précisément ce qui distingue « ceux du dehors » et « ceux de dedans » : « Voici que sa mère et ses frères se tenaient dehors, cherchant à lui parler. À celui qui l'en informait Jésus répondit : "Qui est ma mère et qui sont mes frères ?" Et tendant sa main vers ses disciples, il dit : "Voici ma mère et mes frères. Car quiconque fait la volonté de mon Père qui est aux cieux, celui-là m'est un frère et une sœur et une mère" » (Mt 12, 46-50). Cela ne veut pas simplement dire que les liens de la parenté charnelle passent après ceux de la parenté spirituelle. La capacité à se conformer à la volonté divine est le critère majeur et révèle en réalité où la personne en est par rapport à son propre degré de maturité intérieure. C'est l'abandon du moi ou de la volonté propre qui est la marque distinctive du disciple.

La différence entre « ceux du dehors » et les disciples réapparaît dans un passage très discuté sur le rôle des paraboles dans l'enseignement de Jésus. La version de Marc est la plus abrupte : « Quand il fut à l'écart, ceux de son entourage avec les Douze l'interrogeaient sur les paraboles. Et il leur disait : "À vous le mystère du Royaume de Dieu a été donné ; mais à ceux-là qui sont dehors tout arrive en paraboles, afin qu'ils aient beau regarder et ils ne voient pas, qu'ils aient beau entendre et ils ne comprennent pas, de peur qu'ils ne se convertissent et qu'il ne leur soit pas pardonné" » (Mc 4, 10-12).

Pris tel quel, ce texte signifie non seulement qu'il y a différentes catégories d'auditeurs – ce qui est un fait maintenant établi – mais que Jésus enseigne en paraboles pour empêcher les gens de comprendre ! En réalité, il y a là une impossibilité, car il est absurde de supposer que Jésus puisse empêcher d'une quelconque manière ceux qui l'approchent d'accéder à la compréhension. Jésus contredirait la compassion la plus élémentaire en mettant des entraves sur le chemin de ceux qui cherchent à être sauvés.

Dans la mesure où considérer que Jésus utilise des paraboles pour rendre son enseignement incompréhensible aboutit à une impasse, certains exégètes préfèrent voir les versets 11 et 12 comme inauthentiques. Or les spécialistes qui ont recours à l'araméen confirment au contraire la haute ancienneté du passage. Ils attribuent les contresens à des erreurs de la part des traducteurs grecs qui ont à faire face à des termes araméens eux-mêmes ambigus [12]. Pour résumer simplement, on peut retenir que la conjonction grecque *ina*, « afin que », rend une particule ambiguë en araméen, *dî*, qu'il faut traduire ici par « qui » et non pas « pour que ». Matthieu l'a d'ailleurs traduite en « parce que » (Mt 13, 13). Jésus n'enseigne donc pas en paraboles pour rendre obscur ce qu'il transmet, mais il utilise au contraire cette méthode avec ceux du dehors *qui* voient et entendent au premier degré sans cependant connaître ni comprendre. C'est parce que la foule ne comprend pas l'enseignement directement que Jésus leur propose une approche plus accessible. Celle-ci peut éventuellement leur donner une chance d'entrevoir ce qui leur échappait jusque-là. La citation que fait Marc d'Esaïe 6, 9-10 n'est pas empruntée au texte hébreu ou à la Septante mais au Targum palestinien dont la version est la suivante : « Et il dit : va et parle à ce peuple *qui* entend et ne comprend pas et voit mais ne comprend pas. » Dans ses propos, Jésus n'énonce donc pas une intention de sa part (voiler la compréhension des auditeurs) mais il constate une incapacité et il s'adapte pour répondre de manière appropriée à la situation.

Le second flottement provient de la conjonction *mépoté* traduite par « de peur que » : « de peur qu'ils ne se convertissent et qu'il ne leur soit pardonné. » L'araméen *dîlma Ô*, en conformité avec le Targum et l'exégèse rabbinique, doit être traduit par « à moins que » ce qui, évidemment, inverse le sens de la proposition. Jésus ne cherche pas à favoriser l'endurcissement de leur cœur par une quelconque punition, mais à les délivrer de leur ignorance afin qu'ils parviennent à se transformer pour être pardonnés (Marc) ou guéris (Matthieu).

Les paraboles sont un voile ou une énigme mais, paradoxalement, ce voile peut donner accès à une autre dimension qui ne peut pas être abordée de front. De la même façon que des lunettes noires sont un écran par rapport au soleil, elles permettent cependant de le regarder au lieu d'être complètement aveuglé par son éclat. Saint Irénée prenait déjà l'image du soleil pour souligner la gravité de la cécité spirituelle qui rend inapte à le contempler : « Un seul et même Seigneur inflige l'aveuglement à ceux qui ne croient pas et le méprisent – comme le soleil, créé par lui, aveugle ceux qui ne peuvent contempler sa lumière à cause de l'infirmité de leurs yeux [13]... »

Tous les miracles accomplis par Jésus au sujet de la restauration de la vue ou de la guérison d'une infirmité prennent ici un relief précis. L'aveuglement, de même que toutes les autres afflictions, sont le symbole d'un manque de foi – de connaissance et d'adhésion à la vérité. C'est de sept démons que Marie la Magdalénienne a été délivrée. Le chiffre sept symbolisant la totalité, cela signifie que son obscurcissement était complet (cf. Mt 12, 45). L'infirmité est une infirmité spirituelle, une inaptitude à transcender le fonctionnement ordinaire du mental. Ce dernier est comparable à une véritable maladie. Marc illustre en deux occasions le fait que ce n'est évidemment pas l'aveuglement lui-même qui peut mener au-delà. Il faut une intervention d'un autre ordre qui échappe au cercle de l'illusion et de l'ignorance. Ainsi, le paralytique de Capharnaüm n'est pas guéri par sa foi puisque précisément sa propre maladie signifie symboliquement qu'il n'en a pas. « On vient lui apporter un paralytique, soulevé par quatre hommes. [...] Jésus, voyant leur foi, dit au paralytique : "Mon enfant, tes péchés sont remis" » (Mc 2, 3 et 5). C'est la foi des quatre hommes, c'est-à-dire une instance autre que le noyau de la maladie elle-même qui permet la guérison. L'allusion est identique avec la résurrection de la fille de Jaïre. « Arrive alors un des chefs de synagogue, nommé Jaïre, qui, le voyant, tombe à ses pieds et le prie avec insistance : "Ma petite fille est à toute extrémité, viens lui imposer les mains pour qu'elle soit sauvée et qu'elle vive." » Jésus lui dira : "Sois sans crainte ; aie seulement la foi." [...] Et prenant la main de l'enfant, il lui dit : "*Talitha koum*", ce qui se traduit : "Fillette, je te le dis, lève-toi !" » (Mc 5, 22-23, 36 et 41). Comme les quatre hommes, le père symbolise cette part amicale en nous qui va au-delà de la peur et qui peut s'allier aux forces salvatrices, et finalement à la vérité elle-même.

L'Évangile est à « proclamer sur les toits » (Mt 10, 27) et Matthieu cite le début du Psaume LXXVIII : « J'ouvrirai la bouche pour dire des paraboles, je clamerai des choses cachées depuis la fondation du monde » (Mt 13, 35), mais il ne faut pas oublier malgré cela que « nul ne connaît le Père si ce n'est le Fils, *et celui à qui le Fils veut bien le révéler* » (Mt 11, 27).

On est tenu d'admettre que le logion de Matthieu en 13, 11 – si l'on n'en conteste pas l'authenticité – est d'une netteté incontournable : « À vous, il a été donné de connaître les mystères du Royaume des Cieux, tandis qu'à ceux du dehors, cela n'a pas été donné [14]. » Conjuguée avec cette parole selon laquelle Jésus, « en particulier, expliquait tout à ses disciples » (Mc 4, 34), il est possible d'en déduire qu'il y a là, en germe, la naissance d'une tradition orale et d'une transmission spécifique de maître à élève [15]. La mission des apôtres ou des disciples consiste, certes, à tenter de retransmettre ensuite aux autres la profondeur de leur propre compréhension, c'est-à-dire ce qu'ils « ont entendu dans le creux de l'oreille » (Mt 10, 27), mais le fait que l'enseignement soit entièrement disponible ne contredit pas la réalité d'une transmission spirituelle précise, de maître à disciple. L'expérience confirme que seule cette transmission permet de maintenir vivante une tradition spirituelle [16]. L'étude (ne serait-ce que du point de vue historique) des grandes traditions telles que l'hindouisme, le bouddhisme, le taoïsme, l'islam ou le judaïsme montre sans équivoque la primauté et la pérennité des lignées de transmission spirituelle. Le christianisme n'est pas atypique à cet égard et se conforme aux mêmes lois : l'enseignement n'est pas assimilable d'un seul bloc et de la même façon pour tous ; il se transmet d'être à être et forme de la sorte une chaîne ininterrompue. D'autre part, l'enseignement comprend différents niveaux qui ne s'excluent pas les uns les autres mais qui ne sont pas situés sur le même plan ou le même degré de profondeur. Un enseignement peut ainsi être donné à une foule ou à une grande assemblée et n'être réellement compris que par un seul auditeur. Ce fut par exemple le cas lorsque le Bouddha fit tourner une fleur entre ses doigts ; seul Mahakashyapa saisit le sens intime de ce geste. Il devint en conséquence son successeur et le premier patriarche de la tradition. De la même façon, « le disciple que Jésus aimait » – quelle que soit son identité – était certainement détenteur d'une connaissance qui le rendait à même de retransmettre l'essence de l'enseignement. Cependant, l'histoire atteste qu'il est possible que naissent différentes lignées ou différentes écoles simultanément. Dans sa première Épître aux Corinthiens, saint Paul écrit : « Il y a, certes, diversité de dons spirituels, mais c'est le même Esprit ; diversité de ministères, mais c'est le même Seigneur ; diversité d'opérations, mais c'est le même Dieu qui opère tout en tous » (I Co 12, 4-5). Dans la réalité, l'harmonie ne règne malheureusement pas toujours entre les différentes tendances, et un sage indien contemporain a pu déclarer avec lucidité : « Beaucoup de sages font des concessions devant l'ignorance de leurs disciples, ils leur concèdent un concept, une forme qui est immédiatement sacralisée, commentée, et devient une complication, un embarras qui, après la mort du sage, fera naître mille disputes et controverses [17]. »

À la mort de Jésus est venue s'ajouter, à la subtilité des données spirituelles, la complexité des données sociologiques et politiques. Ces conditions n'ont pas facilité la possibilité d'une réunification autour d'une option unique, et différentes tendances sont apparues très tôt. Ainsi, d'après Eusèbe de Césarée, le successeur de Jésus ne fut pas Pierre, mais Jacques le Juste [18]. La même tradition est attestée par saint Jérôme [19]. Dans les Actes des apôtres, il est d'ailleurs représenté comme dirigeant les débats et présidant l'assemblée à la conférence de Jérusalem (Ac 15, 13). La tradition le décrit comme un homme discret et intériorisé. Elle rapporte qu'à force de prier, il avait des callosités aux genoux, comme les chameaux. Pierre-Antoine Bernheim, dans un livre intitulé *Jacques, frère de Jésus*, remarque que « la prééminence accordée à Jacques dans les traditions judéo-chrétiennes, catholiques et gnostiques est tout à fait remarquable [...]. La place centrale de Jacques, en tout cas à partir des années 40, est admise par la plupart des experts impartiaux [20]. » Jean Daniélou considère également que « c'est le parti de Jacques et l'Église judéo-chrétienne de Jérusalem qui exercent l'influence dominante durant les premières décennies de l'Église [21]. »

Quoi qu'il en soit, l'essentiel ne peut se réduire à une question de pouvoir et d'autorité. S'il est nécessaire qu'une Église visible et extérieure se mette en place pour organiser la vie des communautés, il est tout aussi nécessaire que se maintienne vivante une Église invisible et intériorisée pour assurer l'authenticité et la pérennité de l'enseignement dans ce qu'il a de plus profond. La véritable question ne se situe pas « horizontalement » entre Pierre et Jacques, mais plutôt « verticalement » entre Jean par rapport à Pierre ou encore Thomas par rapport à Jacques. Il faut tout d'abord retenir les logia 12 et 13 de l'Évangile de Thomas : « Les disciples dirent à Jésus : Nous savons que tu nous quitteras : qui se fera grand sur nous ? Jésus leur dit : Au point où vous en serez, vous irez vers Jacques le juste ; ce qui est du ciel et de la terre lui revient » (log 12, 1-7). Le logion suivant qui accorde la primauté à Thomas ne contredit cependant pas celui-ci. Jacques et Thomas ne sont pas en compétition parce que leur autorité relève d'une nature totalement différente. La situation entre Pierre et Jean est parallèle à celle de Jacques et Thomas. Elle apparaît en particulier dans l'épilogue de l'Évangile de Jean. Le chapitre 21 se termine en présence de Jésus, Pierre et le « disciple que Jésus aimait ». Il est rappelé que c'est « celui-là même qui, durant le repas, s'était penché sur sa poitrine » (v. 20). La manière gréco-romaine de prendre le repas allongé, qui est ici un rappel de 13, 23-25, doit être comprise dans son sens symbolique.

À l'époque médiévale, Bède le Vénérable commente ce même détail en disant : « Puisque tous les trésors de la sagesse et de la science sont cachés dans le cœur de Jésus, il est juste que repose sur sa poitrine celui qu'il comble d'une sagesse et d'une science incomparables [22]. » La position privilégiée de Jean est donc une manière de traduire la profondeur de sa compréhension et la justesse de son attitude intérieure. Lorsque Pierre interroge Jésus au sujet de ce dernier : « Seigneur, et lui ? », la réponse littérale est : « Quoi pour toi ? », que l'on traduit ordinairement par : « Que t'importe ! », mais qui signifie en réalité : « Quel rapport avec toi ? », « En quoi cela te concerne-t-il ? » Pierre n'a pas à se soucier de ce qui va arriver à Jean, non seulement parce que cela ne le regarde pas mais parce que, de toute façon, ils ne sont pas à mettre sur le même plan.

Le « disciple que Jésus aimait » (Jn 13, 23 ; 19, 26 ; 20, 2 ; 21, 7 et 20) peut être considéré comme son successeur sur le plan intérieur. Pierre a d'ailleurs besoin de passer par le disciple bien-aimé pour s'adresser à Jésus et c'est à ce Disciple que la réponse revient (Jn 13, 24). C'est encore au disciple bien-aimé que Jésus confie sa mère (Jn 19, 26-27). Les commentateurs de la Synopse remarquent que « le "disciple aimé" est ainsi le type même du disciple, et c'est pourquoi Pierre ne peut accéder aux secrets de Jésus que par son intermédiaire [23] ».

La réponse abrupte de Jésus à l'égard de Pierre distingue nettement deux perspectives différentes qui ne sont pas sans rappeler l'épisode de Marthe et Marie (Lc 10, 38-42). Marie « s'étant assise aux pieds du Seigneur, écoutait sa parole » et Jean, « se penchant vers la poitrine de Jésus », pouvait « demeurer dans sa parole et son amour » (Jn 8, 3 et 15, 9). La raison pour laquelle Jésus déclare que Marie a choisi la meilleure part provient de ce qu'elle ne peut pas lui être enlevée. Celle-ci appartient en effet au domaine de l'Indestructible. Jean a aussi choisi la part mystique et contemplative qui concerne exclusivement la connaissance de l'être. De même Thomas aborde une démarche intériorisée identique. En réalité, son nom est Judas, car « Thomas » n'est pas un nom propre mais une transcription de l'araméen qui signifie « jumeau », *didymus* en grec (cf. Jn 20, 24 ; 21, 2 et Thom inc. 3).

En menant une enquête minutieuse, James H. Charlesworth met en relief la proximité spirituelle de l'école johannique et de l'école de Thomas [24].

Le recueil de logia qui composent l'Évangile de Thomas a fait l'objet de nombreuses études. Certains experts considèrent qu'il a été trop rapidement classé comme dépendant des synoptiques et daté comme un texte gnostique du milieu du IIe siècle. Dans la *Synopse des quatre Évangiles*, P. Benoit et M.-E. Boismard donnent des exemples prouvant « que l'évangile de Thomas, malgré des traits secondaires, suivait une tradition plus archaïque que nos évangiles actuels [25] ». Dans la préface de ce remarquable travail exégétique, les commentateurs de l'École biblique de Jérusalem écrivent courageusement : « Il semble qu'il [l'évangile de Thomas] dépende d'une source parallèle et qu'il nous permette d'atteindre une forme de la tradition évangélique antérieure à la rédaction des évangiles canoniques. Son témoignage serait alors très important pour reconstituer l'histoire de la transmission des paroles du Christ [26]. » J.D. Crossan estime que la première couche rédactionnelle de Thomas a été composée aux environs des années 50, soit une vingtaine d'années avant la première version de l'Évangile de Marc [27].

L'énigme qui entoure l'identité du « disciple que Jésus aimait » reflète une réalité que l'on rencontre fréquemment dans d'autres traditions spirituelles : les disciples les plus qualifiés sont souvent extrêmement effacés et discrets. Leur sobriété et leur humilité ne les disposent pas à imposer leurs vues à qui que ce soit. Ils laissent plutôt jouer une loi d'attraction subtile selon laquelle le semblable attire le semblable. Les soufis par exemple, dans la tradition mystique de l'islam, disent qu'ils se cachent au milieu de la place du marché. En théorie, tout le monde peut les approcher. Et il en est de même avec les enseignements spirituels eux-mêmes. Un enseignement pourrait être scandé sur la place du marché, seuls vont répondre ceux qui, en l'écoutant, éprouvent une mystérieuse affinité (cf. « la lumière luit dans les ténèbres et les ténèbres ne l'ont pas saisie » – Jn 1, 5).

De plus, les véritables détenteurs d'une connaissance salvatrice ne sont pas nécessairement ceux qui se distinguent le plus par leurs capacités intellectuelles ou leur érudition. Pour prendre un exemple issu de la tradition du zen, la nomination mouvementée du sixième patriarche Houei-neng illustre pleinement le fait qu'aucun des critères courants ne peut être retenu quand il s'agit d'apprécier le degré de qualification d'un véritable disciple. La maturité spirituelle ne se mesure pas avec les repères habituels : les dons, les charismes, les pouvoirs, le savoir ne sont pas les critères déterminants, loin de là. Aucun moine du monastère n'aurait pu en effet soupçonner que la succession du cinquième patriarche reviendrait à cet obscur cuisinier illettré et ignorant tout des textes sacrés. Le récit de cette intronisation ne manque pas de piquant... et d'enseignement [28]. Il confirme que les secrets du Royaume sont cachés aux « sages » et aux intelligents et révélés aux tout-petits (Mt 11, 25). De quelle nature sont ces secrets ? Il serait bien présomptueux de le dire. En tout cas, le mot grec *mustèrion*, correspondant à l'hébreu *sôd* et à l'araméen *raza* signifie un secret intelligible. Il ne désigne donc pas un « mystère » impénétrable, comme on pourrait le supposer, puisque le terme renvoie plutôt à une révélation, à un secret qui se transmet de bouche à oreille. Matthieu et Luc parlent des « mystères du Royaume des Cieux » au pluriel (Mt 13, 11 ; Lc 8, 10) alors que Marc utilise le mot « mystère » au singulier (Mc 4, 11), ce qui accentue de beaucoup la force de l'expression.

Le Royaume des Cieux n'est pas une abstraction mais une réalité à laquelle il est possible de prendre part. Les Évangiles affirment que « ce secret et la grâce de le réaliser sont confiés aux disciples [29] ». En fait, être un disciple est un état et non un statut. Et chacun peut être un disciple dans la mesure où il met authentiquement en pratique l'enseignement. « Écoutez et comprenez ! » lance Jésus en s'adressant à la foule. Parmi la foule, le disciple sera celui qui peut écouter, puis comprendre et enfin appliquer habilement l'enseignement.

X

MAIS L'HEURE VIENT
ET C'EST MAINTENANT *

Comme tout enseignement spirituel authentique, le message de Jésus aborde différents niveaux de pratique. Il tient compte de l'être humain dans sa totalité ; une totalité qui inclut les aspects les plus concrets de l'individu. En partant du niveau de fonctionnement psychique commun, il apparaît évident que le vécu psychologique de tout homme s'inscrit dans une dimension temporelle horizontale et linéaire. L'homme est fondamentalement conditionné par son passé et, à partir de cette dépendance, projette sans cesse à la fois ses peurs et ses désirs dans l'avenir.

Si une véritable liberté intérieure existe, elle ne peut alors se situer qu'au-delà d'un tel asservissement, dans une dimension verticale qui tranche radicalement chaque point de l'horizontale. Les Évangiles ont retenu certaines paroles de Jésus qui confirment la nécessité de s'affranchir de son passé puisque ce sera le seul moyen de revenir à la réalité présente et d'échapper ainsi à toutes les projections sur le futur.

Toutes les instructions données du vivant de Jésus et recueillies dans les Évangiles visent une connaissance éprouvée, vécue de l'intérieur. Un certain nombre d'entre elles concernent la nécessité de se focaliser sur le moment présent, le seul, finalement, qui soit réel. Il est toutefois important de

* Jean 4, 23.

remarquer à quel point cette pratique est passée sous silence alors qu'elle est essentielle. La raison en est sans doute que l'on s'attache plus facilement aux résultats de l'ascèse (être notamment capable d'amour, de charité envers autrui) qu'à la méthode précise qui permettrait pourtant d'aboutir peu à peu à une telle capacité. Un argument classique consiste à dire que, de toute façon, l'homme ne peut rien par lui-même et que c'est à la grâce divine d'opérer. Saint Bernard disait que si l'homme fait un pas vers Dieu, Dieu en fera dix vers lui. Mais il ne faut pas sous-estimer le pas à effectuer.

La nécessité de revenir au moment présent est une instruction spirituelle de tout premier ordre, mais elle échappe par définition au mental ou aux catégories ordinaires de l'entendement. Toutes les implications essentielles de cette pratique vigilante sont le plus souvent totalement perdues de vue. Elles sont noyées dans une masse d'idées, de conceptions qui éloignent le plus souvent de la précision d'une attitude intérieure rigoureuse et subtile. La nature réelle de cette attitude étant difficile à saisir, il n'est pas étonnant de constater l'existence d'un malentendu constant entre Jésus et ses auditeurs. Non seulement les grands savants juifs de l'époque et la foule, mais aussi ses disciples proches ont eu beaucoup de mal à sortir du contexte propre à la pensée juive, messianique, apocalyptique, eschatologique.

Quand Jésus donne « l'ordre de s'en aller sur l'autre rive » (Mt 8, 18), il peut certes être question de la rive orientale du lac de Tibériade, mais, au sens intérieur, il s'agit du passage à un autre niveau, de la dimension horizontale à la dimension verticale. Lorsqu'un scribe s'approche de Jésus et lui dit : « Maître, je te suivrai où que tu ailles », Jésus lui répond : « Les renards ont des tanières et les oiseaux du ciel ont des nids ; le Fils de l'homme, lui, n'a pas où reposer sa tête » (Mt 8, 19-20).

La réponse peut être une allusion à sa vie itinérante, mais il faut aussi la comprendre comme un rappel de ce qui est exigé de la part du chercheur sur la voie : il ne faut pas s'attacher, s'installer, c'est-à-dire surtout ne pas se fixer sur le passé d'aucune manière. « Jésus a dit : soyez passants », est-il rappelé dans l'Évangile de Thomas (log 42, 1-2). Être passant signifie aussi être en mesure de passer d'un état d'être à un autre et d'évoluer en traversant différents niveaux de conscience. Cela suppose de ne pas se raccrocher au passé pour être disponible au présent et à sa perpétuelle nouveauté ; ce que sainte Thérèse d'Avila appelait « un monde toujours nouveau parce qu'il est éternel ».

Une autre réplique célèbre de Jésus suggère la même ligne d'interprétation : « Un autre des disciples lui dit : "Seigneur, permets-moi de m'en aller d'abord enterrer mon père." Mais Jésus lui dit : "Suis-moi, et laisse les morts enterrer leurs morts" » (Mt 8, 21-22). « Suis-moi » *est une attitude immédiate*, exclusive et qui remet tout de suite en cause un grand nombre de choses qui tiennent à cœur (y compris l'attachement pour les siens, pour les coutumes, les conventions sociales ainsi que ses propres opinions et modes de pensée). En un sens, tout cela appartient encore au passé et aux conditionnements. Il faut donc avoir le courage de s'en arracher intérieurement – ou plutôt d'arriver à en être libre, quitte à y revenir ensuite, mais situé à un tout autre niveau de conscience.

L'Évangile de Luc mentionne une réponse catégorique de la part de Jésus au sujet de l'affranchissement nécessaire par rapport au passé (et, par voie de conséquence, au futur) : « Un autre encore dit : "Je te suivrai, Seigneur, mais d'abord permets-moi de prendre congé des miens." Mais Jésus lui dit : "Quiconque a mis la main à la charrue et regarde en arrière est impropre au Royaume de Dieu" » (9, 61-62). Le corollaire d'un lâcher-prise à l'égard du passé est aussi un lâcher-prise à l'égard de l'avenir. « Ne vous inquiétez donc pas du lendemain : demain s'inquiétera de lui-même. » « À chaque jour suffit sa peine » (Mt 6, 34). Cette formule célèbre ne doit pas être considérée comme un simple conseil psychologique visant seulement à réconforter les âmes en peine. *Jésus invite de différentes manières possibles les disciples à rester dans le moment présent, dans l'immédiateté de l'instant, là où le mental ne peut plus subsister.* Rester dans l'éternel présent pulvérise l'illusion puisque seul l'ici et maintenant est réel. Sören Kierkegaard a en ce sens finement remarqué que, « par rapport à l'absolu, il n'y a qu'un seul temps : le présent ; l'absolu n'est absolument pas pour qui ne lui est pas contemporain. Et comme Christ est l'absolu, il est aisé de voir qu'il n'y a par rapport à lui qu'une seule situation : celle du contemporain [1] ». On peut entrevoir ainsi toute l'importance qu'il y a à échapper à cette élongation du passé qui maintient la conscience emprisonnée dans une dimension horizontale. La nostalgie, les regrets, les vains espoirs sont autant d'obstacles qui retardent la libération. « Rappelez-vous la femme de Lot » (Lc 17, 32), ne manque pas de lancer Jésus en guise d'avertissement ; cette femme qui, s'étant retournée pour regarder en arrière sur le chemin de Sodome, se trouve tout d'un coup pétrifiée en une statue de sel. Cette allusion de Jésus renvoie à l'histoire racontée en Genèse 9, 17-26. Elle est très claire quant à la nécessité de ne pas s'accrocher au passé ainsi qu'aux formes anciennes en nous que l'on cherche à retenir et qui nous empêchent pourtant d'évoluer [2].

La gravité de l'enjeu et le sentiment d'urgence font dire à Matthieu : « Que celui qui sera sur la terrasse ne descende pas dans sa maison pour prendre ses affaires, et que celui qui sera aux champs ne retourne pas en arrière pour prendre son manteau ! » (Mt 24, 17-18). Les affaires et les habits sont tous les revêtements grossiers et subtils qui nous entravent par leur poids et nous tirent en arrière, nous arrachant sans cesse à l'exigence présente et nous empêchant de faire face lucidement à sa fantastique potentialité. Il ne faut pas oublier qu'un des sens du mot grec *parousia* signifie tout simplement « présence » (du participe de *par-eimi*, « être là »).

En réalité, les précédentes recommandations de Jésus ne sont pas anodines parce qu'elles ouvrent à la véritable dimension spirituelle ou mystique. La dimension de l'être est celle qui dépasse la temporalité parce qu'elle fait éclater les cadres de l'espace et du temps ; elle appartient à ce présent éternel, cette Présence qui tranche dans le vif par rapport aux perceptions ordinaires et relève non plus de l'âme mais de l'esprit. Par définition, cette Présence n'est accessible qu'à la fine pointe de l'instant ; il ne peut y avoir de Présence autrement que dans le présent ! Maître Eckhart affirmait ainsi que « Dieu est le Dieu du présent. Tel il te trouve, tel il te prend et t'accueille, non pas ce que tu as été, mais ce que tu es maintenant ». Comment pourrait-on à notre tour être ouvert à l'éternel présent tout en étant encore soi-même entravé par un fonctionnement qui nous en exile et nous attire ailleurs dans l'avant ou l'après ? Être capable d'abandonner le passé ou, en d'autres mots, d'en être libre est le signe d'une véritable maturité intérieure qui débouche sur la dimension verticale et transcendante.

Le fait de pouvoir remettre ses dettes ou d'être en mesure de donner contribue déjà à développer la possibilité d'un abandon. Cela revient aussi à faire confiance en prenant appui sur l'instant dans la nouveauté et la richesse de cet instant même. Jésus le précise nettement : il n'est pas de personne lâchant prise de cette façon « à cause de moi et à cause de l'Évangile, qui ne reçoive le centuple *dès maintenant au temps présent* » (Mc 10, 29-30). Matthieu et Luc ajoutent même qu'elle « recevra bien davantage et aura en héritage la vie éternelle » (Mt 19, 29 ; Lc 18, 30). On peut donc insister pour dire ici que cette attitude correspond à une disponibilité intérieure libre d'attachements, et qu'elle mérite d'être découverte et expérimentée. La dépossession de soi ou l'effacement de l'ego ne peut se produire que par l'abandon confiant au moment présent. Toutes les références à ce qui est ancien procède encore du mental, de même que toutes les attentes à l'égard du futur. Ce qui est advenu n'existe plus et ce qui va advenir n'existe pas encore. Par conséquent, le passé et le futur ne peuvent aucunement être un point d'appui. En revanche, la vérité de l'instant est une base solide, ici et maintenant. C'est ainsi d'ailleurs que l'entendaient les Hébreux avec le mot *èmèt*, « vérité ». Et si le Christ, à plusieurs reprises, vilipende les pharisiens et les scribes, c'est parce qu'ils demeurent tournés vers le passé en s'accrochant à l'autorité des Écritures et de la tradition. Sur le plan intérieur, cette attitude est caractéristique du mental qui ne survit que par la prolongation du connu et de l'ancien.

Les disciples et les adeptes de Jésus étaient quant à eux tournés vers l'avenir, dans l'attente d'un événement futur qui comblerait leurs espoirs. Les uns et les autres s'exposent inévitablement à de graves malentendus, car Jésus leur parle de tout autre chose. Si son Royaume n'est pas de ce monde, il est vain de vouloir lui appliquer des lois qui ne lui correspondent plus : « Pourquoi cherchez-vous le Vivant parmi les morts ? », disent les anges à ceux qui cherchent encore le corps du Christ dans le sépulcre.

Un Psaume rappelle également l'orientation principale : « En Elohim se trouvent mon salut et ma gloire, le roc de ma puissance et mon refuge, en Elohim. Abandonnez-vous en lui en chaque instant [...] » (Ps LXII, 8-9). En effet, la Vérité, c'est-à-dire *ce qui est* (à commencer par la réalité relative que l'on a sous les yeux), ne relève pas du monde des souvenirs ou de l'imagination mais du pur présent. Il ne peut d'ailleurs en être autrement. Et Jésus n'a pas manqué d'affirmer que pour atteindre le Royaume des Cieux et y entrer il fallait passer par la porte étroite, autrement dit par un point ténu, véritable rupture par rapport au champ de conscience habituel. Cette porte étroite équivaut à une brèche dans l'univers psychique commun. Cependant, le chemin qui y mène est resserré, et une fois arrivé sur le pas de la porte il est très difficile de le franchir. Le seuil lui-même inspire au « vieil homme » une grande terreur parce qu'il pressent viscéralement que ses derniers repères familiers sont sur le point de voler en éclats. Cela explique sans doute pourquoi, plutôt que de se laisser choir dans la profondeur, l'homme préfère rester à la surface. Tel un caillou qui fait des ricochets sur l'eau, il rebondit en ne faisant qu'effleurer l'apparence des choses. Cette résistance lui permet de se protéger de l'Esprit Saint qu'il conçoit comme une menace parce que ce « feu dévorant » risque de consumer les scories auxquelles il reste désespérément attaché. La meilleure défense consiste alors pour lui à ne se préoccuper que du passé ou du futur. Pourtant, seul l'instant présent est la porte étroite toujours disponible par laquelle l'être tout entier peut passer pour basculer dans cette « beauté suprême et terrible ».

Tout bien considéré, le message de Jésus est en conformité avec la mystique universelle. Le contraire rendrait d'ailleurs son enseignement particulièrement suspect, et ce n'est pas parce que, pour la mentalité juive de l'époque, l'activité divine se situait essentiellement autour du peuple choisi d'Israël que les lois spirituelles les plus fondamentales peuvent être écartées pour autant. Il faut au contraire tenir le plus grand compte de ces dernières pour se frayer un chemin à travers les conceptions et les théologies qui se sont élaborées peu à peu, formant ainsi un véritable labyrinthe à partir de l'enseignement délivré du vivant même de Jésus.

L'accent mis à partir du XIXᵉ siècle sur ce qui a été appelé « l'eschatologie » fournit un bon exemple de ce genre de déplacement. Les exégètes et les théologiens en sont venus, en particulier à la suite de Johannes Weiss, Albert Schweitzer et Rudolf Bultmann, à considérer l'enseignement de Jésus dans une perspective axée sur les fins dernières : la fin du monde dans cette génération, le retour glorieux et imminent du Fils de l'homme sur les nuées du ciel, la résurrection des morts. Une telle approche est de nos jours sérieusement remise en cause et Jean Carmignac a pu écrire ainsi, dans un article intitulé « Les dangers de l'eschatologie » : « Le Règne et le Royaume de Dieu tiennent une telle place dans la pensée de Jésus et ils sont si souvent mentionnés dans les Évangiles qu'ils doivent absolument garder dans notre théologie une place d'honneur. Au contraire, l'eschatologie, qui n'est jamais mentionnée dans le Nouveau Testament et donc qui ne tient aucune place dans la pensée de Jésus, devrait être bannie de la théologie future. [...] Alors que l'eschatologie forme une impasse où la théologie ne peut que se perdre en discussions stériles, le Règne ou le Royaume de Dieu ouvre une voie, tout à la fois ancienne et nouvelle, où bien des progrès restent à faire [3]. » Ce qui est vrai concernant la théologie l'est d'autant plus pour le chercheur spirituel dont la démarche dépend directement de sa compréhension des instructions délivrées par le maître. *Or ce qui « préoccupe » le maître, c'est l'éveil du disciple à une autre dimension, et cela sans délai.* La complexité de cette question réside dans le fait que les textes évangéliques eux-mêmes semblent contradictoires, et qu'il subsiste un flottement entre le Royaume qui est en même temps « à venir » et « déjà là ».

Dans la logique des catégories ordinaires, le Royaume ne peut pas être à la fois ici et maintenant et à la fin des temps. Il est fort probable que des bibliothèques entières de théologie se sont remplies sur la base de ce seul dilemme. « La manifestation du Fils de l'homme, ou avènement du Royaume messianique, écrit Émile Gillabert, nous est présenté par les rédacteurs évangéliques dans un contexte où s'entremêlent des notions diverses et souvent contradictoires. Il ne faut donc pas s'étonner que ce qu'il est convenu d'appeler *le discours eschatologique* ait donné lieu à des difficultés exégétiques et théologiques inextricables. Il y a d'une part les paroles de Jésus qui ne veulent pas lier la réalité du Royaume à l'avènement d'un royaume spatio-temporel précédé de signes extraordinaires [...]. Il y a d'autre part l'attente imminente du Jour du Seigneur où le Messie viendra sur les nuées du ciel avec puissance et majesté pour le Jugement qui verra la résurrection des morts [4]. »

Pendant des années, l'idée d'un Royaume futur qui apparaîtrait de façon imminente et dramatique a surtout retenu l'attention des spécialistes du Nouveau Testament. Actuellement, cette idée est contestée et, à l'inverse du consensus académique jusque-là établi, le Jésus pré-pascal est considéré comme étant non eschatologique. « Ce qui est nié est la notion que Jésus escomptait la venue surnaturelle du Royaume de Dieu comme un événement de fin du monde dans sa propre génération », indique Marcus J. Borg. Cette conception posait d'ailleurs la grave question de savoir comment Jésus a pu se fourvoyer à ce point, étant donné que cette fin du monde – quel que soit l'angle sous lequel on la considère – n'est pas advenue. La seule chose que l'on puisse dire est que le Temple de Jérusalem a bel et bien été détruit en l'an 70 et que, s'il y a urgence, c'est parce qu'on est à la veille d'un effondrement de la structure sociale.

Le discours eschatologique de Marc 13 est sans doute l'un des passages les plus controversés du Nouveau Testament. Les commentateurs de la Synopse rejoignent la plupart des exégètes en considérant qu'il s'agit ici d'une « petite apocalypse » d'origine juive et complétée par des additions chrétiennes. Ce discours ne remonte donc pas à Jésus lui même mais « émanerait de milieux apocalyptiques judéo-chrétiens [5] ». De même, dans l'état actuel de la recherche, les spécialistes s'accordent à considérer que le thème de l'imminence du Jugement, dans les passages relatifs à la venue du Fils de l'homme, ne remonte pas non plus à Jésus lui-même [6]. Il est certain que Jean le Baptiste et la communauté chrétienne primitive considéraient que le temps était venu et que le monde allait prendre fin d'une façon brutale et dramatique. Le chapitre 9 du livre de Daniel s'était déjà livré à des spéculations sur l'avenir, et Paul, dans sa propre vision eschatologique, y ajoute force détails (II Th 2, 3-8) [7].

Aux États-Unis, les membres du *Jesus Seminar* se sont cependant demandés si la conception de Jean le Baptiste et de Paul n'avait pas tendance à obscurcir la vision de Jésus selon laquelle le règne impérial de Dieu – ou, dans le langage traditionnel, le Royaume de Dieu – est présent. Pour Jésus, Dieu était une réalité tellement intime et vivante qu'il pouvait difficilement faire une distinction entre son activité présente et une quelconque activité future. Ces chercheurs considèrent que Jésus avait un sens poétique du temps dans lequel le présent et le futur se confondent au sein même d'une vision, d'une expérience particulièrement intense. « Les membres du *Jesus Seminar* sont convaincus que la subtilité de la perception de Jésus en ce qui concerne son sens du temps – la simultanéité du présent et du futur – avait échappé à la plupart de ses adeptes dont certains, après tout, commencèrent en tant que disciples de Jean le Baptiste. Ils sont représentés dans les Évangiles comme ayant une assez pauvre compréhension de Jésus.

« La confirmation de l'évidence de cette conclusion réside dans les principales paraboles de Jésus : le bon samaritain, le fils prodigue, le festin, les ouvriers de la vigne, l'intendant injuste, le débiteur impitoyable, le juge inique, le levain, le grain de sénevé, la perle, le trésor dans le champ [8]. »

Il est important de souligner que Jésus s'est toujours opposé aux signes (Lc 17, 20). Il ne faut pas être, dit-il, comme ce riche fermier qui projette dans le futur et focalise son regard sur l'avenir « au lieu de s'enrichir en vue de Dieu » (Lc 12, 16-21). Lorsque les gens « demandaient de lui un signe venant du ciel », le texte de Marc rapporte une réponse caractéristique : « Gémissant en son esprit, il dit : "qu'a cette génération à demander un signe ? En vérité, je vous le dis, il ne sera pas donné de signe à cette génération." Et les laissant là, il s'embarqua de nouveau et partit pour l'autre rive » (Mc 8, 12 ; Mt 12, 39 et 16, 4 ; Lc 11, 19). Jésus a beaucoup de mal à placer les auditeurs dans une toute autre perspective que celle de la temporalité. La phrase : « Et les laissant là, il s'embarqua de nouveau et partit pour l'autre rive », est fortement chargée d'un sens symbolique. On a déjà fait allusion à ce que pouvait signifier « l'autre rive » et il semble que dans cette situation Jésus n'insiste pas mais qu'il les laisse au contraire à leurs vues fausses et à leur confusion. « Le Royaume du Père s'étend sur la terre et les hommes ne le voient pas » (log 113, 7-8), de telle sorte qu'il est inévitable que s'instaure un tragique malentendu.

Les disciples demandent : « Quel jour te manifesteras-tu à nous et quel jour te verrons-nous ? » (log 37, 2-3) ; « Quel jour le monde nouveau viendra-t-il ? » (log 51, 4-5) ; « Le Royaume, quel jour viendra-t-il ? » (log 113, 3-2). Une réponse lapidaire renvoie tout simplement les disciples à leur immaturité spirituelle : « Ce que vous attendez est venu, mais vous, vous ne le connaissez pas » (log 51, 7-8), ou encore : « Il leur dit : Vous sondez le visage du ciel et de la terre, et Celui qui est devant vous, vous ne le connaissez pas, et ce moment-ci, vous ne savez pas l'apprécier » (log 91, 4-8). Jésus souligne pourtant l'opportunité extraordinaire que constitue le fait d'être en présence du maître. Le maître authentique est « un passeur entre deux rives », mais si l'on n'est pas préparé on risque de le manquer, étant trop préoccupé par de multiples appréhensions ou par la fascination qu'exerce un ailleurs illusoire. L'Évangile de Luc confirme la préoccupation fréquente des interlocuteurs en relevant de la même façon qu'ils sont véritablement obsédés par le *quand* (Lc 17, 20). Jésus tente de les convaincre que cette question est inadéquate parce qu'il ne peut être question, au sujet du Royaume, d'une localisation dans le temps ou dans l'espace. « Dis-nous comment sera notre fin », s'inquiètent les disciples qui se font rappeler vertement l'incongruité de ce genre de questionnement : « Avez-vous dévoilé le commencement pour que vous cherchiez après la fin ? » (log 18). En réalité, l'*eschaton* est un au-delà du temps et de l'espace que l'homme ne peut imaginer. « C'est l'atteinte à mon identité vraie au mystère même de Dieu », dira Henri Le Saux dans son essai sur la prière, *Éveil à soi, éveil à Dieu* [9]. Dans tout ce qu'elle a de radical, cette prise de conscience s'effectue au cœur de l'instant : « Amen, amen, je vous dis, l'heure vient, c'est maintenant » (Jn 5, 25) ; « Mais l'heure vient – et c'est maintenant – où les véritables adorateurs adoreront le Père en esprit et en vérité » (Jn 4, 23).

Si l'essentiel du message de Jésus consistait à affirmer que l'accès au Royaume se situe dans une perspective future, son enseignement se trouverait non seulement en contradiction totale avec les sagesses traditionnelles et la mystique universelle, mais de nombreux propos rapportés dans les Évangiles eux-mêmes demeureraient incompréhensibles ; par exemple : « Mais si c'est par l'esprit de Dieu que j'expulse les démons, c'est donc que le Royaume de Dieu est arrivé jusqu'à vous » (Mt 12, 28 ; Lc 11, 20) ; « Je dispose pour vous du Royaume, comme mon Père en a disposé pour moi » (Lc 22, 29) ; « Sois sans crainte, petit troupeau, car votre Père s'est complu à vous donner le Royaume » (Lc 12, 32) ; « Mes brebis écoutent ma voix, je les connais et elles me suivent ; je leur donne la vie éternelle » (Jn 10, 27). Lorsqu'un homme vint trouver Jésus en s'exclamant : « Heureux celui qui prendra son repas

414

dans le Royaume de Dieu ! », Jésus lui répond par la parabole des invités au banquet « pour lui montrer que le Royaume c'est *maintenant*, l'invitation, c'est *maintenant* [10] ». Le sens de la parabole n'est pas ambigu puisqu'il est précisé : « À l'heure du dîner, il envoya son serviteur dire aux invités : "Venez ; maintenant tout est prêt" » (Lc 14, 17).

Il est ainsi difficile de maintenir que, pour Jésus, l'essentiel se situe plus tard. D'ailleurs, dans trois cas sur quatre, les Évangiles synoptiques utilisent le présent de l'indicatif et non le futur lorsque Jésus évoque le royaume.

Même si le domaine de la théologie et de l'exégèse croise rarement celui de la mystique et de la contemplation, cela n'a pas empêché C. H. Dodd d'affirmer avec raison que la Bonne Nouvelle « révèle l'occasion d'une plénitude inouïe d'expérience [...]. La nouvelle était, d'abord, que Dieu était *ici, maintenant* [11] ». La conséquence immédiate de tels propos oblige à une certaine exigence qu'André Comte-Sponville formule en ces termes : « Rien à croire, rien à espérer. Pas d'autre salut que de vivre, pas d'autre salut que d'aimer : le royaume, c'est ici-bas ; l'éternité, c'est maintenant [12]. » De la sorte, les multiples exhortations de Jésus à la vigilance ne sont pas faites pour orienter vers l'avenir. Elles ne veulent pas encourager une attitude d'attente pure et simple, car il ne s'agit pas d'être dans l'expectative, mais bien plutôt de rassembler l'être tout entier sur la fine pointe de l'instant. Pour le véritable disciple, l'impérative nécessité consiste à maintenir « la présence à soi-même et à Dieu ».

Le Royaume ne peut être que dans un éternel présent, et lorsque Jésus déclare que « le Royaume de Dieu est tout proche » (Mt 4, 17 ; Mc 1, 15 ; Lc 19, 9-11), cette notion de proximité ne doit pas être mal interprétée. Elle ne signifie pas quelque chose qui n'est pas encore là mais quelque chose qui est imminent. Au contraire, l'approche mystique insiste pour dire que Dieu nous est tellement intime qu'il est le Souffle de notre souffle. Cette proximité est donc avant tout une actualité. Curieusement, l'approche philologique rejoint cette perspective, et Paul Joüon a pu remarquer qu'« en hébreu, la racine *qrb*, qui exprime la notion de proximité, s'emploie parfois aussi dans des cas où, la proximité étant absolue, nous disons, non plus "il est proche", mais "il est arrivé" [13] ».

Le Royaume des Cieux est arrivé dans le sens où il est toujours là de toute éternité, et non pas seulement parce que le Christ s'est incarné dans l'histoire à une date précise. Cependant, « voir Jésus », auquel fait mention Jean (12, 21), équivaut à la pleine reconnaissance d'une Présence, à une vision transformante qui est aussi un éveil de la conscience. Cette conscience éveillée est au-delà de toute formulation, de toute parabole [14].

Zachée doit grimper dans un sycomore pour « voir Jésus » (Lc 19, 4) ; il ne peut pas le voir sans s'élever, c'est-à-dire sans quitter l'angle de vue commun aux hommes. Cela signifie que l'accession à la vision suppose déjà un changement de perspective personnel et radical, un déplacement qui ne dépend donc que de soi. En effet, le niveau de perception ordinaire est à l'origine de tous les malentendus et il ne peut pas être modifié d'une façon collective. Sans envisager leur propre *metanoïa*, les adeptes de Jésus ne peuvent partager que la même confusion et se renforcer mutuellement dans une perspective fausse, laissant sans cesse échapper la véritable opportunité. La caractéristique du mental étant d'excentrer l'être de sa dimension de profondeur, il n'est pas surprenant que les contemporains et les successeurs de Jésus aient oublié cette importante parole des Psaumes (II, 7) : « J'annoncerai la loi d'Adonaï ; il m'a dit : "Tu es mon fils, je t'engendre aujourd'hui". »

La vocation de Jésus a été d'arracher les hommes à leurs conceptions courantes afin de leur permettre de réaliser une autre dimension d'eux-mêmes. Il les a d'ailleurs en cela déconcertés à de nombreuses reprises. L'épisode de la résurrection de Lazare est particulièrement instructif à cet égard. Jésus a en quelque sorte rassuré Marthe quant à la situation spirituelle de son frère, mais cette dernière ne comprend pas ce qu'il veut dire. « Je sais, dit Marthe, qu'il ressuscitera à la résurrection, au dernier jour » (Jn 11, 24). Autrement dit, elle considère la résurrection comme un phénomène à venir. Elle suit en ce sens l'inclination du mental dont le propre est d'occulter la seule véritable opportunité, celle de l'instant présent. Elle épouse en même temps la mentalité ambiante axée sur la venue d'un Royaume messianique annoncé par les prophètes d'Israël. Jésus l'en détrompe et tente de lui laisser entrevoir autre chose. Il lui dit : « Je suis la résurrection et la vie » (Jn 11, 25). Peut-il y avoir affirmation plus directe ?

Encore faut-il être capable de passer par le chas de l'aiguille, c'est-à-dire d'être dans un état d'abandon et de vulnérabilité pour pouvoir basculer dans la pure instantanéité, dans l'Éternité. C'est la totale confiance dont fait preuve le larron sur la croix qui fait dire à Jésus : « En vérité, je te le dis, *aujourd'hui* tu seras avec moi dans le paradis » (Lc 23, 43).

Puisqu'il ne peut être question d'un avant et d'un après en ce qui concerne l'absolu (« Avant qu'Abraham fût, Je suis » – Jean 8, 58), on peut légitimement se demander pourquoi les textes évangéliques semblent se contredire. Si le Royaume est « déjà là », quel sens peut alors avoir la prière « que ton Règne vienne » ?

En réalité, tout enseignement spirituel semble comporter des paradoxes et des contradictions, car tout dépend du point de vue que l'on adopte, de l'angle d'approche. Il s'agit pourtant d'un ensemble cohérent incluant simultanément différents niveaux. La tradition du zen a par exemple deux écoles dont les positions semblent incompatibles : pour l'une, l'illumination ne peut être que subite, alors que pour l'autre l'illumination est progressive. Cependant, les deux peuvent être vraies en même temps : une prise de conscience abrupte et décisive peut avoir été préparée par une lente maturation intérieure elle-même ponctuée de plusieurs phases illuminatives [15].

Il est possible ainsi que la question du Royaume à la fois « déjà là » et « à venir » relève d'un paradoxe similaire ; ce genre de paradoxe est inhérent à tout exposé didactique relatif au domaine mystique.

Le Royaume est là, ici et maintenant. Il est là de toute éternité mais il n'est pas nécessairement réalisé. Il ne peut l'être que d'une façon intime, en chacun, lorsque la volonté propre est totalement abandonnée au profit de la volonté divine. « On pourra en parler comme d'un temps à venir tant qu'il n'aura pas été reconnu par les hommes, et accepté par eux comme un bienfait » écrit à ce sujet le père Lagrange [16]. Mais il ne faut pas oublier que la démarche est essentiellement personnelle. La formulation du *Pater* : « Que ton Règne vienne », est une prière, un appel, l'espérance d'une réalisation, la demande profonde et sincère d'une reddition de l'ego. Et cette aspiration n'est pas incompatible avec le fait que « le Royaume des Cieux est au-dedans de nous ».

Sans contredire aucunement l'approche selon laquelle la résurrection de Jésus peut être conçue comme une véritable apothéose spirituelle (voir annexe), il est aussi très fructueux de la considérer comme l'affirmation de la pleine possibilité offerte à tout homme, celle d'un éveil complet.

Le thème de l'éveil est une constante dans les Évangiles et l'on y retrouve sans difficulté l'injonction essentielle de la *Katha Upanishad* : « Lève-toi ! Réveille-toi ! » (3, 14) Tous les exégètes sont d'accord pour affirmer que la résurrection représente « l'accession à la vie pleine et définitive [17] », ce qui, en clair, signifie une réalisation intérieure. Même s'il y a dans le Nouveau Testament six récits différents de la résurrection, l'important ne doit pas être perdu de vue : les mots grecs *egeirô* et *anistemi* renvoient au fait de se lever, se réveiller, sortir du sommeil. Il ne faut pas laisser se diluer leur signification profonde en considérant qu'il s'agit de « se lever d'entre les morts », ce que l'on entend habituellement par le verbe « ressusciter ». La citation en Éphésiens 5, 14 d'un hymne primitif assimile, comme dans beaucoup d'autres enseignements, l'aveuglement spirituel à l'état de moribond : « Éveille-toi, toi qui dors, lève-toi d'entre les morts, et sur toi luira le Christ. »

L'expérience des Pères et des mystiques confirme la remarque de Grégoire de Nysse à propos du *Cantique des cantiques* selon laquelle « sommeil et veille s'opposent ordinairement, mais au niveau spirituel, l'âme endormie (aux passions, pensées, désirs, volitions, usurpations multiples) veille en réalité dans le dépouillement et la nudité, et peut recevoir la visite de l'Esprit [18] ».

Lorsque le Bouddha déclare que « la vigilance est la demeure de la vie éternelle [19] », il affirme de la même façon la primauté d'un état d'être clair et lumineux par rapport à la torpeur spirituelle (l'Apocalypse dresse d'ailleurs un tableau explicite de cette dernière condition : « mais tu ne vois donc pas : c'est toi qui es malheureux, pitoyable, pauvre, aveugle et nu ! » – 3, 17). On peut de la sorte suivre l'Évangile de Luc qui établit une équivalence entre être « fils de Dieu » et être « fils de la résurrection » (Lc 20, 36). L'homme éveillé est en effet celui qui a réalisé sa dimension divine ; il a accès à une plénitude de vie qui ne relève plus de ce monde-ci car c'est « un monde nouveau où n'existent plus de deuil, de larmes, de souffrance, de mort [...] » (Ap 21, 4). L'enseignement de Jésus conduit à cela. Il est uniquement orienté vers une transformation radicale de l'être et de la conscience, ici et maintenant.

André Chouraqui a fort justement traduit les paroles de Jésus au paralytique par : « Réveille-toi ! » (Jn 5, 28), et le sens intérieur de la démarche tout entière peut être résumé par ces mots adressés à Lazare : « je vais aller le réveiller » (Jn 11, 11). Le réveil, ou la résurrection, correspond à l'émergence d'une conscience tout autre, jusque-là recouverte. Elle concerne chaque homme en particulier dans ce qu'il a de plus intime et de plus authentique. À la fin de sa vie, Dom Henri Le Saux a pu noter ainsi dans son *Journal* : « Il n'y a qu'un acte en vérité par lequel Jésus – tout homme – passe au Père : c'est l'acte de l'éveil. Dès qu'on s'éveille, en raison de l'essentielle connexion humaine, c'est avec tous, au nom de tous, qu'on s'éveille [20]. »

Par ses actes, ses paroles, ses paraboles, Jésus veut introduire ceux qui l'écoutent à la Vie (Mt 18, 8 ; Mc 9, 43), ce que Jean appelle la Vie éternelle. Quelles que soient les multiples interprétations possibles de ses propos et de son enseignement, il est impossible de se soustraire au fait que Jésus a essentiellement convié les hommes à partager son expérience et à venir le rejoindre dans cet abandon total à la volonté divine. L'interprétation spécifique de tel ou tel passage des Évangiles peut toujours être contestée au nom d'une argumentation différente, mais il est important de replacer chaque parole dans la perspective d'une transformation intérieure concrète. L'enseignement originel de Jésus apparaît alors dans toute sa cohérence : il appelle non seulement chacun à la Résurrection, mais il montre aussi le chemin pour y parvenir.

ANNEXE

La résurrection du Christ a été étudiée sous de multiples aspects par bon nombre de théologiens et de professeurs spécialisés dans l'étude du Nouveau Testament. Il est certain qu'il s'agit d'un « événement » spirituel majeur qui atteste autant la réalité d'une autre dimension que la possibilité d'un éveil de la conscience. Les récits évangéliques parlent d'un corps « glorieux », d'un corps de lumière qui correspond bien évidemment à autre chose qu'à une simple réanimation. Avec un rayonnement tout puissant, la transfiguration du Christ sur le mont Thabor laissait déjà présager de cette victoire absolue de l'Esprit sur le monde phénoménal. À juste titre, la résurrection est interprétée comme étant le symbole de l'accomplissement spirituel ultime, le témoignage d'une réalisation parfaite et absolue. Elle montre ce que l'homme a la possibilité d'accomplir ; une possibilité qui dépasse de loin tout ce que le mental est en mesure de concevoir.

Pour ouvrir le champ par rapport aux considérations théologiques habituelles concernant la résurrection, il peut être avantageux de se référer à d'autres traditions spirituelles, en particulier à celle du bouddhisme dans sa forme tibétaine. La stature spirituelle de ses maîtres les plus représentatifs ainsi que le témoignage de leurs accomplissements peuvent apporter des éléments complémentaires propres à nourrir notre réflexion. Dans son ouvrage *En relisant les Évangiles*, Arnaud Desjardins écrit à ce sujet : « La tradition tibétaine affirme que certains maîtres tibétains, y compris au XXe siècle, ont quitté cette terre sans laisser de traces. Ils n'ont été ni incinérés ni enterrés parce que leur corps a disparu. Peut-être existe-t-il une réalité d'un autre ordre – miraculeuse pour nous – qui efface les corps. L'insistance des Tibétains sur cet enseignement me fait dire qu'il doit y avoir un fond de vrai. Mais ce n'est pas l'essentiel. L'essentiel réside dans la grandeur du mythe au sens noble du terme [1]. »

En recherchant des témoignages plus précis, j'ai découvert avec une grande surprise que l'exégète anglais John A. T. Robinson, dans une étude sur le Suaire et le Nouveau Testament, faisait directement mention des accomplissements yogiques extraordinaires des grands spirituels tibétains. Il mentionne que nous ne sommes pas ici dans le domaine de la transformation de la matière en énergie, mais en présence d'états spirituels exceptionnellement intenses à la frontière des lois physiques et psychologiques connues (car selon la formule $E = mc^2$, ajoute-t-il, non seulement le Suaire mais Jérusalem et tout ce qu'il y a aux alentours seraient pulvérisés et le "violent tremblement de terre" dont parle Matthieu (28, 2) serait à côté bien peu de chose [2] ! En dépassant courageusement le cadre académique des études néo-testamentaires, il cite dans un autre livre, *The Human Face of God*, le récit du maître tibétain contemporain Chögyam Trungpa, relatant le cas d'un saint homme littéralement « absorbé dans la lumière » et ayant seulement laissé des ongles et des cheveux en guise de reliques [3]. Lama Surya Das se réfère aussi à ce même cas qui s'est produit en 1955, dans le village appelé Nanikengo dans la province du Kham, près du monastère de Dzongsar. Personne ne savait qu'il s'agissait d'un pratiquant accompli qui avait reçu les instructions de l'école Nyingmapa (les Anciens). Dzongsar Khyentsé Rimpoché attesta en toute certitude la réalité du phénomène et Chögyam Trungpa visita tout jeune l'endroit [4].

Dans une conversation avec Jean-Jacques Antier, Jean Guitton signale que, bien souvent, le mot « résurrection » fait croire à un retour à la vie antérieure, comme si l'exploit consistait à réintégrer un corps mortel. Pour éviter ce malentendu, il préfère parler d'*anastase* (gr. *anastasis*) : « L'anastase, c'est la survie d'un être qui n'est plus dans l'espace-temps, qui est vivant, mais d'une autre manière ; qui domine le cosmos, au lieu d'être, comme nous, dominé par lui ; une sublimation de tout l'être dans un mode nouveau d'existence divine, inimaginable ». Ainsi, « la Résurrection et la Transfiguration du Christ permettent de comprendre vraiment ce qu'est le corps humain. Si la mort d'un homme, au lieu de se faire d'une manière lente par décomposition, s'opérait en un éclair, si toutes les particules qui nous composent explosaient, il est probable que nous aurions une idée plus adéquate de ce que sont la mort et la possible anastase [5] ».

Sogyal Rimpoché évoque une telle possibilité dans un livre célèbre consacré à l'approche tibétaine de la vie et de la mort : « Grâce à ces pratiques avancées du Dzogchen, le pratiquant accompli peut terminer sa vie d'une façon extraordinaire et triomphante. À sa mort, il laisse son corps se résorber dans l'essence lumineuse des éléments qui l'ont créé et, par conséquent, son corps physique se fond en lumière et finit par disparaître complètement. Ce processus est connu sous le nom de "corps-d'arc-en-ciel" ou "corps de lumière", car la résorption s'accompagne souvent de manifestations lumineuses spontanées et d'arcs-en-ciel. Les anciens tantras du Dzogchen et les écrits des grands maîtres en distinguent différentes catégories. Il fut une époque, en effet, où cet étonnant phénomène était sinon commun, du moins relativement fréquent.

« Habituellement, une personne qui se sait être sur le point d'atteindre le corps d'arc-en-ciel demandera qu'on la laisse seule, sans la déranger, dans une pièce ou une tente pendant sept jours. Le huitième jour, seuls demeurent les cheveux et les ongles, éléments impurs du corps. Cela peut nous sembler bien difficile à croire, mais l'histoire de la lignée Dzogchen est émaillée d'exemples d'individus ayant atteint le corps d'arc-en-ciel. Ainsi que le soulignait souvent Dudjom Rimpoché, ceci n'est pas uniquement le fait du passé[6]. »

Sogyal Rimpoché raconte ensuite un cas précis, celui de Sönam Namgyal, qui était le père de son tuteur. Les reliques restantes furent apportées au maître Jamyang Khyentsé qui confirma qu'il s'agissait bien là d'un cas de corps d'arc-en-ciel. Un autre maître, Namkhaï Norbu Rimpoché, mentionne dans son livre, *Dzogchen et Tantra*, le cas de Shardza Rimpoché (1859-1955), un maître bönpo du Dzogchen, et il raconte aussi une histoire similaire à propos de son oncle Tokden qui était un « yogi secret ». Il conclut en écrivant : « Connaissant les sérieux problèmes mentaux qu'il avait eus dans sa jeunesse, je ne m'attendais pas à un tel accomplissement en une seule vie. Son exemple montre ce qui est possible pour chaque individu[7]. »

Le célèbre *Livre des morts tibétain* (dont le titre exact signifie « la grande libération par l'audition pendant le bardo ») précise cependant que ce sont les yogis tantriques aux capacités au-dessus de la moyenne et ayant achevé les pratiques complètes qui sont, à l'arrêt de leur respiration, invités au Pur Royaume. « Pour indiquer cela, le ciel s'éclaircit et ils se dissolvent en une lumière arc-en-ciel[8]. »

De nombreuses références à ces pratiques si particulières sont faites non seulement au cours de l'évocation des maîtres du passé et de leurs accomplissements extraordinaires mais aussi par des témoignages contemporains ayant reçu la confirmation des sages les plus prestigieux de la tradition, ou même encore dans des recueils d'instructions spirituelles destinées aux pratiquants avancés. Dans la traduction du tibétain de l'autobiographie du yogi Shakbar (1781-1851), Matthieu Ricard mentionne en note les textes dans lesquels de telles instructions sont données. Les enseignements sur le *prana*, le souffle vital, du maître indien Jahabira (XVIᵉ siècle) sont des instructions qui concernent la maîtrise des énergies subtiles, la méthode pour prendre l'essence des éléments et, à travers eux, transformer ultimement les agrégats physiques ordinaires en corps d'arc-en-ciel (en tibétain *Ôja' lus*). Ces instructions ont été rassemblées par Jamyang Khyentse Wangpo dans le *Compendium des Sadhanas* et elles se retrouvent aussi dans les *termas* de Garwang Dorje (1640-1685). Jahabira eut des centaines de disciples à travers tout le Tibet et atteignit lui-même la réalisation du corps d'arc-en-ciel [9].

Une autre note précise qu'en accomplissant les pratiques ultimes de la Grande Perfection, le yogi sur le point de dissoudre son corps dans la lumière d'arc-en-ciel peut aussi, par une concentration spéciale – en particulier sur le bout des ongles – manifester un corps de lumière qui demeure visible aux autres hommes. Une telle manifestation a lieu par amour pour les êtres sensibles et pour apporter des bienfaits spirituels, ce qui fut le cas avec deux grands sages du VIIIᵉ siècle, Vimalamitra et Guru Padmasambhava. La sagesse manifestée sous cette forme est appelée le Corps d'arc-en-ciel de la Grande Transformation (en tibétain *Ôja'lus Ôpho ba chen po*). Si le yogi ne pratique pas cette concentration spéciale comme par exemple Chetsun Senge Wangchuk (Xᵉ-XIᵉ siècle), son corps se dissout alors entièrement sans laisser de traces [10].

Le maître tibétain contemporain Kalou Rimpoché a aussi mentionné le cas d'une femme, Nigouma, sœur du célèbre

Naropa (un *mahasiddha* indien du XIᵉ siècle), qui atteignit l'éveil et réalisa le corps d'arc-en-ciel [11]. Naropa lui-même se résorba de la même façon dans la Claire Lumière et la Vacuité ultime [12].

Une telle résorption peut s'accompagner de nombreux phénomènes lumineux et sonores ou de phénomènes atmosphériques inhabituels. « D'après les *Annales* tibétaines, écrit Yvonne Caroutch, les cérémonies de crémation des grands yogis, des maîtres spirituels et des chefs religieux sont presque toujours accompagnées de prodiges : nombreux arcs-en-ciel, dont certains subsistent plusieurs jours, apparitions de lumières étincelantes, pluies d'oiseaux et de fleurs, frémissements de la terre, etc. [13]. »

Parmi les grands maîtres tibétains accomplis, la lignée des Karmapa est sans doute la plus prestigieuse. Lorsque le troisième Karmapa, Rangdjoung Dorjé (1284-1339) mourut, « sa mort fut douloureusement ressentie. Toutefois, aux toutes premières heures du matin suivant, en regardant le ciel, les sentinelles du palais purent voir le Karmapa apparaître clairement sur la lune pleinement épanouie. On sonna immédiatement les cloches pour réveiller l'empereur et l'impératrice qui, des fenêtres du palais, virent également leur Précieux Maître dans le *mandala* de la lune. Le lendemain on demanda à un habile artisan de ciseler une image ressemblante de Gyalwa Karmapa tel qu'il était apparu. Cette image très réussie prit place parmi les plus précieuses possessions de l'empereur [14] ». Cette sculpture fut ciselée dans une pierre précieuse et, récemment encore, elle était conservée à Pékin [15].

Lorsque la dépouille mortelle du quatrième Karmapa Rolpaï Dordjé (1340-1383) fut incinérée, de nombreux signes auspicieux se manifestèrent et les disciples purent voir le Karmapa apparaître dans un arc-en-ciel circulaire [16]. Ce phénomène pour le moins miraculeux est évoqué également dans le livre de Norma Levine, *Blessing Power of the Buddhas*, ouvrage qui a l'assentiment du XIIe Tai Situpa, un des grands Rimpochés actuels de la lignée Kagyupa [17]. Le plus surprenant est qu'il ne s'agit pas seulement de signes appartenant au passé où la légende risque de prendre le pas sur la réalité, car le tempérament indien et tibétain se prête en effet volontiers à un embellissement de l'histoire. Lors de la crémation du XVIe Gyalwa Karmapa au Sikkhim, en 1982, un arc-en-ciel circulaire se forma autour du soleil [18]. « Comme chaque pèlerin se trouvant alors à Rumtek, il nous fut donné de voir les arcs-en-ciel qui apparurent avant et après la mise à feu du bûcher, et en particulier celui qui, marquant le point culminant de la cérémonie, se forma autour du soleil [19]. » Des photographies ont pu en être prises et un film a même été tourné, *The Lion's Roar* [20].

Devant des milliers de témoins, le visage du Karmapa apparut à l'intérieur de l'arc-en-ciel circulaire, renouvelant le prodige répertorié dans les annales à propos du quatrième Karmapa. De la même façon que l'on dit que le visage du Saint Suaire était une « image faite non pas de main d'homme » (*acheiropeïtos*), ce visage du Karmapa est tout autant emprunt de mystère.

« Et Dieu dit : C'est ici le signe de l'alliance que j'établis entre moi et vous, et tous les êtres vivants qui sont avec vous, pour les générations à toujours : j'ai placé mon arc dans la nue, et il servira de signe d'alliance entre moi et la terre » (Gn 9, 12-14).

Tous ces phénomènes miraculeux dont la tradition tibétaine semble s'être fait une spécialité ne doivent pas cependant occulter le plus important. S'il est vrai que ces « prodiges » sont l'expression de la réalisation de ces maîtres, il n'en reste pas moins que chacun doit accomplir le chemin qui lui est propre. Le christianisme n'a rien à envier aux autres traditions. Il propose un parcours total et la Résurrection du Christ – ainsi que la beauté austère du visage du Suaire – est là pour nous le rappeler : elle représente l'apothéose de l'itinéraire spirituel.

Au cours des siècles, de nombreux êtres lumineux, fidèles à l'enseignement du Christ, ont pu témoigner de la validité de son enseignement. Les saints, les mystiques, les moines anonymes entièrement habités par la Présence divine sont les garants d'une tradition vivante. Ces êtres sanctifiés ou déifiés sont aussi des directeurs spirituels de tout premier ordre.

Ainsi qu'il apparaît au cours de cette étude, la force du christianisme réside dans la subtilité de l'enseignement du Christ mais à condition de l'étudier en partant du principe selon lequel la transformation intérieure est une réelle possibilité. Le Christ enseigne un chemin divin pour devenir réellement humain.

Cette recherche, se fondant en grande partie sur les travaux des spécialistes du Nouveau Testament, confirme non seulement l'actualité de l'enseignement spirituel transmis par le Christ mais aussi sa portée universelle.

Notes

Les citations des Évangiles sont le plus souvent extraites de la Bible de Jérusalem et de la traduction œcuménique de la Bible. La plupart des livres de référence sont en langue anglaise et ne sont pas disponibles en français.

I. RETROUVER L'ENSEIGNEMENT ORIGINEL

1. Ce qui était l'approche d'un livre précédent, *Métaphysique pour un passant*, La Table Ronde, 1982.

2. Ram Dass, *Miracle of Love. Stories about Neem Karoli Baba*, E. P. Dutton, 1979, pp. 218 et 354.

3. Gabrielle Stavolone, *La Reliaison. Une vie sous le regard de Kalou Rimpoché, Lama du Tibet*, Claire Lumière, 1989, p. 18.

4. En ce qui concerne l'étude des Évangiles, il faut mentionner Maurice Nicoll et Ravi Ravindra qui se situent dans la même ligne que Gurdjieff et dont l'apport nous est particulièrement précieux.

5. Praef. in quarto E., P.L., XXIX, 526-527.

6. Irénée, *Contre les hérésies*, V, 2.3.

7. Louis Rougier, *La Genèse des Dogmes chrétiens*, Albin Michel, 1972, p. 252.

8. Joseph A. Fitzmyer, « Did Jesus Speak Greek ? », *Biblical Archelogy Review*, 18, n° 5, 1992, pp. 58-63.

9. Joseph A. Fitzmyer, « The Contribution of Qumran Aramaic to the Study of the New Testament », *New Testament Studies*, 20, 1973-1974, pp. 382-497.

10. P. Perrier, *Karozoutha. De la Bonne Nouvelle en araméen et Évangiles gréco-latins*, Médiaspaul, 1986, p. 255.

11. Le recours à l'araméen permet d'expliquer les raisons de certaines variantes synoptiques : pour des textes très proches de la Peshitta, on arrive à des variantes importantes de traduction (ex. Mt 8, 28 et Lc 8, 27). Pour compliquer les choses, un même mot araméen peut avoir un sens et

son contraire. C'est le contexte qui permet d'en déterminer le sens. Par exemple *sh'al* signifie aussi bien « comprendre » qu'« ignorer » !

Un variante synoptique propre au grec peut renvoyer à un même mot à sens large comme le verbe araméen signifiant à la fois « retrouver » et « être capable » : « ... mais étroite est la porte et resserré le chemin qui mène à la Vie, et il en est peu qui le trouvent » (Mt 7, 14) et « Luttez pour entrer par la porte étroite, car beaucoup, je vous le dis, chercheront à entrer et ne pourront pas » (Lc 13, 24).

12. P. Perrier, *op.cit.*, p. 256.

13. Certains auteurs optent pour la langue d'origine hébraïque comme l'abbé Jean Carmignac, *La Naissance des Évangiles synoptiques*, François-Xavier de Guibert, 1995 ; Bernard Dubourg, *L'Invention de Jésus*, t. I, *L'Hébreu du Nouveau Testament* ; t. II, *La Fabrication du Nouveau Testament*, Gallimard, 1987 et 1989 ; Claude Tresmontant, *Le Christ hébreu*, Albin Michel, 1992 ; *Les Évangiles* (trad.), O.E.I.L., 1991 ; André Chouraqui, *Un Pacte neuf, Le Nouveau Testament*, (trad.), Brépols, 1984 ; Sœur Jeanne d'Arc, *Les Évangiles*, Desclée de Brouwer, 1992 (cette traduction tient compte du substrat araméen).

D'autres exégètes penchent plutôt pour l'araméen, comme Pierre Grelot, Geza Vermes, Joachim Jeremias, Joseph A. Fitzmyer (*A Wandering Aramean. Collected Aramaic Essays*, Scholars Press, 1979 ; *Essays on the Semitic Background of the New Testament*, Geoffroy Chapman, 1971).

Parmi les traductions modernes des Évangiles en fonction de l'araméen et du syriaque : Paul Joüon, *L'Évangile de Notre-Seigneur Jésus-Christ*, Verbum Salutis V, Beauchesne, 1930 ; Georges Gander, *L'Évangile de l'Eglise*, Études évangéliques, 1967-1970, Labor et Fides ; Charles Cutler Torrey, *The Four Gospels, A New Translation*, Harper & Brothers Publishers, 1933

14. J. Jeremias, *Les Paraboles de Jésus*, Seuil, 1984, p. 37.

• Pour une approche générale : Maurice Carrez, *Manuscrits et Langue de la Bible. Du papyrus aux bibles imprimées*, Société biblique française, 1991 ; Pierre Perrier, *Karozoutha. De la Bonne Nouvelle en araméen et Évangiles gréco-latins*, Mediapaul, 1986 ; John Wijngaan, *Découvrir l'Évangile sans se tromper*, Les Éditions logiques, 1993, pp. 101-152 ; James Barr, « Wich Language did Jesus Speak ? – Some Remarks of a Semitist », *Bulletin of the John Rylands Library*, vol. 53, 1970-1971, pp. 9-29 ; Barnabas Lindars, « The Language in wich Jesus Taught », *Theology*, vol. 86, 1982-1983, pp. 363-365 ; Matthew Black, « The Recovery of the Language of Jesus », *New Testament Studies*, vol. 3, 1956-1957, pp. 305-313.

• Études consultées pour le recours à l'araméen : Joachim Jeremias, *Théologie du Nouveau Testament*, 1ʳᵉ partie, La Prédication de Jésus (ch. I, Les fondements araméens des logia de Jésus dans les Évangiles synoptiques, les formes de langage préférées de Jésus, caractéristiques de « l'ipssima vox »), Cerf, 1980 ; Philippe Rolland, « L'arrière-fond sémitique des Évangiles synoptiques », ETL, 1984, pp. 358-362 ; T. W. Manson, *The Teaching of Jesus. Studies of its Form and Content,* Cambridge, University Press, 1955.

• Pour une étude plus spécifique de certaines paroles de Jésus : Joachim Jeremias, *Paroles de Jésus. Le message central du Nouveau Testament,* Cerf, « Foi vivante » 262, 1991 ; Pierre Grelot, « L'arrière-plan araméen du "Pater" », *Revue biblique,* t. 91, 1984, pp. 531-556 ; « La quatrième demande du "Pater" et son arrière-plan sémitique », *New Testament Studies,* 25, 1978-1979, p. 299-314 ; Charles Cutler Torrey, *Our Translated Gospels. Some of the evidence,* Harper & Brothers Publishers, 1936 ; George M. Lamsa, *Gospel Light. An Indispensable Guide to the Teachings of Jesus & the Customs of His Time,* Harper, 1964 ; *New Testament Light,* Harper, 1968 ; Neil Douglas-Klotz, *Prayers of the Cosmos. Meditations on the Aramaic Words of Jesus,* Harper Collins, 1990 ; *Desert Wisdom. Sacred Middle Eastern Writings from the Goddess Through the Sufis,* Harper, 1995 ; *The Hidden Gospel. Decoding the Spiritual Message of the aramaic Jesus,* Quest Books, 1999 ; Gustav Dalman, *The Words of Jesus, considered in the Light of post-biblical jewish Writings and the Aramaic Language,* T. & T. Clark, 1902 ; Matthew Black, *Aramaic Approch to the Gospels and Acts,* Oxford, Clarendon Press, 1954 ; C. F. Burney, *The Poetry of our Lord. An Examination of the Formals Elements of Hebrew Poetry in the Discourses of Jesus Christ,* Clarendon Press, 1925 ; *The Aramaic Origin of the Fourth Gospel,* Clarendon Press, 1922 ; Frank Zimmermann, *The Aramaic Origin of the Four Gospel,* Ktav Publishing, 1979 ; G. R. Selby, *Jesus, Aramaic & Greek,* The Brynmill Press, 1989 ; Millars Burrows, « Principles for testing the translation hypothesis in the Gospels », *Journal of Biblical Literature,* Iiii, 1934, pp. 13-30 ; John P. Meier, *A Marginal Jew : Rethinking the Historical Jesus,* Doubleday, 1991, pp. 252-315.

• Bruce M. Metzger a répertorié une cinquantaine d'articles sur l'arrière-plan sémitique des Évangiles et en particulier concernant l'origine araméenne dans « Index to periodical literature on Christ and the Gospels », *New Testament Studies,* vol. VI, éd. E. J. Brill, 1966.

15. P. D. Ouspensky, *Fragments d'un enseignement inconnu,* Stock, 1974, p. 147.

16. Parmi les innombrables publications sur les manuscrits de la mer Morte, on peut consulter dans l'optique d'une comparaison avec le Nouveau Testament : *L'Aventure des manuscrits de la mer Morte,* sous la direction de Hershel Shanks, Seuil, 1996 ; *Qoumrân et les Manuscrits de la mer Morte. Un cinquantenaire,* collectif sous la direction de E.-M. Laperrousaz, Cerf, 1997 ; André Dupont-Sommer, *Les Écrits esséniens découverts près de la mer Morte,* Payot, 1980 ; Duncan Howlett, *Les Esséniens et le Christianisme,* Payot, 1958 ; *Les Manuscrits de la mer Morte. Aux origines du christianisme,* Les Dossiers de l'Archéologie, n° 189, janv. 1994 ; Jean Daniélou, *Les Manus-*

431

crits de la mer Morte et les Origines du christianisme, éd. de l'Orante, Livre de Vie 121, 1974 ; Joseph A. Fitzmyer, *Responses to 101 Questions on the Dead Sea Scrolls*, Paulist Press, 1992 ; *The Scrolls and The New Testament*, edited by Krister Stendhal, Crossroad, 1992 ; Edward M. Cook, *Solving the Mysteries of the Dead Sea Scrolls. New Light on the Bible*, Zondervaan Publishing House, 1994 ; Otto Betz & Rainer Riesner, *Jesus, Qumran and the Vatican, Clarifications*, Crossroad, 1994 ; *Jesus and the Dead Sea Scrolls*, edited by James H. Charlesworth, Doubleday, 1992 ; William Sanford LaSor, *The Dead Sea Scrolls and the New Testament*, ed. William B. Eerdmans Publishing Company, 1972 ; James C. Vanderkam, *The Dead Sea Scrolls Today*, SPCK, 1994 ; James H. Charlesworth, *Jesus within Judaism*, chap. 3 : « Jesus and the Dead Sea Scrolls », The Jewish Publication Society, 1994 ; Lawrence M. Schiffman, *Reclaiming the Dead Sea Scrolls*, The Jewish Publication Society, 1994 (avec une importante bibliographie pp. 471-511).

17. Voir par exemple Ben Witherington, *The Jesus Quest. The Third Search for the Jew of Nazareth*, Intervarsity, 1995 ; ouvrage dans lequel l'auteur passe en revue la façon dont Jésus est vu par certains spécialistes.

18. H. Zahrnt, *Jésus de Nazareth. Une vie*, Seuil, 1996, p. 127.

19. *The Five Gospels, New Translation and Commentary* by Robert W. Funk, Roy W. Hoover and the Jesus Seminar, Polebridge Press, 1993. Pour une étude critique, Luke Timothy Johnson, *The Real Jesus. The Misguided Quest fot the Historical Jesus and the Truth of the Traditional Gospels*, Harper Collins, 1996.

20. J. Scot, *Super Hierarchiam caelestem*, 2, Migne P.L., t. CXXII, 147 AB. Cité par Jean Borella dans *Le Mystère du signe*, Maisonneuve & Larose, 1989, p. 50.

21. J. Biès, *Lettre recommandée aux professeurs malades de l'enseignement*, éd. du Rocher, 1994, pp. 188-189 et 191.

22. *Ibid.*, p. 189.

23. A. Watts, *Myth and Ritual in Chritianity*, Thames & Hudson, 1983, p. 2.

24. J. Borella, *op. cit.*, p. 25.

25. Il faut bien dire aussi que, parfois, les glissements de sens sont tellement aisés que l'enseignement originel en devient méconnaissable, ne fournissant plus aucune indication d'ordre intérieur. Une fois les directives ramenées à un plan horizontal, elles sont à tel point dénaturées qu'on les a vidées de toute substance et rendues totalement inefficaces. Elles sont par exemple comprises dans leur sens littéral ou interprétées en fonction d'éléments qui relèvent plus du domaine psychique que du domaine spirituel. Dans un style très particulier et un langage qui ne mâche pas ses mots, Gurdjieff fait dire à l'un de ses personnages que l'on peut trouver des exemples frappants « de la manière dont les descendants des contemporains de ces Individuums sacrés dénaturent complètement, dès la première

génération, le sens des conseils et indications que leur laissent les authentiques Individuums sacrés intentionnellement réalisés d'En-Haut parmi eux et dont ils ramassent çà et là des bribes pour les réunir en un seul tout. Et du fait de l'étrange propriété de leur psychisme que l'on nomme "chercher midi à quatorze heures", l'altération qu'ils leur font subir est telle que de tous leurs soi-disant enseignements religieux il ne subsiste plus, chez les êtres des générations suivantes, que des informations tout juste bonnes à servir de thèmes pour des "contes de nourrice". [...] Il est intéressant de remarquer que parmi toutes les informations réunies "de bric et de broc" dont tes favoris nomment "les Saintes Écritures", bon nombre contiennent des paroles authentiques et même des phrases entières prononcées au cours de la Sainte Cène, tant par le Divin Maître que par ses invités les plus proches, nommés, dans ces Écritures, "disciples" ou "apôtres". Mais les êtres terrestres actuels comprennent ces paroles et ces phrases comme ils comprennent toutes choses, c'est-à-dire littéralement, sans avoir conscience du sens intérieur qui leur fut donné » (G. I. Gurdjieff, *Récits de Belzébuth à son petit-fils*, éd. du Rocher, 1983, p. 207 et p. 210).

26. Cf. *The Religion of Jesus the Jew*, Fortress Press, 1993, p. 36.

27. Il est très improbable de pénétrer le sens réel des textes sacrés sans s'être engagé soi-même dans une voie de purification spirituelle puisque, même dans ce cas, il s'agit de l'œuvre de toute une vie. De plus, « savoir » une interprétation ne veut pas dire la comprendre, c'est-à-dire l'inclure en soi, l'intégrer jusque dans les fibres de l'être. Lorsque P. D. Ouspensky publia son ouvrage magistral intitulé *Tertium Organum*, Gurdjieff lui dit : « Si vous comprenez tout ce que vous avez écrit dans votre livre, je vous tirerai mon chapeau. » La tâche est donc ardue même pour celui qui entreprend une démarche de connaissance de soi. Mais, de son côté, le guide ne se lasse pas d'essayer d'accompagner le disciple jusqu'à un niveau de compréhension supérieur, même s'il se heurte sans cesse aux résistances et aux limites de son entendement. Maître Eckhart termine ainsi son *Benedictus Deus* ou *Livre de la Consolation divine* en notant que « bien des esprits grossiers diront que beaucoup de paroles que j'ai écrites dans ce livre et ailleurs ne sont pas vraies [...]. Il me suffit que ce que je dis et écris soit vrai en moi-même et en Dieu. Celui qui voit un bâton enfoncé dans l'eau pense que le bâton est brisé alors qu'il est tout droit. La raison en est que l'eau est plus grossière que l'air, pourtant le bâton est droit et non brisé, en lui-même aussi bien qu'aux yeux de celui qui le voit seulement dans la pureté de l'air. [...] Un maître païen, Sénèque, dit que l'on doit parler des choses grandes et sublimes avec des pensées grandes et sublimes et une âme élevée. On dira aussi que l'on ne doit pas énoncer et écrire de telles doctrines pour les ignorants ; je réponds que, si l'on n'instruit pas les ignorants, personne ne sera jamais instruit, personne ne pourra enseigner ni écrire. Car on instruit

les ignorants pour que, d'ignorants qu'ils étaient, ils deviennent des gens instruits. [...] "Ce ne sont pas les bien-portants qui ont besoin de remèdes", dit Notre-Seigneur. Le médecin est là pour guérir les malades. Mais si quelqu'un comprend mal ces paroles, qu'y peut celui qui exprime justement ces paroles qui sont justes ? Saint Jean [...] commence l'Évangile par les choses les plus sublimes qu'un homme puisse dire de Dieu ici-bas ; c'est pourquoi aussi ses paroles, de même que celles de Notre-Seigneur, ont été souvent mal comprises » (*Les Traités*, trad. et introd. de Jeanne Ancelet-Hustache, Seuil, 1971, p. 136 et p. 137).

28. *Centuries*, IV, 90.

29. A. Desjardins, *En relisant les Évangiles*, La Table Ronde, 1990, p. 84. On peut également consulter Lanza del Vasto, *Commentaire de l'Évangile*, Denoël, 1951, p. 271 ; *L'Évangile de Jean*, traduit et commenté par Jean-Yves Leloup, Albin Michel, 1989, p. 265 ; Rav Ravindra, *Le Yoga du Christ*, La Table Ronde, 1990, p. 78 ; Francis Ducluzeau, *L'Initiateur, une lecture initiatique de l'Évangile de Jean*, éd. du Rocher, 1994, p. 171.

30. H. Le Saux, *Éveil à soi, éveil à Dieu*, O.E.I.L., 1986, p. 55.

II. LE MALIN VIENT ET S'EMPARE

1. J. Needleman, *À la recherche du christianisme perdu*, trad. par G. Farcet et J.-P. Denis, Albin Michel, 1990, p. 169.

2. Irénée, *Contre les hérésies*, IV, 39, 2.

3. Lettre CLXXXV, *Œuvres complètes de saint Augustin*. Trad. Péronne *et al.*, Vivès, 1869-1878, t.V. Cité par Jean-Luc Solère, *Le Droit à l'erreur : Contrainte extérieure et obligation de conscience dans la pensée chrétienne*, dans *De la Conversion*, Cerf, 1997, p. 141.

4. Cité par Henri Guillemin dans *Malheureuse Église*, Seuil, 1992, p. 155.

5. Au IVᵉ siècle par exemple, Jean Chrysostome, dans ses *Huit sermons sur les juifs*, tient contre eux des propos d'une violence extrême.

6. Cf. Paul Johnson, *A History of Christianity*, Penguin Book, 1976, et Roland H. Bainton, *The History of Christianity*, Thomas Nelson & Sons Ltd, 1967 ; *Christendom*, Harper & Row, 1966. Placide Gaboury en retient certains faits qu'il mentionne dans *Une Religion sans Mur. Vers une spiritualité ouverte*, éd. Minos, 1984, et *Un torrent de silence*, éd. de Mortagne, 1985.

7. A. Chouraqui, *Un Pacte neuf*, Desclée de Brouwer, 1977, p. 15.

8. Cf. A. Desjardins, *Monde moderne et Sagesse ancienne*, La Table Ronde, 1973, pp. 127-129.

9. Cité par Christopher Cerf et Victor Navasky dans *The Experts Speak*, Pantheon Books, 1984, p. 6.

10. En fait, le Dalaï-Lama semble être sûr de lui dans la mesure où plus les recherches progressent, en particulier en physique, plus les savants

abordent des notions qui étaient mentionnées dans les textes bouddhiques anciens. Ceux-ci affirment que chaque atome, appelé *kalapa*, peut être brisé en d'autres unités plus petites et le mot *asti-kalapa* a été forgé pour désigner les particules subatomiques. Ils précisent même que des milliards de transformations, dans ces particules subatomiques, peuvent survenir en un clignement d'œil. De la même façon, le célèbre mystique soufi du XIIIᵉ siècle, Djalâl al-Dîn Rûmî, déclarait : « L'atome ouvre la bouche et le monde tombe en poussière. »

Non seulement la croyance ou le dogme ne peuvent soumettre la vérité scientifique pour la ramener à leur propre point de vue, mais il arrive même au contraire que la connaissance mystique inspire le savant dans son propre domaine de recherche scientifique. Le professeur Abdou Salam confie ainsi qu'il a reçu le prix Nobel de physique en 1982 grâce à Rûmî : « Rûmî dit que tous les atomes dansent comme un seul soleil, ou que tous les atomes sont l'expression d'un même soleil. Et je me suis dit, si un homme de connaissance tel que Rûmî a dit cela, c'est qu'il doit y avoir derrière une vérité fondamentale. Cette vérité fondamentale concerne-t-elle les quatre forces originelles ? – c'est-à-dire les forces de gravitation, d'électromagnétisme, au niveau cosmique, et les deux forces, fortes et faibles, au niveau nucléaire. Ces forces seraient-elles une seule et même énergie à l'origine du big-bang ? La question m'a permis d'élaborer une théorie, de la vérifier et d'avoir le prix Nobel. »

Dans le même ordre d'idée, Newton était lui aussi familier avec l'apport d'une tradition ancienne puisqu'il était non seulement physicien mais aussi grand spécialiste de la Kabbale qu'il étudia pendant vingt ans, écrivant en tête de chacune de ses investigations – comme on peut le vérifier à la *Royal Academy of Science* à Londres : « Ceci n'est qu'une infime part des Ordonnances du Cosmos telles que j'ai pu les calculer à partir des structures fondamentales que révèle la Thora » (cité par Christiane Singer dans une conférence prononcée à l'université de Cordoue, mai 1986).

11. S. Weil, *Attente de Dieu*, Fayard, 1966, p. 46.

12. Cf. Henri Le Saux, *La Montée au fond du cœur. Le Journal intime du moine chrétien – sannyasi hindou, 1948-1973* : « Le mystère de Jésus, c'est le mystère du Soi, la présence de Jésus, c'est la présence du Soi, c'est la présence à Soi. Au-delà de l'imitation, la communion.

13. Cité par Jean Daniélou, *L'Introduction aux grandes religions*, chap. 9 : « La transcendance du christianisme », Notre-Dame, 1964.

14. Jean-Paul II, *Entrez dans l'espérance*, Plon-Mame, 1994, p. 81.

15. Thich Nhat Hanh, *Boudha vivant, Christ vivant*, JC Lattès, 1996, pp. 178-179.

16. On pourrait mentionner à titre d'illustration ce texte d'un moine anonyme qui, bien que reconnaissant que « depuis que Dom Massin de

Saint-Wandrille m'a initié au bouddhisme, j'ai de la sympathie pour le Bouddha ; mais Dom Le Saux m'a fait découvrir les Upanishads, Shankara et Massignon : la passion d'Al Hallaj [...] », ajoute plus loin : « Il est vrai qu'aucune autre sagesse n'avait jusque-là révélé à ce niveau les profondeurs de notre monde intérieur, aucune religion n'avait découvert à ce point les richesses de cet "univers non dimensionnel". Les anciens avaient fait quelques explorations dans cet univers. Par exemple, Marc-Aurèle : "Creuse à l'intérieur. C'est à l'intérieur qu'est la source de tout bien et elle peut jaillir sans cesse, si tu y creuses toujours" (*Pensées*, 7, 59). Mais c'est le Christ qui a créé la voie d'accès véritable à ces continents infinis » (un moine bénédictin, *Vers l'expérience intérieure. Le désir de Dieu*, Desclée de Brouwer, 1979, pp. 13 et 113).

17. Cité par M.-M. Davy dans *Henri Le Saux, Swâmi Abhishiktananda, le passeur entre deux rives*, Cerf, 1981, p. 97.

18. H. Le Saux, *Journal*, 4 décembre 1956.

19. Cité par Matthew Fox, *Le Christ cosmique*, Albin Michel, 1995, p. 186.

20. G.I. Gurdjieff, *Récits de Belzébuth à son petit-fils*, éd. du Rocher, 1983, p. 207.

21. R. Gutzwiller, *Le Royaume de Dieu est semblable...*, éd. Salvator, 1965, p. 109.

22. Tchouang-tseu, *Œuvre complète*, trad. Liou Kia-hway, chap. 22, Gallimard, 1969, p. 179.

23. F. Varillon, *Joie de croire, joie de vivre*, Centurion, 1981, p. 163.

24. Le salut, en latin, *salus*, signifie « santé » et, par extension, « sauvegarde ». En allemand : le salut, *Heil*, et guérir, *heilt.*

25. X. Léon-Dufour, *Dictionnaire du Nouveau Testament*, Seuil, 1975, p. 486.

26. Origène, *Homélies sur les Nombres*, XXIV, 2.

27. Cf. *Matthew*, trad. et notes W. F. Albright et C. S. Mann, *The Anchor Bible*, Doubleday, 1971, p. 279.

28. *La Didaché*, Études bibliques, Gabalda, 1958.

29. F.F. Bruce, *The Hard Sayings of Jesus*, Hodder & Stoughton, 1983, p. 223.

30. Marcus J. Borg, *Un nouveau regard sur Jésus*, éd. La Pierre d'Angle, 1996, p. 215.

31. M. Hulin, *La Mystique sauvage*, PUF, 1993, p. 260.

32. *Sin-sin-ming*, revue Hermès, vol. VII, Les Deux Océans, 1985, p. 205.

33. X. Léon-Dufour, *op. cit.*, p. 416.

34. P. Benoit et M.-E. Boismard, *Synopse des Quatre Évangiles en français*, t. II, Cerf, 1972, p. 318.

35. George L. Lamsa, *New Testament Light*, Harper & Row, 1988, p. 8.

36. N.Douglas-Klotz, *Desert Wisdom*, Harper Collins, 1995, pp. 38, 75 et 257.

37. N. Douglas-Klotz, *The Hidden Gospel. Decoding the Spiritual Message of the Aramaic Jesus*, Quest Books, 1999, p. 131-132.

38. Je dois cette remarque à A. Desjardins se référant à la psychanalyste juive Eliane Amado Lévy-Valensi.

39. Origène, *op. cit.*, pp. 71-72.

40. N. Douglas-Klotz, *op. cit.*, p. 129.

41. On pourra consulter avec profit ses deux ouvrages, *Les Dix Commandements* et *Les Béatitudes*, Éditions du Relié, 1995, 1996.

42. M. Borg, *Un Nouveau regard sur Jésus*, p. 151.

43. André Vergez et Denis Huisman rappellent dans leur *Histoire des philosophes illustrée par les textes* (Fernand Nathan, 1996, pp. 313-314) à quel point Nietzsche a été un philosophe trahi – volontairement ou non. On en a fait le précurseur du pangermanisme ou du racisme antisémite alors qu'une lecture attentive de son œuvre témoigne sans équivoque du contraire. Nietzsche est d'ascendance polonaise et critique même de manière caricaturale les Allemands. Il dira au sujet de Schopenhauer : « Il ne fut allemand que par accident comme je le suis moi-même. »

Il considérera qu'ils ont « extirpé l'esprit au bénéfice de l'Empire » et « mis à la place de la culture la folie politique et nationale ». Il se séparera de son ami Wagner à cause du nationalisme et de l'antisémitisme des milieux wagnériens et écrit dans *Nietzsche contre Wagner* : « Wagner condescend à tout ce que je méprise, même à l'antisémitisme. » Il note dans *Humain trop Humain* : « Les Juifs, un peuple à qui l'on doit l'homme le plus digne d'amour, Jésus, le sage le plus intègre, Spinoza. » Dans une lettre à sa sœur, qui avait épousé un agitateur antisémite, il écrit : « [...] c'est pour moi une question d'honneur que d'observer envers l'antisémitisme une attitude absolument nette et sans équivoque, savoir, celle de l'opposition, comme je le fais dans mes écrits » (26 décembre 1887). Il se désole aussi de voir ce que l'on fait dire à son *Zarathoustra*, à commencer par son propre éditeur !

44. Cal Samra, *The Joyful Christ*, Harper & Row, 1986, p. 67.

III. S'ENGAGER SUR LA VOIE

1. N. Douglas-Klotz, *The Hidden Gospel. Decoding the Spiritual Message of the Aramaic Jesus*, p. 85.

2. A. Desjardins, *En relisant les Évangiles*, La Table Ronde, 1990, p. 72.

3. Cité par E. P. Sanders dans *Jesus and Judaism*, Fortress Press, 1985, p. 110.

4. D. Bohnoeffer, *The Cost of Discipleship*, Touchestone, 1995, p. 11.

5. *Ibid.*, p. 45.

6. C.-H. Dodd, *Les Paraboles du Royaume de Dieu*, Seuil, 1977, pp. 167-168.

7. E. Linnemann, *Jesus and the Parables*, Harper & Row, 1966, p. 43.

8. *Les Paraboles du Royaume de Dieu*, p. 100.

9. Alphonse Maillot, *Les Paraboles de Jésus aujourd'hui*, Labor et Fides, 1973, p. 129.

10. Cf. *Synopse des quatre Évangiles en français*, t. II, p. 294.

11. C.-H. Dodd, *op. cit.*, p. 99.

12. S. Mitchell, *The Gospel according to Jesus*, Harper Colins, 1991, p. 222.

13. E. Drewermann, *Quand le Ciel touche la Terre*, Stock, 1994, pp. 201 et 202.

14. P. Joüon, *L'Évangile de Notre-Seigneur Jésus-Christ*, Beauchesne, 1930, p. 112, note 3.

15. P.G. 213, D.

16. *Évangile selon Thomas*, Présentation, traduction et commentaire de Émile Gillabert, Pierre Bourgeois, Yves Haas, Metanoïa, 1979, p. 69.

17. M. Hulin, *Le Principe de l'ego dans la pensée indienne classique. La notion d'Ahamkara*, éd. Collège de France, 1978, p. 138.

18. Origène, *Sur la Pâque*. Traité inédit publié d'après un papyrus de Toura par O. Guéraud et P. Nautin, coll. « Christianisme antique » 2, Beauchesne, 1979, p. 108. Cité par M.-M. Davy dans *Henri Le Saux, Swâmi Abhishiktananda. Le Passeur entre deux rives*, Cerf, 1981, pp. 72-73.

19. J. Jeremias, *Les Paraboles de Jésus*, Seuil, 1984, pp. 61-62.

20. Ce thème essentiel est remarquablement développé dans un petit livre qui était le manuel ascétique du curé d'Ars : *La Divine Providence*, par le père Saint-Jure, éd. Saint-Paul, 1978.

21. Le grec *oligopistoï* traduit l'hébreu *quétanéi èmouna*, « petits dans la foi ». *Un Pacte neuf*, Brepols, 1984, p. 30, note 30.

22. Origène, *De oratione*, P.G. 11, 489-549.

23. Cf. Maurice Nicoll, *The Mark*, Vincent Stuart, 1954, p. 144.

24. T. Merton, *Réflexions d'un spectateur coupable*. Cité par P. Gaboury dans *Un Torrent de silence*, éd. de Mortagne, 1985, p. 235.

25. *Synopse des quatre Évangiles en français*, t. II, p. 295.

26. Voir E. Linnemann, *op. cit.*, p. 73, note 1.

27. J. Jeremias, *op. cit.* , p. 185.

28. Maître Eckhart, *Les Traités*, trad. Jeanne Ancelet-Hustache, Seuil, 1971, p. 144.

29. Frank Zimmermann, *The Aramaic Origin of the Four Gospels*, Ktav Publishing House, 1979, p. 117.

30. X. Léon-Dufour, *Dictionnaire du Nouveau Testament*, Seuil, 1975, p. 466.

1. Dans son *Commentaire sur l'Épître aux Romains*, 7, 1.

2. A. Watts, *Être Dieu*, Denoël-Gonthier, 1977, p. 111.

3. P. D. Ouspensky, *Un Nouveau Modèle de l'Univers*, Stock, 1996, pp. 213 et 215.

4. Et au-delà de la lecture des textes, il s'agit toujours, bien évidemment, d'une expérience directe que saint Jean de la Croix évoque en ces termes : « Ce qui est dans le Christ est inépuisable. C'est comme une mine abondante remplie d'une infinité de filons avec des richesses sans nombre ; on a beau y puiser, on n'en voit jamais le terme ; bien plus, chaque repli renferme ici et là de nouveaux filons à richesses nouvelles... » (*Œuvres spirituelles de saint Jean de la Croix*, trad. P. Grégoire de Saint-Joseph, Seuil, 1947, p. 880, cité par Leonardo Boff dans *Jésus-Christ libérateur*, Cerf, 1985).

5. Éditions du Relié, 1995.

6. C. Trungpa, *Pratique de la Voie tibétaine. Au-delà du matéralisme spirituel*, Seuil, 1976, p. 24.

7. Pour être encore plus précis, il faudrait parler du sens de l'ego et non de l'ego afin de ne pas lui accorder de réalité propre. Le sens de l'ego correspondant plutôt à la croyance illusoire en l'existence d'un moi séparé.

8. D'autres traductions proposent le verbe « attendre ». Ce thème ouvre une perspective immense sur la question générale de l'illégitimité de toute forme d'attente. André Comte-Sponville parle à ce sujet de « des-espoir » (cf. *Traité du désespoir et de la béatitude*, PUF, vol. I, *Le Myhte d'Icare*, 1984 ; vol. II, *Vivre*, 1988). Après avoir cité cette phrase de A. Comte-Sponville : « Espérer, c'est désirer sans jouir, sans savoir, sans pouvoir », Luc Ferry ajoute ce commentaire : « Sans jouir, puisque l'on n'espère jamais que ce que l'on n'a pas ; sans savoir, puisque l'espérance implique toujours une certaine dose d'ignorance quant à la réalisation des fins visées ; sans pouvoir, étant donné que nul ne saurait espérer ce dont la réalisation lui appartient pleinement. Non seulement l'espoir nous installe dans une tension négative, mais, en outre, il nous fait manquer le présent : préoccupés d'un avenir meilleur, nous en oublions que la seule vie qui vaille d'être vécue, la seule qui, tout simplement, soit est celle qui se déroule sous nos yeux, ici et maintenant » (*Le Point*, mars 1997). Voir aussi Swâmi Pranânpad-Sumangal Prakash, *L'Expérience de l'Unité*, L'Originel, 1986.

9. J. Jeremias, *Les Paraboles de Jésus*, note 39, p. 262.

10. Trad. A. Chouraqui, PUF, 1970, pp. 131-132.

11. C.-H. Dodd, *Le Fondateur du christianisme*, Seuil, 1972, p. 83.

12. Sœur Jeanne d'Arc, *Les Évangiles*, Desclée de Brouwer, 1992, p. 37, note 18a.

13. De même en Mt 7, 12 et en 22, 40.

14. T.W. Manson, *The Sayings of Jesus*, University Press, 1949, p. 135.

15. Marie Vidal, *Un Juif nommé Jésus. Une lecture de l'Évangile à la lumière de la Torah*, Albin Michel, 1996, p. 112.

16. *Synopse des quatre Évangiles*, p. 139.

17. E.P. Sanders, *Jesus and Judaism*, Fortress Press, 1985.

18. Actes 1, 12 : « Alors, du mont des Oliviers, ils s'en retournèrent à Jérusalem ; la distance n'est pas grande : celle d'un chemin de sabbat. » Il faut dire que l'interdiction de sortir avait été respectée scrupuleusement par les partisans de Matthias, père des Maccabées, qui refusèrent aussi de se défendre contre l'assaut des hommes du roi et furent tous massacrés. Cf. André-Marie Girard, *Dictionnaire de la Bible*, Robert Laffont, 1989, pp. 1212-1213.

19. D. Flusser, *Jésus*, Seuil, 1970, p. 93.

20. *Document de Damas*, 8, 12.

21. Geza Vermes, *The Religion of Jesus the Jew*, Fortress Press, 1993, p. 24.

22. C. F. Burney, *The Poetry of Our Lord. An Examination of the Formal Elements of Hebrew Poetry in the Discourses of Jesus Christ*, Clarendon Press, 1925.

23. Mt 6, 24 ; 12, 33 ; Mc 2, 27 ; Lc 6, 43 ; 6, 45 ; 11, 34 ; 16, 13 ; Jn 3, 14 ; 3, 18-19 et 34 ; 4, 22. C.F. Burney, *op. cit.*, p. 97-99.

24. *Synopse des quatre Évangiles*, p. 137.

25. David Daube, *The New Testament and Rabbinic Judaism*, Athlone Press, 1956, p. 60 et sv.

26. Gustav Dalman, *Jesus-Joshua. Studies in the Gospels*, Ktav Publishing House, 1971, p. 57-58.

27. X. Léon-Dufour, *Dictionnaire du Nouveau Testament*, p. 193.

28. Cité par J. Needleman dans *À la recherche du christianisme perdu*, Albin Michel, 1990, p. 132.

29. George M. Lamsa, *Gospel Light. An Indispensable Guide to the Teachings of Jesus and the Customs of His Time*, Harper, 1964, p. 30.

30. Cité par Gustav Dalman dans *Jesus-Joshua*, p. 81.

31. X. Léon-Dufour, *op. cit.*, p. 327.

32. N. Douglas-Klotz, *Desert Wisdom*, Harper, 1995, p. 74.

33. Les spécialistes ont tendance à considérer qu'il s'agit d'ajouts chez Matthieu si l'on compare par exemple Matthieu 5, 6 et Luc 6, 21 ou Matthieu 6, 33 et Luc 12, 31.

34. « Joie du saint, faire justice », Proverbes, XXI, 15.

35. A. Desjardins. Entretiens avec Gilles Farcet, *Regards sages sur un monde fou*, La Table Ronde, 1997, p. 59.

36. *Synopse des quatre Évangiles*, p. 130.

37. *Le Cantique des cantiques*, suivi des *Psaumes*, traduits et présentés par A. Chouraqui, PUF, 1970, p. 292.

38. C'est d'ailleurs ce que note Xavier Léon-Dufour dans son *Dictionnaire du Nouveau Testament*, p. 229.

39. A. Desjardins, *À la recherche du Soi*, La Table Ronde, 1977, p. 300.

40. T. Merton, *The Behavior of Titans*, cité par Placide Gaboury dans *Un Torrent de silence*, p. 235.

41. J. Jeremias, *Les Paraboles de Jésus*, p. 273, note 7.

42. Georges Gander, *L'Évangile de l'Église. Commentaire de l'Évangile selon Matthieu*, Études évangéliques, 1966-1970, p. 295.

43. On considère que l'amour est ce sentiment qui, par rapport à autrui, veut le rendre heureux alors que la compassion cherche plutôt à lui supprimer les causes de souffrance. Ces deux sentiments sont proches l'un de l'autre et difficilement séparables. Le Dalaï-Lama a pu déclarer par exemple : « Le vrai amour, la vraie compassion, ne s'appuie pas sur le comportement d'une personne mais sur sa souffrance, sur sa nature souffrante. Quand on reconnaît sa nature souffrante, alors, quel que soit son comportement, la compassion ne changera pas. » Cela est magistralement illustré par cette parole de Jésus, reflet d'une compassion illimitée : « Père, pardonne-leur : ils ne savent ce qu'ils font » (Lc 23, 33).

44. L. Boff, *Jésus-Christ libérateur*, Cerf, 1985, p. 90.

45. G. Vermes, *The Religion of Jesus the Jew*, Fortress Press, 1993, pp. 40-41.

V. SE QUALIFIER EN TANT QUE DISCIPLE

1. Lao-tseu, *Tao te king*, trad. Claude Larre, Desclée de Brouwer-Bellarmin, coll. « Christus » n° 45, 1977, p. 9.

2. Louis Renou et Jean Filliozat, *L'Inde classique*, t. 2, Payot, 1947, p. 1445.

3. Neil Douglas-Klotz, *Desert Wisdom*, p. 240.

4. Tome II, p. 170.

5. « Le yoga essentiel de Jésus – et c'est le seul yoga proprement chrétien – est de mettre le prochain avant soi dans sa pensée, son désir, son action » ou encore « le yoga de Jésus est *koinônia* (communion) comme il est amour, comme il est Présence. Il est *koinônia* justement parce qu'il est présence d'amour, expansion. Le yoga de Jésus est essentiellement pratique comme celui du Bouddha, quoique de façon bien différente » (H. Le Saux, *Intériorité et Révélation*, éd. Présence, 1982, p. 288 et 290).

6. R. Ravindra, *Le Yoga du Christ*, La Table Ronde, 1991, p. 47.

7. *Bhagavad Gîtâ*, 18, 66.

8. Saint Augustin écrit : « Ce qu'on appelle aujourd'hui la religion chrétienne existait chez les Anciens et n'a jamais cessé d'exister depuis l'origine du genre humain, jusqu'à ce que, le Christ lui-même étant venu, l'on a commencé d'appeler chrétienne la vraie religion qui existait déjà auparavant » (*Retract.* I, XIII, 3).

9. M. Borg, *Un nouveau regard sur Jésus*, éd. La Pierre d'Angle, 1996, p. 131.

10. X. Léon-Dufour, *Dictionnaire du Nouveau Testament*, p. 83.

11. *Katha Upanishad*, Adrien Maisonneuve, 1943, p. 14.

12. *Brihadâranyaka Upanishad*, 4.4.8.

13. X. Léon-Dufour, *op. cit.*, p. 210.

14. Alphonse Goettmann, *Graf Dürckheim, Dialogue sur le Chemin initia-tique*, Cerf, 1979, p. 43.

15. Il est intéressant de noter que pour l'un des Douze, Simon le Cananéen, ce dernier terme ne veut pas dire qu'il était originaire de Canaan comme on pourrait le penser mais signifie « zélé ».

16. *Revue biblique*, 1990, vol. 97.4, p. 481.

17. M. Vidal, *Un Juif nommé Jésus*, Albin Michel, 1996, p. 205.

18. *Ibid.*, p. 285. Cf. Lc 8, 24 ; Mc 4, 39 ; Jn 6, 18 ; 2 P 1, 13 et 3, 1.

19. Lanza del Vasto, *Commentaire de l'Évangile*, Denoël-Gonthier, 1951, p. 260.

20. Platon, *Le Sophiste*, 229, b-c.

21. Aux versets 10, 14, 17, 21, 26, 30 et 32.

22. Jean-Yves Leloup, *L'Évangile de Jean*, Albin Michel, 1989, p. 291.

23. *Ibid.*, pp. 291-293.

24. *Kena Upanishad*, 4, 4.

25. R. Ravindra, *op. cit.*, p. 158.

26. Cité par Jean-Yves Leloup dans *L'Évangile selon Thomas*, Albin Michel, 1996, p. 83.

27. Christ de l'église de Mauriac, Cantal ; Christ assis sur le trône, art byzantin du VIᵉ siècle ; Christ en Majesté, basilique Saint-Sernin, Toulouse ; Christ en Majesté, Trêves, Xᵉ siècle.

28. Raymond E. Brown, *The Gospel according to John I-XII*, The Anchor Bible, Doubleday, 1966, p. 323.

29. La TOB le signale seulement en note *h*, p. 60 et sœur Jeanne d'Arc en note 22b, p. 46.

30. G. Gander, *L'Évangile de l'Église*, vol. I, p. 35.

31. Il y a dans la tradition soufie une histoire significative qui montre la difficulté d'échapper à la fausse vision ou à l'illuson de la dualité : Un père dit à son fils qui voyait double : « Mon fils, là où il y a une chose, tu en vois deux. – Mais comment cela ? répliqua le garçon, si c'était vrai, alors je verrais *quatre* lunes, là-haut, au lieu de deux » (Hakim Sanai de Ghazna).

32. Glossaire de la *Mândûkyôpanishad*, Adyar, 1952, p. 422.

33. G. Gander, *op. cit.*, p. 36 : aram. *scheraghâ* ou syr. *scheroghâ*, litt. « lumière, lampe ».

34. *Sanhédrin*, 36a.

35. *Bava Mesia*, 49a.

36. Respectivement dans *Maître, où demeurez-vous ? Lecture de l'Évangile selon saint Jean*, Henri Labat, 1985, p. 87 et dans *À la Recherche du Soi. Adhyatma Yoga*, La Table Ronde, 1977, p. 132.

37. En araméen : *Ela patzan min bisha* ; *bisha* étant « l'erreur », ce qui est inapproprié. Cf. N. Douglas-Klotz, *Prayers of the Cosmos. Meditations on the Aramaic Words of Jesus*, Harper Collins, 1990, pp. 34-35.

38. Il est artificiel de faire une distinction entre spiritualité authentique et philosophie au sens étymologique d'« amour de la sagesse » dans la mesure où il s'agit toujours d'accéder au Divin ou à la Réalité par la purification et la compréhension. La vigilance joue dans les deux cas un rôle prépondérant et l'on peut à ce sujet consulter avec profit le livre de Pierre Hadot, *Exercices spirituels et Philosophie antique*, Études augustiniennes, 1987.

39. Swâmi Prajnânpad, *L'Art de voir. Lettres à ses disciples*, t. I, L'Originel, 1988, p. 177.

40. Cité par Jacques Duquesne dans *Jésus*, DDB-Flammarion, 1994, p. 34.

41. Justin, *Dialogue avec Tryphon*, LXXXVIII, 8. Cité par J. Duquesne, *ibid.* p. 35.

42. La Fontaine, « La Besace », *Fables*, I, 7.

43. Selon la définition du dictionnaire Bailey, *karphos* signifie « tout corps sec provenant d'une écorce ou de rognure ».

VI. LE MAÎTRE EST LÀ ET IL T'APPELLE

1. Mt 8, 19 ; Mc 4, 38 ; Lc 7, 40 ; Jn 1, 40.

2. Raymond E. Brown, *The Gospel according to John*, The Anchor Bible, p. 74.

3. G. Gander, *L'Évangile de l'Église*, p. 47.

4. *Ibid.* p. 47.

5. T.W. Manson *The Sayings of Jesus*, Cambridge University Press, 1949, p. 260.

6. *Psaume* LI, trad. André Chouraqui.

7. Cette réponse de Jésus est une pierre d'achoppement pour les exégètes. Cf. Bible de Jérusalem, note *c* ; The Anchor Bible, p. 346-347, note 25.

8. J. Jeremias, *Les Paroles inconnues de Jésus*, Cerf, 1970, p. 66-67.

9. C.H. Dodd, *Les Paraboles du Royaume de Dieu*, Seuil, 1977, p. 156-157.

10. M. Balmary, *La Divine Origine*, Grasset, 1993, p. 300.

11. Le symbolisme de la croix est particulièrement riche et profond. Le bois de la croix peut représenter la matière à partir de laquelle l'individu est cloué, c'est-à-dire identifié. Les Cinq Plaies symbolisent les cinq sens

par lesquels cette identification prend place (cf. A. Watts, *Myth and Ritual in Christianity*, Thames and Hudson, 1983, pp. 161-162). Mais la souffrance qui en résulte peut être transcendée par ce que M.-M. Davy a appelé un « écartèlement cosmique ». La Passion est en effet le symbole par excellence du dépassement de la souffrance par l'acceptation totale ou encore par l'abandon de la volonté propre. Cela correspond à une expérience proprement spirituelle où le moi limité a disparu pour laisser la place à une vulnérabilité délibérée, une aptitude à accueillir et embrasser ce qui se présente d'instant en instant. « "Entendre" et "recevoir" pleinement la prédication de la Croix dépasse de beaucoup le simple assentiment à la proposition dogmatique selon laquelle le Christ est mort pour nos péchés, commente Thomas Merton. Cela signifie "être cloué sur la Croix avec le Christ" de telle sorte que l'ego n'est plus le principe de nos actions les plus profondes, qui désormais procèdent du Christ qui vit en nous. » (*Zen, Tao et Nirvâna*, Fayard, 1970, p. 78.)

La représentation de la croix en trois dimensions oriente les quatre branches dans quatre directions de l'espace, plus la verticale vers le haut et le bas, soit six directions. Clément d'Alexandrie décrit la croix tridimensionnelle comme représentant les six jours de la création. Le point d'intersection d'où émanent les six branches ou six rayons est le septième, central ; Dieu lui-même.

12. Mt 4, 20, note *w*.

13. Mt 10, 38 : *kai os* (et celui qui) *ou lambanei* (ne prend pas) *ton stauron autou* (la croix sienne = sa croix) *kai* (et) *ako louthei* (suit) *opiso mou* (derrière moi), *ouk estin* (n'est pas) *mou axios* (de moi digne). On trouve également en Mt 16, 24 et Mc 8, 34 *opiso* qui signifie « derrière », « ensuite ». En hébreu et en araméen, le verbe « suivre » n'existe pas et est remplacé par « aller après » (cf. Paul Joüon, *L'Évangile de Notre-Seigneur Jésus Christ*, pp. 66-67).

14. W. Kelber, *Tradition orale et écriture*, Lectio Divina 145, Cerf, 1991, pp. 48 et 49.

15. C. H. Dodd, *Le Fondateur du christianisme*, p. 85.

16. Dans son *Initiation à l'Évangile* (Seuil, 1973), le père A.-M. Roquet a écrit : « On peut remarquer que Jésus (à travers le texte de Jean) emploie, dans le quatrième Évangile, une méthode d'enseignement très particulière, une sorte de maïeutique comparable à celle de Socrate. Il profère une affirmation mystérieuse que son auditeur – disciple souvent borné ou adversaire malveillant – comprend dans son sens le plus banal, le plus matériel ; et Jésus réplique en ouvrant l'esprit de l'interlocuteur au véritable mystère ». Cité par Francis Ducluzeau dans *L'Initiateur. Une lecture initiatique de l'Évangile de Jean*, éd. du Rocher, 1994, pp. 36-37.

17. R. Godel, *Socrate et le Sage indien. Cheminements vers la sagesse*, Les Belles Lettres, 1976, p. 63.

18. Les textes sacrés de l'Inde admettent l'idée d'une dégradation progressive des Enseignements spirituels jusqu'à ce qu'un nouvel élan puisse être donné sous l'impulsion d'un grand instructeur. Le Bouddha avait lui-même prédit un affaiblissement de son propre enseignement après cinq cents ans. La mystique juive rapporte une anecdote qui illustre de façon significative ce phénomène : « Quand le Baal-Chem avait une tâche difficile devant lui, il allait à une certaine place dans les bois, allumait un feu et méditait en prière, et ce qu'il avait décidé d'accomplir fut fait. Quand, une génération plus tard, le Maguid de Mezeritz se trouva en face de la même tâche, il alla à la même place dans le bois et dit : « Nous ne pouvons plus allumer le feu, mais nous pouvons encore dire des prière » – et ce qu'il désirait faire devint la réalité. De nouveau, une génération plus tard, Rabbi Moché Leib de Sassov eut à accomplir cette même tâche. Et lui aussi alla dans le bois et dit : « Nous ne pouvons plus allumer un feu et nous ne connaissons plus les méditations secrètes qui appartiennent à la prière, mais nous savons la place dans le bois où cela s'est passé, ce doit être suffisant. » Et ce fut suffisant. Mais quand une autre génération fut passée et que Rabbi Israël de Richine, invité à accomplir la même tâche, s'assit sur son fauteuil doré dans son château, il dit : « Nous ne pouvons plus allumer le feu, nous ne pouvons plus dire les prières, nous ne savons plus la place, mais nous pouvons raconter l'histoire comment cela s'est fait... » (Gershom Scholem, *Les Grands Courants de la mystique juive*, cité par Arnold Mandel dans *La Voie du hassidisme*, Calmann-Lévy, 1963, pp. 274-275).

19. Nisargadatta Maharaj, *Sois !*, Les Deux Océans, 1983, p. 17.

20. Mt 7, 24 ; 24, 45 ; 25, 2, 4, 8 et 9 ; Lc 12 ; 42.

21. B. Gillièron, *Dictionnaire biblique*, éditions du Moulin, 1985, p. 197.

22. Lanza del Vasto, *Commentaire de l'Évangile*, p. 219.

23. M. Nicoll, *The Mark*, p. 160. Nous reprenons ici les grands traits de son explication, mais pour plus de détails voir p. 156 à 166.

24. « Si Luc emploie le mot araméen, c'est sans doute que les gens de langue grecque à qui il s'adresse pouvaient le comprendre, et donc étaient plus ou moins en contact avec des gens de langue araméenne. » (Paul Joüon, *L'Évangile de Notre-Seigneur Jésus-Christ*, p. 402, note 9.)

25. Trad. sœur Jeanne d'Arc.

26. M. Nicoll, *op. cit.*, p. 159.

27. *Ibid.*, p.161.

28. Voir C. Tresmontant, *Le Christ hébreu*, Albin Michel, 1983, pp. 86-87.

29. Dennis J. Ireland, *Stewardship and the Kingdom of God. An Historical, Exegetical, and Contextual Study of the Parabole of the Unjust Steward in Luke 16 : 1-13*, E.J. Brill, 1992, pp. 103-105.

30. Pierre Grelot, « L'Arrière-plan araméen du "Pater" », *Revue biblique*, t. 91, 1984, pp. 531-556.

31. *Shir ha-Shirim Rabba*, 5, 2.

32. Cf. sœur Jeanne d'Arc, Mt 19, 24, note 24b et George M. Lamsa, *Gospel Light*, Harper, 1964, p. 117-118. Pierre Perrier *(Karozoutha. De la Bonne Nouvelle en araméen et Évangiles gréco-latins*, Médiaspaul, 1986, p. 267) précise sur le même thème : « Suivant le contexte, les Araméens désigneront sous ce nom soit le chameau soit la corde, soit la corde en situation de tirer un bateau ou une série de barques, d'où les deux sens précis occidentaux de "chameau" et de "bout" – "câble de bateau" que le grec distingue respectivement en *camélos* et *camèlos* ; l'araméen est *gamla* sans vocalisation entre le m et l. Ces mots ont donné "camelot" en français, mot qui ne retient que le sens de caravane de marchandise. »

33. John Davidson, *The Gospel of Jesus. In Search of His Original Teachings*, Element, 1992, p. 745.

34. En ancien français, *filoche* signifie « corde ».

35. Athanase, *Vie d'Antoine*, P.G. 26, 844.

36. Grégoire de Nazianze, *Sur saint Basile*, Disc. 43, 77 ; P.G. 36, 600.

37. Pour nous limiter, nous n'évoquons pas les témoignages rapportés dans les traditions de l'Orient bien qu'il y ait à cet égard une similitude frappante, tant par la richesse que par la profondeur. Ernest Renan lui-même reconnaît dans sa *Vie de Jésus* (éd. Nelson, p. 116) : « Il est vrai qu'on trouve dans les livres bouddhistes des paraboles exactement du même ton et de la même facture que les paraboles évangéliques. »

38. IIe Livre des *Dialogues*, trad. Dom J. Mallet. Abbaye de Saint-Maurice de Clervaux, 1979, p. 29.

39. Porphyre, *Lettre à Marcella*, 120, trad. E. Des Places, Les Belles Lettres, 1982. Cité par Jean-Luc Solère dans « Philosophie et amour de la sagesse : entre les anciens et nous, l'Inde », *Inde-Europe*, N. Blandin, 1993, p. 189, note 47.

40. Cité par Thich Nhat Hanh dans *Bouddha vivant, Christ vivant*, JC Lattès, 1996, p. 163.

41. Daniel Roumanoff, *Svâmi Prajnânpad*, t. 2, La Table Ronde, 1990, p. 80.

42. *Ibid.*, p. 79.

43. *Ibid.*, p. 79.

44. Voir J. Jeremias, *Les Paroles inconnues de Jésus*, « Lectio Divina » n° 62, Cerf, 1970, p. 104-109.

45. *Svâmi Prajnânpad*, t. 2, p. 83.

46. Ignace Briantchaninov, *Introduction à la tradition ascétique de l'Église d'Orient. Les Miettes du festin*, éd. Présence, 1978, p. 158-159.

47. Archimandrite Sophrony, *Staretz Silouane, moine du Mont-Athos. Vie-Doctrine-Écrits*, éd. Présence, 1973, p. 40-41.

48. T. Merton, *Zen and the Birds of Appetite*, New Direction, 1968, p. 38.

49. Le nom de Bethléem est apparenté au terme hébreu *Beth-el* qui veut dire « maison de Dieu ». Cela signifie, dira Guillaume de Saint-Thierry en commentant un texte du *Cantique des Cantiques* d'après la Vulgate, la maison des « veilles », de la vigilance (M.-M. Davy, *Initiation à la symbolique romane*, Flammarion, 1964, p. 196).

Le grand sage contemporain Ramana Maharshi reconnaissait que « toutes les voies spirituelles ont pour seul but de déshypnotiser l'individu » (cité par M. Burgi-Kyriazi dans *Ramana Maharshi et l'Expérience de l'Être*, Maisonneuve, 1975, p. 163) et c'est aussi le rôle que s'attribuait Socrate : « Mais peut-être, impatientés comme des gens assoupis qu'on réveille, me donnerez-vous une tape, et [...] me tuerez-vous sans plus de réflexion ; après quoi vous pourrez passer le reste de votre vie à dormir » (*Apologie de Socrate*, 30d-31d).

50. C.H. Dodd, *Les Paraboles du Royaume de Dieu*, p. 130-131.

51. *Ibid.*, p. 138-139.

52. J. Jeremias, *Les Paraboles de Jésus*, p. 90.

53. Matthew Black, *An Aramaic Approch to the Gospels and Acts*, p. 191 ; Charles Cutler Torrey, *Our Translated Gospels*, Harper, 1936, p. 155.

54. *Svâmi Prajnânpad*, t. 2, p. 78.

55. K. G. Dürckheim, *Chemin de vie*, Présentation de Jacques Castermane, La Table Ronde, 1997, p. 68.

56. G. Gander, *L'Évangile de Notre Seigneur Jésus-Christ*, p. 455.

57. Michel Fromaget (*L'Homme tridimensionnel. « Corps-Ame-Esprit »*, *Question de* n° 106, Albin Michel, 1996, p. 68) remarque qu'avec l'œil il y a « une multitude d'autres symboles désignant avec bonheur la troisième dimension de l'homme : la lumière, l'éveil, le soleil, le jour, le feu, l'étincelle, la chandelle, la lampe... » Et il rappelle par exemple que « Diogène était un éveillé, mais aussi un éveilleur car, à la manière des gemmes irradiant la lumière qu'elles reçoivent, ses gestes rayonnaient la lumière spirituelle. Ils la transmettaient sous forme d'enseignements. Le geste symbolique de Diogène élevant sa lanterne devant le visage de chaque individu rencontré nous le montre simplement, qui dit que pour reconnaître l'esprit, l'éclairage du jour dans lequel vivent les hommes ordinaires – les hommes "Corps et Âmes" – ne suffit pas. Encore faut-il la lumière de l'esprit ».

On peut situer dans la même ligne les propos rapportés en Luc 11, 36 : « Si donc ton corps tout entier est lumineux, sans aucune partie ténébreuse, il sera lumineux tout entier, comme lorsque la lampe t'illumine de son éclat », ou encore, en Proverbes 20, 27 : « C'est une lampe de l'Éternel que l'esprit de l'homme. »

58. D'après la *Peshitta* et le *Sinaïtique* – premier manuscrit d'ensemble syriaque ou araméen des Évangiles à ne pas confondre avec le *Sinaïticus*.

59. G. Gander, *op. cit.*, p. 455.

60. K. G. Dürckheim affirme avec humour que « si on ne travaille pas sur notre ombre, c'est notre ombre qui nous travaille ! »

61. Dans la *Bhagavad-Gîtâ*, l'enseignement spirituel de Krishna a lieu sur un champ de bataille ; pour le Bouddha, le Victorieux est celui qui s'est vaincu lui-même et, pour Mohammed, la grande Guerre Sainte est un combat intérieur.

62. Cf. Maurice Nicoll, *The New Man*, p. 61.

63. Un des grands maîtres tibétain, Dudjom Rimpoché, établissait aussi une comparaison entre les pensées et les oiseaux. Ces derniers peuvent traverser le ciel sans qu'il en soit affecté. De même, les pensées positives ou négatives – le colibri ou le charognard – peuvent traverser le ciel de la Conscience sans que celle-ci soit affectée. Mais il ne faut pas s'attacher à l'une et rejeter l'autre afin de ne pas retomber dans le monde des dualités.

64. J. Needleman, *À la Recherche du christianisme perdu*, p. 150.

65. *Ibid.*, p. 153.

66. Grégoire de Nysse, *Les Béatitudes*, VI, P.G. 44, 1265 a-b.

67. G. Gander, *L'Évangile de l'Église*, p. 224, note 29.

68. N. Douglas-Klotz, *Desert Wisdom*, pp. 12-13.

69. M. Fromaget, *Corps Ame Esprit. Introduction à l'anthropologie ternaire*, *Question de* n° 87, Albin Michel, 1991.

70. *Ibid.*, p. 159.

71. Cf. *ibid.*, p. 158-163. En deux endroits, Luc (2, 40 et 52) semble présenter cet aspect ternaire lorsqu'il évoque, à propos de Jésus, qu'il grandissait en taille (le corps), en sagesse (l'âme) et en grâce (l'esprit).

72. *Un Juif nommé Jésus*, p. 51.

73. *Un Pacte neuf*, Brepols, 1984, p. 24, note 3.

74. *Synopse des quatre Évangiles*, t. 2, p. 130.

75. *Ibid.*, p. 129.

76. A. Chouraqui, *op. cit.*, p. 24, note 5, 1.

77. N. Douglas-Klotz, *Hidden Gospel. Decoding the Spiritual Message of the Arameic Jesus*, p. 48.

78. *Ibid.*, p. 196.

79. Le terme araméen définissant l'énergie universelle renvoie, dans un tout autre contexte culturel – celui du Japon et des arts martiaux –, à la notion de *ki*, l'énergie qui anime les êtres et l'univers entier. En relation avec cette interprétation de la troisième Béatitude, il est intéressant de noter qu'en Aïkido (la Voie du *ki*), c'est également par une attitude de non-résistance, de soumission, que le pratiquant est amené à laisser le *ki* opérer à travers lui. Pour une étude plus approfondie de l'Aïkido en tant que voie spirituelle, on peut consulter : *L'Essence de l'Aikido. L'Enseignement spirituel du fondateur de l'Aikido, Morihei Ueshiba*, réuni et commenté par John Stevens, éditions Budo, 1998 ; *Training with the Master, Lessons with Morihei*

Ueshiba, Founder of Aikido, John Stevens and Walther V. Krenner, Shambala, 1999.

80. C.H. Dodd, *Les Paraboles du Royaume de Dieu*, p. 113.

81. Grégoire de Nysse, *Les Béatitudes*, trad. J.-Y. Guillaumin et G. Parent, DDB, 1979, pp. 44-45.

82. T. Merton, *Vie et Sainteté*, Seuil, 1966, p. 31.

83. Maître Eckhart, *Les Traités*, trad. J. Ancelet-Hustache, Seuil, 1971, p. 166.

84. *Ibid.*, p. 167.

85. *The Journal of Transpersonal Psychology*, vol. 15, n° 1, 1983.

86. A. Watts, *Le Livre de la Sagesse*, Denoël-Gonthier, 1974, p. 131.

87. J.-Yves Leloup interprète en ce sens le début du logion 55 de Thomas : « Jésus disait : Celui qui ne se libère pas de son père et de sa mère ne pourra devenir mon disciple. Celui qui ne se libère pas de ses frères et de ses sœurs... » (*L'Évangile de Thomas*, Albin Michel, 1986, p. 157).

88. M. Fromaget, *L'Homme tridimensionnel, « Corps, Âme, Esprit »*, p. 132.

89. Jean Onimus, *Chemins de l'espérance*, Albin Michel, 1996, pp. 194 195.

90. M. Fromaget, *op. cit.*, p. 131.

91. Jean 21, 17 ; note *c*.

92. R. E. Brown, *The Gospel according to John*, vol. 29 A, The Anchor Bible, Doubleday, 1870, p. 1102

93. *Ibid.*, p. 1103.

94. *Synopse des quatre Évangiles en français*, t. III, *L'Évangile de Jean*, Cerf, 1977.

95. H. Le Saux, *Journal*, 17 août 1959.

96. *Gospel Light*, p. 367.

97. *Synopse*, p. 103.

98. C.C. Torrey, *Our Translated Gospels*, Harper, 1936, p. 8.

99. G. Dalman, *The Words of Jesus*, p. 65.

100. Voir C. C. Torrey, *op. cit.*, p. 39.

101. M. Black, *An Aramaic Approch to the Gospels and Acts*, p. 175.

VII. VENEZ ET VOYEZ

1. Thich Nhat Hahn, *Bouddha vivant, Christ vivant*, p. 166.

2. *Synopse*, t. II, p. 302.

3. *Hidden Gospel. Decoding the Spiritual Message of the Aramaic Jesus*, p. 87.

4. Henri Guillemin, *L'Affaire Jésus*, Seuil, 1982, p. 98.

5. Bernard Dubourg, *L'Invention de Jésus*, t. 1, *L'Hébreu du Nouveau Testament*, Gallimard, 1987, p. 156.

6 *Jésus sans l'Église*, Calmann-Lévy, 2000, p. 20-21.

7. *The Gospel according to Luc*, The Anchor Bible, Doubleday, 1985, pp. 1160-1161.

8. *Hidden Gospel. Decoding the Spiritual Message of the Arameic Jesus*, pp. 19 et 194.

9. *Ibid.*, p. 70.

10. H. Le Saux, *Éveil à soi, éveil à Dieu*, O.E.I.L. 1986, p. 88.

11. Luc 17, 21, note *j*, p. 254.

12. Ch. Perrot, *Jésus et l'Histoire*, Desclée de Brouwer, 1979, p. 230.

13. *Berakoth* 40a ; *Sanhedrin* 70b.

14. J. Jeremias, *Paroles de Jésus*, Cerf, 1991, p. 79 ; *Abba, Jésus et son Père*, Seuil, 1972, pp. 64-70 ; James D.G. Dunn, *Jesus and the Spirit*, SCM Press, 1975, p. 23.

15. *Jesus and the Spirit*, p. 22.

16. M. Eckhart, *Sermon 6*, trad. J. Ancelet-Hustache, Seuil, 1974, p. 86.

17. Grégoire de Nysse, *De instituo christiano*, Jaeger, VIII, 1, 1952, p. 79.

18. X. Léon-Dufour, *Dictionnaire du Nouveau Testament*, Introduction, Seuil, 1975, p. 82.

19. Cf. *Bible chrétienne*, II, commentaires par mère Élisabeth de Solms, Dom Claude Jean Nesmy et Mère Cécile Miville-Dechêne, éd. Anne Sigier, 1990, p. 763.

20. Matthew Fox, *Le Christ cosmique*, Albin Michel, 1995, p. 13.

21. A. Desjardins, *En relisant les Évangiles*, p. 73.

22. J. Jeremias atteste de son authenticité en se fondant sur diverses études du texte araméen qui est à la base du texte grec. *Les Paroles inconnues de Jésus*, Cerf, 1970, p. 72.

23. Les exégètes s'accordent à reconnaître que les réticences ou les silences de Jésus correspondent certainement à son attitude réelle. Il n'est pas vraisemblable qu'à la question du Grand Prêtre lui demandant s'il est le Christ, Jésus réponde « Je le suis » (Mc 14, 61-62). C'est le seul endroit dans les Évangiles où est rapporté une réponse franchement positive ; elle contredit Marc 8, 33 concernant la confession de Pierre. De plus, les réponses de Jésus varient selon les textes et signifient : « Tu dis que je le suis », « C'est toi qui dis » ou « Ce sont tes mots » (Mt 26, 63). Lorsque Pilate demande à Jésus s'il est le roi des Juifs, ses silences sont aussi évocateurs. Lorsque Jésus ajoute : « Tu le dis » (Mt 27, 11 ; Mc 15, 2 ; Lc 23, 3), il n'entérine pas cette qualification. En Luc 22, 70, cette même réponse s'applique à une autre question : « Toi, donc, tu es fils de Dieu ? » Il leur dit : « Vous, vous dites que moi, je suis » (trad. sœur Jeanne d'Arc). Cf. A. Chouraqui : « Vous dites que moi, je le suis ». C. Tresmontant · « C'est vous qui l'avez dit que c'est moi », alors que la TOB traduit en retenant un tout autre sens · « Vous mêmes, vous dites que je le suis », et la Bible de Jérusalem : « Vous le dites : je le suis ».

24. Cf. P. Joüon, *L'Évangile de notre-Seigneur Jésus-Christ*, appendice A, « Le Fils de l'homme », p. 604.

25. G. Vermes, *Jésus le Juif. Les Documents évangéliques à l'épreuve d'un historien*, Desclée de Brouwer, 1978, p. 242. Cf. G. Vermes, *Jesus and the World of Judaism*, SCM, 1983, pp. 189-199.

26. Barnabas Lindars, *Jesus Son of Man. A Fresh Examination of the Son of Man Sayings in the Gospels in the Light of Recent Research*, SPCK, 1983, pp. 26-27.

27. P. Joüon, *op. cit.*, p. 601.

28. En 6, 22 (cf. Mt 5, 11) ; 9, 22 (cf. Mt 16, 21) ; 12, 8 (cf. Mt 10, 32) ; 12, 40 (cf. Thomas 21) ; 19, 10 (introduit dans une allusion à Ézéchiel 34, 16) ; 22, 48 (ajouté à Mc 16, 7). Cf. Joseph A. Fitzmyer, *The Gospel according to Luke*, The Anchor Bible, Doubleday , p. 210.

29. N. Douglas-Klotz, *Prayers of the Cosmos. Meditation on the Aramaic Words of Jesus*, p. 27 ; *Desert Wisdom. Sacred Middle Eastern Writings from the Goddess through the Sufis*, p. 118.

30. Pour une étude détaillée des sémitismes propres à cette parole, voir J. Jeremias sur Marc 14, 22 dans *Eucharistic Words of Jesus*, SCM Press, 1966, pp. 173-177.

31. Jean Carmignac, *À l'écoute du Notre-Père*, éd. de Paris, 1975, p. 46.

32. *Sanh.* 70 b.

33. La version de saint Luc (11, 3) est traduite par « pain quotidien ». Henri Bourgoin introduit au sujet de *epiousios* la notion de « préfixe vide », mais cela ne change rien quant au fond car il s'agit toujours du *pain de vie*, du *pain substantiel*, c'est-à-dire du pain pour la vie éternelle. Matthieu est rendu par « notre pain, le pain essentiel, donne-le nous aujourd'hui », et Luc par « notre pain, le pain essentiel, donne-le nous chaque jour » (*Biblica* 60, 1979, pp. 91-96).

34. Origène, *De Oratione*, 27.

35. Pierre Grelot montre l'impossibilité d'une telle traduction dans « La quatrième demande du "Pater" et son arrière-plan sémitique », *New Testament Studies*, vol. 25, 1978-79, pp. 293-314.

36. W. F. Albright et C.S. Mann, *Matthew*, The Anchor Bible, Doubleday, 1971, p. 76.

37. G. Gander, *L'Évangile de l'Église*, p. 32, note 8.

38. P. Joüon, *op. cit.*, p. 35, note 11.

39. M. Black, *An Aramaic Approch to the Gospels and Acts*, pp. 149-153.

40. A. Watts, *Myth and Ritual in Christianity*, p. 147.

41. Certains maîtres ont pu l'exprimer de manière frappante, par exemple Chandra Swâmi : « Pour l'homme ordinaire le monde est un champ de bataille, pour le chercheur c'est une école et pour l'homme éveillé, c'est un jardin de jeu », ou encore Swâmi Prajnânpad, alors qu'il

mangeait du *channa*, du fromage blanc avec une cuillère : « Swâmiji mange Swâmiji à l'aide de Swâmiji » (Daniel Roumanoff, *Swâmi Prajnânpad*, t. III, La Table Ronde, 1991, p. 247.).

42. Bernard Dubourg, *L'Invention de Jésus*, t. 1, *L'Hébreu du Nouveau Testament*, Gallimard, 1987, p. 141.

43. J. Biès, *Lettre recommandée aux professeurs malades de l'enseignement*, éditions du Rocher, 1994, p. 190.

44. *Synopse*, Cerf, p. 395.

45. William Klasser, *Judas. Betrayer or Friend of Jesus ?* Fortress Press, 1996. On peut aussi consulter, au sujet de la réhabilitation de Judas : Émile Gillabert, *Judas, traître ou initié*, Dervy-Livres, 1989 ; Hyam Maccoby, *Judas Iscariot and the Myth of Jewish Evil*, The Free Press, 1992 ; Maurice Nicoll, *The New Man*, Shambhala, 1981, pp. 147-151 ; Uta Ranke Heinemann, *Putting Away Childish Things*, Harper, 1992 pp. 122-129 ; John Shelby Spong, *Liberating the Gospels*, Harper, 1996, pp. 257-276.

46. A. Desjardins, *op. cit.*, La Table Ronde, 1990, pp. 78-79.

47. Maurice Nicoll, *The New Man, An Interpretation of some parables and miracles of Christ*, 1981, pp. 28-37.

48. P. Benoit et M.-E. Boisnard, *Synopse des quatre Évangiles en français*, t. II, Cerf, 1972, pp. 243-244.

49. Exode 17, 6 : « [...] tu frapperas le rocher, et il sortira de l'eau, et le peuple boira. » Cf. Psaume CXIV, 8 : « Qui métamorphose le roc en nappes d'eaux, le silex en sources d'ondes ! »

50. H. Le Saux, *Journal*, 13 février 1965, p. 338.

51. *Bible chrétienne*, II, Commentaires, éd. Anne Sigier, 1990, p. 368.

52. Maître Eckhart, *Les Traités*, Seuil, 1971, p. 48.

53. C. H. Roberts considère que *entos humôn* doit être compris comme signifiant « à notre portée », « en notre pouvoir ». *The Harvard Theological Review*, XlI, 1 janvier 1948.

VIII. LA VÉRITÉ VOUS LIBÉRERA

1. George M. Lamsa, *Gospel Light*, Harper, 1964, p. 123.

2. Épître aux Hébreux, 11, 1 ; note *a*.

3. Cet aspect de pouvoir, surprenant au premier abord, est abordé par Arnaud Desjardins dans *En relisant les Évangiles*, p. 138-142, et par Maurice Nicoll dans *The New Man*, pp. 104-123.

4. Père Saint-Jure, *La Divine Providence*, éd. Saint-Paul, 1978, p. 82.

5. Maurice Nicoll, *The New Man*, p. 105.

6. A. Desjardins, *En relisant les Évangiles*, p. 142 ; cf. *The New Man*, pp. 111-112.

7. G. Gander, *L'Évangile de l'Église*, pp. 247-248.

8. En hébreu ou en araméen, il est question « des cieux », au pluriel car il y a plusieurs demeures dans la maison du Père, selon le niveau de compréhension et la qualité d'être.

9. Marcus J. Borg, *Meeting Jesus again for the first Time. The Historical Jesus & The Heart of Contemporary Faith*, Harper, 1995, p. 69. Xavier Léon-Dufour : « Jésus est un sage, un maître de sagesse : proverbes, paraboles, règles de vie étonnent ses contemporains », *Dictionnaire du Nouveau Testament*, p. 478. Cf. *Sagesse biblique de l'Ancien et du Nouveau Testament*, Lectio Divina 160, Cerf, 1995.

10. A. Watts, *Myth and Ritual in Chritianity*, p. 181. À noter qu'en anglais *habit* signifie « habitude ».

11. X. Léon-Dufour, *Dictionnaire du Nouveau Testament*, p. 351.

12. Thich Nhat Hanh, *Bouddha vivant, Christ vivant*, JC Lattès, 1996, p. 89. Cf. aussi : « Comprendre quelqu'un nous donne le pouvoir de l'aimer ».

13. Michel Fromaget, *Corps, âme, Esprit*, p. 128.

14. Élaine Pagels, *Les Évangiles secrets*, Gallimard, 1982, p. 73.

15. Cité par J. Needleman dans *À La Recherche du christianisme perdu*, p. 209. Jean-Yves Leloup (*L'Évangile de Thomas*, Albin Michel, 1986, p. 229) précise de la même façon : « Si on se souvient de la distinction qu'il faut garder entre gnose et gnosticisme, celui-ci n'étant qu'un phénomène historique des premiers siècles du christianisme, alors que la gnose est une attitude du cœur et de l'intelligence orientée vers l'appréhension au-delà de tous les modes de la Divine Présence, quelle que que soit l'époque dans laquelle cette attitude de connaissance se manifeste. »

16. Lorsque Jésus dit : « Nul ne vient au Père que par moi » (Jn 14, 6), il se situe dans une perspective impersonnelle et il appelle à une dimension transcendante. L'interprétation littérale d'une telle proposition aboutit à un double danger. Elle renforce d'une part l'attachement à Jésus en tant que personne, enfermant de la sorte dans une fascination limitatrice qui interdit tout dépassement de la forme. D'autre part, elle pousse à considérer que Jésus est *le* Fils unique de Dieu plutôt que Fils unique de Dieu (sans article). Tout homme peut proclamer, de même que Jésus : « Je suis Fils de Dieu ! » (Jn 10, 36) parce qu'il est unique et établi de plein droit dans la filiation divine. Un psaume le rappelle en ces termes : « L'Éternel m'a dit : Tu es mon fils ! Je t'ai engendré aujourd'hui » (Ps II, 7). Cf. Lc 3, 22.

17. A. Comte-Sponville, *Impromptus*, PUF, 1996, p. 183.

18. *Synopse*, p. 131.

19. F. Zimmermann, *The Aramaic Origin of the Four Gospels*, Ktav Publishing House, 1979, p. 70.

20. Voir à ce sujet Maurice Nicoll, *The New Man*, pp. 73-74.

21. L'incompréhension et l'ignorance des disciples sont souvent mentionnées dans l'Évangile de Marc (à la différence de Matthieu et de Luc qui

corrigent ou omettent ces précisions). On peut encore relever : « Et ils étaient intérieurement au comble de la stupeur, car ils n'avaient pas compris le miracle des pains, mais leur esprit était bouché » (Mc 6, 51-52) ; « Ils gardèrent la recommandation, tout en se demandant entre eux ce que signifiait "ressusciter d'entre les morts" » (9, 10) ; « Mais ils ne comprenaient pas cette parole et ils craignaient de l'interroger » (9, 32) ; « Jésus leur dit : "Vous ne savez pas ce que vous demandez" » (10, 38).

IX. ÉCOUTEZ ET COMPRENEZ !

1. P.G. 44. 377.

2. Un texte célèbre de la *Bhagavad Gîtâ* énonce : « Parmi des milliers de mortels, un seul peut-être s'efforce d'atteindre à la perfection et, parmi ceux qui ainsi s'efforcent, un seul peut-être me connaît tel que je suis » (VII, 3). Le logion 23 de l'Évangile de Thomas lui ressemble étrangement : « Jésus a dit : Je vous choisirai un entre mille et deux entre dix mille et, debout, ils seront Un. » Et dans le *Tao te king* (LXX) :

Mes paroles si faciles à comprendre
Si faciles à mettre en pratique
Personne ne les comprend
Personne ne les pratique.

3. C. H. Dodd, *Les Paraboles du Royaume de Dieu*, pp. 156-157.

4. Bible de Jérusalem, Mt 13, 12 ; note *a*.

5. Cité par Robert Girod dans son Introduction à l'ouvrage d'Origène, *Commentaire sur l'Évangile selon Matthieu*, coll. « Sources chrétiennes » n° 162, Cerf, 1970, p. 84.

6. J. Scot, *Commentaire sur l'Évangile de Jean*, « Sources chrétiennes » n° 180. Introduction, texte critique, traduction, notes et index de Édouard Jeauneau, Cerf, 1972, p. 343.

7. *Ibid.*, p. 339 et 341.

8. *Bible chrétienne*, II, p. 281.

9. *Ibid.*, Introduction, XX.

10. F. Dreyfus, *Jésus savait-il qu'il était Dieu ?* Cerf-Bellarmin, 1984, p. 78.

11. J. H. Charlesworth, *The Beloved Disciple. Whose Witness Validates the Gospel of John ?* Trinity Press International, 1995.

12. T.W. Manson, *The Teaching of Jesus. Studies of its form and content*, University Press, 1955, p. 77. J. Jeremias, *Les Paraboles de Jésus*, Seuil, 1984, p. 22-26 ; C.C. Torrey, *Our Translated Gospels*, Harper, 1936, pp. 10-11 ; M. Black, *An Aramaic Approch to the Gospels and Acts*, Clarendon Press, 1954, pp. 153-158.

13. Saint Irénée, *Contre les hérésies*, IV, 29, 1, « Souces chrétiennes » n° 100, p. 767.

14. Lucien Cerfaux restitue le logion primitif de Matthieu de cette façon : « À vous, il a été donné de connaître les secrets du Royaume des Cieux, à d'autres, cela n'est pas donné. » Cf. « La connaissance des secrets du Royaume d'après Matthieu XIII, 11 et parallèles » dans *New Testament Studies*, 2, 1955-1956, pp. 238-249. Le logion 62 de l'Évangile de Thomas le rapporte autrement : « Jésus a dit : Je dis mes mystères à ceux qui sont dignes de mes mystères. »

15. Cette « dernière phrase, note le Dalaï-Lama en commentant Marc 4, 34, me rappelle une expression particulière au tibétain, *me ngag pe khyü*, qui signifie "ne transmettre l'essence la plus profonde des enseignements qu'à un petit groupe choisi". On est tenté d'interpréter ceci comme une réticence de l'interlocuteur à révéler le secret parce que d'autres vont le connaître. La tradition bouddhiste tibétaine distingue plusieurs approches de l'enseignement. L'une, le *tsog she*, est un enseignement exposé publiquement, dont la teneur est accessible et ouverte à tous. Il existe aussi le *lop she* qui signifie littéralement "enseignement aux disciples". Dans ce cas le commentaire sera plus sélectif, adressé à un petit nombre capable de vraiment comprendre la profondeur et la signification des messages » (*Le Dalaï-Lama parle de Jésus*, Brepols, 1996, pp. 75-76).

16. Saint Irénée, Basile de Césarée, Grégoire de Nysse, Denys l Aéropagite, Évagre le Pontique, Clément d'Alexandrie font allusion dans leurs œuvres à une tradition orale qui remonte à Jésus lui-même. Jean Daniélou, qui a été professeur d'Histoire des origines du christianisme à l'Institut catholique de Paris, écrit que « la conception d'enseignements mystérieux, donnés par le Christ aux Apôtres pour être transmis oralement à quelques individus choisis est courante à la fin du IIe siècle. [...] Il s'agit ici de l'itinéraire mystique. Or il est remarquable que cet itinéraire mystique, en relation avec les demeures successives et leurs anges, se retrouve chez le Pseudo-Denys comme un enseignement réservé rattaché à la tradition orale des Apôtres. C'est qu'en effet il s'agit de la révélation d'une expérience spirituelle qui ne peut être communiquée que de maître à disciple et dont l'écrit ne peut donner l'équivalent. Ainsi nous apparaît l'existence d'une succession des maîtres gnostiques ou maîtres spirituels, distincte de la succession des évêques, qui transmettent la foi des Apôtres, dépendent de celle-ci quant à la foi, mais qui continuent la tradition charismatique des temps apostoliques et des Apôtres. Cette succession a sa place et garde sa place » (cf. « Les Traditions secrètes des Apôtres », *Eranos Jahrbuch*, vol. XXXI, 1962, pp. 199-215).

17. Nisargadatta Maharaj, *Sois !*, Les Deux Océans, 1983, pp. 255-256.

18. Eusèbe de Césarée, *Histoire ecclésiastique*, Livre II, 1, 2.

19. Saint Jérôme, *De viris illustribus*, II. Cf. Maurice Goguel, *La Naissance du christianisme*, Payot, 1946, p. 131, note 1.

20. P.-A. Bernheim, *Jacques, frère de Jésus*, Noêsis, 1996, p. 17 et 19.

21. Jean Daniélou, *L'Église des premiers temps*, Seuil, 1985, p. 15 ; cité par P.-A. Bernheim, *ibid*. Cf. Ian Wilson, *Jesus : The Evidence*, Weidenfeld & Nicholson, 1996, p. 158.

22. Bède le Vénérable, *Homélie 8, sur l'Apôtre Jean*, P.L. 94, 46 ; cité dans *Bible chrétienne*, II, p. 631.

23. M.-E. Boismard et A. Lamouille, *Synopse des quatre Évangile*, t. III, *L'Évangile de Jean*, Cerf, 1977, p. 344.

24. J. H. Charlesworth, *op. cit.*. Voir en particulier le chap. 7 : « The Johannine School and the School of Thomas », pp. 369-389.

25. P. Benoit et M.-E. Boismard, *Synopse des quatre Évangiles*, t. II, p. 96.

26. *Ibid.*, t. I, Préface, 1965.

27. J. D. Crossan, *The Historical Jesus*, T. & T. Clarck, 1991, p. 428.

• Pour une datation ancienne et la démonstration d'une tradition indépendante des Évangiles canoniques, on peut consulter : Stephen J. Patterson, *The Gospel of Thomas and Jesus*, Polebridge Press, 1993 ; Stevan L. Davies, *The Gospel of Thomas and Christian Wisdom*, The Seabury Press, 1983 ; Helmut Koestler, *Ancient Christian Gospels. Their History and Development*, Trinity Press International, 1990 ; J. S. Kloppenborg, M.W. Meyer, S.J. Patterson, M. G. Steinhauser, *Q Thomas Reader*, Polebridge Press, 1990 ; John H. Sieber, « The Gospel of Thomas and the New Testament », dans *Gospel Origins & Christian Beginnings*, Polebridge Press, 1990.

• Pour une étude critique : John P. Meier, *A Marginal Jew. Rethinking the Historical Jesus*, vol. I, Doubleday, 1991, pp. 123-141.

• Sur les traditions anciennes des paroles de Jésus : Jean-Daniel Kaestli : « L'Évangile de Thomas. Que peuvent nous apprendre les paroles cachées de Jésus ? » dans *Le Mystère apocryphe. Introduction à une littérature méconnue*, sous la direction de J.-D. Kaestli et D. Marguerat, Labor et Fides, 1995, pp. 47-66 ; James M. Robinson et Helmut Koestler, *Trajectories through Early Christianity*, Fortress Press, 1971 ; Gilles Quispel, « The Gospel of Thomas and the New Testament », *Gnostic Studies*, II, Nederlands Historisch Archaeologish Instituut, 1975 ; W.H.C. Frend, « The Gospel of Thomas : Is Rehabilitation possible ? » dans *Journal of Theological Studies*, N.S., vol. XVIII, avril 1967, pp. 13-26 ; James M. Robinson, « Early Collections of Jesus Sayings », dans *Logia. Les Paroles de Jésus*, BETL, 1982, pp. 390-394 ; Helmut Koestler, « La tradition apostolique et les origines du gnosticisme », dans *Revue de Théologie et de Philosophie*, 119, 1987, pp. 1-16.

• Au sujet de la reconstitution d'une collection primitive de paroles de Jésus et de l'hypothèse du Document Q (de l'allemand *Quelle*, « Source ») : Arland D. Jacobson, *The First Gospel. An Introduction to Q*, Polebridge Press,

1992 ; Burton L. Mack, *The Lost Gospel. The Book of Q & Christian Origins*, Harper, 1993.

28. *Discours et Sermons de Houei-neng*, trad. Lucien Houlné, Albin Michel, 1963, pp. 35-54.

29. Père M.-J. Lagrange, *Études bibliques. Évangile selon saint Marc*, Gabalda, 1942, p. 98.

X. MAIS L'HEURE VIENT – ET C'EST MAINTENANT

1. S. Kierkegaard, *La Difficulté d'être chrétien*, Cerf, 1964, p. 222.

2. Pour une explication détaillée du passage de Genèse 9, 17-26, voir Maurice Nicoll, *The Mark*, p. 31-44.

3. Jean Carmignac, « Les Dangers de l'eschatologie », *New Testament Studies*, 17, 1970-1971, p. 388. Voir aussi, du même auteur : *Le Mirage de l'eschatologie. Royauté, Règne et* Royaume *de Dieu... sans eschatologie*, Letouzey et Ané, 1979 ; Marcus J. Borg, « A Temperate Case for a Noneschatological Jesus », *Society of Biblical Litterature*, Seminar Papers, 1986, pp. 521-535 ; « An Orthodoxy Reconsidered : The "End-of-the-World" Jesus », dans *The Glory of Christ in the New Testament, Studies in Christology*, Clarendon Press, 1987, pp. 207-217 ; « Portaits of Jesus in Contemporary North American Scholarship », *Harvard Theological Review*, 84, 1, 1991, pp. 1-22. Thomas Sheehan, *The First Coming. How the Kingdom of God became Christianity*, Dorset Press, 1990.

4. E. Gillabert, *Paroles de Jésus et Pensée orientale*, Metanoïa, 1974, pp. 45 46.

5. *Synopse*, p. 363.

6. Lc, 18, 2-8 = Mt 10, 32-33, Mc 8, 38 ; Lc 12, 39-40 = Mt 24, 43-44 ; Lc 17, 23-24, 37= Mt 24, 26-28.

7. Concernant l'attitude de Jésus, on peut consulter les remarquables ouvrages de Geza Vermes : *Jesus and the World of Judaism*, SCM Press, 1993, ch. 3 ; *The Gospel of Jesus the Jew. The Father and His Kingdom*, pp. 30-43 ; *The Religion of Jesus the Jew*, Fortress Press, 1993, pp. 191-194.

8. *The Five Gospels*. New Translation and Commentary by Robert W. Funk, Roy W. Hoover and The Jesus Seminar, Macmillan Publishing Company, 1993, p. 137.

9. H. Le Saux, *Éveil à soi, éveil à Dieu*, O.E.I.L., 1986, p. 89.

10. Alphonse Maillot, *Un Jésus*, P. Lethielleux, 1995, p. 59.

11. C. H. Dodd, *Le Fondateur du christianisme*, Seuil 1972, p. 64.

12. A. Comte-Sponsille, *Impromptus*, PUF, 1996, p. 184.

13. « Notes Philologiques sur les Évangiles », *Recherches de sciences religieuses*, t. XVII, n° 5, oct. 1927, p. 538. P. Joüon cite en support I Rois 7, 59 dont le sens est : « Que ces paroles suppliantes, que je viens d'adresser à

Jéhovah notre Dieu, soient *présentes* (*Qerôbîm*) à Jéhovah notre Dieu » ;
Ps CXIX, 169 : « Que ma prière *arrive* jusqu'à toi. » En Matthieu 3, 2, le
sens est bien plutôt « le royaume des cieux est arrivé » que « le royaume des
cieux est proche ». En Mt 12, 28, la même idée est exprimée ainsi : « le
royaume de Dieu est parvenu à vous ». La Peshitta traduit ce verbe par *quer-
bat*, qui a clairement ici le sens de « est arrivé ». Cf. M. Black, *An Aramaic
Approch to the Gospels and Acts*, pp. 261-262.

14. Le mot *idein* vient de la racine sanscrite *vid* qui correspond à la
vision, à la connaissance spirituelle et intérieure : *brahmavid* signifie la
vision du Soi ; *avidya*, au contraire, la non-vision, l'ignorance. C'est de cette
expérience dont parle la première Épître de Jean : « Nous lui serons semblables puisque nous le verrons tel qu'il est » (I Jn 3, 2).

15. De nombreux témoignages d'expériences spirituelles ont été rapportées par les mystiques de toutes les traditions. L'expérience vécue du
Royaume des Cieux ou la réalisation du Soi est une vision éblouissante et
transformante, une glorieuse transfiguration. La *Kena Upanishad* la décrit
ainsi : « Voici quel est son signalement : le cri ah ! qu'on pousse quand il a
éclairé des éclairs, ah ! l'œil cligne. Ainsi dans l'ordre du divin » (IV, 4).
Parmi de multiples exemples, il est suffisant de retenir ici ce qu'a écrit
Grégoire le Grand au sujet de saint Benoît : « [...] Alors que les disciples
dormaient encore, l'homme du Seigneur, Benoît, veillait déjà, prévenant
l'heure de la prière nocturne. Debout devant sa fenêtre, il priait le Seigneur
Tout-Puissant, quand soudain, à cette heure de la nuit, il vit fuser une
lumière qui chassait les ténèbres et brillait d'une telle splendeur que sa
clarté eût fait pâlir celle du jour. Tandis qu'il la regardait, quelque chose
d'extraordinaire se produisit : ainsi qu'il le racontait plus tard, le monde
entier se ramassa devant ses yeux comme en un seul rayon de soleil »
(Saint Grégoire le Grand, *Vita sancti Benedicti*, chap. XXXV, Migne, P.L.,
t. 66, col. 198).

Dans son article sur la mystique du Nouveau Testament, Serge Missat-
kine rappelle pour chacun que « le mystère n'est pas ici ou là, il se tient au-
dedans de l'homme. Chaque créature porte en elle-même le royaume, à
elle de le découvrir et d'y installer sa demeure. Aussi le combat pour le
règne messianique s'engage-t-il au niveau de chaque être » (*Encyclopédie des
mystiques*, dirigée par M.-M. Davy, Robert Laffont, 1972).

16. Évangile selon saint Marc, *Études bibliques*, Gabalda, 1942, p. 17.

17. X. Léon-Dufour, *Dictionnaire du Nouveau Testament*, p. 466.

18. Cité par Jean Biès, « Le Symbole de la Croix. Essai de métaphysique chrétienne », *Epignosis*, 18, 1987, pp. 59-60.

19. *Dhammapada*, II, 1.

20. H. Le Saux, *Journal*, 2 février 1973.

ANNEXE

1. A. Desjardins, *En relisant les Évangiles*, La Table Ronde, 1990, p. 164.

2. J. A. T. Robinson, *Twelve More New testament Studies*, SCM Press, 1984, pp. 91-92.

3. J. A. T. Robinson, *The Human Face of God*, The Westminster Press, 1973, p. 138. Voir Chπgyam Trungpa, *Né au Tibet*, Seuil, 1991, pp. 109-111.

4. Dzongsar Khyentsé Rimpoché, *The Snow Lion's Turquoise Mame. Wisdom Tales from Tibet*, Harper, 1992. Ce livre a été réalisé avec l'aide de Nyoshul Khenpo Rimpoché et du Vénérable Tulku Pema Wangyal. Il comporte un avant-propos de Dilgo Khyentsé Rimpoché et une introduction de S.S. le Dalaï-Lama.

5. J. Guitton, *Les Pouvoirs mystérieux de la foi*, Perrin, 1993, pp. 213, 215-216.

6. Sogyal Rimpoché, *Le Livre tibétain de la vie et de la mort* , Avant-propos de sa S.S. le Dalaï-Lama, La Table Ronde, 1993, pp. 228-229.

7. Namkhaï Norbu Rimpoché, *Dzogchen et Tantra. La Voie de la Lumière du bouddhisme tibétain*, Albin Michel, 1995, p. 190.

8. *Le Livre des morts tibétain*, trad. et com. Francesca Fremantle et Chögyam Trungpa, Le Courrier du livre, 1979, p. 78.

9. *The Life of Shakbar. The Autobiography of a Tibetan Yogin*, trad. Matthieu Ricard, Préface de S.S. le Dalaï-Lama, State University of New York Press, 1994, p. 36, note 24.

10. *Ibid.*, p. 153, note 36.

11. Kalou Rimpoché, *Le Dharma*, éd. Kunchab, 1986, p. 131.

12. *La Vie de Naropa*, trad. du tibétain par Marc Rosette, éd. Ewan, 1991, p. 167.

13. Dans les *Annales Bleues, Deb gter snon po*, de Go Lotsava Jhonou Pal (1392-1481) ; Exposition agréable aux Sages, *Mkhas pa'i dga ston*, du second Pawo Tulku (1504-1566) ; Rosaire du cristal Eau-Lune, du huitième Situ Tulku (1700-1774). *Renaissance tibétaine*, éd. Friant, 1982, p. 100.

14. Nik Douglas et Meryl White, *Karmapa, le lama à la coiffe noire du Tibet*, Arché, 1977, pp. 48-49. Ce livre comporte en en-tête un message de S.S. le XVIᵉ Gyalwa Karmapa.

15. *Ibid.*, p. 49, note 92.

16. *Ibid.*, p. 55.

17. N. Levine, *Blessing Power of the Buddhas. Sacred Objects, Secrets Lands*, Element, 1993, p. 113. Cf. p. 81.

18. *Ibid.*, p. 29.

19. *Renaissance tibétaine*, p. 101.

20. Shambala Publications, Boston.

Table

Table

"Pensées d'hier et d'aujourd'hui"

Éclairs d'éternité
Éric Edelmann

La quête de l'éternité, peu importe dans quelle tradition elle s'effectue, suscite toujours le même engagement, la même vigilance, les mêmes questionnements de la part de l'aspirant. Dans *Éclairs d'éternité*, Éric Edelmann propose une anthologie de contes, maximes et anecdotes de textes tant juifs, musulmans, chrétiens que bouddhistes. Il réunit pour les « chercheurs d'éternité » des penseurs antiques et contemporains, qui nous ouvrent enfin les portes de la méditation.

(Pocket n°12114)

Il y a toujours un Pocket à découvrir

"Comprendre nos différences"

Pour que refleurisse le monde
Irène Frain & Jetsun Pema

Deux femmes se rencontrent. L'une est écrivain en France, l'autre, sœur du Dalaï-Lama, s'occupe d'enfants réfugiés au Tibet. Deux mondes différents, et pourtant... Irène Frain et Jetsun Pema proposent à travers la confrontation de leurs témoignages une approche tout à fait nouvelle de la société d'aujourd'hui. Le regard de l'Orientale et celui de l'Occidentale se complètent et offrent une réflexion riche, pleine de sagesse, sur le monde et ses cultures.

(Pocket n°11809)

Il y a toujours un Pocket à découvrir

"Carnet de route"

Nomade de l'Éternel
Stan Rougier

Stan Rougier est prêtre. À pied ou en auto-stop, il a
sillonné les quatre coins de la planète. Dans *Nomade de
l'Éternel*, il nous entraîne avec lui dans cette marche à
travers le temps et les cultures : nous y découvrons des
êtres de tous les continents et de tous les milieux, depuis
les années 1950 jusqu'à nos jours. Parti à la rencontre
de l'autre, semblable ou différent, Stan Rougier nous
fait saisir la beauté et la simplicité de chacun, avec un
plaisir toujours renouvelé.

(Pocket n°11813)

Il y a toujours un Pocket à découvrir

"Retour aux origines"

Lumières au pays des neiges
Fabrice Midal

Dans cet ouvrage de référence, Fabrice Midal propose pour la première fois une anthologie des textes fondateurs du bouddhisme tibétain ainsi que des enseignements spirituels dispensés depuis le IXe siècle. Présentés sous forme d'extraits, ils abordent des thèmes aussi variés que la méditation, l'importance de la renonciation, la nécessité de reconnaître la réalité de la souffrance... Un recueil pour s'initier en douceur à cette philosophie fondée sur une sagesse millénaire.

(Pocket n°11552)

"Un autre regard sur la vie de Jésus"

Le cinquième Évangile
Bernard-Marie

Jésus, nous le connaissons essentiellement par les Évangiles et le catéchisme. Mais il y a d'autres sources d'informations, que les textes canoniques de l'Église n'ont pas retenues. Ce sont les variantes grecques ou syriaques des Évangiles, les textes rabbiniques du Talmud ou bien les textes de visionnaires chrétiens. Le frère Bernard-Marie, après de nombreuses années de recherches, en a tiré une série de nouvelles sur la vie de Jésus et nous donne ainsi accès à de nouveaux enseignements spirituels.

(Pocket n°10677)

"Quand deux messies se rencontrent"

Bouddha et Jésus sont des frères
Thich Nhat Hanh

Thich Nhat Hanh, vénérable maître bouddhiste vietnamien, aborde le christianisme avec des concepts bouddhistes et nous permet d'entrevoir à quel point les deux traditions se complètent et s'éclairent. Ce texte de sagesse met en lumière leur relation profonde et la convergence inattendue de concepts comme l'Esprit Saint ou la compassion. C'est une démonstration simple et vivante qui nous invite à approfondir l'enseignement originel de Jésus et de Bouddha.

(Pocket n°11555)

Il y a toujours un Pocket à découvrir

Achevé d'imprimer sur les presses de

BUSSIÈRE

GROUPE CPI

à Saint-Amand-Montrond (Cher)
en mars 2004

POCKET - 12, avenue d'Italie - 75627 Paris Cedex 13
Tél. : 01-44-16-05-00

— N° d'imp. : 41735. —
Dépôt légal : février 2003.

Imprimé en France